CULTURE POPULAIRE
ET
CULTURE DES ÉLITES
DANS LA FRANCE MODERNE
(XVe-XVIIIe siècle)

Essai

Robert MUCHEMBLED

CULTURE POPULAIRE
ET
CULTURE DES ÉLITES
DANS
LA FRANCE MODERNE
(XVe-XVIIIe siècle)

Essai

FLAMMARION

ISBN : 2-08-081252-1
© FLAMMARION, 1978.
Printed in France.

A RENAUD, MON FILS

PRÉFACE À LA DEUXIÈME ÉDITION

LE TEMPS DE L'HISTORIEN

L'historien écrit au présent · tel est du moins mon sentiment. *Culture populaire et culture des élites* porte en effet le souffle d'une actualité intellectuelle propre aux années de désenchantement qui suivirent les événements de mai 1968. Lentement composé et mis en forme jusqu'en mai 1976, l'ouvrage parut en 1978. Il se proposait de rendre vie à une vaincue de l'histoire : la culture des masses populaires.

Cette préface n'est pas une justification. Tout au plus vise-t-elle à donner quelques explications au lecteur, en permettant aussi à l'auteur de faire le point treize ans après la première édition.

L'histoire ne serait-elle jamais aussi féconde qu'aux déchirements du monde ? L'ébranlement de 1968, je le confesse, a durablement marqué ma méthode et orienté mes intérêts. Jeune intellectuel nourri de pensées contradictoires, j'avais déjà pu voir monter en puissance l'histoire des gens sans histoire. Dès 1966, Louis XIV cédait la place à vingt millions de Français sous l'une des meilleures plumes des modernistes de notre temps[1]. L'influence de Lucien Febvre, de Marc Bloch, de Fernand Braudel, de Robert Mandrou et de beaucoup d'autres façonnait mes enthousiasmes débutants, les orientant plutôt vers les mentalités collectives que vers l'économie ou la démographie. Sans doute me fallait-il plus de chair que n'en pouvaient offrir ces prestigieuses branches du savoir productrices de

1. Pierre Goubert, *Louis XIV et vingt millions de Français,* Paris, Fayard, 1966.

I

connaissances chiffrées à propos de masses qui demeuraient néanmoins trop anonymes ? Et puis, je me méfiais instinctivement des charges idéologiques parfois cachées sous la méthode, en particulier du marxisme auquel je n'adhérais pas.

Démêler les causes exactes du choix du thème n'est pourtant pas aisé. Y ont présidé un peu de hasard, beaucoup d'influences et aussi des choses intimes que l'on ne s'avoue pas toujours ni complètement à soi-même. La passion du XVIe siècle m'est venue en écoutant les admirables leçons d'Albert-Marie Schmidt, spécialiste de littérature, protestant convaincu et chroniqueur à *Réforme*[2]. A tel point que j'ai produit en 1966 (l'année de sa mort tragique) mon premier travail universitaire, resté inédit, sur *Images obsédantes et idées-forces dans le « Printemps » d'Agrippa d'Aubigné (1552-1630)*. Analysées selon la méthode de Gaston Bachelard sous l'aiguillon des judicieux conseils de Pierre Deyon, des poésies de jeunesse du grand auteur huguenot m'initièrent donc aux mentalités de la première modernité. Orphelin d'un maître, je me tournai ensuite vers un spécialiste de la Renaissance et de la Réforme, Jean Delumeau, pour lui proposer tout d'abord de diriger mes recherches sur les mythes obsessionnels dans le Nord de la France, puis pour limiter plus sagement mes ambitions à l'étude des mentalités nobiliaires en Artois dans la seconde moitié du XVIe siècle d'après un recueil de lettres de famille.

Jean Delumeau rédigeait alors un ouvrage sur *Le Catholicisme entre Luther et Voltaire,* tout en rassemblant des matériaux pour un livre sur *La Peur en Occident*[3]. Ses conférences à l'Ecole des Hautes Etudes furent pour moi très formatrices, si bien que plusieurs critiques ont pu relever entre nous des similitudes apparentes, fruits d'une filiation évidente[4]. Aucun d'entre eux n'a cependant jamais cherché à analyser plus profondément des différences pourtant très nettes. Incroyant, né et élevé dans le bassin minier du Pas-de-Calais précocement déchristianisé, je n'avais nullement les préoccupations religieuses de l'auteur du *Christianisme va-t-il mourir ?*[5], pas plus

2. Albert-Marie Schmidt, *Chroniques de « Réforme »*, Lausanne, Rencontre, 1970.
3. Jean Delumeau, *Le Catholicisme entre Luther et Voltaire,* Paris, P.U.F., 1971 ; *La Peur en Occident,* Paris, Fayard, 1978.
4. Stuart Clark, « French Historians and Early Modern Popular Culture », dans *Past and Present,* n° 100, août 1983, p. 62-99.
5. Jean Delumeau, *Le Christianisme va-t-il mourir ?*, Paris, Hachette, 1977.

que je ne partageais les convictions protestantes d'Albert-Marie Schmidt, ou les engagements politiques de Michel Foucault : je n'ai d'ailleurs jamais rencontré l'auteur de *Surveiller et punir*[6], dont d'avisés commentateurs ont pu noter la marque dans le présent ouvrage, d'autant que j'avais placé la seconde partie sous ses auspices par une citation quelque peu provocatrice.

L'historien écrit son présent. Ce présent désenchanté des années 1970 se confondait cependant avec un passé individuel et une aventure humaine collective. Car si j'ai choisi comme objet historique l'analyse de la culture populaire moderne, c'est en recherchant des racines, les miennes, celles de mes semblables, celles de cohortes d'humbles anonymes qui avaient vécu et peiné sur le sol artésien depuis des générations. Le monde difficile et sombre des cités minières possédait depuis longtemps une mémoire aiguë de son exploitation. Et sous la chape de plomb du Gaullisme, grondait là comme ailleurs, mais depuis plus longtemps et beaucoup plus profondément, un esprit d'insoumission, de « grand refus des humbles »[7], trempé au feu des catastrophes meurtrières, des grèves et des syndicalismes de combat. J'en avais hérité. Je ne songeais pourtant guère à l'actualiser dans une action politique ou dans une idéologie spécifique. Picard picardisant durant toute mon enfance, j'avais également subi la dévalorisation du « patois » sous les coups de l'école républicaine centralisatrice, tout en assimilant une vision du monde originale portée par ce support linguistique méprisé par mes maîtres : ma mère était en effet d'origine paysanne ; ses mots et ses actes transmettaient d'anciennes croyances, des habitudes, c'est-à-dire une véritable philosophie de l'existence qui survivait aussi chez les mineurs, ces anciens ruraux au vocabulaire picard appauvri, pourtant restés nostalgiques de leurs origines au point, par exemple, de cultiver avec passion leur lopin de terre au soleil dès qu'ils avaient quitté l'obscurité du fond.

Dans le monde intellectuel de ces années, la révolte suivait les voies et les voix des penseurs engagés, faute de pouvoir véritablement s'exprimer au cœur du champ social, cadenassé à partir de

6. Michel Foucault, *Surveiller et punir,* Paris, Gallimard, 1975.
7. Denis Richet, *La France moderne : l'esprit des institutions,* Paris, Flammarion, 1973, p. 117. Rééd. coll. Champs. Récemment disparu, Denis Richet avait accueilli mon livre dans la collection qu'il dirigeait chez Flammarion. J'en conserve beaucoup de gratitude.

1969. Ayant terminé mes années d'études, ayant définitivement quitté l'univers des mineurs de fond et du Picard pour celui de l'Université où j'enseignais désormais, je fus naturellement porté à m'intéresser aux soubassements de ma propre identité, d'autant que Michel Foucault et d'autres ouvraient alors la brèche du savoir pour analyser l'essence du pouvoir : seule manière en ce temps de passer les portes lourdement refermées sur les espoirs déçus de mai 1968 Tout me poussait à réfléchir sur la culture populaire. Et si j'ai pu produire alors une œuvre qu'on a dite novatrice, c'est sans doute parce que je me situais à l'intersection de deux traditions peu portées jusque-là à se connaître mutuellement : celle des clercs, dont une partie versait dans le militantisme intellectuel et recherchait le peuple ; celle des masses soumises, exploitées, capables de s'exprimer dans l'action mais rarement dans l'écriture.

N'étant réellement ni un ouvrier sorti du rang pour témoigner ni un représentant classique de l'intelligentsia, je me trouvais dans une position peu commune : produire du savoir *sur* un monde qui ne le lirait pas *pour* un univers dont de nombreux représentants avaient longtemps contribué à tirer un voile opaque sur le peuple, soumis mais potentiellement dangereux. Vingt ans plus tôt, la chose n'eût même pas été possible, compte tenu à la fois de l'état de la société et de celle de la recherche historique. Certains auteurs de sensibilité progressiste ne continuaient-ils d'ailleurs pas à prétendre qu'il était impossible d'étudier la culture populaire : le concept n'avait pour eux que la « beauté du mort »[8].

En 1978, ce livre délibérément subjectif, à la mode de l'époque, mais basé sur des enquêtes sérieuses, multiples et objectives, autant que faire se pouvait, entraîna donc des réactions diverses, ce qui lui assura une certaine réputation, permit sa traduction en plusieurs langues[9] et donna de son auteur une image qu'il trouve aujourd'hui excessivement figée, ne serait-ce que parce que la vie est évolution et que l'âge mûr modifie pour tout être la perception des choses.

Le thème était suspect pour nombre d'intellectuels traditionnels.

8. Michel de Certeau, Dominique Julia, Jacques Revel, « La Beauté du mort. Le concept de " culture populaire " », dans *Politique aujourd'hui*, décembre 1970.

9. Edition allemande, Stuttgart, Klett-Cotta, 1982, 2ᵉ éd. 1985 ; édition américaine, Bâton Rouge, Louisiana State University, 1985 ; édition italienne, Bologne, Il Mulino, 1991. Une traduction japonaise est prévue.

Pour d'autres, il recélait un parfum de romantisme révolutionnaire et appelait donc soit une adhésion par sympathie, soit une position critique, tant étaient nombreuses et opposées les chapelles politiques issues des événements de 1968. Il est certain que l'on peut trouver dans l'ouvrage l'écho de quelques naïvetés sur le peuple ou sur le monde paysan, écrites au temps où la ruralité faisait historiquement recette et où élever des chèvres loin des villes pouvait paraître un moyen de retrouver une pureté perdue. Mais là n'est pas l'essentiel. Le ton, le dualisme tranché entre l'époque d'épanouissement de la culture populaire aux XVe et XVIe siècles puis le temps de sa répression aux XVIIe-XVIIIe siècles, l'invocation de Michel Foucault et d'autres auteurs purent donner l'impression à certains commentateurs que l'auteur était gauchiste, à d'autres qu'il faisait profession de marxisme, orthodoxe ou non. Et chacun de réagir a priori en fonction de ses certitudes ! Je n'eus pourtant jamais consciemment le moindre désir de prosélytisme politique, tout en étant assurément influencé par l'état d'esprit général de la mouvance intellectuelle de gauche de cette époque désenchantée.

L'un des premiers surpris, je me trouvais donc affublé selon les critiques d'un Dieu ou d'un maître à penser, alors que je ne croyais fondamentalement ni à l'un ni à l'autre et que je cherchais simplement à comprendre à ma manière des choses cachées depuis la fondation de notre monde : comment le pouvoir centralisateur réussit-il à obtenir une telle soumission séculaire des masses ; depuis quand ?

Parmi les opinions pesées et modérées se détachent celles de Roger Chartier et de François Lebrun [10]. Avec acuité, le premier relevait le rapport entre cette description du passé et les mouvements politiques ou sociaux des années 1970. Il me reprochait à juste titre de trop insister sur un âge d'or de la culture du peuple, en vue de mieux désigner les responsables de sa disparition. Il doutait que la centralisation et la christianisation aient totalement fait table rase du passé populaire. François Lebrun le rejoignait complètement sur ce point, notant en outre la mise en forme tardive, vers 1670-1720 seulement, de l'entreprise de déculturation finalement incomplète conduite par l'Eglise et par l'Etat. Dont acte ! Ces deux excellents

10. L'un dans la *Revue d'histoire moderne et contemporaine,* 1979, p. 298-300, l'autre dans *L'Histoire,* n° 5, 1978, p. 72-74.

historiens avaient raison. Ne disposant d'aucun modèle parfaitement établi pour appuyer ma thèse, trop influencé par les luttes intellectuelles de l'époque, un peu jeune sans doute et ne possédant pas la densité de pensée que confèrent des décennies de recherche, j'avais alors trop brutalement simplifié la réalité.

Systématique, l'interprétation épousait vraisemblablement un certain esprit du temps, mais elle créait aussi un malaise chez les intellectuels progressistes eux-mêmes. Elle reflétait peut-être surtout un type de rapports humains bien réel dans les mines du Pas-de-Calais, un style d'obéissance forcée considéré comme tabou à la fois par les tenants de l'ordre établi et par les émules de l'école libératrice ou du catholicisme social. Car retrouver un âge d'or populaire dans le lointain passé est évidemment une vue mythique trop optimiste : nul n'a cependant insisté sur le fait qu'il s'agit aussi d'une vision pessimiste d'une réalité et d'un présent, d'un âge de fer politique évoqué en conclusion, d'un temps de souffrances et de sujétion sociale au fond des mines de charbon de la Révolution industrielle. Ceux qui auraient réellement pu l'affirmer ne lisaient d'ailleurs pas de tels livres, se contentant de vivre douloureusement un drame humain collectif qui vient de se clore en 1990 avec la fermeture de la dernière « fosse » charbonnière du Pas-de-Calais.

Je n'écrirais sûrement plus aujourd'hui l'histoire des mentalités de la même manière. Tout d'abord parce que la conjonction des facteurs de production de ce livre n'existe plus. Ensuite parce que le passé visité et revisité par l'esprit m'apparaît de moins en moins comme un âge d'or, mais plutôt comme un âge de fer pour les humbles, y compris au temps des triomphes de la culture populaire [11]. Je ne renie pourtant pas la totalité du message ni même la thèse fondamentale selon laquelle une révolution culturelle lente mais violente a déraciné la vision du monde populaire à l'époque moderne. Je suis simplement un peu moins dupe du discours des classes supérieures du temps chantant la réussite complète de l'acculturation des masses. Trop d'indices indiquent des résistances, des subversions, des mutations intégrant de l'ancien et du nouveau pour parler aussi nettement qu'en 1978 d'une disparition presque complète de la culture des humbles, dont ne demeureraient que quelques survivances.

11. Robert Muchembled, *Société et mentalités dans la France moderne, XVIe-XVIIIe siècle*, Paris, A. Colin, 1990.

Centrale dans ce premier ouvrage, la théorie de l'acculturation doit en effet être nuancée, comme le disait déjà en 1978 un commentateur anglais [12]. La pertinence de la notion ne me paraît pas devoir être mise en cause [13]. Il faut simplement éviter d'en faire un moteur automatique des mutations culturelles de l'époque moderne. De plus, bien que j'aie pris la précaution de signaler que je ne croyais pas le moins du monde à un complot organisé des élites contre la culture populaire, nombre de critiques m'ont reproché la chose. Certains ont intelligemment ajouté qu'ils ne voyaient pas d'où pouvait provenir la cohérence d'un effort de ce type, étalé sur plusieurs siècles. Comme si les rapports de force n'existaient pas dans la société d'Ancien Régime! Comme si l'autorité divine présidait seule à une harmonie humaine préalablement décrétée!

Issue des recherches ethnologiques sur les contacts entre les Européens et les autres, la thèse de l'acculturation n'est pas aussi rigide que le prétendent ses détracteurs. Elle définit un rapport inégal, une sujétion d'ordre culturel, mais elle n'interdit pas l'existence de réactions réciproques capables de modifier les attitudes des deux acteurs collectifs de cet échange entre dominants et dominés. Désireux de prouver nettement la théorie (que je crois toujours fondamentalement juste aujourd'hui), j'ai cependant beaucoup trop systématisé la démonstration en 1978, au point de négliger totalement l'analyse des mouvements de diverse nature survenant au contact des deux systèmes. Pourtant, ni les élites ni les masses ne constituaient des blocs monolithiques durant les siècles en question. En outre, des échanges réciproques complexes existaient depuis longtemps entre ces ensembles, grâce à de nombreux intermédiaires culturels [14]. L'acculturation, enfin, fut loin d'être un succès définitif, à tel point que dans les années 1970 nombre de régions françaises

12. Peter Burke, dans *Times Literary Supplement,* 13 octobre 1978.
13. Voir l'argumentation peu crédible de Jean Wirth, par exemple, « Against the Acculturation Thesis », dans Kaspar Von Greyerz (ed.), *Religion and Society in Early Modern Europe, 1500-1800,* Londres, Allen and Unwin, 1984, p. 66-78 et ma réponse dans le même ouvrage, « Lay Judges and the Acculturation of the Masses », p. 56-65. La notion ne déclenche plus guère de polémiques aujourd'hui et se trouve être d'usage courant, bien que j'évite quant à moi depuis plusieurs années d'utiliser le mot pour lever toute ambiguïté.
14. Peter Burke le signale avec pertinence dans le compte rendu cité note 12 et dans son livre, *Popular Culture in Early Modern Europe,* New York, New York U.P., 1978.

pouvaient toujours partir « avec nostalgie et parfois naïveté à la recherche de leur identité culturelle perdue »[15]. Alors simplifiés par souci pédagogique — et aussi un peu par ignorance — ces phénomènes ont trouvé une plus juste place dans mes travaux ultérieurs[16].

Reste à évoquer une série de critiques beaucoup plus fondamentalement hostiles à la philosophie d'ensemble du livre. A quelques exceptions près, les intellectuels américains, et plus généralement anglo-saxons, ont plutôt laissé paraître une allergie complète à ce type d'histoire. On pourrait penser qu'il s'agissait surtout de leur part d'un rejet du marxisme que certains d'entre eux croyaient, à tort, entrevoir derrière la démonstration. Pour Peter Burke, j'avais en effet adopté le modèle des cultures dominantes et dominées élaboré par Gramsci[17]. Après tout, la remarque est élogieuse. Mais comme Monsieur Jourdain ignorait faire de la prose, je ne savais pas avoir été influencé par ce grand penseur italien. A moins que ce ne soit au hasard des conversations avec Carlo Ginzburg à l'Université de Princeton ? J'ai depuis appris à mieux me connaître et je doute un peu d'avoir été aussi profondément gramscien qu'on a pu le prétendre...

L'insistance sur la répression sexuelle, sur la violence, sur la sorcellerie expliquerait-elle mieux l'ensemble des critiques anglo-saxonnes ? Parler crûment de la magie, du ventre, des fonctions basses, pourrait en effet avoir choqué des intellectuels insulaires. Mais trêve de plaisanteries, l'allergie est bien plus profonde. Stuart Clark englobe mes erreurs dans celles de l'école « structurale » française, aux côtés d'historiens aussi prestigieux que Febvre, Mandrou, Braudel, Delumeau, etc.[18]. Pas plus qu'il ne saisit véritablement ma pensée je ne comprends parfaitement la sienne. Il semble à la fois critiquer l'influence sur moi de la Ve section des

15. François Lebrun, compte rendu cité note 10, p. 74.
16. Robert Muchembled, *L'Invention de l'homme moderne. Sensibilités, mœurs et comportements collectifs sous l'Ancien Régime*, Paris, Fayard, 1988, notamment note 3 de l'avant-propos, p. 467. Ce qui n'a d'ailleurs pas empêché certains critiques de croire retrouver une pensée rigidifiée depuis 1978 : voir Rebecca Habermas, « Zivilisierung der Sitten », dans *Die Zeit*, 7 décembre 1990, au sujet de l'édition allemande de ce livre (Reinbek, Rowohlt, 1990). Une traduction italienne est en cours à Naples, Guida Editori.
17. Voir le compte rendu cité à la note 12.
18. Voir ci-dessus, note 4.

Hautes Etudes (Sciences religieuses) et d'un relent de positivisme propre en général à l'historiographie française[19]. S'ignorer soi-même doit décidément être un trait spécifique aux compatriotes du général de Gaulle ! L'incroyant que je suis trouve en outre quelque charme à se voir attribuer une mentalité religieuse. Il se souvient pourtant aussi, avec un peu d'effroi, de l'intérêt manifesté par quelques penseurs d'extrême-droite pour ce qui leur semblait (tout à fait à tort) refléter un paganisme militant. Il doute d'ailleurs quelque peu de la clairvoyance des critiques acharnés à l'insérer dans une catégorie précise d'intellectuels militants, tant celle-ci se révèle variable selon les commentateurs. Il se souvient enfin qu'Auguste Comte croyait que la philosophie positive permettrait d'atteindre le bonheur : or l'ouvrage de 1978 parlait, avec excès, on l'a vu, d'un âge d'or *révolu* de la culture populaire, c'est-à-dire pour l'auteur d'un présent totalement désenchanté en ce domaine.

Au fond, de tels malentendus globaux se révèlent scientifiquement éclairants. Je ne saurais évidemment dire, par exemple, si je suis ou si j'étais alors réellement représentatif de l'école historique française, ni même d'une de ses branches. Je puis cependant assurer n'avoir jamais cherché à voir l'histoire de la manière viscéralement antipositiviste (et apparemment très sacralisatrice) que défend Stuart Clark, ni d'ailleurs consciemment de façon positiviste — mais je puis me tromper au niveau inconscient — faute d'adhérer à cette estimable tradition.

L'historien écrit au présent, dans son temps et au cœur de sa culture, même s'il fait tous les efforts pour atteindre en méthode la plus grande objectivité possible. Les critiques américaines et anglaises au sujet de mon livre expriment clairement en ce domaine une différence de nature, de technique, d'intérêt, c'est-à-dire de vision de l'existence, passée ou présente. J'aurais d'ailleurs mieux compris qu'elle soit formulée à la célèbre manière du xvie siècle : « Tu n'es pas pieux ! » Car au contraire de Jean Delumeau, mon objectif n'était nullement de rencontrer la religion à travers les mentalités. J'y cherchais du social, c'est-à-dire finalement du politique. Comprendre les causes profondes fondant l'obéissance à Dieu, au roi, à la loi, était ma principale préoccupation, à la suite

19. *Ibid.*, p. 71, 99, etc.

de Michel Foucault, mais aussi de l'admirable *Civilisation maté-rielle, économie et capitalisme* de Fernand Braudel[20].

Pourquoi obéir, en 1968, en 1978 ou en 1515 ? Au nom du sacré divin, investi dans des hommes ou des institutions ? Mais pourquoi ne pas se révolter lorsque la misère est trop grande, dans les campagnes de la fin du XVIIe siècle comme dans les mines des années 1958 ? Chacun se cherche lui-même en étudiant les autres. Cette quête n'est d'ailleurs jamais achevée. Certes, ses perspectives peuvent se modifier, s'enrichir, s'infléchir. Car l'histoire n'est en rien figée. Le regard que l'on porte sur elle la vivifie et l'invente chaque fois. J'ai le sentiment, pour les diverses raisons exposées ici, d'avoir inventé la culture populaire des temps modernes comme objet historique, ce qui a déclenché des polémiques, des refus, mais également des prises de conscience. Tant mieux ! Car les discussions scientifiques, même un peu rudes, font progresser la recherche. En outre, elles m'ont aidé à prendre plus complètement la mesure de mes passions d'historien et d'homme inséré dans une culture spécifique.

Fruit du télescopage d'événements individuels et collectifs sur le sol français durant le troisième quart du XXe siècle, l'ouvrage de 1978 ne pourrait sans doute pas être révisé ou réécrit à la lumière des recherches ultérieures sans perdre l'essentiel de sa cohérence interne. Je me suis donc contenté de lui donner en 1988 une ample suite, où je pense avoir mieux approché la réalité complexe du passé[21]. Et je continue à tracer obstinément des lignes de force autour du thème de l'obéissance sous les rois absolus[22]. Afin de mieux comprendre, en cette fin du XXe siècle, le fonctionnement de notre monarchie républicaine française. Afin de trouver des réponses à ce sentiment de désenchantement du monde qui n'en finit pas depuis trente ans de hanter une société française rétrécie, nostalgique de sa splendeur et de sa grandeur d'avant 1914. Le sacré, que les protestants anglo-saxons avaient projeté sur l'individu (une différence de taille où je vois l'explication de nombre d'incompré-hensions réciproques), s'était incarné en France dans l'absolutisme

20. Rédigé à partir de 1952, premier volume paru en 1967 et trois volumes remaniés édités en 1979, Paris, A. Colin.
21. Voir ci-dessus, note 16.
22. Robert Muchembled, *Le Temps des supplices. De l'obéissance sous les rois absolus,* sous presse (Paris, A. Colin éditeur).

royal et l'Eglise gallicane, dans la centralisation politique et le refus des différences. Il n'en finit pas sous nos yeux de se réinvestir dans les appareils sociopolitiques, malgré la fiction récente de la décentralisation, malgré près d'une décennie de pouvoir socialiste. Ces fascinants jeux de l'échange symbolique auraient pu tenter Fernand Braudel. Ils constituent depuis toujours mon champ d'étude. Mais s'attaquer à l'indicible, au fondement immatériel du pouvoir, expose chez soi à de fortes critiques et ne peut guère être compris de ceux qui évoluent au sein de cultures différentes. Peut-être est-ce là la principale logique de mon travail spécifique d'historien, moins porté à étudier l'harmonie ou la puissance établie que les craquements, les oppositions, les résistances, toutes choses plus visibles en temps de crise qu'aux moments d'équilibre ? Après tout, l'histoire n'est pas un simple jeu de l'esprit : la pensée, selon moi, ne peut vraiment s'enraciner que dans la vie concrète et l'expérience personnelle !

Lille-Villetaneuse, janvier 1991.

RÉSURGENCES
DE LA CULTURE POPULAIRE

La culture des masses populaires est une invention récente. Non pas la création impromptue d'historiens partis à la recherche de sujets originaux, mais la découverte d'une Atlantide ignorée. Car elle est une vaincue de l'histoire. Brisée par une révoîution culturelle de grande ampleur, entre la fin du Moyen Age et l'époque contemporaine, elle n'a laissé, comme tous les vaincus, que peu de traces. Encore celles-ci furent-elles fréquemment déformées ou mutilées par les triomphateurs, tout comme l'empereur romain Auguste ternit systématiquement la gloire d'Antoine, son rival malheureux. Il était d'ailleurs aisé de procéder à une telle mutilation, puisque la culture populaire était essentiellement orale, alors que ses adversaires maniaient l'arme redoutable de l'écriture.

Ces constatations ne permettent pourtant pas d'expliquer complètement pourquoi elle resta enterrée, jusqu'aux décennies les plus récentes, dans les oubliettes de l'histoire. Après tout, Antoine est assez bien connu des spécialistes, malgré les efforts d'Auguste ! Il faut donc croire que s'ajoutait aux difficultés de l'étude un profond discrédit, ou un total désintérêt pour le sujet. Référence doit alors être faite, pour comprendre ce petit mystère, à l'idée, banale, que l'histoire est fille de son temps, c'est-à-dire qu'elle choisit ses objets en fonction des problèmes du présent plus que du passé. Or depuis l'époque du Roi-Soleil, au moins, jusqu'à nos jours, en passant par l'exaltation de la civilisation française des Lumières et par le XIXe siècle bourgeois, un mouvement domine la vie de notre pays. Mouvement qui est celui du pouvoir centralisateur, quels que soient les régimes. Depuis plus de trois cents ans, les faits comme les idées donnent raison aux monarques absolutistes dans leur lutte contre les forces du désordre, de l'anarchie, de la féodalité. L'historiographie, en particulier au XIXe et au début du XXe siècle, porta l'accent sur cet aspect unificateur, et n'étudia généralement la civilisation ou la culture française que sous cet angle, négligeant pour l'essentiel l'infinie diversité des mondes populaires ou des cultures régionales. En fait, l'historien reflétait purement et simplement l'attitude des couches dirigeantes et des lettrés d'Occident, fiers de leur civilisation supérieure. Jugés à l'aune de celle-ci les peuples du monde faisaient assez piètre figure. L'expansion coloniale amenait pourtant à les côtoyer de plus en plus, à les étudier, avec parfois un peu de commisération. Et, à mon sens, l'effort de Gordon W. Hewes pour classer les groupes humains peuplant la terre vers les années 1500 témoigne clairement de cette attitude européocentriste. Il distingue soixante-seize types, depuis les groupements « primitifs » jusqu'aux véritables civilisations, en passant par ces civilisations incomplètes que sont les « cultures » (cf. P. CHAUNU, *Conquête et exploitation des nouveaux mondes,* Paris, 1969, p. 364-369). Un semblable regard ethnographique ne pouvait évidemment s'appliquer à la description d'un pays comme la France. Celle-ci, au même titre que ses voisins « évolués », constituait le modèle de référence. Il ne pouvait être question de dévaloriser ce modèle en mettant en valeur les énormes différences qui existaient entre la vie des masses et celle des élites. Et puis, les savants n'étaient guère attirés par l'évocation de ce monde populaire, auquel ils n'appartenaient généralement ni de cœur ni d'esprit, ni par leurs origines ni par leur culture.

L'évolution en ce domaine, comme en d'autres, vint du grand ébranlement culturel consécutif aux guerres mondiales. On peut dire, en schématisant à outrance, que l'évolution rapide du monde occidental, surtout depuis le milieu du XXᵉ siècle, brisa bien des certitudes. Crises économiques mondiales, décolonisation, instauration du communisme dans une partie de la planète, montée sur la scène internationale des pays du tiers monde... Notre époque est bien celle des remises en question ! En matière historique, le regard se déplaça tout naturellement de la description des moments d'équilibre — le siècle classique, par exemple — à ceux de crise et de mutation. Les humbles du passé envahirent la scène, anonymement d'abord, dans les graphiques des économistes puis des démographes. Les sciences humaines se firent sensibles aux *différences*. Sociologie et ethnologie, en particulier, s'intéressèrent aux majorités autrefois silencieuses et aux peuples dits « primitifs », en respectant désormais, en tentant de comprendre de l'intérieur, les problèmes que ces groupes se posaient. Le concept schématique de « civilisation » céda la place à la notion des *niveaux de culture*. On se rendit compte nettement qu'existaient, même au siècle de Voltaire et de Rousseau, des strates et des conflits culturels, au sein d'un ensemble tel que la France. La culture populaire, entre autres, était née, puisqu'elle devenait un objet d'étude, après la répression et le grand silence qui s'étaient abattus sur elle au temps de la centralisation triomphante. Après tout, les époques écrivent l'histoire qu'elles méritent. La nôtre, dans le grand tohu-bohu de ce qui pourrait être une fin de civilisation, voit reparaître ce qui avait été réprimé. En ce sens, la fin du XXᵉ siècle est comparable, toutes proportions gardées — l'histoire ne se répète pas — au temps de la Réforme, de l'Humanisme et des Grandes Découvertes. Peut-être parce que, justement, les solutions appliquées durant des siècles pour juguler ce qui fut une grande crise de l'Europe chrétienne ne sont plus valables aujourd'hui ? Loin de moi l'idée de découvrir l'avenir dans les brumes du passé. Je note simplement que reparaissent, sous des formes totalement nouvelles, les principaux problèmes que se posèrent les contemporains de Luther, d'Erasme et de François Iᵉʳ. Revendications régionalistes, crise des valeurs établies, crise de la foi, crise de la famille, problème du pouvoir, et tant d'autres questions, nous rapprochent en effet de ces hommes disparus. Jusqu'à l'autogestion, cette doctrine nouvelle..., que vivaient, sous une tout autre forme, les populations surtout paysannes de la fin du Moyen Age, avant que ne croisse la puissance de l'Etat. En somme, les nouveaux objets des sciences humaines témoignent, que les chercheurs en soient ou non pleinement conscients, d'une curiosité intéressée. Nul historien, dirai-je, n'est un simple observateur du passé. Son temps lui impose des choix et des sujets. Son objectivité se limite à l'exhumation et à la présentation honnête des sources qu'il utilise. Puis vient l'interprétation, éminemment subjective quant à elle, qui se fait en fonction de son équation personnelle mais aussi par rapport aux problèmes du présent, de son présent.

Les remarques précédentes permettent de situer clairement l'objet de cet ouvrage. Raconter la révolution culturelle, qui, en quatre siècles, réprima et dévalorisa la vision du monde des masses populaires, procède du désir de réhabiliter celle-ci et de comprendre de l'intérieur son fonctionnement. D'autre part, apparaîtront obligatoirement les mécanismes qui ont conduit à la répression de cette vision du monde, et qui constituent le sous-sol, les fondations du pouvoir centralisateur et absolutiste. Ce double choix ne manquera pas d'être sévèrement critiqué par ceux-là mêmes qui refusent de placer sur le même plan d'observation la prestigieuse civilisation des élites, avec ses remarquables créations artistiques et littéraires, et la culture populaire. De récents débats entre spécialistes n'ont-ils pas posé le problème de *l'existence* de cette dernière ? Loin des ardeurs polémiques, je me contenterai d'affirmer cette existence, en proposant pour preuve le présent livre. Tout en admettant, dès le point de départ, une série de limites à mon propos. La première est d'importance, puisqu'il s'agit de faire revivre une vision du monde qui se transmettait oralement, donc qui n'a pas laissé de traces écrites directes. Aussi faut-il essentiellement demander à la répression de nous conter l'histoire de ce qu'elle réprime. De ce fait, un savoir exhaustif et totalement objectif à ce sujet n'est pas encore — et ne sera peut-être jamais — possible. Bien que d'innombrables sources parlent incidemment de la culture populaire, nous le verrons, il faut considérer mon travail comme un *essai* de reconstitution d'un certain passé. En deuxième lieu, la description de la vision du monde populaire devrait pouvoir s'appuyer sur des connaissances homogènes, concernant les multiples régions qui composent la France. Tel n'est évidemment pas le cas, la collecte des matériaux commençant à peine. Ce qui m'amènera à privilégier les régions de langue picarde, entre la frontière belge et les confins de la Normandie, entre la mer et la zone champenoise, lieux d'élection de mes propres recherches. On pourra donc finalement m'accuser de voir la culture populaire depuis la Flandre, l'Artois et la Picardie. Par contre, l'étude de la répression, sans être exhaustive, sera plus aisément conduite le long des chemins de la vaste France. En troisième et dernier lieu, le terme de « culture populaire » est suffisamment vague pour nécessiter une définition limitative, qui s'organise autour de deux axes fondamentaux, à savoir celui de la pensée et celui de l'action. L'attention devra nécessairement se porter à la fois sur la cohérence interne d'une vision du monde populaire et sur des types de comportements collectifs spécifiques face aux problèmes de la vie. L'insuffisance de la documentation m'empêchera cependant de décrire longuement certains phénomènes de groupe, tels que la danse ou la musique, qui eussent mérité plus d'attention. Quant aux aspects matériels de l'existence, aux arts, aux costumes, ils exigeraient des livres entiers et nécessiteraient plus de connaissances que je n'en possède.

Ainsi limité, le sujet de ce livre s'organise en deux étapes, autour d'une idée centrale, d'une thèse — pour employer un bien grand mot — qui est celle d'une mutation très profonde, mais lente et feutrée, de la culture populaire en France entre le début du xve siècle et la Révolution. Un point de rupture est atteint vers le milieu du xvie, et au plus tard au début du xviie siècle. Durant les cent cinquante ou deux cents ans qui précèdent cette rupture, et qui font l'objet de la première partie du livre, existait partout en France une culture populaire vivante, active et dynamique, qui était en réalité un système de survie. Car le monde était rempli de dangers, réels ou imaginaires, contre lesquels ni l'Etat ni l'Eglise ne pouvaient efficacement lutter. Le premier chapitre décrit ce monde parcellisé, plein de peurs et d'angoisse, ainsi que les efforts des groupes humains pour chercher une relative sécurité en s'entourant, dans les villes comme dans les campagnes, de multiples liens familiaux et sociaux. En se dotant également d'une vision du monde qui permette de comprendre et d'écarter les multiples dangers. Au village, comme le montre le chapitre II, cette vision du monde repose sur une certaine perception du temps, de l'espace et de leurs rythmes et se développe en un système de rites et de tabous pour se concilier les forces innombrables qui peuplent l'univers, pour agir sur elles par la sorcellerie, pour écarter la mort sous ses multiples formes, pour assurer la fertilité des terres et des femmes. Finalement, tout est sacré, tout est danger, ce qui donne leur sens aux gestes de la vie humaine, aux fêtes, à une religion populaire peu orthodoxe. Les citadins, auxquels s'intéresse le chapitre III, témoignent certes d'une identique perception de l'univers. Mais les originalités de l'atmosphère urbaine donnent plus d'importance encore qu'à la campagne aux fêtes et aux jeux populaires. Fêtes et jeux de plus en plus surveillés par des autorités craignant les excès, que secondent bientôt l'Etat et l'Eglise. La répression de la culture populaire commence en ville, par sa dépréciation, par l'embrigadement des corps de population, par la définition d'une frontière entre le profane et le sacré.

La seconde partie est entièrement consacrée à cet effort de répression, qui devient systématique aux XVIIe et XVIIIe siècles. S'installent de nouveaux mécanismes du pouvoir, analysés dans le chapitre IV, qui contraignent les âmes et soumettent les corps. La lutte se dramatise, atteint son intensité maximale avec la chasse aux sorcières, dont le chapitre V décrit les rythmes et les effets. La sorcellerie populaire change de visage et de fonction pour les autorités : elle devient une religion satanique. Un des piliers principaux de la culture populaire s'écroule, avec la nécessité d'abandonner ou de cacher les « superstitions », dont la sorcellerie n'était que l'aspect le plus visible. Mais ceci ne se passe pas sans une résistance désespérée des humbles, à travers certaines formes des révoltes populaires, notamment. Enfin, le dernier chapitre concerne une nouvelle culture populaire, merveilleusement aliénante, que les élites proposent aux masses pour satisfaire leur besoin supposé de merveilleux, et en fait pour détourner leur attention des problèmes réels, pour éviter la multiplication des tensions sociales et des révoltes.

Au XVIIIe siècle, la vision du monde populaire a perdu la cohérence qui était la sienne à la fin du Moyen Age. La répression et la peur ont permis de faire disparaître ou reculer nombre de « superstitions ». Une révolution culturelle de grande ampleur a eu lieu. Mais ne subsiste-t-il pas des épaves du temps passé ? Cette question nous invitera, en conclusion, à rejoindre notre propre présent.

PREMIÈRE PARTIE

LA CULTURE POPULAIRE
AUX XVe ET XVIe SIÈCLES

PROBLÈMES DE SOURCES ET DE MÉTHODE

Les gens du peuple, dans leur majorité, ne savaient ni lire ni écrire, aux XVᵉ et XVIᵉ siècles. Vers 1686-1690, malgré des progrès en la matière, seuls 27 % des hommes et 14 % des femmes signaient de leur nom un contrat de mariage, ce qui ne prouve d'ailleurs nullement qu'ils possédaient pleinement la maîtrise de l'écriture et de la lecture. La transmission du savoir, des pensées ou des sentiments des humbles se faisait donc presque uniquement de manière orale. Là gît la principale difficulté d'une étude de la culture populaire, puisque l'historien utilise essentiellement des sources écrites. Certes, l'archéologie peut lui permettre de se représenter la vie proprement matérielle des masses, que coloreront utilement des visites aux musées faisant une place aux arts et aux traditions populaires. Mais les mentalités collectives et les coutumes ne seront que très imparfaitement saisies de cette manière. Aussi faut-il se résoudre à chercher de plus amples renseignements dans les témoignages écrits subsistants, c'est-à-dire dans les récits laissés par des gens qui appartenaient à la culture savante. Délicate procédure que celle-là, qui fait confiance, pour reconstituer un phénomène donné, à ceux qui l'ont observé de l'extérieur, et qui ont pu le déformer, consciemment ou non ! L'obstacle est de taille, mais se révèle moins insurmontable qu'il n'y paraît à première vue. Car les lettrés du xve et du xvie siècle étaient beaucoup plus proches que ceux des époques ultérieures de ce monde populaire dont parfois ils étaient issus, qu'ils côtoyaient constamment, aux activités duquel ils participaient souvent, lors des fêtes par exemple. De plus, il n'est pas question de prendre pour argent comptant leurs opinions sur le sujet, mais de leur demander surtout des *descriptions*. Descriptions que l'on pourra confronter entre elles, pour tenter de reconstruire un monde disparu. A cet égard, les sources utilisables sont innombrables. Œuvres littéraires pimentées d'exemples observés dans les campagnes ou dans les villes : Rabelais ou Noël du Fail sont en ce domaine d'excellents témoins de la vie populaire. Tableaux, comme ceux de Bruegel. Statuts synodaux. Registres de catholicité, où peuvent se glisser de précieuses notations sur la vie locale, à côté des listes de baptisés, de mariés ou de décédés. Descriptions de fêtes et de jeux. Archives judiciaires, dans lesquelles apparaissent des « discours » populaires, constitués par le récit des circonstances du crime ou par des témoignages, enchâssés dans une forme juridique rigide. Ordonnances de police, qui décrivent parfois en détail les abus et les excès visés. Registres mémoriaux, papiers aux délibérations, archives en général, des conseils urbains et, lorsqu'ils existent, des échevinages ruraux. Livres de raison et mémoires divers. Et la liste ne s'arrête pas là, car des renseignements, infimes ou très utiles, peuvent être découverts dans presque toutes les séries d'archives et dans beaucoup de manuscrits conservés.

Finalement, la méthode d'exploitation de ces poussières de faits recueillis se présente sous la forme d'une accumulation puis d'un classement. Le premier temps relève du travail classique de l'historien, qui constitue des dossiers thématiques. Par contre, la deuxième étape ne peut être abordée sans une idée directrice. Car l'accumulation des matériaux laisse une trop grande place au hasard qui préside à la naissance du document, à sa conservation et souvent à sa découverte. Or cette idée directrice n'existait pas dans le domaine des sciences historiques, à propos d'un thème rarement abordé. M'ont alors guidé, pour étiqueter ces innombrables bribes de témoignages et pour les introduire dans un ensemble cohérent, les travaux des ethnologues et des folkloristes. En particulier, l'inachevé mais remarquable *Manuel de folklore français contemporain* d'Arnold Van Gennep, m'a fourni le cadre conceptuel nécessaire. Car, sous ce titre, l'ouvrage décrivait la culture populaire en France, essentiellement à la fin du XIXe siècle et durant les premières décennies du XXe siècle, non sans utiliser de nombreux exemples pris dans l'histoire médiévale et moderne. En outre, la comparaison de cette somme d'érudition avec les dossiers que j'avais rassemblés m'a convaincu de la validité d'une démarche régressive, partant des faits contenus dans les 3166 pages de ce *Manuel* et remontant plusieurs siècles en arrière. Afin de retrouver, à l'époque de son apogée, cette culture populaire que Van Gennep avait aimée et rencontrée, encore vivante mais profondément modifiée, dans les campagnes qu'il parcourait. Et en retenant, parmi les idées principales du grand folkloriste, le fait qu'elle constituait pour l'essentiel une création médiévale fondamentalement autonome, un système d'explication du monde basé sur des rites de passage et sur une mentalité collective faisant une grande place à la magie, avant que ne la brise et ne la déprécie, à partir du XVIe siècle, une mutation de grande ampleur. Vue sous cet angle, la culture des masses populaires se distingue nettement du christianisme des élites et de la pensée savante. Néanmoins, elle est marquée et imprégnée par la doctrine chrétienne — à moins que ce ne soit le contraire. Je ne tenterai pas ici de séparer l'une de l'autre pour bâtir l'histoire de leurs emprunts réciproques. Sera considéré le tout, que l'on peut nommer, au choix, un christianisme populaire folklorisé, ou une culture populaire christianisée, car m'importe avant tout, loin de toute querelle terminologique, la cohérence interne du phénomène. C'est dire aussi que la stricte chronologie ne peut constituer le cadre de l'exposé. Seule la longue durée — de 1400 à 1600 pour être précis — fournira le moyen de mettre en valeur les permanences rurales comme les mutations et les originalités urbaines. Auparavant, doivent être brièvement évoquées les conditions générales expliquant l'existence de chacune de ces deux variantes de la vision du monde populaire.

UN MONDE D'INSÉCURITÉ ET DE PEURS

La France, à la fin du Moyen Age, forme depuis longtemps un Etat, et semble se constituer lentement en une Nation, cimentée par l'effort commun contre l'ennemi anglais. Sur son sol vivent et meurent de successives générations que les lettrés persistent à classer en trois catégories complémentaires : ceux qui prient pour le salut de la collectivité, les nobles guerriers qui défendent la société tout entière contre ses ennemis intérieurs ou extérieurs, enfin ceux qui produisent et distribuent les biens et les objets de tous ordres nécessaires à la subsistance journalière de chacun des habitants du pays. Qui dira la puissance de ce mythe d'une division tripartite et harmonieuse de la société ? Au XVIIᵉ siècle, encore, les partisans de l'autorité absolue du roi reprendront à leur compte cette habile classification sociale. Habile, certes, mais impropre à tout le moins, et ceci dès l'automne du Moyen Age. Car, si les hommes d'Eglise et les aristocrates sont bien définis à l'intérieur de ce schéma, il n'en va pas de même de la masse énorme et composite des dominés rassemblés dans la troisième catégorie. En fait, leur principal et réel souci n'est pas de produire pour assurer le fonctionnement du système social idéal ainsi défini, mais de *survivre* dans un monde hostile, dangereux, rendu inhumain par les conditions naturelles et par les hommes eux-mêmes.

Dominés, exploités, ces 95 %, environ, du total de la population le sont alors assurément. Pourtant, ils ne sont pas aussi totalement asservis et aliénés que ne le deviendront leurs lointains descendants de l'époque du Roi-Soleil. N'en déplaise à Rabelais, les ténèbres « gothiques » du Moyen Age finissant sont un tout petit peu moins inhumaines pour les humbles que l'époque classique. En outre, le pouvoir réel est alors émietté, ni l'Eglise ni la royauté n'ayant les moyens d'imposer une centralisation efficace. La France se présente donc comme une mosaïque de petits « pays », de villages et de villes qui possèdent une certaine indépendance, même si tous appartiennent au même ensemble politique et religieux. Dans ces conditions, une relative autonomie culturelle des masses populaires est possible. Elle est même nécessaire, pour affirmer la cohésion de chaque communauté, urbaine ou rurale, pour donner à chacun une explication cohérente du monde, pour cuirasser les hommes contre les difficultés de la vie. Difficultés qui sont nombreuses, et qui engendrent de multiples peurs ainsi qu'une inquiétude presque permanente. Le premier chapitre s'attache à présenter ce climat angoissant, par l'étude de l'insécurité physique puis de l'insécurité mentale, qui sont les conditions de base de la culture populaire, et par l'examen des liens de solidarité multiples que nouent entre eux les humains dans une recherche collective et désespérée de sécurité.

I. L'insécurité physique

La faim, le froid et la misère physiologique pèsent lourdement, aux XVe et XVIe siècles, sur les membres des classes populaires. Ces fléaux, lorsqu'ils se conjuguent entre eux, et surtout lorsque la guerre leur donne une poignante dimension, dominent totalement la vie des humbles et font courir aux plus riches de pressants et à peine moindres dangers. S'élève alors la plus importante des prières de ce temps : *Libère-nous, Dieu, de la famine, de la peste, de la guerre.*

Cette civilisation matérielle est très fragile. Fondée presque exclusivement sur la production céréalière, elle est totalement tributaire des aléas climatiques et de la multiplication du nombre des bouches à nourrir. Car les techniques, les outils, les procédés de culture restent relativement rudimentaires. Malgré des recherches, des progrès locaux et régionaux, dont la nouveauté frappe d'autant plus les historiens de l'économie, le trait dominant de l'agriculture française reste, jusqu'au XVIIIᵉ siècle, l'immobilisme technique. Le nombre des hommes, pourtant, s'accroît parfois considérablement, par exemple à la fin du XVᵉ et au début du XVIᵉ siècle. Un complexe mécanisme de régulation joue alors, puisque, de toute manière, la population globale du pays oscille toujours autour de vingt millions d'âmes entre 1320 et 1720. La terre refuse, durant quatre siècles, de nourrir plus de vingt millions de personnes. Un verrou démographique solide crée ainsi la permanence d'un monde suffisamment plein dans les conditions de l'époque.

Suffisamment, ou trop plein ? La réponse varie selon les lieux et, malgré tout, selon les époques. Etant donné que l'ère des grands défrichements médiévaux est close, les terrains cultivables et les prairies ont dans l'ensemble atteint leur extension maximale. La pression démographique entraîne plutôt l'exode rural que la mise en valeur de terres nouvelles. Inversement, les grandes mortalités, quelles que soient leurs causes, offrent aux survivants plus de terres à cultiver et finalement leur permettent d'accéder pour quelques années ou pour quelques décennies à un relatif mieux-être. Mais ce sont là minimes fluctuations qui ne modifient guère le paysage ou les conditions fondamentales de la survie des hommes. Ceux-ci résident dans des villages et des villes qui forment autant de clairières au milieu de forêts ou de terres incultes — d'ailleurs productrices de biens de consommation non négligeables, de bois de chauffage, etc. Enfin, les paysans surtout, qui forment près de 90 % du total de la population, vivent généralement à la limite de la sous-alimentation. Dans les meilleurs cas et dans les régions les plus favorisées, ils moissonnent environ huit grains pour un planté, ce qui leur assure une réserve convenable, après paiement des impôts aux seigneurs, à l'Eglise et au roi, et compte tenu de la semence gardée pour l'année suivante, voire aussi des déprédations des rongeurs ou de la mauvaise conservation des récoltes. Que dire de la majorité des cultivateurs dont le rendement n'atteint que cinq ou six grains pour un ? Qu'ils fournissent une humanité peu robuste, affaiblie par la dénutrition, l'avitaminose, les rhumatismes, la tuberculose pulmonaire, les tares héréditaires et le manque presque total d'hygiène ! Le peintre flamand Jérôme Bosch, qui représentait au début du XVIe siècle des corps déformés, des visages édentés, est bien le témoin de cette misère physiologique qui touche identiquement les hommes et les femmes, qui élimine rapidement les plus faibles, en particulier les vieillards et les enfants.

La faim

La faim est une hantise essentielle des masses populaires, alors qu'y échappent facilement les riches et les privilégiés. Elle crée sans doute une nette différence entre deux types humains. Aux corps robustes des nobles, à la haute stature de François Ier s'opposent les silhouettes fragiles des animaux humains qui hantent les campagnes. Peut-être, cependant, certaines régions échappent-elles à ce schéma simplificateur ? Prenons l'extrême nord de la France, qui appartint aux ducs de Bourgogne puis aux Habsbourg. Si l'on en croit Bruegel, décrivant au milieu du XVIe siècle le monde villageois flamand et brabançon, les lourdes rotondités des corps masculins et féminins témoigneraient d'une alimentation plus solide. En ce cas, il faudrait que la région ait connu en deux générations un extraordinaire progrès économique : au XVe siècle, la disette marquait une année sur cinq en Flandre, Artois, Hainaut et Cambrésis[1]. La disette passagère et locale sévit en 1408-1409, en 1416-1417, en 1430-1433, en 1455-1460. Deux grandes

Les ouvrages, devenus classiques, de L. Febvre, J. Huizinga, A. Van Gennep, J. Delumeau, R. Mandrou, etc., ont été mis à contribution pour rédiger ce chapitre de présentation générale. Mais, afin de ne pas multiplier les notes, les références à ces ouvrages bien connus n'ont pas été faites systématiquement.
1. F. Lecuppe, *Les grands fléaux au XVe siècle en Flandre-Artois-Hainaut-Cambrésis*, D.E.S., Lille (directeur M. Mollat), 1954, dactyl., p. 32-53.

famines, en outre, dominèrent le siècle. En 1437-1439 *grand multitude de povres gens morurent d'indigence... sur les fumiers par gran compaignies,* selon le chroniqueur Monstrelet, qui rapporte également l'arrestation près d'Abbeville, en 1439, d'une femme qui aurait tué des petits enfants, *lesquelz elle avoit desmembrez et salez secrètement en sa maison.* Enfin, la période 1477-1483 connut une très longue disette, qui rebondit en 1491. Ainsi, dans une région qui n'était ni pauvre ni arriérée, sévit la faim. Chaque génération connaît une ou plusieurs disettes, catastrophiques ou simplement graves, sans parler d'une sous-alimentation chronique en temps normal. Et sans doute Bosch était-il plus près de la réalité que Bruegel. Ce dernier artiste est aussi l'auteur de pays de Cocagne, c'est-à-dire d'utopies gargantuesques montrant un univers de mangeaille et de boisson. Les gras paysans qui s'y vautrent, côtoyant le cochon rôti qui vient à petit pas se faire découper et déguster, sont surtout des personnages de rêve. Rêve d'hommes mal nourris qui, pourtant, vivent mieux que les habitants de nombre de provinces françaises plus défavorisées.

Il est cependant vrai que les masses, les paysans en particulier, s'adaptent à ces conditions de pénurie, par une sobriété obligatoire, par l'observation aussi des nombreux jours de jeûne ou de maigre — 153 jours par an avant la Réforme — imposés par l'Eglise. Celle-ci joue certainement un rôle régulateur dans l'alimentation du temps. Mais aux périodes austères succèdent brutalement les bombances désordonnées lors des fêtes, des mariages, des cérémonies funèbres, etc. Et ces rythmes peu harmonieux ne peuvent qu'exténuer davantage les trop fragiles représentants des couches populaires de l'époque. De plus, l'ivrognerie des jours de liesse, ou des autres jours de l'année, aggrave encore la misère physiologique d'hommes également incapables de s'assurer le confort douillet de nos contemporains.

Le froid

L'insuffisance de la protection contre le froid aux xve et xvie siècles est bien connue des historiens. Robert Mandrou [2] a

2. R. Mandrou, *Introduction à la France moderne. Essai de psychologie historique, 1500-1640,* Paris, 1961.

décrit ces phénomènes qui touchent toutes les classes sociales : châteaux glacials l'hiver; vêtements que l'on empile les uns au-dessus des autres pour résister au froid, mais dont les étoffes, précieuses ou grossières, ne protègent jamais réellement de la pluie; nécessité pour chacun de se déplacer pour se réchauffer; prédilection pour les endroits où l'on se masse, en profitant ainsi de la chaleur des autres, et même parfois de celle des bêtes. Le chauffoir du châtelain, la pièce où se tient la veillée paysanne, le cabaret jouent un grand rôle dans la recherche désespérée d'un peu de chaleur, humaine à tous égards. La vie quotidienne des paysans, en particulier, se passe généralement hors de la chaumine mal couverte, mal éclairée, mal fermée, et malodorante. Malodorante parce qu'y voisinent humains et animaux domestiques, lorsque, la nuit, tous doivent bien y dormir. Recherche de la chaleur, toujours, comme dans le fait de coucher tous ensemble, hommes, femmes et enfants, dans un grand lit ! Les nourrissons écrasés durant le sommeil des parents, de ce fait, ne sont pas rares.

Encore ce tableau pessimiste ne décrit-il que la vie normale des populations. Car les hivers peuvent aussi être exceptionnellement rigoureux. En Flandre, Artois, Hainaut et Cambrésis, par exemple, les sources conservent la trace de sept hivers particulièrement rigoureux, au XVe siècle [3]. Toutes les rivières gelèrent en 1399-1400. Le grand hiver de 1407-1408 se révéla atroce. Il gela sans interruption de la Saint-Martin (11 novembre) à la Chandeleur (2 février), ce qui entraîna la mort d'hommes et d'animaux. Au dégel, *le Pont Neuf de Paris fut abattu en Seine*, selon Monstrelet. La période de gelée fut aussi particulièrement longue en 1434-1435. Elle dura de la fin du mois de décembre au 22 mars, puis, après quelques jours plus doux, reprit jusqu'au début de mai. En 1457, les froids furent très précoces et les rivières furent prises dans la glace. L'hiver de 1464-1465 vit même le vin geler, tandis que plusieurs personnes moururent de congestion aux champs. Du 23 décembre 1480 au 7 février 1481 la bise souffla continuellement et le gel fut ininterrompu. Le chroniqueur Molinet précise même que : *Petis enffans estoyent trouvez mors en leur repos et berceaulx; plusieurs*

3. F. Lecuppe, *op. cit.*, p. 78-81.

gens à cheval s'engeloyent par les champs et, au descendre, se mouroyent. Enfin, le dernier hiver rigoureux du siècle fut celui de 1498.

Chaque région de France, au XVe comme au XVIe siècle, pourrait fournir sa propre chronologie des méfaits de l'hiver, du froid, des inondations qui suivent le dégel. L'historien du climat en expliquera les causes. Nous ne retiendrons ici que l'incapacité réelle des populations à se prémunir efficacement contre de tels fléaux. Le froid est bien le fidèle compagnon de l'homme du temps. Il s'insinue régulièrement dans sa vie quotidienne et le soumet au moins une fois par génération à une véritable épreuve de résistance. Il constitue même un thème littéraire important, témoin l'épisode des paroles gelées rapporté par Rabelais, ainsi que les légendes, courantes au XVIe siècle, d'un Est européen où les animaux et même les gens passent de longs hivers dans la glace pour revivre au printemps, ou encore cette histoire édifiante copiée au XVe siècle, d'âmes du Purgatoire emprisonnées dans de la glace [4].

Et lorsque se conjuguent la famine et le froid, lorsque les guerres incessantes de l'époque — assez peu meurtrières pour les soldats — poussent le paysan à se réfugier dans les bois et à s'y terrer, le désespoir n'envahit-il pas cette humanité anémiée ? D'autant que la guettent sournoisement d'innombrables maladies, contre lesquelles existent alors peu de recours.

Misère physiologique

Les maladies de tous ordres trouvent un terrain propice dans cette humanité sous-alimentée, encore affaiblie par les dépenses énergétiques faites pour résister aux aléas climatiques. La mort, de ce fait, est beaucoup plus présente dans l'esprit et la réalité du temps qu'à notre époque.

Les travaux relativement rares de démographie historique, en ce qui concerne ce monde préstatistique, et la comparaison avec les XVIIe et XVIIIe siècles, qui sont beaucoup mieux connus, permettent de définir quelques traits essentiels d'une vie constamment menacée. Règne alors une effroyable mortalité infantile,

4. B. M. Lille, Ms. 795, f° 587 v°.

surtout durant les premiers mois et les premières années de l'existence. L'espérance de vie à la naissance est vraisemblablement très basse, de l'ordre de vingt ans. Et l'adolescent qui survit peut espérer atteindre une petite quarantaine, si son corps ne s'use pas trop vite, s'il échappe aux grands fléaux et aux guerres. Les gens du temps ne considèrent-ils pas, à juste titre, qu'une vie accomplie ressemble à celle du Christ, mort à 33 ans ? Une sélection impitoyable touche aussi les faibles, les malades, les vieillards et surtout les femmes. Pour elles, des grossesses répétées à de courts intervalles — deux ans peut-être, en moyenne ? — les exposent régulièrement aux dangers de l'accouchement, aux infections qui en résultent, puisque la médecine est alors impuissante et que les médecins ne se veulent pas mêler des accouchements, réservés aux rares sages-femmes et surtout aux matrones et aux voisines. La mort fauche donc, vite et bien, détruisant rapidement les unités conjugales. Les veuves et les veufs abondent, et cherchent rapidement à convoler en nouvelles noces, comme à Nantes et en pays nantais au XVIe siècle, où les remariages atteignent 20 à 27 % des unions célébrées chaque année [5]. Abondent également les enfants, qui se succèdent rapidement au foyer, puisque la moitié ou plus d'entre eux n'atteindra pas l'âge adulte. Spectacle réitéré de leur mort et de celle des parents, des amis, des voisins ! La mort est partout, dans les villes et dans les villages, qui perdent soudainement, en cas d'épidémie, des dizaines, des centaines d'habitants, pour se gonfler rapidement ensuite, dans l'attente d'une nouvelle crise ou *mortalité*. Quoi d'étonnant, dès lors, si règne sur ce monde un certain mépris de la vie, ou du moins une grande indifférence à la mort des proches, surtout s'il s'agit de très jeunes enfants, auxquels les conditions de l'époque permettent difficilement de s'attacher ? Certes, vues du dernier quart du XXe siècle, ces attitudes peuvent surprendre et choquer. Elles sont pourtant moins d'insensibilité profonde que de défense devant le spectacle quotidien de la mort. Elles permettent à ceux qui survivent de le faire en évacuant une partie de leur angoisse, et en se convaincant que les plus malheureux sont bien ceux qui restent.

5. A. Croix, *Nantes et le pays nantais au XVIe siècle. Etude démographique,* Paris, 1974, p. 78.

Après tout, cet axiome de la sagesse populaire est loin d'être faux, car les vivants continuent à côtoyer effroyablement la réalité de la mort, c'est-à-dire l'angoisse de leur propre disparition prochaine. Les innombrables maladies qui les guettent ne connaissent aucun remède efficace. Et ce mystère les affole, leur fait croire à une véritable expression de la malédiction divine. Malédiction qui s'exprime par l'envoi des fièvres, des maladies alimentaires et autres *flux de ventre,* de la lèpre — en recul au XVIᵉ siècle —, de la syphilis importée d'Italie à l'époque des expéditions françaises en ce pays, et surtout des grandes épidémies généralement désignées par le nom très vague de *pestes.* Les villes sont les terrains les plus favorables pour ces épidémies. Y circulent en liberté les porcs, les chiens, les rats. Leurs ruelles étroites et tortueuses encombrées d'immondices, voire de tas de fumier, manquent d'air et de soleil. Leurs égouts à ciel ouvert recueillent et laissent croupir les eaux usées, déversées par chacun et plus encore par les teinturiers, les tanneurs et autres corps de métiers polluants. La guerre y pousse et y entasse des foules venues du plat pays, dont la présence provoque la sous-alimentation et entraîne une dégradation supplémentaire des conditions de vie. Et même si les autorités tentent, à partir du XVIᵉ siècle en général, d'améliorer l'aspect de la ville par des règlements d'urbanisme divers, ces conditions déplorables se perpétuent jusqu'aux poussées urbaines du XVIIᵉ et surtout du XVIIIᵉ siècle.

Ceci explique pourquoi les *pestes* urbaines sont mieux connues que celles qui frappèrent les campagnes. Non pas, d'ailleurs, que celles-ci aient été épargnées. Mais peut-être le moindre entassement humain fut-il parfois susceptible d'expliquer l'atténuation de certaines épidémies ? En outre, nombre de *pestes* rurales nous échappent parce que personne n'en a noté la trace, et que, en l'absence de registres de catholicité, nul historien n'a pu étudier la démographie de ces villages et mettre en évidence l'impact des épidémies sur leur population.

Les chroniqueurs urbains, eux, s'étendent d'abondance sur ces catastrophes. Ils racontent la peste née en France en 1399 et qui sévit à Amiens, Lille et Tournai en 1400. Ils décrivent l'épidémie parisienne de 1418, qui atteignit ensuite Amiens; la *grande mortalité* que connut l'Artois en novembre et décembre

1433; la peste de 1438 qui submergea toute la France. Les régions très urbanisées du nord de notre pays, ainsi que la Flandre et le Brabant, souffrirent particulièrement de ces vagues épidémiques[6]. La Flandre en 1448; Saint-Omer en 1452 et 1454; Amiens, Arras et Anvers en 1454; Amiens, Compiègne, Noyon, Douai en 1457; Lille en 1471 et Anvers en 1472. De 1479 à 1493 ces mêmes territoires connurent à la fois la guerre, la disette et une grande peste, qui ne s'interrompit que durant trois ans, en 1481, 1485 et 1486.

Des maladies mieux définies et aux effets mortels apparaissent également : coqueluche, variole, *mal de Naples* ou *mal de Job*. Quant à la rage, inguérissable, elle exposait ses victimes, après une neuvaine, dont l'efficacité est douteuse, à Saint-Hubert dans les Ardennes, à être étouffés sous des oreillers par leurs proches. La litanie se poursuit au XVIe siècle, comme en témoigne à nouveau l'exemple du Nord. L'épidémie de juillet 1514 à Valenciennes mène au tombeau vingt-quatre personnes par jour et continue en 1515, malgré des processions générales destinées à se concilier l'indulgence divine. La même ville connaît des épidémies en 1522, 1554-1555, 1571, 1581, 1596-1598[7].

Aucun remède n'étant efficace, les villes du XVe siècle, tout en s'attachant des chirurgiens chargés de soigner les malades des *pestes,* quelle que soit leur condition, tentent de faire cesser la colère divine par des prêches et des processions. Elles font invoquer les saints guérisseurs, et surtout luttent contre la contagion par une quarantaine systématique. A la suite d'Anvers, en 1472, d'autres villes, comme Amiens en 1493, émettent des règlements de ce genre. En 1582, par exemple, les pestiférés d'Arras sont astreints à s'écarter durant six semaines des bien-portants et à se signaler à leur attention, s'ils fréquentent exceptionnellement des lieux publics, en arborant une verge blanche. Leur quarantaine ne cessera que lorsqu'ils se seront présentés devant les échevins, accompagnés de témoins, leurs voisins, qui certifieront que le temps réglementaire s'est bien écoulé. Ils briseront alors leur verge blanche et seront libres

6. F. Lecuppe, *op. cit.*, p. 54-71.
7. A. Dinaux, « Epidémies en Flandre. Notice chronologique », *A.H.L.*, 1re série, t. II, 1832, p. 244-263.

de leurs allées et venues [8]. La quarantaine est aussi organisée par les villes épargnées contre tout ce qui peut provenir des foyers d'infection. Les autorités arrageoises interdisent aux fripiers, en 1597, de commercer avec des régions pestiférées. En 1603 ils défendent à quiconque de recevoir sans permission des biens ou des gens venus de l'extérieur [9]. Une lutte plus ou moins efficace contre les épidémies s'organise. Elle consiste à écarter vigoureusement les malades, à leur interdire l'entrée ou la sortie des villes, à marquer leurs maisons et leur personne de signes d'avertissement, à imposer l'enterrement des décédés hors des églises et des cimetières habituels, à faire nettoyer les rues, à prohiber momentanément la divagation des animaux dans la ville — voire à faire exécuter les chiens par un *tueur de chiens* qui prête serment au Magistrat, à Arras —, et enfin à couper toute relation avec les villes ou les régions infectées. En somme, l'homme du xve et du xvie siècle tente d'échapper aux maladies contagieuses par la quarantaine, ou par la fuite, tel Montaigne laissant derrière lui sa cité de Bordeaux. Il ne convient pas ici de juger de l'efficacité de ces pratiques. Par contre, ces actes de répulsion vis-à-vis des malades et des maladies indiquent clairement quelles monstrueuses peurs ils recouvrent. Peurs très réelles, assurément, de la part d'hommes physiquement faibles, sous-alimentés, luttant désespérément contre le froid, contre la nature hostile, et qui se savent des proies faciles pour des maladies sans remède. En outre, cette insécurité physique totale est en partie explicative de peurs, d'angoisses plus imaginaires, mais tout aussi redoutables.

II. *L'insécurité psychologique*

« Peur toujours, peur partout » écrivait Lucien Febvre dès 1942 à propos des hommes du xvie siècle [10]. Dans le monde de

8. A. M. Arras, BB 40, f° 95 r°-°.
9. *Ibid.*, BB 40, f° 105 v°-106 r° et 112 r°.
10. L. Febvre, *Le problème de l'incroyance au xvie siècle. La religion de Rabelais*, Paris, 1942 (cité d'après la réédition de 1968, p. 380).

l'à-peu-près et de l'ouï-dire qu'il décrivait, foisonnaient les peurs, réelles ou imaginaires, compagnes ferventes des hommes anémiés du temps. Aussi n'est-il pas étonnant de découvrir chez eux un profond sentiment d'insécurité, même lorsque ne règnent pas les grands fléaux. Sentiment qui les pousse à de violentes décharges d'agressivité et marque leur vie du sceau de la brutalité.

Peurs réelles

Un complexe de peurs fondées hante l'esprit des hommes du XVᵉ comme du XVIᵉ siècle, et ne disparaîtra d'ailleurs pas entièrement aux époques suivantes. Chacun se sait un malade en puissance et a régulièrement sous les yeux l'image du sort qui l'attend. Chaque villageois d'Ames, en Artois, a entendu parler de Jehan le Porcq, fils de Robert, qui *morut en une hute au bout de leur jardin, estant infecté de maladie contagieuse, finant* (finissant) *ses jours catholicquement*, le 1ᵉʳ avril 1580 [11]. Chaque villageois, chaque citadin, dans la France entière, sait qu'un tel destin l'attend en cas de contagion : une mort chrétienne, certes, mais à l'écart des autres et abandonné par ses proches.

La peur de la mort, subite ou retardée, rôde également sous la forme des animaux, sauvages ou domestiques. En premier lieu le loup, alors très répandu, risque l'hiver d'attaquer les enfants et même les adultes aux champs, ou jusqu'à la porte de leur chaumière. Le Bourgeois de Paris décrit les grands dommages causés par les loups en 1421, en 1438, en 1439 [12]. L'animal est tellement redouté, à l'époque, qu'il fournit également la matière d'histoires fantastiques sur les loups-garous. N'oublions d'ailleurs pas qu'à sa présence s'attache aussi la peur de la rage, alors inguérissable. La même peur fait craindre également les renards, qui semblent pulluler. Les sergents surveillant une garenne arrageoise en tuent huit en 1401-1402, treize en 1405-1406, seize en 1408-1409 et reçoivent cinq sous

11. R. Rodière, « Deux vieux registres de catholicité du pays d'Artois », *B.S.E.P.C.*, t. IV, 1902, p. 147.
12. J. Palou, *La peur dans l'histoire*, Paris, 1958, p. 39-42.

par bête [13]. Les animaux « domestiques » du temps sont fréquemment causes de peurs et de dangers : chiens qui divaguent dans les villes et dans les campagnes, en transmettant également la rage; porcs en liberté, dans les mêmes lieux, qui s'attaquent souvent aux petits enfants, les dévorent, et sont traînés en justice puis pendus [14]. Il n'est pas jusqu'aux abeilles et autres guêpes qui ne s'attaquent à l'homme. Les sources sont avares sur ce point, mais le fait qu'un Arrageois fut *emmiellé* en 1241 et livré durant deux jours aux piqûres des insectes avant d'être pendu [15], laisse à penser que ceux-ci étaient assez nombreux pour donner l'idée de ce supplice raffiné.

Les hommes, eux aussi, peuvent occasionner de violentes peurs chez leurs contemporains. Du moins, les hommes que la société parque sur ses marges. Lépreux, pestiférés, mendiants, brigands, bohémiens, abondent alors. Ils vivent en général aux limites du monde humanisé, à la lisière des forêts, sur les routes. Ils circulent beaucoup. La société, qui refuse de leur faire une place en son sein, les y force et s'évertue à les isoler les uns des autres. Car, lorsqu'ils forment des bandes, ils s'attaquent aux honnêtes gens, tels les brigands qui chauffent les pieds des paysans pour leur arracher l'indication du lieu où ils cachent leur argent et leurs provisions. Ces déviants, ces marginaux, cristallisent les peurs sociales. Ils représentent la Mort et sont chargés de tous les crimes imaginables. Témoin le sort réservé aux bohémiens, que l'on nomme aussi Egyptiens, et que l'on accuse, après les Juifs du Moyen Age, de vol d'enfants [16]. En Artois, l'attitude à leur égard évolue nettement. Trente d'entre eux vivent durant trois jours à Arras en 1421, et font simplement l'étonnement des habitants. Mais une hostilité à leur égard se manifeste en 1493-1494 et en 1502-1503 à Aire-sur-la-Lys. En 1532-1533, une ordonnance les chasse du comté et six des leurs, finalement, sont fustigés en 1578-1579,

13. A.D.N., B 13893, 13897, 13900, chapitre « dépenses communes » (Comptes de la ville d'Arras). Les bêtes sauvages alors répandues en Artois sont les blaireaux, les putois, les aigles, les fouines, les chats sauvages, selon les mêmes sources.

14. J. Vartier, *Les procès d'animaux du Moyen Age à nos jours*, Paris, 1970.

15. B.M. Arras, Ms. 1854, fiches « pendaison ».

16. J. Palou, *op. cit.*, p. 50.

comme l'exigent de récents placards royaux [17]. Cette évolution des attitudes des autorités à leur égard me semble symptomatique. Elle traduit l'apparition d'un vaste mouvement de répression contre ceux des marginaux qui pourraient s'associer. En fait, la société ne tolère plus que le déviant isolé, ainsi affaibli, et d'ailleurs de plus en plus fréquemment stigmatisé d'un sceau d'infamie : l'oreille coupée trahit le voleur, tandis que seuls les mendiants porteurs de la marque d'une ville peuvent demander l'aumône dans celle-ci. Un besoin plus grand de sécurité apparaît, qui est consécutif à l'aggravation des tensions sociales et des peurs qui en résultent. La répression, en la matière, ne saurait suffire à régler le problème. Aussi la peur des marginaux continuera-t-elle à se développer aux siècles suivants, dans les couches dirigeantes mais aussi dans les masses populaires.

Peurs imaginaires

Mal dominé par l'homme, le monde naturel engendre de multiples peurs qui ne sont pas toutes réelles. En outre, le microcosme qu'est le corps humain ne laisse pas d'inquiéter son légitime possesseur. Enfin, le surnaturel est omniprésent pour les contemporains.

Il est nécessaire d'imaginer les conditions de vie de l'époque pour prendre l'exacte mesure des terreurs que fait naître le spectacle de la nature. Paysans et citadins vivent, évidemment, au rythme des saisons et se calfeutrent chez eux la nuit. Lorsque l'obscurité s'abat sur le village, l'espace dominé par l'homme se réduit aux étroits halos des lumières qui éclairent la pièce principale de chaque habitation. Nulle lueur à l'extérieur que celle de la lune ou des étoiles, sauf lorsque flambent les bûchers cérémoniels de la Saint-Jean ou de quelque autre fête, bûchers rassurants qui humanisent exceptionnellement une nature hostile. Les villes, elles, s'endorment vite à l'abri de leurs remparts, toutes portes fermées, tandis que les guetteurs

17. B.M. Arras, Ms. 1885, fiches « police ».

surveillent l'horizon, en se chauffant l'hiver aux braises qui rougeoient de place en place sur le chemin de garde. Dans les rues, peu ou pas de passants et presque jamais de lumières fixes, mais quelques torches qui conduisent les démarches peu rassurées des noctambules et celles des milices faisant leur ronde. Seules d'exceptionnelles solennités voient la ville s'embraser pour une vie nocturne fugitive. Dans tous les Etats des ducs de Bourgogne au XVᵉ siècle, par exemple, les réjouissances publiques et en particulier les entrées ducales s'accompagnent de minutieux règlements de police, et de l'ordre, notamment, de mettre une torche devant la porte de chaque maison [18].

La nuit, dans ces conditions, est bien le domaine privilégié de l'angoisse humaine, comme l'ont prouvé de nombreux historiens après Lucien Febvre. Elle abolit brutalement la distinction entre la nature hostile qui environne chaque communauté et cette dernière. Elle isole les individus et les familles, alors que toute la société est bâtie le jour sur un jeu complexe de rapports humains, nombreux et solides, une intense sociabilité marquant en effet ces époques. Dès lors, la nuit est considérée comme le domaine de tous les dangers imaginables. Elle est le royaume du diable, des démons que décrit Ronsard, des sorciers, des loups-garous, des bêtes monstrueuses. Elle bruisse de leur présence et leur permet d'accéder au seuil des maisons.

Tous les historiens ont également insisté sur la peur causée par les événements exceptionnels : grand vent, inondations, gel exceptionnel, tremblement de terre, comètes, etc. Car chacun de ces cas est un prodige, *un monstre* au sens de l'époque, c'est-à-dire une rupture de l'ordre naturel des choses. Ordre naturel, ou plutôt ordre divin, la « nature » désignant alors l'harmonie de la Création. Toute catastrophe ne peut donc être qu'une manifestation diabolique ou qu'un avertissement donné aux hommes par le Tout-Puissant. Généralement, pense-t-on, s'exprime de cette manière la colère divine. Les chroniqueurs les plus connus, comme Nicolas Versoris sous François Iᵉʳ, ou Pierre de l'Estoile à la fin du XVIᵉ siècle, et bien d'autres

18. A. M. Arras, BB 38, fᵒ 80 rᵒ-vᵒ par exemple (16 mars 1469. Entrée de Charles le Téméraire à Arras).

encore, racontent les *plaies et persécutions que Dieu a acoustumé d'envoyer sur le peuple sur lequel il a l'indignation* [19]. Les plus obscurs curés de paroisse notent avec effroi de tels faits dans leurs registres de catholicité. Ainsi le curé de Rumegies, près de Saint-Amand (Nord), signale-t-il l'apparition d'une *estoille à queux,* en 1579, et précise-t-il que les rayons étaient tournés vers la Flandre, c'est-à-dire vers la ville de Gand révoltée contre le roi. Les registres mémoriaux d'Arras, eux, contiennent la trace des réactions au tremblement de terre du mercredi 6 avril 1580, vers cinq heures et demie de l'après-midi. On parle *de l'ire* (colère) *de Dieu, comme* (le fait) *estans contre nature et inaudite en ces pays.* Les échevins d'Arras demandent au provincial des Cordeliers d'admonester le peuple pour ses péchés. La foule, durant trois semaines, vint écouter ces sermons, d'autant que le fait, advenu *si tost aprez la solempnité de Pasques estoit un grand signe et argument de l'ire de Dieu* [20].

Le corps humain lui-même est objet d'effroi. Son fonctionnement est presque totalement inconnu, même pour les plus savants du temps, l'Eglise continuant à interdire les dissections. Seuls quelques esprits forts, comme Rabelais, osèrent enfreindre cette solennelle interdiction, et poser les bases d'une science médicale balbutiante. La majorité, en tout cas, ignore sa propre physiologie. Certains phénomènes corporels inspirent même une angoisse profonde. Ainsi, le mystère du sang menstruel féminin apparaît-il lié aux notions de saleté et de danger. L'un des principaux arguments des détracteurs de la femme n'est-il pas fondé sur cette infériorité physique périodique ? Le sexe de la femme, d'ailleurs, est considéré, plus généralement, comme la source de dangers multiples. Rabelais lui-même le décrit comme *un animal, un membre, lequel n'est ès hommes, on quel quelques foys sont engendrées certaines humeurs salses, nitreuses, bauracineuses, acres, mordicantes, lancinantes, chatouillantes amère-*

19. *Journal d'un bourgeois de Paris sous François 1er*, Paris, 1963, p. 66 (N. Versoris).
20. J. Finot, « Notes historiques consignées sur les registres paroissiaux... du département du Nord », *Bull. Commission Hist. Dép. Nord,* t. xxvii, Lille, 1909, p. 124 et A. M. Arras, BB 15, fo 103 vo-104 ro (6 avril 1580).

ment [21]. Les gens d'Eglise ont beau jeu, dans ces conditions, de relier les malheurs physiques aux péchés des hommes et à la colère divine. Un prédicateur anonyme de la première moitié du XVIᵉ siècle explique aisément les maladies congénitales par l'iniquité des parents : *Decy de terribles menaches que nous fait Nostre Seigneur si nous transgressons ses commandemens. Ce ne sont point menaches de ung petit enfant... Mais che sont les menaches de Nostre Dieu fort et puissant, que ce qu'il dit il le faict. Et pourtant le debvons grandement craindre et redouter. D'où vient che qu'il advient souvent aux enfans beaucoup de malheuretés : ou d'estre aveugles innetz* (nés), *boiteux ou contrefaitz, ou subjectz à quelques grièves* (graves) *maladies, ou mourir pourement* (pauvrement). *Il vient souvent des pères ou mères et des grans pères jusques à la tierce ou quarte génération* [22]. Le châtiment cesse à la quatrième génération, seulement, ajoute-t-il, alors que les bons, quant à eux, sont récompensés jusqu'à la mille millième ! Les auditeurs, évidemment, ne peuvent qu'être sensibles à cette argumentation, puisqu'ils savent bien que leur corps est le siège de manifestations étranges, de douleurs, de maladies, que leurs connaissances pratiques ne permettent pas toujours d'expliquer. D'ailleurs, pour eux, les paroles du prédicateur et de ses semblables ne font que confirmer la présence, dans le microcosme de leur corps, de ce surnaturel qui domine l'ensemble du monde sensible et du monde imaginaire.

La présence du surnaturel est constamment et partout ressentie. Elle s'exprime au sein même de la religion populaire du temps, que Jean Delumeau a proposé de nommer un « christianisme folklorisé » [23], et qui est essentiellement basée sur la crainte d'un Dieu terrible et vengeur. Tel prédicateur qui, exceptionnellement, dans la première moitié du XVIᵉ siècle, parle dans un sermon de l'amour de Dieu, insiste néanmoins davantage sur la crainte, avant de conclure à la complémentarité des deux sentiments [24]. Cette crainte se manifeste, nous l'avons vu,

21. Rabelais, *Tiers Livre,* Paris, éd. Livre de Poche, 1966, p. 357-359.
22. B. M. Lille, Ms. 131, fᵒ 119.
23. Travaux de J. Delumeau, en particulier : *Le catholicisme entre Luther et Voltaire,* Paris, 1971.
24. B. M. Lille, Ms. 131, sermon 19, fᵒ 142 vᵒ-149 vᵒ.

par des attitudes de prière angoissée lorsque Dieu envoie ses fléaux pour punir les pécheurs. Mais elle se tapit aussi au centre de la vie quotidienne normale, puisque le diable et le péché sont omniprésents dans le monde. Les légions infernales sculptées ou peintes dans les églises affolent les humains. Le démon ou ses séides se manifestent à n'importe quel moment, au détour d'un chemin, au milieu d'un champ. Un instant d'isolement est l'occasion rêvée pour eux : Anne-Marie de Georgel, de Toulouse, raconte aux Inquisiteurs, en 1335, *qu'un mardi matin, comme elle était seule à laver le linge de sa famille, au-dessus de la ville..., elle vit venir à elle, par-dessus l'eau, un homme d'une taille gigantesque, fort noir de peau, dont les yeux ardents semblaient deux charbons allumés, et qui était vêtu de peau de bête. Ce monstre lui demanda si elle voulait se donner à lui...* [25]. Elle accepta, devint sorcière et se mit à fréquenter le sabbat.

De telles aventures guettent tout un chacun. Du moins en est-on certain durant les derniers siècles du Moyen Age et à l'époque moderne, alors que grandit la peur des sorciers et que les bûchers s'enflamment pour les exterminer. Mais faut-il interpréter ces croyances à la lumière de l'orthodoxie catholique ? Si l'on en croit les clercs et les lettrés, existe une totale bipartition du monde, entre le Bien et le Mal. L'ordre humain y participe, puisque *la femme est maryée au diable,* comme le dit l'adversaire du sexe féminin mis en scène dans le *Champion des Dames* de Martin Franc, vers 1440-1442 [26]. Mais cette dualité est plus simplificatrice que réelle. Les masses populaires, au fond, ne considèrent pas que Dieu et ses saints puissent être toujours et totalement bénéfiques, pas plus que les démons ne sont constamment maléfiques. L'idée savante d'une dualité originelle a été coulée, par la mentalité populaire, dans le moule d'une vision du monde fondamentalement animiste. L'enseignement chrétien, parfois déformé par des curés peu instruits ou même totalement ignorants, n'a pas encore réussi à faire disparaître la croyance à l'ambivalence du sacré. D'ailleurs, Dieu ne déchaîne-t-il pas de multiples maux, à l'occa-

25. J. Hansen, *Quellen... zur Geschichte des Hexenwahns...,* Hildesheim, 1963 (réédition), p. 451 (nombreux autres textes sur ce thème).
26. Cité dans Hansen, *op. cit.,* p. 103.

sion de colères qui ne sont pas toujours compréhensibles ? Et
Satan n'est-il pas utile aux hommes, à l'occasion ? En somme,
une immense dispersion du sacré investit l'univers entier de
forces, ou d'âmes, qui ne sont ni malfaisantes ni bienfaisantes
a priori, mais qui sont toutes susceptibles de constituer un
danger. Rien, dans le monde visible ou invisible, ne possède un
caractère de neutralité. Aussi, faut-il constamment rechercher
un équilibre des forces répandues partout. Ce qui explique, par
exemple, le fréquent recours aux guérisseurs. Leurs milliers de
sanctuaires voyaient accourir des foules inquiètes qui deman-
daient un accouchement facile, la guérison d'une maladie précise,
ou l'espoir d'une bonne récolte. Saint Etton, entre autres, était
l'objet d'un culte agraire à Dompierre, près de l'abbaye de
Liessies, dans l'Aisne, et ceci jusqu'en 1789. Les pèlerins s'y
rendaient en masse, chacun portant une baguette de coudrier
dont l'écorce avait été découpée en spirale, faisaient trois fois
le tour de la nef de l'église en commençant par la gauche,
traçaient un signe de croix avec leur baguette sur la châsse du
saint, arrivaient à la statue colossale de celui-ci et la balayaient
entièrement de leur baguette, puis sortaient et trempaient cette
dernière dans une fontaine, à trente pas de l'église. Certains
allaient ensuite au cimetière afin de jeter une bougie dans un
feu. Tous, enfin, en rentrant chez eux, frottaient le dos de leurs
bestiaux avec leur baguette, pour préserver les bêtes des maladies ou des accidents [27]. Rien ne serait plus facile que d'accumuler d'autres descriptions de ce type, ou d'insister sur les
innombrables cas de sorcellerie qui constituent la face sombre
et maléfique du même phénomène, les rites diaboliques visant
également à se concilier des forces efficaces. En ce sens, la figure
du diable ne s'est pas encore nettement individualisée et cristal-
lisée pour les masses populaires, qui découvrent le danger
partout, et, peut-on dire, qui craignent autant Dieu que Satan.
D'où la généralisation des tabous, des rites prophylactiques, des
interdits, des exorcismes primitifs. A cet égard, les populations
françaises me paraissent très proches de ces Péruviens que
décrit le jésuite Anello Oliva au début du XVIIe siècle : sacra-

27. I. Lebeau, « Chapelle de Saint-Etton », *A.H.L.*, 1re série,
t. I, 1829, p. 111-116.

lisation du plus gros épi de la moisson, offrandes aux forces naturelles, crainte des *monstres,* c'est-à-dire de ce qui brise le cours normal des choses, croyance dans les songes prémonitoires et dans les signes avertisseurs des calamités, tabous des carrefours et de certains lieux, consécration d'autres endroits avec cérémonies propitiatoires, croyance à la survie, sous une certaine forme, des morts, etc. [28]. Que l'auteur ait été influencé par ie spectacle des superstitions occidentales contre lesquelles l'Eglise de son temps a déclenché une lutte sévère, ou qu'il ait fait œuvre de véritable sociologue importe peu. Sa description nous invite à tenter une ethnologie rétrospective de notre propre pays, s'il est vrai qu'il est désormais au moins aussi difficile de négliger la dimension chrétienne de la religion de cette époque que d'ignorer les pratiques qui lui sont irréductibles.

L'incapacité à dominer le monde physique n'a pas seulement des répercussions sur la précarité des conditions de vie de l'époque. Plus encore que des hommes fragiles, elle donne des hommes inquiets, environnés de toutes parts par de réels dangers et soumis de façon constante à l'invasion du surnaturel. Les peurs s'accumulant créent l'angoisse permanente, elle-même génératrice de désordres psychologiques et d'instabilité caractérielle.

L'agressivité non détournée

L'instabilité psychologique des hommes du xve et du xvie siècle est depuis longtemps un lieu commun de l'histoire [29]. La vie tout entière repose sur des contrastes brutaux. Contraste entre les longues périodes de jeûne et l'explosion alimentaire des fêtes. Contraste entre la nuit et le jour, entre la période d'activité agricole et l'hiver, entre le temps des grands fléaux et celui des répits... Le Français de ce temps ressemble un peu au bébé russe étroitement emmailloté et passif lorsque sa mère tra-

28. Anello Oliva, *Histoire du Pérou,* édité à Paris, 1857, p. 118-125.
29. Ce qui suit est basé, sauf indication contraire, sur les travaux de J. Huizinga, R. Mandrou, J. Delumeau, A. Tenenti, etc.

vaille à l'extérieur, libre, gai et actif à son retour, grâce auquel les psychologues ont trouvé le secret de l'âme slave, tour à tour marquée par l'indolence un peu triste et la subite explosion joyeuse. Il est vrai que nos très lointains ancêtres, en tout cas, vivaient par à-coups leur existence quotidienne. Songeons aux nobles de la fin du XVIᵉ siècle dont cette mauvaise langue de Brantôme, dans les *Dames galantes,* nous a conservé les mœurs brutales en matière de passion amoureuse. La passion religieuse des prédicateurs du XVᵉ et du XVIᵉ siècle ne leur cédait en rien. Que dire de la fureur avec laquelle les Huguenots français se jetaient dans la guerre ? La mesure de ces temps était l'intolérance en tous domaines, car la fièvre montait vite lorsque l'honneur était chatouillé. Et chacun, pris de subites rages de vivre, se jetait corps et âme dans n'importe quelle activité. Le circonspect Montaigne, en ce sens, n'était pas de son siècle. D'un siècle où la vie était courte et très menacée, ce qui poussait à la jouissance de l'instant lorsque ne régnait pas la peur.

Au fond de tout cela, il y avait bien une angoisse existentielle Même les meilleurs chrétiens ressentaient cette angoisse, diffusée dans toute la civilisation, et qui conduisait paradoxalement à l'exacerbation d'une étrange morbidité. L'automne du Moyen Age connut la présence constante de la mort au milieu de la vie. Les danses macabres, les gisants décharnés et mangés par les vers qui ornaient les tombeaux, les prêches apocalyptiques des moines mendiants ne constituent que quelques exemples parmi de nombreux autres de cette morbidité maladive. Après un temps d'arrêt, elle reparut à la cour de Henri III, ou dans la poésie baroque : le *Printemps,* qu'Agrippa d'Aubigné écrivit à partir de 1570, était hanté de visions sataniques, de descriptions de tombeaux, et l'auteur se complaisait même — à vingt ans — dans la nécrophilie.

A l'image du cimetière, qui était au centre du village, la mort n'était pas reléguée dans un espace séparé. Elle s'affichait partout, à en devenir banale : pendus des gibets, condamnés exécutés en place publique, victimes des brigands et des soldats, enfants abandonnés au pied des murailles des villes, mendiants et vagabonds trouvés morts sur les chemins, malades décédés à l'écart de la communauté. Et, comme si les conditions du temps ne suffisaient pas à multiplier les hécatombes, la brutalité des mœurs faisait d'innombrables victimes. L'agressivité était en effet le trait dominant de ces hommes, guère sensibles aux malheurs ou à la disparition d'autrui. Peut-être cette insensibilité était-elle pour eux un moyen de défense contre l'angoisse de la mort trop présente ? Tout comme le spectacle des exécutions publiques les rassurait vraisemblablement en projetant la mort hors d'eux-mêmes, sur un criminel. Car les foules se pressaient à ces exécutions raffinées et se délectaient, en frissonnant, du spectacle. Oreilles, paupières ou mains coupées, yeux crevés, langues percées, mises au pilori ou au carcan n'étaient que les moindres des supplices qui guettaient les accusés. A Arras, à la fin du XIIIe siècle, les faux-monnayeurs étaient bouillis vifs. D'autres criminels étaient brûlés, enfouis vivants, décapités, pendus, roués et rompus, selon le type de méfait commis[30]. D'aussi violents spectacles ne faisaient que développer l'agressivité et le mépris de la vie humaine. D'autant que chacun portait une arme, à tout le moins un bâton ferré ou un couteau taille-pain, en ces temps d'insécurité. Nul lieu n'était épargné par les bagarres, pas même les églises ou les cimetières. Le curé d'Ames en Artois note, le 18 septembre 1580, que le cimetière du village a été *polué et interdicte pour y avoir eust ung coup donné à sang coulant en la personne d'Ecthor de Marles...* [31]. Et les statuts synodaux signalent parfois l'interdiction faite à quiconque de polluer les églises en y versant le sang, ce qui prouve que le fait est possible. Les querelles après boire sont banales, aussi, et souvent suivies de blessures ou de meurtres. Les haines entre habitants de villages voisins ou de différents quartiers d'une ville se révèlent généralement inexpiables. A la description faite par Noël du Fail en 1547 de la *grande bataille... où les femmes se trouvèrent,* entre ceux de Flameaux et de Vindelles, près de Rennes[32], fait écho la guerre picrocholine racontée par Rabelais. Malheur à ceux qui, comme Antoine Païelle, d'Ames en Artois, s'aventurent dans un autre village alors qu'un différend les oppose à des autochtones !

30. B. M. Arras, Ms. 1854, « Justice criminelle ».
31. R. Rodière, *art. cit.,* p. 147.
32. Noël du Fail, *Propos rustiques...* (cf. Krailsheimer, *Three Sixteenth-Century Conteurs,* New York-Oxford, 1966, p. 160-168, qui identifie ces deux villages aux noms imaginaires).

Le pauvre Antoine *morut par ung coup d'estocq de trois compagnons de Lierettes... auprès la maison du curé dudit lieu de Lierettes* [33]. Enfin, les guerres entre « clans » familiaux étaient très fréquentes et très violentes, surtout au XVᵉ siècle. A Bouvignes, près de Namur, en Belgique actuelle, un plaideur excité ayant tué son adversaire, le fils de ce dernier assembla sept ou huit parents, amis et serviteurs, et tua l'assassin, dont le cousin germain, son *plus prouchain parent,* entreprit de venger la mémoire, en 1457, mais succomba à son tour [34].

Les études sur la criminalité aux XVᵉ et XVIᵉ siècles — et même au XVIIᵉ — ont prouvé que beaucoup des meurtriers ou des coupables de graves blessures ont agi sans réfléchir, *mus de chaude cole* (colère). Ils ont ainsi déchargé d'un seul coup leur agressivité. Le meurtre prémédité est relativement rare, bien qu'il existe sous la forme des guerres familiales, pour ne citer qu'un exemple. De plus, l'importance des coups, blessures et meurtres dans l'ensemble de la criminalité est beaucoup plus grande qu'à notre époque. Ceci confirme l'existence chez les multiples acteurs de ces drames d'un profond sentiment d'insécurité, lequel s'exprime par une agressivité non détournée, brutale, rapidement mise en œuvre. Ces criminels — et tous leurs contemporains — ne sont pas capables de réfréner leurs pulsions émotionnelles. Ils recherchent une solution immédiate et radicale à leurs conflits avec d'autres personnes et surtout à leurs conflits internes. Car l'agressivité, dans ce contexte, est fille de la peur. La violence est restauratrice d'un ordre mental perturbé. Elle est violence de faibles, car sont faibles ces hommes qui voient la mort rôder partout autour d'eux, et qui pensent échapper à *leur* mort par celle des autres, ennemis d'occasion ou condamnés martyrisés devant leurs yeux. Il faudra longtemps avant que le processus de civilisation des mœurs n'aboutisse à détourner l'agressivité vers d'autres objets, et notamment vers de nouveaux boucs émissaires, comme la sorcière au XVIIᵉ siècle, ou comme les races dites inférieures en d'autres temps. Mais alors, le cadre mental aura changé et une

33. R. Rodière, *art. cit.,* p. 147.
34. Ch. Petit-Dutaillis, *Documents nouveaux sur les mœurs populaires et le droit de vengeance dans les Pays-Bas au XVᵉ siècle,* Paris, 1908, p. 184-185 (Autres cas : p. 190-192, 214-216...).

relative sécurité régnera au centre de la société, désormais mieux surveillée et mieux policée par le pouvoir absolutiste, tandis que les dangers, réels ou imaginaires, seront de plus en plus refoulés sur les marges de ce vaste ensemble. Bien avant que celui-ci ne se constitue réellement, en tout cas, des solutions limitées au malaise créé par l'insécurité physique et psychologique existaient. Le Français du xv⁰ ou du xvi⁰ siècle trouvait un certain réconfort dans le jeu complexe des solidarités familiales et sociales au sein desquelles il s'abritait.

III. La quête de la sécurité : les relations humaines

L'encadrement politique et religieux de la société française, de la guerre de Cent ans à l'avènement de Henri IV, a certes progressé. Mais il serait faux de croire que les masses populaires ont pris profondément conscience de cette évolution. Il est plutôt probable qu'elles se sentent généralement abandonnées à leur sort. L'Eglise, en premier lieu, ne parvient plus à les rassurer, et ne peut faire l'économie de la Réforme et des guerres de Religion, avant d'esquisser, au xvii⁰ siècle pour l'essentiel, une reprise en main, voire une totale christianisation de masses profondément païennes. L'Etat, en second lieu, n'est pas capable ni désireux de se préoccuper du confort psychologique de ses sujets. Les rois ont beaucoup à faire avec l'ennemi anglais, puis avec la menace bourguignonne, avec les guerres extérieures incessantes du xvi⁰ siècle et enfin avec les guerres civiles. Les courroies de transmission politiques peuvent bien rendre localement la justice au nom du souverain, faire rentrer les impôts, réprimer les révoltes. Mais ces gens du roi sont peu nombreux : 600 prévôts, 86 baillis et sénéchaux, 10 Parlements composent en 1554 tout l'appareil judiciaire de la monarchie, alors qu'existent en France 20 ou 30 000 cours de justice seigneuriales, et à peu près autant de communautés, rurales ou urbaines [35]. En outre, malgré de remarquables efforts, sous

35. D. Richet, *La France moderne : l'esprit des institutions,* Paris, 1973, p. 91.

François Ier, Henri II et même Henri III, pour mieux encadrer un pays immense — vu la lenteur des communications — la royauté ne peut prétendre pénétrer réellement dans chaque village, dans chaque ville. D'après Roland Mousnier, la France en 1515 compterait approximativement un officier pour 115 km^2 et pour un millier d'habitants, contre un officier pour 10 km^2 et soixante-seize habitants en 1665.

Dans de telles conditions, les paysans comme les citadins doivent s'en remettre à eux-mêmes pour assurer leur sécurité, tant physique que psychologique. Ils y parviennent plus ou moins par le jeu des solidarités sociales. Tout comme ils empilent sur leur dos des vêtements pour se protéger du froid, ils s'entourent de cercles successifs de relations humaines qui se nomment famille, communauté familiale étendue et communauté rurale ou urbaine.

La famille

Premier cercle de solidarité, la famille n'est pas alors le principal lieu des relations affectives [36]. Elle est avant tout une unité de production et de consommation, et permet à ses membres de conjuguer leurs efforts pour survivre. Elle est, comme à notre époque, composée généralement des parents et des enfants. Les familles élargies aux grands-parents, aux frères et aux sœurs mariés, aux cousins ou aux autres parents sont exceptionnelles, malgré la légende colportée par Le Play et ses successeurs, qui voyaient dans la large famille patriarcale un phénomène traditionnel et dominant. Seules certaines régions du Sud conservent, jusqu'au XVIIIe siècle souvent, un pourcentage important mais non majoritaire de familles élargies ou complexes. C'est le cas de Montplaisant, en Périgord noir, de la Corse, de la haute Provence, etc.

La famille du temps est donc conjugale et fonctionnelle. Elle sert d'école, d'institut professionnel pour les enfants, de

36. Principaux livres sur la question : Ph. Ariès, *L'enfant et la vie familiale sous l'Ancien Régime,* Paris, 1960 (rééd. 1973) et F. Lebrun, *La vie conjugale sous l'Ancien Régime,* Paris, 1975 (avec bibliographie récente).

maison de correction, et prolonge le rôle de l'Eglise dans la formation morale et religieuse. Elle fait partie de la stratégie de reproduction sociale, en ce sens qu'elle donne aux enfants la possibilité d'imiter leurs parents, mais rarement la chance d'atteindre un état supérieur au leur. Le critère fondamental de la naissance impose en effet aux jeunes le style de vie des anciens, puisque Dieu a créé un monde aussi parfait que possible, en attendant l'Apocalypse qui ouvrira le chemin de la vraie perfection. La famille est d'autre part vidée, selon les spécialistes, de tout contenu émotionnel et sentimental. Point d'amour entre les parents, entre ceux-ci et les enfants, mais des échanges de service. Point trop de chaleur humaine, donc, au sein de l'institution familiale, d'autant qu'y paraissent d'âpres problèmes d'intérêts. Les réalités démographiques, en effet, contredisent le plan divin de stabilité sociale. Les coutumes successorales très diverses, tentent toutes de limiter les dégâts, par le droit d'aînesse ou d'autres solutions, et créent des tensions familiales puisque la contraception est ignorée et que plusieurs enfants par famille survivent en général. Le mariage contraint, décidé par les parents à la suite de longues tractations financières avec ceux du promis ou de la promise, semble être la règle. Le couvent forcé guette aussi les filles de noblesse ou de bourgeoisie, tandis que les filles pauvres s'emploient comme domestiques et que leurs frères sont mis en apprentissage ou errent comme journaliers, à la recherche de successifs emplois, dans toute la région.

La famille n'est alors qu'une cuirasse contre les dangers pressants et ne fait aucunement place au sentiment familial, au respect et à l'amour de l'enfance, qui sont traits culturels ultérieurs. Elle enracine pourtant l'individu dans le sol social. Elle est l'indispensable condition de la vie normale. Malheur aux célibataires, aux veuves, aux orphelins, aux enfants abandonnés, à tous ceux enfin que la malchance a privés de famille ! Ils vivent à l'écart, objets de crainte, d'indifférence ou d'agressivité. Ils ont moins de chances de survivre, d'autant plus qu'il leur est difficile, ou impossible, d'accéder à un deuxième cercle de solidarité qui, lui, est lieu d'échanges affectifs en même temps que de services réciproques.

Communauté familiale étendue
et liens de solidarité

Une « épaisse sociabilité » [37] envahit de plus en plus les villes et les campagnes du Moyen Age finissant [38]. Diverses formes d'association existaient depuis des siècles. Mais jamais, semble-t-il, le phénomène n'avait connu une telle ampleur en Occident. S'entrecroisent désormais les fils protecteurs d'un tissu social éminemment complexe. Concourent à cette patiente broderie, constamment faite et défaite, les liens de parenté étendue ou spirituelle, les groupements professionnels et les organisations en classes d'âge, et enfin les rapports de voisinage ou ceux noués dans les lieux publics assidûment fréquentés de l'époque.

La notion de parenté, en premier lieu, recouvre une réalité multiforme, dont les historiens n'ont encore exploré que les contours. Cette notion a vraisemblablement plus d'importance pour les gens de ce temps que la famille conjugale elle-même, mais il est assez difficile de la définir avec précision. Elle se fonde d'abord sur le sentiment d'appartenance à une communauté familiale large, qui réside parfois sous le même toit. Ainsi des frères, mariés et pères de famille, s'associent-ils dans les *frairies* du Midi ou dans les *fréresches* poitevines; ainsi des grands-parents, des cousins, des neveux vivent-ils avec un couple et sa progéniture. Un chef, des biens, une vie en commun définissent de telles communautés familiales, englobant parfois des proches ou des amis, constituant exceptionnellement une *grande maison*. En Corse, dans certains cantons, un étage ou une bâtisse supplémentaire accueillent un nouveau couple marié. En pays de Caux, dix couples, soit soixante-dix personnes, vivaient sous le même toit en 1484 [39].

Mais de tels exemples sont relativement rares, et les familles élargies ne constituent jamais la majorité des cas, y compris dans le sud de la France. Par contre se manifeste partout, même

---

37. Ph. Ariès, *op. cit.*, p. 422.
38. Excellente synthèse dans J. Heers, *L'Occident aux XIVe et XVe siècles. Aspects économiques et sociaux*, Paris, 1963, p. 299-320.
39. *Ibid.*, p. 82.

en l'absence d'un lieu de résidence commun, un sentiment de la communauté familiale. Chacun connaît relativement bien ses liens de parenté avec les autres habitants du village ou de la ville, d'autant que, depuis 1215, l'Eglise prohibe les mariages consanguins jusqu'à la quatrième génération, ce qui incite d'autant plus les gens à se préoccuper de ce problème. Dès lors joue ce que l'on peut nommer une solidarité de clan familial, qui s'exerce au cours de divers actes de la vie : témoignages lors de la signature des contrats; apparition des parents divers lors de l'établissement des testaments; solidarité en justice, ou dans la vengeance contre un autre clan familial; relations d'entraide; etc. E. Le Roy Ladurie a décrit avec précision le jeu de ces solidarités dans le petit village pyrénéen de Montaillou, au début du XIVe siècle [40]. Bien que des enquêtes plus générales fassent défaut, il est permis de noter que ces « nébuleuses » familiales [41] apportent à leurs membres un minimum de sécurité, que ne peut leur fournir l'étroit noyau conjugal. Et ceci d'autant plus que de tels rapports humains ne sont pas seulement fondés sur les liens du sang, sur la continuité du lignage. S'y surajoutent des phénomènes de parenté spirituelle qui permettent aux « nébuleuses » de s'ouvrir sur d'autres groupes familiaux. Car la qualité de parrain ou de marraine postule un engagement d'entraide, non seulement avec les filleuls mais aussi avec les parents de ceux-ci. Or, avant le concile de Trente, la coutume des parrains et des marraines multiples pour un même enfant développe fréquemment ces liens, que l'Eglise sacralise en interdisant aux commères et aux compères de se marier ensemble ou d'épouser l'un des parents du filleul, si un veuvage se présente. Qu'on s'imagine un petit village, ou un quartier d'une ville, dans ces conditions. Les liens déjà nombreux du sang se doublent de rapports spirituels. Compte tenu d'une endogamie probablement forte, surtout dans les villages, il devient difficile à chacun de n'être pas un peu le parent de tous les autres habitants, ou au moins d'un grand nombre d'entre eux.

40. E. Le Roy Ladurie, *Montaillou, village occitan de 1294 à 1324*, Paris, 1975.
41. R. Muchembled, « Famille, amour et mariage : mentalités et comportements des nobles artésiens à l'époque de Philippe II », *R.H.M.C.*, avril-juin 1975, p. 233-261.

Pour renforcer encore de telles relations se multiplient, à la fin du Moyen Age, les groupes de parenté artificielle, aussi bien dans les villes que dans les campagnes. Ces métiers, ces corporations, ces confréries — dites aussi *charités* —, ces *serments*, ces sociétés diverses font s'entrecroiser les liens de solidarité. Ils organisent des fêtes, des jeux, des banquets en même temps que des processions, ou font représenter des *mystères*. Nul ne se peut vraiment soustraire à leur influence. Car beaucoup d'habitants s'y inscrivent et les autres participent, ne serait-ce qu'en spectateur, à la vie communautaire qui se développe sous cette forme. L'année tout entière, nous le verrons plus loin, est d'ailleurs rythmée par le déploiement incessant de telles activités, à la fois religieuses et profanes, qui constituent l'une des principales caractéristiques de la culture populaire. Jusque dans la mort, l'individu est escorté par la foule de ses « parents » non charnels, attentifs à son salut comme au transport de son corps. Tels ces Charitables de Béthune, qui ont fait vœu de conduire tous les habitants de la ville, quels qu'ils soient — bons catholiques cependant — à leur dernière demeure.

La densité des relations humaines, à cette époque, est proprement extraordinaire. Il faudrait encore parler, pour préciser le tableau mais sans espoir d'épuiser la matière, des organisations en classes d'âge, dont les folkloristes avaient perçu l'importance [42]. Des divers âges de la vie, l'adolescence était alors celui qui se manifestait le mieux sous la forme d'une organisation structurée. Dirigés par un chef, les jeunes garçons et les célibataires — déjà bien vieux, à l'occasion — d'un village ou d'un quartier conduisaient des expéditions punitives contre les déviants locaux, maris trompés ou fortes femmes régentant leur époux, contre les bandes des autres villages et des autres quartiers, ou alors plantaient des *mais* — arbres et arbustes cérémoniels — devant la maison des filles à marier... Ces activités démontraient l'existence d'une collectivité à l'intérieur de la collectivité, de liens unissant ceux qui n'étaient pas encore capables de s'insérer dans le tissu protecteur des solidarités constituées par les

42. A. Van Gennep, *Manuel de folklore français contemporain*, Paris, 1937-1958; N. Z. Davis, « The Reasons of Misrule » dans le recueil d'essais du même auteur, intitulé *Society and Culture in Early Modern France*, Stanford (Californie), 1975, p. 97-123.

adultes et qui, d'un mouvement identique à celui de leurs aînés, créaient leurs propres relations de sécurité.

Tous, en effet, fuyaient l'isolement, synonyme de dangers et de peurs. D'où l'image, en troisième lieu, d'une société frénétiquement ouverte sur l'extérieur, où le voisinage et les lieux publics avaient une importance fondamentale, au détriment de la maison, sombre et close, qui accueillait surtout les corps fatigués pour le repas et pour la nuit. Le voisinage, tout d'abord, prenait la dimension d'un supplément de parenté. Non seulement à Montaillou vers 1300 [43], mais partout en France aux XVe et XVIe siècles, les voisins se rendaient de menus services, s'épiaient et se nuisaient parfois, mais plus généralement se considéraient comme des sortes d'amis charnels. Au point de marier leurs enfants en de savantes stratégies d'union destinées à grossir et à unifier des héritages fonciers. Au point de s'épauler mutuellement contre toutes les ingérences extérieures, en matière d'impôt comme de police ou de justice. En ce sens, l'expression *voisins, amis et parents* désignait un même phénomène, un entrecroisement de relations humaines vécues comme un tout indissociable, et dont les plus étendues définissaient la vraie puissance locale d'un groupe humain donné. L'attention récente portée à ces problèmes devrait renouveler notre vision de ce monde révolu, dont la cohésion interne nous échappe lorsque nous ne nous intéressons qu'au phénomène familial, au sens étroit du terme. Car, finalement, l'essentiel de la vie sociale se passe hors du noyau conjugal. Les solidarités multiples que j'ai évoquées s'expriment et deviennent visibles à l'historien lorsque, sur des scènes publiques, se jouent les drames ou les comédies de la vie. Tréteaux permanents de ce théâtre social, se dressent les cabarets, les églises et les cimetières, les places villageoises ou urbaines, qu'envahit la foule des fêtes et des jeux. Les archives judiciaires, essentiellement, racontent les ruptures de l'ordre social qui s'y déroulent, permettant de reconstruire cet ordre lui-même. De cette manière apparaissent en filigrane les relations humaines qui transforment la querelle entre deux ivrognes en longue guerre familiale privée, ou la

43. E. Le Roy Ladurie, *op. cit.*

50

bousculade à l'église en bagarre générale. J'aurai à intégrer ces faits dans la culture populaire proprement dite. Il suffit ici de marquer clairement l'importance des lieux publics, où tout le monde se précipite, s'accoste, discute, achète, vend, s'énerve, se bat et parfois tue. Chacun vit d'abord dehors, recherche la chaleur des relations comme l'occasion de vider ses querelles et celles de son groupe. Car il faut imaginer chaque homme non comme un individu mais comme une partie d'une collectivité. Avec ses larges vêtements flottent autour de son corps les multiples cercles de parenté, d'amitié, de solidarité qui le protègent, mais qu'il lui faut aussi défendre contre d'autres hommes également emmaillotés dans de semblables filets invisibles de protection. D'autres hommes, c'est-à-dire le plus souvent des étrangers à son village ou à son quartier, car un ultime rapport social protecteur s'établit entre cet individu collectif et la communauté d'habitants dans laquelle il s'insère.

Communauté rurale et communauté urbaine

La ville, née pour faire pièce au système féodal, est devenue à la fin du Moyen Age une communauté très originale, bien que les citadins ne représentent même pas alors un dixième du total de la population française. Dotée de privilèges, de franchises, d'une réelle puissance, elle s'est organisée dans le cadre d'une sorte d'indépendance, sous l'œil bienveillant, complice ou impuissant des rois, avant qu'Henri IV puis ses successeurs ne la prennent réellement en main. Certaines villes disposent même aux XVe et XVIe siècles du droit de haute justice — c'est-à-dire du pouvoir de condamner à mort — sur leurs bourgeois, telles les puissantes cités bourguignonnes du nord de la France : Arras, Lille, etc. Rien d'étonnant, donc, en particulier dans la partie septentrionale du pays, à ce que les villes constituent des mondes séparés, à ce qu'elles imposent à leur prince ou à leur roi un serment de respecter leurs privilèges avant de le laisser passer leurs portes, à ce qu'elles développent une vie économique et culturelle brillante. Leurs habitants, bourgeois ou manants, sont représentés par un corps municipal élu, formé d'échevins dans le Nord, de consuls dans le Midi, de jurats à Bordeaux...

Mais ces corps municipaux sont de plus en plus accaparés par le patriarcat urbain, par les notables et par les plus riches bourgeois. A cet exemple, les multiples corps de métiers et les nombreuses confréries qui fleurissent dans ces villes sont de plus en plus dominés par la *sanior pars* (la meilleure partie, au sens socio-économique du terme) des habitants. Néanmoins, tout cela dote le plus misérable des habitants, pourvu qu'il ne soit pas quelque étranger de passage, d'un réseau efficace de solidarités. Bien qu'il fonctionne surtout au profit d'une élite urbaine, ce réseau protège chaque habitant de la guerre, des exactions des seigneurs, des excès de la fiscalité royale, etc. Il constitue finalement *le* niveau du pouvoir auquel peut alors être sensible le citadin moyen. Forme ultime des relations de solidarité efficaces et réelles, la communauté urbaine donne toute leur dimension aux relations de parenté, d'amitié, de voisinage, d'appartenance à des corps divers. Comme les murs, symboles de la ville, elle borne l'horizon et différencie l'extérieur dangereux de l'intérieur où se nouent les liens de sociabilité les plus divers. Encore ce cadre est-il parfois trop vaste et se fractionne-t-il, au point de vue des relations humaines, en quartiers qui constituent dans la ville autant de microcosmes. Reliés à l'ensemble, ils possèdent chacun leur propre cohérence. Leurs habitants expriment d'ailleurs un sentiment d'opposition ou de concurrence à ceux des autres quartiers, le long de lignes de forces familiales, amicales et professionnelles bien définies.

C'est dire que la sociabilité de l'époque a besoin d'un cadre relativement restreint, de contacts charnels et fréquents, de lieux de rencontre point trop nombreux ni trop éloignés, pour s'exprimer totalement. Au-delà de plusieurs milliers d'habitants s'effrite le sentiment d'appartenance à un même ensemble. Aussi est-ce surtout au village, dans le cadre de la communauté rurale, que s'exprime le mieux cette sociabilité. Communauté rurale ne désigne pas seulement le fait de résider au même endroit. Ce nom se rapporte à une institution comparable à la communauté urbaine, mais née plus tardivement, entre le XIIᵉ et le XIVᵉ siècle, et qui est devenue générale au XVIᵉ siècle [44].

44. H. Babeau, *Les assemblées générales des communautés d'habitants en France, du XIIIᵉ siècle à la Révolution*, Paris, 1893 (thèse de droit).

Très variable selon les régions, cette institution rassemble tous les chefs de feux (familles) du village, au moins jusqu'au XVIe siècle. Nous intéresse surtout ici le fait que cette assemblée de la communauté s'occupe de régler tous les problèmes locaux. Elle élit des agents, fait des emprunts, gère souvent les biens de la paroisse, répartit les impôts royaux entre les habitants. Née pour obliger la féodalité à desserrer son étreinte sur les villages de la fin du Moyen Age, elle représente dans certaines régions une puissance réelle, mais est dominée dans d'autres — Bretagne, Vendée — par les seigneurs du lieu, avant de voir la royauté, au XVIIe siècle, grignoter lentement ses prérogatives et finir par la vider de son contenu. A l'époque qui nous intéresse, avec d'importantes variations régionales, la communauté rurale établit une sorte de *self-government* local. Mais il est rare de voir plusieurs villages former des « syndicats de communes », comme les *Paschals* des vallées pyrénéennes, comme les *Unions* ou les *Escartons* du Briançonnais (exista même un *Grand Escarton général,* dans cette région). Car, finalement, les tensions l'emportent vite sur les intérêts communs dès que l'on sort du cadre physique et mental du village.

La France des XVe et XVIe siècles est encore loin d'être un royaume centralisé et bien surveillé par les pouvoirs politiques et ecclésiastiques. On peut être attentif à l'existence d'un lent mouvement qui conduira à la monarchie absolue et considérer que le progrès est en marche dans ce domaine. Mais les millions de contemporains anonymes de ce mouvement le considèrent-ils d'un œil sympathique ? En ont-ils simplement conscience ? Pour eux, nulle autorité lointaine, pas même l'Eglise, n'est capable d'assurer leur sécurité physique et mentale. Dans un monde de calamités incessantes, de famine endémique, de misères physiologiques multiples, rôdent partout de noirs démons. Car, après tout, la saveur de la vie est si amère que seules des forces mauvaises, conjuguées aux colères terribles d'un Dieu qui connaît peu le pardon, peuvent expliquer les maux cruels dont souffre l'humanité tout entière. Le bonheur n'est pas de ce monde, certes, mais il faut pourtant vivre ! Alors, contre les terreurs multiples, le seul recours réside dans la participation efficace et effective à des relations humaines sécurisantes étagées entre la famille conjugale et la communauté rurale ou urbaine. L'homme refuse énergiquement d'être seul. Il évite de baser toute sa sécurité sur sa petite famille nucléaire, trop instable, trop brève, puisque s'y engouffre régulièrement la mort. Il cherche donc l'image de la pérennité, de la sécurité enfin accessible, dans des rapports sociaux ni trop étroits, ni trop vastes, réels, quotidiens, multiples, qui ont nom : parenté élargie, parenté spirituelle ou artificielle, métiers, confréries, groupes d'adolescents, voisinage. A la limite, la promiscuité des places publiques, des tavernes, des églises le rassure, même s'il y trouve la rixe et le meurtre. Enfin, son horizon est limité par l'espace humanisé qu'il peut embrasser du regard ou parcourir en quelques heures et qu'administre un pouvoir qui est porté par des visages familiers et par des voix connues, même si ces voix et ces visages lui inspirent parfois de peu amènes pensées. Au-delà commence le territoire de l'inconnu, de l'étranger toujours dangereux et toujours craint, de cet *Autre* qui lui ressemble pourtant comme un frère, et qu'il tremble de rencontrer. Peut-être, justement, parce que cet autre lui ressemble trop, tout en constituant une menace épouvantable. Ne dispose-t-il pas, comme lui, de solidarités puissantes, mais de solidarités dont le premier ignore tout et peut donc tout redouter ?

Monde fragile, monde parcellisé ! La France n'est alors qu'un agrégat, presque totalement inconstitué, de cellules simplement juxtaposées. Parfois la guerre, les receveurs d'impôts, les voyages royaux, les échanges commerciaux y tracent d'éphémères traits d'union. Puis les cellules s'isolent à nouveau pour un temps, remodèlent leurs contours, fulgurent de brefs mais incessants mouvements internes — le travail de Pénélope des relations humaines. Raconter cette microhistoire est œuvre impossible. Et pourtant, la réalité du temps n'est pas dans les mouvements d'ensemble et de surface qui agitent le royaume. Elle est, au niveau régional et surtout même au niveau local, dans ces innombrables « pays » et « peuples » qui le composent. Il serait donc totalement faux de considérer la culture populaire comme un tout parfaitement uniforme. D'importantes nuances existaient entre les diverses régions. D'autant plus que la langue variait selon les provinces. A la fin du xviiie siècle, d'après l'enquête de Grégoire sur les patois, le français n'était exclusivement parlé que par trois millions d'individus. A côté existaient six millions de non-francophones et seize millions de bilingues, dont six millions utilisaient principalement un patois [45]. Encore le français avait-il certainement progressé depuis le xve siècle ! On peut penser que les patois avaient une importance prépondérante, vers 1400 ou vers 1500. Or toute langue, tout patois véhicule des phénomènes culturels originaux, comme le prouve la difficulté de traduire exactement d'un langage à un autre. Aussi faudrait-il parler *des* cultures populaires de notre pays. Mais les décrire toutes est impossible aujourd'hui, et ne pourrait être l'œuvre que de multiples équipes de chercheurs. Je me contenterai, à partir de faits rassemblés dans la zone linguistique picarde, et de sondages dans d'autres régions, de définir les lignes de force de *la* culture populaire, en ne distinguant qu'un modèle rural dynamique et un modèle urbain déjà attaqué de l'extérieur, déjà en mutation profonde. Mais en souhaitant que ces modèles puissent servir de base à d'ultérieures études des différences régionales et locales.

45. Cf. l'excellent article de G. Cholvy, « Société, genres de vie et mentalités dans les campagnes françaises de 1815 à 1880 », *L'information historique*, sept.-oct. 1974, p. 161.

CHAPITRE II

CULTURE
ET COMPORTEMENTS POPULAIRES RURAUX

Du XIVᵉ au XVIᵉ siècle, le monde rural français dans son ensemble connaît d'importantes fluctuations économiques : temps des malheurs de 1340 à 1450, puis nette reprise de 1450 à 1560, avant l'immobilisme et les catastrophes de la période 1560-1660 [1]. Monde plein vers 1300, monde plein à nouveau vers 1560. Entre-temps, la réalité sociale s'est profondément modifiée, avec l'avènement dans certaines régions — l'Ouest exclu, par exemple — d'une aristocratie de gros fermiers, de marchands laboureurs et d'usuriers, avec la prolétarisation, également, des couches inférieures de la société rurale [2]. Mais la vision du monde paysanne s'est-elle également transformée ? Guère, à mon sens ! Car l'amélioration dont parlent les économistes n'est que relative, et se révèle très inégale selon les provinces et les diverses couches de la société rurale. Dans le très long terme, d'ailleurs, entre le XIIIᵉ et le XVIIIᵉ siècle, cette économie, cette société, paraissent plutôt remarquablement

1. Voir la remarquable *Histoire de la France rurale,* sous la direction de G. Duby et A. Wallon, t. II (1340-1789), Paris, 1975.
2. *Ibid.,* p. 151.

stables, presque inertes, avant que la révolution agricole et la poussée urbaine ne modifient profondément les structures du pays. Ces conditions ne sont pas très favorables à une profonde mutation des mentalités paysannes. A moins que n'arrivent de l'extérieur de pressantes incitations au changement. Ce n'est pas le cas avant l'énorme effort de christianisation des campagnes, qui débute au XVIe siècle mais ne devient efficace qu'à partir du XVIIe siècle seulement, alors que la monarchie, elle aussi, pénètre plus activement dans chaque village. Jusque-là, et en particulier aux XVe et XVIe siècles, les campagnards vivent en autonomie relative, dans le cadre non pas de grandes provinces mais de petits « pays », et surtout dans l'espace de leur village. Les conditions difficiles du XIVe et de la première moitié du XVe siècle ont accentué ce repli villageois, qui survit encore plus d'un siècle, de son propre mouvement, à une amorce de désenclavement économique, religieux et politique. Et pendant ce temps a pu s'épanouir une vision du monde héritée conjointement du christianisme et du paganisme, une culture populaire rurale qui est explication cohérente des difficultés de la vie du temps, et qui est aussi capacité d'adaptation à ces difficultés. A la fois pensée et action, cette culture n'est rien moins qu'un type de philosophie, qu'un système de survie. Pour comprendre le fonctionnement de ce système, une analyse de la perception de l'espace, du temps, et des rythmes principaux de la vie humaine sera d'abord nécessaire. Puis viendra l'étude de la vision du monde elle-même, de sa cohérence interne, de son fonctionnement et de sa transmission. En dernier lieu, il restera à rattacher la pensée aux gestes et aux attitudes de la vie, à prouver qu'existe bien une logique interne de cette culture, à propos des grandes étapes de la vie collective, des fêtes et des dévotions populaires.

I. L'espace, le temps et leurs rythmes

La vision du monde qui est au cœur de la culture populaire s'exprime dans des cadres spatiaux et temporels bien définis. En fait, l'espace et le temps ne constituent pas pour les ruraux de simples concepts mais sont investis d'une densité humaine, d'une réelle pesanteur sociologique. L'espace n'existe pas en soi mais par rapport aux groupes humains qui le peuplent et surtout qui l'imaginent sous forme de cloisonnements successifs débouchant sur une vaste étendue d'inconnu. Le temps, quant à lui, est découpé en sections bien contrastées, mais à l'intérieur de cycles toujours identiques, se succédant sans fin. Espace et temps ainsi appréhendés délimitent enfin le champ de l'activité humaine, dans sa monotonie quotidienne comme à l'occasion des grandes fêtes calendaires qui rythment l'année.

L'espace cloisonné : la piste de l'histoire régressive

Depuis Marc Bloch les historiens ont généralement admis la validité d'une démarche régressive, partant du présent observable pour remonter le temps, à la recherche de ressemblances et de différences entre les époques, à propos d'un même phénomène et dans un même pays. Cette piste peut s'appliquer à la notion d'espace telle qu'elle est vécue et sentie par les paysans. En effet, existent les remarquables travaux de Claude Karnoouh, qui concernent le petit village de G.F., dans l'arrondissement de Briey, en Lorraine [3]. L'auteur nous apprend que dans ce « Pays Haut » a fonctionné, jusqu'aux années 1950, une triple représentation sociale de l'espace. Au premier niveau, les villageois eux-mêmes forment une sorte « d'amitié collective », définie en termes de parenté, d'alliance, de voisinage et qui est implantée dans l'espace du village. S'oppose à ce dernier le « pays », constitué par un ensemble de villages situés dans un rayon moyen de 8 km autour de G.F., et habité par des « forins » ou faux étrangers. Il s'agit en fait de l'aire d'endogamie de G.F., puisque 75 % des mariages célébrés dans ce village recrutent un conjoint dans le « pays ». Et les « forins » sont l'objet de « relations exemptes d'hostilité » de la part de leurs voisins de G.F., qui les appellent plutôt rarement « énemins », mot péjoratif signi-

3. C. Karnoouh, « L'oncle et le cousin », *Etudes rurales,* avril-juin 1971, p. 7-51 et surtout « L'étranger ou le faux inconnu. Essai sur la définition spatiale d'autrui dans un village lorrain », *Ethnologie française*, 1972, n° 1-2, p. 107-122.

fiant à la fois diable et ennemi. Par contre « l'étrinjeu » ou vrai étranger, qui vient de la périphérie du « pays », ou d'ailleurs, est considéré comme un exclu, un marginal ou un déviant, comme un homme porteur de danger qui représente « une société vague et lointaine » et qui est facilement l'objet d'une réelle hostilité à G.F.

Cette conception, on le voit, est à la fois spatiale et sociale et détermine des attitudes collectives très nettes d'amitié, de neutralité ou de rejet. Non pas d'ailleurs que le sentiment d'appartenance au groupe de G.F. soit exempt de conflits internes ou de luttes intestines. Mais, face à l'inconnu, les villageois font bloc momentanément. Ils adoptent une attitude neutre légèrement bienveillante vis-à-vis des « forins », dont les villages sont connus et font partie d'une chaîne matrimoniale fort utile. Par contre, ils se ferment totalement au vrai inconnu, venu d'un espace non perceptible, donc dangereux.

Or ce que l'on connaît de la vie villageoise des xve et xvie siècles, en France, offre de troublantes ressemblances avec le cas de G.F. « En bref, le sentiment d'appartenir à un village qui protège l'homme et qui se pense au centre du monde connu, reste un trait de mentalité chez les paysans des années 1540 », écrit H. Neveux, qui ajoute que grandit alors l'hostilité campagne-ville [4]. Grandit aussi, ou continue à se manifester, l'hostilité entre des villages voisins, déjà évoquée ci-dessus [5]. En outre, une récente étude démographique du pays nantais au xvie siècle confirme l'idée déjà ancienne d'une forte endogamie villageoise. Les paroisses proprement rurales de cette région recrutent les conjoints de leurs fils et de leurs filles soit dans le village même, soit à très petite distance dans les paroisses limitrophes. Plus le village est petit, plus le rayon des échanges matrimoniaux est restreint, alors que les villes et les paroisses portuaires reçoivent des conjoints venus de plus de 15 ou 20 km à la ronde [6].

L'insécurité des xive et xve siècles, qui a conduit à une

4. *Histoire de la France rurale,* t. II, p. 163-164.
5. Chapitre I.
6. A. Croix, *Nantes et le pays nantais...,* Paris, 1974, p. 171 suiv. et surtout graphiques 31 à 49 (migrations matrimoniales).

décentralisation politique très importante, a aussi poussé le villageois à se réfugier dans les cercles concentriques des solidarités, familiales et autres. Au-delà de la communauté rurale et de l'espace qu'elle contrôle — village, cultures et prairies, terres de parcours et forêts... — commence un danger d'autant plus pressant que ne fonctionne plus l'entraide. Tout au moins, dans un rayon de 10 à 20 km, accessible en une demi-journée de marche ou un peu plus, l'espace est-il rendu moins dangereux par la possibilité d'y nouer des relations familiales ou amicales : ces solidarités déjà distendues constituent l'extrême limite, les marges du monde connu. Marges envahies par la prolifération du surnaturel, par les brigands, par les bêtes sauvages. Marges que l'on ne peut embrasser du regard. Marges que l'on parcourt souvent l'inquiétude au cœur, peu certain d'être accueilli favorablement dans les autres villages. Plus loin commence le vrai domaine de l'inconnu, dans lequel peuvent facilement se projeter toutes les hantises du temps et où nul ne vous est charnellement lié et ne saurait donc vous porter aide.

Pour chaque paysan résidant, le village est bien le centre du monde, qu'une sorte de cloison invisible sépare d'une couronne où il est possible de s'aventurer, elle-même nettement distinguée de l'immensité mystérieuse d'un espace répulsif. Certes, ce schéma convient mal aux bergers des longues transhumances, aux journaliers qui pérégrinent à la recherche d'un travail saisonnier, aux montagnards qui s'emploient alternativement chez eux et dans les plaines. Il concerne cependant la majorité des ruraux, voyageurs d'occasion mais indécrottables sédentaires. La vogue des sobriquets de villages, par ailleurs, n'indique-t-elle pas à la fois que l'appartenance au groupe local est primordiale, que ce groupe est considéré comme parfaitement défini dans le temps, et qu'il s'oppose nettement à ses voisins et aux autres villages ? Ainsi parlait-on en Cambrésis et en Flandre des *Foireux du Cateau,* à cause de leur franche foire mensuelle et aussi par dérision, des *Endormis de Bazuel,* des *Gueux* ou *Glorieux du Câtillon,* des *Mendiants de Saint-Souplet,* des *Louches-à-pot de Neuvilly* ou *d'Ors,* des *Pourchaux* (Porcs) *d'Orchies,* des *Lourds de Landas,* des *Fous de Lesquin.* On disait aussi : *A Solesmes, quand on crie : au voleur ! tout le monde s'enfuit;* ou bien : *Il a reçu un coup d'aile du moulin de Lesquin*[7]. Il est vrai que de tels surnoms survivent dans la France rurale contemporaine. Tout comme subsistait, vers 1950, à G.F., en Lorraine, une conception de l'espace cloisonné qui était générale dans notre pays plus de cinq siècles auparavant. Mais au XVe siècle, cette représentation spatiale n'était que l'une des pièces d'un système culturel cohérent, dont le village de G.F. s'éloigne aujourd'hui très nettement. Le temps, en effet, n'y est plus totalement cyclique, parce que le monde environnant joue désormais un rôle extraordinairement plus grand qu'à la fin du Moyen Age.

Le temps cyclique

La conception paysanne du temps reste encore très mystérieuse pour les historiens. Tout au plus sait-on que la durée n'a pas, dans le monde rural, l'importance et la pesanteur qu'elle acquiert dans les villes, là où les marchands donnent déjà vie à l'idée que « le temps, c'est de l'argent ». Par ailleurs, il est improbable que chaque rustre ait constamment eu présente dans l'esprit la notion chrétienne du temps linéaire et fini, commençant à la Création et que borne l'Apocalypse. Le temps, pour les ruraux, était d'abord un « à-peu-près », comme disait Lucien Febvre. Il était alors fréquent de le mesurer très approximativement. Un père indiquait par exemple que tel de ses fils avait *onze à douze ans environ,* un accusé devait répondre d'un crime commis *quatre à six semaines auparavant,* un témoin rapportait un fait qui avait eu lieu *environ la tombée de la nuit,* etc. Faute de moyens pour évaluer précisément le temps qui passe, les paysans en étaient réduits à se référer à la position du soleil, au vol des oiseaux, aux cloches de l'église qui appelaient aux matines, à none ou aux vêpres. « Ainsi, partout, fantaisie, imprécision, inexactitude »[8]. Mais après tout, ce « temps flottant » correspond bien aux structures mentales des paysans et ne constitue nullement le signe d'un

7. A. Dinaux, « Sobriquets de villages », *A.H.L.,* 3e série, t. V, 1885, p. 424-425.
8. L. Febvre, *Le problème de l'incroyance au* XVIe *siècle...,* Paris, rééd., 1968, p. 367.

retard de civilisation. Quel besoin avaient-ils d'immobiliser la durée, de la couler dans le cadre arbitraire des heures ? Pour eux, il n'était certes d'aucune utilité de connaître l'âge précis de leurs enfants, l'heure exacte de leurs repas, ou de numéroter la succession des jours. Car d'innombrables phénomènes naturels, ainsi que les cycles saisonniers, leur permettaient de se repérer suffisamment pour déterminer le moment des travaux, tandis que les cloches rythmaient le temps du repos, des fêtes, des dimanches. L'âge des enfants, lui, était suffisamment défini par la classe d'âge à laquelle ils appartenaient : prime et seconde enfance, adolescence, groupe des hommes mariés.

En fait, la conception paysanne du temps était intimement reliée à une certaine immobilité de la société rurale. Car la naissance imposait d'emblée à chacun une position sociale. Seules des minorités de déclassés ou d'enrichis pouvaient échapper à ce destin contraignant. Il n'était pas possible, dans ces conditions, de se représenter sa propre vie comme une progression sociale continue, par paliers successifs, suivie de paliers dégressifs conduisant à la vieillesse et à la mort : ce thème particulier des âges de la vie n'apparut guère qu'au XVIIᵉ siècle dans l'imagerie populaire, pour s'imposer définitivement au XIXᵉ siècle. Par contre, le spectacle de la nature qui mourait chaque hiver et renaissait chaque printemps, fournissait un modèle de succession temporelle toujours identique, donc applicable dans une société elle-même peu portée au changement Les générations humaines ne se succédaient-elles pas idéalement d'une manière identique ? La vie de chacun n'était-elle pas composée de saisons, que venaient clore les neiges de l'hiver ?

Le temps vécu était donc cyclique. Il privilégiait le présent. Le passé n'en était que la vague image révolue et l'avenir se présentait sur un modèle identique, qui n'était simplement pas encore actualisé. Les vieux, qui étaient la mémoire collective du groupe, se souvenaient évidemment de faits passés, mais essentiellement de faits extraordinaires, qui avaient brisé l'ordre normal des choses : comètes, tremblements de terre, batailles, *nouveautés* et *monstres* en général. L'avenir existait aussi, mais surtout sous la forme de l'avenir proche, catastrophique ou prometteur pour les récoltes ou pour les vendanges, par exemple. Cependant, seul le présent en son cycle éternel avait de l'importance, même s'il était rêve d'un futur ressemblant à un passé idéalisé et mythique.

Temps cyclique, temps discontinu aussi. La densité du présent variait en effet entre deux pôles : d'un côté, l'intensité émotionnelle des périodes des grands travaux agricoles et surtout des fêtes, en particulier des fêtes calendaires; de l'autre le repli humain, la dilution du temps, lors des moments de moindre activité agricole, en hiver, ou lorsque s'étire la vie quotidienne monotone faite de gestes automatiques. Le temps dilué ne me retiendra pas ici. Il caractérise l'existence quotidienne normale de la femme et de l'homme, leurs activités diverses, leurs comportements familiaux, leurs rapports sociaux habituels, leur sommeil, leurs rêves, leurs peines et leurs joies. Pour l'essentiel, d'ailleurs, il nous échappe, parce que la trace du quotidien et du banal est rarement conservée dans les sources. Quant au travail, il ressort d'une ample étude socio-économique qui dépasse le cadre de ce livre. Le temps plus dense des fêtes et des décharges émotives — à l'occasion de certains travaux, parfois —, quant à lui, est l'une des principales dimensions de la culture populaire. Il rassemble, dans le cadre spatial du village et de ses dépendances, la foule des habitants. Et cette foule, normalement séparée en individus et en petits groupes par les tâches quotidiennes, reprend à cette occasion possession rituelle et collective de son espace et de son temps. Les dissensions intestines habituelles ne disparaissent pas lors des fêtes. Elles s'aggravent ou se cristallisent, au contraire. Mais le village atteint quand même une sorte d'équilibre, car s'abolit la durée, s'ouvre l'espace, s'exprime dans le rite la conquête, fugace, du monde visible comme du monde surnaturel.

Les rythmes du temps et de l'espace : les grandes fêtes

Le temps dilué de la vie quotidienne et l'espace cloisonné dans lequel s'ancrait cette durée assuraient au paysan une protection relative contre les dangers réels ou imaginaires. Ces derniers, pourtant, pesaient de tout leur poids à l'orée de l'île d'espace-temps que constituait chaque village de l'époque. Ils s'engouffraient aussi fréquemment, nous l'avons vu, dans

cette île, sous la forme de pestes, de famines, de guerres...
Ainsi s'accumulait lentement un capital d'angoisse collective
dont il était nécessaire de purifier le village, pour que continue
la vie normale. Une intense décharge émotionnelle grégaire
était régulièrement nécessaire. Elle s'exprimait sous la forme
de fêtes diverses, qui jalonnaient l'année. Leur fonction principale était de réduire les tensions accumulées, de détourner
l'agressivité ambiante, afin que ne se puisse briser la communauté. Se succédaient, au cours d'un cycle annuel, des périodes
d'accumulation-explosion-détente qui s'emboîtaient constamment
les unes dans les autres. Elles permettaient l'adaptation éternellement réitérée des paysans à leur environnement, au passage
de l'ancien au nouveau, à la succession des saisons. Le remarquable folkloriste qu'était Arnold van Gennep avait parfaitement
compris ces phénomènes fondamentaux de la vie paysanne. Sa
théorie des rites de passage permet d'expliquer l'aspect céré-
moniel qui marque l'accès « sans danger d'un état de fait,
ou d'un état social, ou d'un état moral et affectif à un autre,
généralement considéré comme supérieur et meilleur » [9]. Elle
me guidera dans l'étude des faits magico-religieux et des
attitudes qui constituent les fêtes. Comme me guideront également les recherches ethnologiques qui ont mis en évidence le
fonctionnement de la pensée magique et animiste. Les Andins
du XVIe siècle, par exemple, peuvent constituer une civilisation
de référence. Eux qui vivaient dans un monde totalement
inconnu de leurs contemporains, les paysans français, « avaient
déjà inventé la purification pour atténuer les dangers d'une
situation malsaine ou dangereuse », et pratiquaient dans la
vie quotidienne des rites étrangement comparables à ceux des
ruraux de notre pays [10]. Leur fête de la *Situa,* célébrée en
septembre dans tout l'Empire inca, était aussi une redéfinition
spatio-temporelle et magique de chaque collectivité locale. Tous
les infirmes, tous les étrangers, tous les chiens étaient chassés
de la ville. Puis, partant des places publiques, la foule repoussait

9. A. Van Gennep, *Manuel de folklore français contemporain,*
t. I, 1, Paris, 1943, p. 114.
10. F. A. Engel, *Le monde précolombien des Andes,* Paris, 1972,
p. 86 et p. 73-86 pour la description détaillée de la mentalité animiste
des Andins.

les malheurs et les démons à grands cris vers les rivières. Là, les gens se baignaient pour se purifier. Ils confectionnaient ensuite des torches de paille, les allumaient et s'en frappaient mutuellement en disant : *Puissent tous les maux s'en aller.* Enfin, chacun rentrait chez soi purifier sa face, son seuil et les lieux où l'on conservait la nourriture et les vêtements [11]. Nous verrons à quel point cette fête offre une similitude de structure avec celles d'Occident, avec celles de France en particulier, dans lesquelles s'exprime aussi un « fonds de traditions punitives et purificatrices » [12].

Le calendrier de l'année paysanne paraît à première vue totalement chrétien. Aux dimanches s'ajoutent presque deux fois plus de jours chômés, commémoratifs des grands événements du christianisme. Seules les fêtes des moissons et les veillées semblent échapper à cette règle. Pourtant, la réalité est tout autre, car beaucoup de fêtes ne sont pas uniquement, ni même parfois essentiellement, chrétiennes. Les prédicateurs du temps le savent, qui tonnent déjà contre ces *superstitions* que l'Eglise s'efforcera d'extirper définitivement à partir du concile de Trente, par un mouvement de christianisation d'une ampleur jamais atteinte jusque-là. En attendant, six cycles de festivités possédaient aux XVe et XVIe siècles un caractère nettement ambivalent, c'est-à-dire à la fois chrétien et profane [13]. Il s'agit des cycles de Carnaval-Carême, de Mai, de la Saint-Jean, de l'Assomption, de la Toussaint et des Douze Jours (Noël). Par contre, la Chandeleur et le cycle de Pâques-Ascension-Pentecôte-Fête-Dieu, sont alors beaucoup plus exclusivement religieux. Les excès sont bannis du cycle de Carnaval-Carême le 2 février, jour de la Chandeleur. De même, entre le Carême et Pâques, puis lors de chacune des fêtes rattachées au cycle pascal, il semble, dans l'état de nos connaissances, que les aspects

11. R. Karsten, *La civilisation de l'Empire inca,* Paris, 1972, p. 224-226.

12. N. Z. Davis, « The Rites of Violence », dans *Society and Culture in Early Modern France,* Stanford, 1975, p. 186.

13. Ce qui suit est basé, sauf indication contraire, sur : R. Vaultier, *Le folklore pendant la guerre de Cent ans d'après les lettres de rémission du Trésor des Chartes,* Paris, 1965.

religieux aient prédominé. Le jour de Pâques est, bien entendu, le sommet de l'année chrétienne. La foi comme le conformisme social poussent alors les plus tièdes à fréquenter l'église. La sociologie religieuse nous apprend d'ailleurs que les « pascalisants » sont beaucoup plus nombreux que ceux qui fréquentent régulièrement la messe. Et le prêcheur anonyme qui écrivit les lignes suivantes, vers le milieu du XVIe siècle, ne démentirait pas les historiens : *Ainsy, en la primitive Eglise, les bons crestiens recepvoient tous les jours le Saint Sacrement de l'autel. Après que la dévotion et la ferveur des crestiens s'est refroidie, il fut ordonné que on y allast tous les dimences. Après encoire, il sambla que on y alloit trop, et fut ordonné que on ne yroyt que quatres foys l'an, c'est aux quatre grans festes que on appelle les nataulx* (Vendredi saint, Pâques, Noël et Pentecôte ?). *Après encoire, on a esté fâché d'en tant aller..., parquoy yl a esté ordonné, pour la misère et lâcheté des crestiens, que ilz ne le recepveroient que une fois l'an. Et à la fin on verra que on ne le recepvera plus, comme il y en y a beaucoup parmy le monde de misérables qui n'en sont compté de le recevoir... Et, pour ce que on y va à sy grant foulle le jour de Pasques, que on ne poeult discerner qui y va ou qui n'y va pas, il me semble qu'il seroit bon de les faire aller au Saint Sacrement les ungz ung jour et les aultres ung aultre, depuis le dimence de Pasques fleuries jusques au dimence de Pasques closes... Car, là où il y a si grand foulle, yl est bien difficile d'en avoir ne révérence ne dévotion*[14].

Ce sociologue des temps anciens constate, comme nous, l'importance liturgique de la période pascale, qui connaissait moins d'excès profanes que les cycles précédemment cités, même si des cérémonies peu orthodoxes avaient parfois lieu : on dansait dans les églises de Provins à cette occasion, par exemple. D'ailleurs Pâques correspond à un rythme biologique et naturel beaucoup moins important que ces mêmes cycles, lesquels constituent à la fois des pauses et de nouveaux départs dans l'activité des villageois. Sans se rattacher exactement aux dates de changement de saison, ou aux équinoxes et aux solstices, ces moments sont privilégiés. Ils marquent, dans nos

14. **B. M. Lille, Ms. 131, f° 58 v°-59 v°.**

régions tempérées, le découpage de l'année en deux « saisons » distinctes : celle des hommes actifs et celle pendant laquelle se ralentit la vie rurale. Mai, la Saint-Jean et l'Assomption ouvrent les portes de la première, alors que la seconde est rythmée par la Toussaint, les Douze jours et l'époque de Carnaval-Carême, puis par le temps religieux de la liturgie pascale et par le réveil de la nature.

Les rites du mois de mai sont avant tout agraires et sexuels. Le groupe de la jeunesse, dans chaque village, commémore le retour du printemps et fait état de ses droits éminents sur les jeunes filles du lieu. Ces deux rites s'entrecroisent, le premier mai en général, mais aussi à d'autres dates, dans la coutume d'*esmayer* les filles. Un *mai,* composé de petits arbres ou de branchages très divers, est planté devant ou sur la maison de chacune des filles à marier. Ce *mai* obéit à un code linguistique, qui décrit les charmes ou les défauts de la donzelle. R. Vaultier cite, entre autres, le sureau, appelé en patois picard *séu* et qui signifie alors *tu pues,* par effet de rime. A certains endroits, comme à Vendôme ou dans les campagnes d'Artois, le premier mai est l'occasion d'une vraie fête, après la plantation des *mais,* pour la jeunesse qui organise un souper commun. D'une manière générale, les cérémonies sont le privilège des garçons du village, à l'exclusion de tout jeune étranger. Des batailles en découlent, spécialement entre bandes de villages voisins. Car le sens de ces rites est clairement celui d'une prise de possession de l'espace local : un cycle annuel vient de recommencer, avec le printemps, qu'il faut marquer par un rite de passage. Les jeunes célibataires sont chargés de redéfinir la cohésion du village, notamment en faisant du groupe des jeunes filles à marier un terrain de chasse réservé. Ils annoncent aussi la présence du printemps, la reprise des gros travaux agricoles qui monopoliseront bientôt les forces de tous les habitants. Ils personnifient, finalement, la capacité du village tout entier à s'adapter à un changement de rythme vital en évitant la fuite des énergies. Les jeunes filles constituent en effet l'avenir proche du village, et donc ses chances de survie, au même titre que la nature renaissante.

La Saint-Jean, c'est-à-dire la nuit du 24 au 25 juin, et

parfois la période du 23 au 29 juin [15], présente des caractères nettement différents. Le culte du saint y joue un certain rôle, non prépondérant. Et surtout, le point culminant du rite est constitué par une danse nocturne autour d'un bûcher, propre à chaque village, et au-dessus duquel sautent finalement les danseurs. Ceux-ci ne sont pas seulement de jeunes célibataires. Aucune ségrégation de sexe ou d'âge n'apparaît. De ce fait, les feux de la Saint-Jean sont clairement « l'un des moyens inventés par le peuple pour resserrer périodiquement les liens sociaux sur un territoire donné » [16]. Liens sociaux qui fonctionnent ici à deux niveaux différents. En premier lieu, le scintillement des feux dans la nuit permet de délimiter, ou peu s'en faut, l'espace des relations humaines possibles, c'est-à-dire la couronne qui constitue, autour de chaque village, une aire d'endogamie, et au-delà de laquelle commence le mystère et le danger. Le sentiment d'appartenir à un « pays » doit ainsi pouvoir se renforcer périodiquement. En second lieu, toute la communauté villageoise matérialise par la ronde autour du feu le cercle de ses relations intimes, familiales et autres, et renforce le sentiment d'appartenance au groupe qu'elle constitue. Symboliquement, en outre, la nuit, habituellement dangereuse, est vaincue et dédramatisée pour un bref moment. Compte tenu de tout cela, la Saint-Jean est certainement l'une des fêtes les plus importantes de toute l'année. Elle est aussi très clairement un rite de purification par le feu de la collectivité, et sans doute un rite fécondateur, puisque les femmes, comme les hommes, franchissent le foyer. La magie de cette nuit particulière du début de l'été, que Van Gennep a décrite avec force détails, est vraisemblablement destinée à galvaniser toutes les énergies avant la moisson proche, à écarter tous dangers en cette occasion, à s'assurer une abondance certaine — y compris d'enfants. D'où l'idée que cette nuit est favorable à la cueillette des plantes magiques : les Parisiens de 1390, par exemple, confectionnent alors des chapeaux d'herbes destinés à désenvoûter les possédés. D'où l'idée, également, que nombre de maladies, telle l'épilepsie, peuvent alors être guéries, à condi-

15. A. Van Gennep, *Manuel...*, t. I, 4, Paris, 1949, p. 1728.
16. *Ibid*, p. 2038.

tion d'accomplir certains rites complémentaires, comme d'*habiter* trois fois une jument, d'après un texte de 1415. L'explication de ces innombrables croyances [17] est à rechercher dans la conception selon laquelle la nuit de la Saint-Jean est faste parce que purifiée. Les dangers ont été chassés, et surtout les démons et les monstres ont été refoulés, loin d'un village revitalisé et d'un « pays » dont la cohésion a été renforcée. Comme dans la fête andine de la *Situa,* célébrée durant les mêmes siècles, les hommes ont remporté une victoire sur les forces mauvaises, et ont posé les bases d'une réussite, en matière de moisson, de guérison, ou encore d'envoûtement. Car cette nuit est ambivalente. Les forces obscures domptées peuvent alors être captées pour un usage ultérieur : les sorcières sont réputées s'activer pour recueillir les plantes qu'elles utiliseront pour guérir ou pour détruire.

La Saint-Jean prépare l'époque des travaux les plus pénibles, durant les jours les plus longs de l'année. Son caractère d'étape se manifeste aussi socialement. Fréquemment des redevances sont payables à la Saint-Jean, qui est également période d'embauche pour la moisson. Durant plus de six semaines, ensuite, le temps et l'espace redeviennent ceux du travail régulier, avant que n'explose la fête des moissons. Vient alors d'être atteint le sommet de la courbe d'activité des ruraux, après les successifs paliers ouverts par le cycle de mai puis par la Saint-Jean. Un rite terminal, qui est décharge émotionnelle et usure joyeuse des dernières forces, prend alors place. De ce rite amoureusement décrit par Van Gennep il y a peu de choses à dire ici. Car il s'apparente beaucoup plus aux fêtes patronales, ducasses et autres kermesses, qu'aux deux cycles précédents. Outre des manifestations de joie ou d'orgueil — la décoration du dernier char de la moisson, etc. — il consiste surtout en repas solides et bien arrosés, en plaisanteries, en jeux divers. En somme, les paysans se détendent. Le 15 août, cependant, prend parfois une allure qui déplairait fort aux prélats de la Contre-Réforme. L'Assomption de Notre-Dame correspond grossièrement, selon les régions, à la fête des moissons. Les tempéraments rustiques, excités par les bons

17. Autres exemples : R. Vaultier, *op. cit.,* p. 73-79.

repas et le vin, cherchent un défoulement dans une sexualité, et même une bestialité, sans complexe [18]. Et la fête religieuse pâtit quelque peu de ces décharges émotives qui inaugurent, dans la chaleur de l'été, une lente chute de tension jusqu'à la Toussaint, jusqu'au prochain rite de passage, qui ouvre la deuxième partie de l'année paysanne.

La Toussaint et le jour des morts se confondaient généralement dans l'esprit des gens du peuple. Une véritable fête, et non pas le sérieux et la tristesse, s'emparait de ces journées. En Champagne, les villageois dansaient, le 1er novembre 1387 par exemple, et jouaient à lancer des bâtons fourchus sur une oie pendue, qu'emportait celui qui l'avait abattue. Près de Noyon, un porc était l'enjeu de concours identiques. Ces danses et ces jeux n'étaient pas du tout réputés sacrilèges, mais revêtaient deux significations complémentaires. D'une part s'exprimait l'idée que la vie doit continuer de toute manière, comme le dit Gargantua pleurant et riant à propos du décès de sa femme Badebec. D'autre part, ces festivités signifiaient aussi que les morts constituaient une sorte de « groupe d'âge » et continuaient à influer étroitement sur le monde vivant [19]. Un culte leur était rendu, sous forme de danses et de jeux. Le 1er novembre n'était qu'un moment privilégié de ce culte puisque les cimetières étaient en tous temps des lieux joyeux, où l'on dansait, où l'on traitait des affaires, où l'on buvait et mangeait, etc. Nous reverrons plus loin en détail, à propos du thème populaire de la mort, ces phénomènes. Disons simplement ici que le cycle de la Toussaint, aux XVe et XVIe siècles, était au moins autant profane que sacré. Il rappelle, à certains égards, les fêtes des morts mexicaines contemporaines, faites d'un habillage chrétien de pratiques animistes [20]. Et surtout, ce cycle constitue une redéfinition de la cohésion sociale

18. *Ibid.*, p. 121-124.
19. N. Z. Davis, « Some Tasks and Themes in the Study of Popular Religion », dans Ch. Trinkaus et H. A. Oberman, *The Pursuit of Holiness in Late Medieval and Renaissance Religion*, Leyde, 1974, p. 327-335 (Mes remerciements à l'auteur pour ces références).
20. R. G. Escarpit, « Au Mexique : christianisme et religions indigènes », *Annales E.S.C.*, juil.-sept. 1948, p. 317-326.

du groupe, y compris de ses morts. Le rite est agrégation de ces derniers à leur village. Mais il est aussi destiné, pour les vivants, à éviter la contagion de la mort, à une époque de l'année où celle-ci commence à marquer de son empreinte toute la nature. Et, comme la jeunesse locale, en mai, se chargeait de dompter pour sa collectivité les forces de la vie, le groupe des morts du village est investi d'un rôle d'intercession pour les survivants auprès des forces de la mort. Voilà pourquoi les tombeaux des parents attirent les vivants. Ils aident à purifier et à protéger le village de l'immense puissance des innombrables morts qui peuplent le monde surnaturel; ils sont les domiciles des membres du « groupe d'âge » chargé de ce type de rites protecteurs.

Le cycle des Douze jours, c'est-à-dire la période allant de Noël aux Rois, et dont les limites chronologiques et la durée sont en fait très variables, est relié au temps froid, aux neiges parfois, et à la réduction des activités physiques. Le village, depuis la Toussaint surtout, vit à un rythme plus lent et se replie sur lui-même. La veillée réunit maintenant, le soir, les femmes et les jeunes filles, que viennent importuner ou tenter de séduire les jeunes hommes à marier[21]. L'espace parcouru se restreignant, la promiscuité devenant plus grande dans la recherche de la chaleur, les corps étant moins fatigués qu'à l'époque des gros travaux, s'accumule lentement, chez les jeunes hommes tout particulièrement, une énergie sexuelle qui a moins l'occasion de s'exprimer qu'en été, lorsque le climat permettait d'incessantes allées et venues. Au bout de six à huit semaines, cette énergie trouve enfin la possibilité de se décharger, à l'occasion des fêtes de Noël. Celles-ci n'ont guère l'aspect d'un rite de changement d'année, d'autant que l'année nouvelle commence alors à Pâques pour beaucoup de Français. Elles ne sont pas non plus exclusivement monopolisées par la jeunesse, qui y joue pourant un rôle très important. Les réjouissances sont en effet diverses : cérémonies religieuses, repas familiaux, jeux, farces et fêtes parfois franchement licencieuses. Les villageois de Canchy, dans le bailliage de Hesdin, jouent aux

21. J.-L. Flandrin, *Les amours paysannes* (xvie-xixe *siècle*), Paris, 1975, p. 119-122.

dés le jour de Noël 1383. La soule — type de jeu de balle, au pied ou à la crosse — est très répandue durant tout le cycle, ainsi que nombre d'autres jeux. A Radinghem, près de Lille, les jeunes gens représentent en 1441, à l'occasion des fêtes de Noël, des *jeux par personnages,* sorte de théâtre populaire. L'aspect le plus caractéristique de la période est constitué par des fêtes burlesques ou licencieuses. Que ces fêtes des *Fous,* des *Anes,* des *Sots...,* soient nées ou non du défoulement annuel des jeunes clercs se moquant de la hiérarchie et des rites pour un bref instant importe peu. Elles sont devenues, à la fin du Moyen Age, de « grandes fêtes populaires » [22] et constituent l'apanage des sociétés de jeunes célibataires. Elles sont mieux connues pour les villes [23] que pour les campagnes, mais devaient partout prendre des formes identiques. Elles représentaient le « monde à l'envers », ou du moins un monde situé « hors des normes habituelles » [24]. Les jeunes gens, le 28 décembre surtout, lors de la fête des *Innocents,* contestaient vigoureusement l'ordre établi, la hiérarchie sociale, les valeurs de leur époque. Mais cette contestation ne durait que le temps de la fête. Et puis, en critiquant rituellement l'ordre établi, la jeunesse en redéfinissait les limites, donc permettait aux habitants-spectateurs de prendre à nouveau conscience des valeurs fondant leur civilisation, à travers la contestation qui les dramatisait. Enfin, ce type de fêtes était pour les jeunes célibataires l'occasion de laisser exploser les tensions sexuelles accumulées depuis deux mois environ. A tel point que, comme à Lille jusqu'en 1564, le jour des Innocents et plus généralement les fêtes des *Fous,* qui possédaient un « caractère sexuel caractérisé », étaient des sortes de cérémonies magiques pour assurer la fécondité et les mariages de l'année suivante [25]. Comme dans les Lupercales romaines, les jeunes garçons, nus ou presque, poursuivaient les femmes et les jeunes filles, se livraient à des gestes obscènes, jetaient des cendres ou d'autres matières sur les spectateurs, etc.

22. J. Heers, *Fêtes, jeux et joutes dans les sociétés d'Occident à la fin du Moyen Age,* Montréal-Paris, 1971, p. 128.
23. Ci-dessous, chapitre III.
24. J. Heers, *op. cit.,* p. 126-127.
25. A. Van Gennep, *Le folklore de la Flandre française...,* Paris, t. I, 1935, p. 264-266.

Les Douze jours ont donc un caractère complexe. Il s'agit d'un rite de passage, et surtout d'un rite d'adaptation aux conditions difficiles de l'hiver. S'y rencontrent aussi bien des rites de recharge émotionnelle et alimentaire — cérémonies familiales et repas — que de décharge des tensions, de la part des jeunes surtout. Une période très variable de temps dilué leur succède. Au bout de six à huit semaines, en moyenne, et selon la date de Pâques, commence le cycle de Carnaval-Carême. Celui-ci est très nettement le monopole des organisations locales de la Jeunesse [26]. Il commence par des cérémonies carnavalesques bien connues, qui se situent généralement aux environs des jours Gras. Comme l'indique leur nom, ces jours sont consacrés à des réjouissances alimentaires, dont la fonction est de préparer les corps à affronter un long Carême. Ainsi est fêté saint Pansard dans les campagnes de la fin du Moyen Age. En outre, durant ces mêmes jours, la *soule* revêt une importance rituelle et sociale. En Normandie, en Picardie, en Bretagne, ce jeu de balle est l'occasion de défendre « l'honneur de la paroisse ou du clan » dans des rencontres entre villages et surtout entre groupes d'âges d'un même village, ou d'une même ville : à Harfleur la soule opposait, le jour du Mardi Gras, les hommes mariés aux non mariés [27]. Période de licence, le Carnaval voit se déchaîner toutes les passions humaines. Comme à l'époque des fêtes des *Fous* les jeunes gens mettent en cause les valeurs établies, se déguisent, jouent des tours aux adultes ou aux autres habitants du village. Enfin arrive Carême, dont la silhouette décharnée chasse le gras Carnaval, comme sur tel tableau de Brueghel. Carême fait parfois mettre à mort Carnaval, brûlé ou noyé sous la forme d'un mannequin. Le premier dimanche de Carême connaît fréquemment les brandons mobiles. Cependant, la danse de jeunes gens nus, qui sautent ce jour-là au-dessus d'un feu, dans un village du bailliage de Troyes [28], semble plutôt appartenir aux coutumes de la Saint-Jean qu'à celles du présent cycle. Par contre, des sacrifices d'animaux accompagnent fréquemment ces réjouissances. Selon le cas, un bœuf, un porc, une oie, peuvent être

26. A. Van Gennep, *Manuel...*, t. I, 3, Paris, 1947, p. 880.
27. R. Vaultier, *op. cit.*, p. 52-54.
28. *Ibid.*, p. 46.

l'objet d'un jeu cruel. La bête suspendue reçoit des jets de bâtons, voire de faucilles ou de couteaux, et appartient au vainqueur. Bien que le même rite se retrouve à d'autres moments de l'année, il prend tout son sens à l'époque de Carnaval-Carême. Les villes sacrifient des animaux, afin d'expulser le mal [29], ce qui rappelle la purification annuelle des cités andines précolombiennes. Dans les villages, les jeux animaliers et purificateurs revêtent la même importance, et se perpétuent d'ailleurs à notre époque. En Picardie a toujours lieu aujourd'hui, le dimanche précédant le Mardi Gras, un *tir au coq*. Un coq tué sert de cible aux enfants. Le vainqueur est nommé *roi* et conduit un défilé, l'après-midi du même jour, dans les rues du village. Il est affublé d'un surplis d'enfant de chœur et porte la tête du coq sur un bâton [30]. Bizarre mélange actuel d'orthodoxie religieuse et de pratiques qui sentent le soufre !

Aux quelques exemples que j'ai choisis pour décrire le caractère original des cycles principaux de festivités, dans le monde paysan français du XVe et du XVIe siècles, pourraient s'en ajouter de multiples autres [31]. Des recherches dans les archives en exhumeront qui nuanceront ou contrediront les descriptions précédentes, d'autant que les diversités régionales — il faut le répéter — sont alors extraordinairement grandes. Aussi est-il nécessaire de considérer maintenant la *structure* d'ensemble de ces cycles de festivités, que j'ai arbitrairement limités à six, mais qui peuvent être plus ou moins nombreux selon les régions considérées. Ainsi, dans l'Angleterre du XVIe siècle, la fête de Pâques s'accompagne-t-elle de festivals de fertilité, de cérémonies secrètes reliées au culte de divinités-mères [32], qui lui donnent un caractère magique et rituel plus marqué que pour la France de la même époque. A moins que ce caractère n'ait pas encore été mis en valeur pour notre pays ?

29. A. Van Gennep, *Le folklore de la Flandre française...*, t. I, p. 188-191, et ci-dessous, chapitre III.
30. R. Debrie, *Contribution à l'étude des jeux picards traditionnels,* Amiens, 1974, p. 66-67.
31. Voir les livres déjà cités de J. Heers, A. Van Gennep et R. Vaultier.
32. R. Stubbes, *The Anatomie of Abuses,* Londres, 1583 (cité dans G. R. Taylor, *Sex in History,* New York, 1973, p. 155).

La structure des cycles de temps « dense » que j'ai décrits, se réduit de toute façon à quatre éléments : fertilité, décharge émotionnelle, activité des groupes d'âge de la société et redéfinition de celle-ci. La fertilité est naturellement la préoccupation éminente d'humains dont la vie tout entière dépend des bonnes récoltes et du croît des troupeaux. De ce fait, toutes les fêtes citées s'accompagnent de rites destinés à assurer la fertilité des champs, des bêtes et des femmes. Néanmoins, les cycles de mai et de la Saint-Jean, ainsi que le temps de Carnaval-Carême, possèdent ces caractères à un niveau plus net que les autres périodes. Les jeux de mai célèbrent la croissance des fruits de la terre et de l'amour. Les bûchers de la nuit du 24 au 25 juin chassent les démons et purifient l'espace cultivable comme le ventre des femmes. Les sacrifices d'animaux, lors des jeux de Carnaval-Carême, sont peut-être des offrandes votives ou des moyens d'écarter les forces malfaisantes avant le retour attendu des germinations. D'autres régions d'Europe connaissent de tels rites de fertilisation-purification. Dans le Frioul, à la même époque, les *bien-allant* luttent rituellement contre les sorciers, en une sorte de guerre entre le printemps et l'hiver, entre les forces de la vie et celles de la mort [33]. Des saints phalliques, d'ailleurs, sont l'objet de cérémonies qui ne se limitent pas aux grands cycles de festivités : culte de saint Gilles en Cotentin, de saint Réné (du mot : reins) en Anjou, du phallus de saint Foutin trouvé par les protestants dans l'église d'Embrun en 1585, d'un phallus de bois dans une église d'Orange en 1562, etc. [34]. La Vierge elle-même, ne l'oublions pas, est souvent fêtée comme une déesse-mère, ce qui permet aux paysans de se libérer sexuellement le 15 août sans avoir conscience de commettre un sacrilège.

Libération sexuelle, mais aussi libération émotionnelle. Les grandes fêtes sont également des décharges périodiques d'énergie — ou catharsis. Leur succession plus ou moins régulière, toutes les six à huit semaines, rythme l'année paysanne. A la fin de l'hiver, en effet, la courbe du travail quotidien remonte,

33. C. Ginzburg, *I benandanti. Stregoneria e culti agrari tra Cinquecento e Seicento,* Turin, 1966.
34. G. R. Taylor, *op. cit.,* p. 269-270.

jusqu'au sommet que constituent les moissons ou les vendanges, pour retomber ensuite, jusqu'au cœur de la mauvaise saison. Les grands cycles de festivités constituent autant de paliers d'adaptation, le long de cette courbe en cloche. Paliers d'adaptation, parce que tout changement est danger et doit s'accompagner de rites purificateurs, dans le passage de l'ancien au nouveau [35]. Paliers, surtout, qui permettent à une communauté donnée de rassembler ses énergies pour atteindre un degré plus intense d'activité, ou d'évacuer les tensions pour transiter vers une période plus reposante. Chaque fête se décompose en trois étapes : une décharge émotionnelle — très intense lors des fêtes des *Fous,* par exemple — ouvre une période plus ou moins longue de joie et de rire, durant laquelle « le sérieux de la peur et de la souffrance » [36] est surmonté, période à laquelle succède le retour à un ordre renouvelé, accepté à nouveau par tous, dans une communauté dont les limites ont été clairement redéfinies.

Certaines classes d'âge jouent un rôle exceptionnel dans ce théâtre social, qui vise à purger les passions. Tel est le cas des associations masculines de la Jeunesse locale ainsi que du « groupe d'âge » des défunts. La position stratégique de ces deux groupes, aux pôles de la société, les investit d'une fonction d'intercession auprès des forces qui régissent le monde surnaturel. Les organisations de Jeunesse s'adressent aux forces de la vie, en vertu d'une loi de similarité magique qui dit que le semblable attire le semblable. En mai, à l'époque des Douze jours et en Carnaval-Carême surtout — mais non pas exclusivement —, les adolescents et les jeunes garçons attirent sur eux-mêmes et sur leur village de bénéfiques influences. Les filles *esmayées,* les filles et les femmes symboliquement touchées lors des fêtes des *Fous,* participent à ces rites fécondateurs. Selon le même principe de similarité, les morts, en novembre mais aussi durant toute l'année, ont pour tâche de contenir les forces de la mort, de les écarter de leurs parents et amis vivants. Un échange permanent de services s'institue même entre

35. M. Bakhtine, *L'œuvre de François Rabelais et la culture populaire au Moyen Age et sous la Renaissance,* Paris, 1970, p. 206 et 211.
36. *Ibid.,* p. 102.

les deux mondes, car les vivants multiplient les messes anniversaires, tentent d'éviter aux défunts aimés de longs séjours en Purgatoire, fréquentent assidûment et joyeusement les cimetières, et font alors du catholicisme, « dans une large part un culte du vivant au service du mort » [37]. Les jeunes et les morts jouent un rôle fondamental dans les grands cycles de festivités, ainsi que dans la culture populaire en général, comme je le montrerai plus loin. Les uns et les autres établissent les limites spatio-temporelles de leur société. L'espace du village est défini aussi bien par les déplacements rituels des compagnies de Jeunesse que par la présence invisible mais réelle, pour les gens de l'époque, des défunts du lieu. Au-delà commence non seulement l'espace d'autres villages et d'autres jeunes organisés en groupes, mais aussi d'autres communautés de morts. Le temps, quant à lui, est un éternel présent, puisque la Jeunesse représente un avenir statique du village, et que les défunts sont un passé identique à celui de leurs héritiers. Le temps est donc cyclique et fonctionne par reproduction et par emboîtement de cycles annuels, eux-mêmes constitués par un enchaînement de périodes d'activité croissante ou décroissante, séparées par ces rites de passage complexes que sont les grandes fêtes.

Celles-ci jouent, à tous niveaux, un rôle particulièrement important. Plus que l'expression vague d'une collectivité, elles forment réellement le ciment de cette dernière. Elles parlent un langage symbolique qui exprime, sous d'apparentes étrangetés, la cohésion d'un groupe humain donné. Les jeunes ouvrent à ce groupe les chances du futur proche, fait d'abondance en toutes matières. Les défunts dressent pour lui des murailles contre les forces hostiles. La mort, la peur, les dangers sont abolis par le temps « dense » de la fête. Et, qui plus est, les tensions sexuelles et autres, qui pourraient menacer le village de l'intérieur, s'expriment et sont évacuées à cette occasion. Ainsi rassurée, purifiée, rassemblée et renforcée, la communauté paysanne peut affronter un nouveau segment de temps, qui la conduira à une nécessaire et nouvelle fête

37. A. N. Galpern (étude sur la Champagne au xvıᵉ siècle), cité par N. Z. Davis, *art. cit.* (ci-dessus, n. 19), p. 327.

cyclique, après accumulation de nouvelles tensions et de nouveaux problèmes.

En somme, face aux peurs multiples, réelles ou illusoires qui l'assaillent, le monde rural s'est doté d'une structure mentale sécurisante, proche de celle des peuples dits « primitifs » — tels les Péruviens du XVIᵉ siècle et leur fête de la *Situa*. Cette structure repose sur une conception cloisonnée de l'espace et sur une vision cyclique du temps. Le village représente, aux yeux de chacun des habitants, une sorte de sphère de sécurité, définie dans l'espace et dans la durée, au sein de laquelle se meuvent des individus eux-mêmes environnés du halo protecteur de leurs solidarités et de leurs parentés. On comprend mieux ainsi que le cercle tracé sur le sol par un sorcier soit dangereux : il ouvre un passage entre le monde extérieur hostile et cette sphère de sécurité. A l'intérieur de celle-ci, les grandes fêtes ne permettent pas seulement de jalonner le temps. Elles assument un rôle fondamental de régulation de la vie collective, en évitant que les tensions internes inhérentes à tout groupement humain ne brisent celui-ci en s'exprimant un jour. D'autant, nous l'avons vu, que les hommes de cette époque sont psychologiquement très instables et très agressifs. Les fêtes, à cet égard, permettent non pas de détourner cette agressivité, mais de la décharger. Partiellement, car les querelles, les bagarres, les meurtres sont plus nombreux en ces occasions qu'en temps normal ! Des hommes meurent alors mais la communauté survit, elle, et prend un nouveau départ vers les dangers et les difficultés de la vie quotidienne. Ces mêmes dangers, ces mêmes difficultés que tentent de combattre les masses populaires rurales en élaborant une philosophie, une vision du monde qui débouche sur des attitudes et sur des comportements originaux.

II. Vision du monde : l'univers magique

Prétendre que le niveau de base de la culture populaire soit composé de superstitions étranges, d'histoires effrayantes ou merveilleuses, est peut-être juste dans l'optique d'un historien du XXe siècle observant avec condescendance les mœurs de peuplades inférieures, mais n'explique rien. Car toute culture est adaptation à l'environnement, c'est-à-dire manière de comprendre le monde et d'agir sur lui. En ce sens, il est nécessaire de rechercher la *cohérence interne* de ce système explicatif, et non pas de le juger par rapport à notre propre conception de la vie.

Or cette cohérence réside dans une interprétation résolument animiste du monde, que Jean Delumeau a mise en valeur dans un beau livre récent[38], et qui est maintenant admise par beaucoup d'historiens. L'univers magique est d'abord celui d'une certaine qualité de la vie et surtout de la mort. Il est aussi un savoir, détenu et transmis par les femmes, et dont découlent aussi bien une image du corps humain privilégiant la zone située sous la ceinture qu'une conception du bonheur et du malheur liée à un ensemble de signes et de tabous. La sorcellerie, enfin, lie en gerbe cette pensée populaire qu'elle transmue en une action efficace sur le monde animé, c'est-à-dire sur le réel comme sur l'invisible.

La mort dans la vie

Si la doctrine et la pratique chrétiennes assignent aux âmes des morts un lieu relativement bien défini — enfer, paradis, et purgatoire — il ne semble pas en aller de même pour les hommes de la fin du Moyen Age. Déjà les paysans catharisants de Montaillou, au début du XIVe siècle, acceptaient l'idée d'une certaine errance des âmes. A la question : *Où donc pourrait-on mettre ces âmes tellement nombreuses de tous les hommes qui sont morts et de ceux qui sont encore vivants ? A ce compte, le monde serait plein d'âmes,* ils répondaient que l'âme *sort d'un corps humain qui vient de mourir et elle rentre presque aussitôt dans un autre. Et ainsi de suite*[39]. Certes, leur conception peut

38. J. Delumeau, *Le catholicisme entre Luther et Voltaire*, Paris, 1971, p. 237-240.
39. E. Le Roy Ladurie, *Montaillou...*, Paris, 1975, p. 303.

être jugée hérétique, donc peu typique. Pourtant, l'idée d'un monde plein d'âmes se retrouve ailleurs en France, tant chez les citadins que chez les ruraux, aux xvᵉ et xviᵉ siècles. Les *daimons* que décrit Ronsard ne sont-ils pas un avatar littéraire, et déformé, de ce thème ? Thème obsédant qui se manifeste autant dans la sensibilité religieuse des élites que dans celle des masses. Laissons cependant de côté la première, qui est bien connue, et qui a laissé des traces importantes dans la littérature, dans les danses macabres, etc. Les masses, quant à elles, vivent en contact permanent avec la mort. L'histoire régressive, ici encore, nous aide à comprendre l'importance mentale et sociale de ce contact : jusqu'aux années 1950, le village de Minot en Châtillonnais traduisait, dans l'agencement des tombes du cimetière communal, les liens qui unissaient les vivants aux défunts. Jusqu'à cette époque « la géographie des morts reflète la morphologie de l'espace social des vivants ». En outre, les défunts sont chargés de féconder la terre car, « dans la pratique funèbre, tout concourt à accélérer le processus de destruction » du corps [40]. Il s'agit bien là de phénomènes comparables, toutes proportions gardées, à ceux du Moyen Age finissant.

La Toussaint, nous l'avons noté, prenait aux xvᵉ et xviᵉ siècles le caractère d'un instant de contact privilégié entre les vivants et le « groupe d'âge » des défunts. Durant le reste du temps, ces derniers étaient toujours présents dans la vie quotidienne de leurs successeurs. Ainsi s'expliquent les tentatives fréquentes d'intercession des vivants, en vue d'assurer le salut chrétien de leurs morts. La vogue des indulgences, contre lesquelles s'élèvera Luther, est reliée à l'idée que ce salut peut être acheté, qu'il est possible d'écourter le séjour en purgatoire des âmes de ceux que l'on aimait. Les innombrables messes anniversaires fondées par les survivants doivent aboutir à un résultat identique. De même s'explique le recours à des saints intercesseurs, guérisseurs des maux spirituels dans ce cas, chargés d'assurer le bon voyage d'une âme. Un voyage que devaient aussi faciliter les pièces de monnaies mises, comme

---

40. F. Zonabend, « Les morts et les vivants. Le cimetière de Minot en Châtillonnais », *Etudes rurales,* oct.-déc. 1973, p. 7-23 (illustré).

oboles de Caron, dans la main du mort à Moissac, aussi bien sous Charles VII que sous Louis XVI [41] !

Salut chrétien ? Certes ! Mais conception de la mort qui n'est pas uniquement chrétienne. L'Eglise a bien compris ce fait. Elle a accepté de voir se développer au Moyen Age les dévotions aux innombrables saints guérisseurs et intercesseurs, malgré les *superstitions* qui les accompagnaient, afin de détacher les masses d'un culte des morts en général. Mais avant la Réforme et la Contre-Réforme, ce calcul s'est avéré vain. Les saints ont été intégrés dans le culte de tous les morts, au lieu de sublimer celui-ci. Simplement, ils ont constitué une hiérarchie des puissances d'outre-tombe et de ce fait ont été beaucoup plus sollicités que les défunts communs, lesquels ont cependant conservé une énorme puissance. D'abord une puissance destructrice, sous la forme des esprits, des fantômes, des démons qui hantent toutes les littératures folkloriques régionales, jusqu'à notre époque inclusivement. Mais aussi une puissance protectrice ou favorable, que l'on peut se concilier par des rites divers, chrétiens ou non. Ainsi vient-on chercher fréquemment le contact des morts. Ceux-ci sont réellement présents sous les dalles de l'église, dans des cimetières qui sont alors ouverts, bruissants de voix ou de rires, peuplés de vivants qui y dansent et y mangent. Nul sacrilège en cela, mais un contact « charnel » avec la communauté invisible des défunts, lesquels sont invités à partager les joies et les peines des vivants, et ne sont pas totalement séparés d'eux comme au XVIIIe siècle. Et si les liens sont régulièrement resserrés, c'est que des services peuvent être rendus par les morts. Un clerc anonyme qui a copié au XVe siècle quelques histoires exemplaires à ce sujet, y a introduit des signes chrétiens, mais prouve que ses contemporains, et lui-même sans doute, croyaient à la présence efficace des morts. Il raconte l'aventure d'un pieux passant, qui disait toujours un *de profundis* pour les trépassés, lorsqu'il lui arrivait de longer le cimetière de son village. Un jour, ses ennemis s'embusquèrent dans ce cimetière et lui coururent sus pour le tuer. Alors, *tous les morts se levèrent, et chacun tenoit*

---

41. J. Delumeau, Leçon inaugurale au Collège de France, éditée à Paris, 1975, p. 13.

en sa main ung instrument de tel office dont il avoit servit en sa vie, et le deffendirent vigoureusement. Une autre histoire concerne un prêtre qui disait chaque jour l'office des morts, ce que son évêque lui interdit un beau jour de faire. L'évêque, passant par un cimetière, vit tous les défunts se lever et le menacer de mort s'il ne revenait pas sur sa décision. Il autorisa désormais le prêtre à célébrer quotidiennement l'office des trépassés.

Le clerc copiste conclut qu'il est nécessaire d'aider les âmes du purgatoire par des oraisons et des aumônes, par l'œuvre de pénitence et par la *sainte oblation de la messe* [42]. On remarque pourtant un certain flottement dans sa pensée, puisque dans les deux exemples précédents il parle de *tous* les morts du cimetière. Exprime-t-il l'idée que personne n'est totalement et immédiatement sauvé, ou est-il contaminé, sans le savoir, par une conception populaire selon laquelle toutes les âmes demeureraient dans le voisinage de leurs parents et amis vivants ? Remarquons, dans le premier exemple, le jeu d'une solidarité, que le clerc rattache à la piété du passant, mais qui pourrait aussi être celle du groupe des défunts du village défendant un membre vivant de la même communauté (peut-être contre des ennemis extérieurs, ce que le texte ne précise pas). De même, l'évêque du deuxième exemple représente la hiérarchie, lointaine et extérieure, intervenant dans une affaire qui concerne un prêtre et ses rapports avec les morts d'un lieu donné, même si les revenants surgissent d'un cimetière quelconque.

La présence constante et agissante des morts ne fait aucun doute pour les contemporains de Jeanne d'Arc comme pour ceux de François Ier. L'Eglise elle-même accepte, bon gré mal gré, cette notion, ne serait-ce qu'à propos du culte des saints, ou à travers l'opinion du même clerc anonyme du xve siècle, disant que les âmes reviennent au *lieu où elles ont fait leurs péchiés* [43]. D'innombrables légendes concernant des âmes errantes ont alors cours. Leur structure est toujours identique : ces âmes sont celles de pécheurs qui attendent qu'un humain au cœur pur les

42. B. M. Lille, Ms. 795, f° 585 r°-589 r°.
43. *Ibid.*, f° 588 r°.

délivre par un acte que n'auraient pu, ou n'auraient su réaliser la plupart des vivants. De telles histoires sont encore colportées aujourd'hui, telle la légende du prêtre négligent condamné à revenir chaque année dire la messe pendant la nuit jusqu'à ce qu'une âme charitable daigne la lui servir et, en outre, accepte de prier pour lui [44]. Songeons aussi aux croyances bretonnes, toujours très vivaces, concernant l'existence de l'*Anaon,* cette communauté des morts qui fait frissonner les vivants.

Aux XVe et XVIe siècles, la mort est bien présente au cœur même de la vie. Présente dans sa réalité, présente dans les esprits. Les actions humaines sont, de ce fait, étroitement dépendantes des ancêtres disparus. Pour nous, cette attitude magique représente un état d'équilibre mental, un triomphe sur l'horreur de la mort, alors immensément plus présente que dans notre société. Finalement, nos ancêtres assuraient le triomphe de la vie non pas en éloignant la mort mais en l'intégrant dans leurs actes et dans leurs pensées de chaque jour. Outre l'espoir chrétien de la Résurrection, ils possédaient aussi l'espoir de ne pas quitter définitivement les choses et les êtres de leur village, en voisinant avec ceux-ci dans un espace invisible mais proche. Cependant, cet espace était aussi celui des défunts ennemis, ou étrangers, ce qui revient au même. Tout était donc plein d'âmes ! D'âmes responsables de chaque chose qui arrivait, des maladies, des souffrances, des dangers, de la mort. Car rien ne pouvait être « naturel », dans de telles conditions mentales. Tout découlait d'une action malfaisante ou bienfaisante des forces occultes environnantes. Et l'Eglise romaine avait beau tenter de structurer cette vision animiste diffuse dans les figures opposées de Dieu et du diable, les paysans continuaient à s'adresser à des forces multiples — morts, saints et démons — qui n'étaient jamais totalement propices ou néfastes. Ambivalentes, plutôt, elles pouvaient les unes comme les autres protéger ou détruire. Des tabous, des rites et des pratiques permettaient de solliciter leur aide, d'empêcher qu'elles n'interviennent, ou même de les punir. Le père Michel Le

44. J. Bacon (abbé), *Beuvry-sur-Loisne,* t. I, Beuvry, 1975, p. 86-87 (Concerne une commune du Pas-de-Calais, voisine de Béthune).

Nobletz, prêchant en basse Bretagne à partir de 1610, raconte avec horreur les mauvais traitements subis par les images des saints, fouettées ou mises dans l'eau par des femmes dont les vœux n'avaient pas été exaucés [45]. Saint Georges, saint Marc, saint Eutrope étaient fustigés, en cas de mauvaise récolte, par les vignerons de l'Allier et de la Saône-et-Loire, au XVIIIe siècle par exemple [46]. Même les démons et le diable, d'après des contes régionaux divers, étaient punis ou trompés par de rusés paysans, qui leur arrachaient des fortunes sans mettre leur âme en péril.

« Tout cela indique d'ailleurs un grand besoin de spiritualité » [47], pourrait-on dire, à propos de l'animisme des paysans français, comme de celui des lointains péruviens du XVIe siècle. Et, dans les deux cas, le spectacle du monde se fait à travers le filtre d'une pensée magique qui repère les signes du danger et fournit les recettes nécessaires pour les affronter. Alors paraît la femme, qui détient et transmet ce savoir efficace.

La femme et le savoir populaire

Le rôle des femmes dans la transmission de la culture populaire est sans commune mesure avec la situation extrêmement défavorable que leur impose la culture officielle. Faible, impure, sans âme peut-être, selon les conceptions qu'expriment alors à l'envi les hommes d'Eglise et beaucoup de lettrés, la femme n'est théoriquement que soumission : à son père, à son mari, à sa famille en général. Elle doit se contenter des fonctions domestiques. Elle voit son corps lui échapper et produire des enfants à un rythme qu'aucune contraception efficace ne modère. A partir de 1556 un édit royal lui promet même le dernier supplice si elle tente d'avorter. Et puis, l'absence de toute précaution à l'accouchement l'expose fréquemment à la mort, d'autant qu'en cas de difficulté l'enfant devra être baptisé à tout prix, et sera donc choisi au détriment de la mère.

---

45. J. Delumeau, *Le catholicisme..*, p. 238.
46. A. Van Gennep, *Manuel...*, t. I, 6, Paris, 1953, p. 2580-2584.
47. F. A. Engel, *op. cit.*, p. 85.

Cette difficulté d'être femme se manifeste certainement dans les masses populaires, avec de la part des paysans, peut-être, un peu plus de respect bourru pour la compagne de tous les travaux que chez les clercs et les littérateurs misogynes, dont fait partie Rabelais. Et pourtant, cette paysanne que les coutumes du Nord, et plus encore le droit romain du Midi, mettent juridiquement dans l'étroite dépendance des hommes, est le réceptacle de la culture populaire. Elle est, dans cette civilisation orale, la mémoire collective du groupe. Sa fonction double de mère au foyer et d'ouvrier agricole la met en relation aussi bien avec la nature et les animaux qu'avec un espace intérieur peuplé d'enfants et de problèmes domestiques. Elle parcourt le monde des hommes avec les mêmes yeux qu'eux, mais connaît aussi ce à quoi ils ne portent pas attention : elle est une spécialiste du corps humain, dont elle connaît la forme en l'habillant, le ventre en le nourrissant, les fonctions vitales qu'elle observe obligatoirement en action chez ses enfants; elle transforme le cru en cuit — c'est-à-dire la nature en culture —; elle soigne; elle accouche et nourrit de son lait. En somme, elle est le trait d'union entre le monde et le corps humain. Située à l'intersection de la vie, et donc de la mort, elle est de ce fait portée à interpréter les signes du danger, corporels ou « naturels », et à les relier entre eux. Aussi, déduit-elle du macrocosme ce qui peut avoir une action sur le microcosme du corps humain, et vice versa. Vieillissante, elle tire de son expérience une certaine puissance sociale, un certain respect, même si elle n'est ni guérisseuse ni sorcière. Les auteurs masculins des *Evangiles des Quenouilles* étaient sensibles à ce dernier fait, en présentant leur recueil de proverbes et de croyances populaires comme les *parolles et auctoritez des femmes de jadis* et comme l'œuvre commune de six matrones *sages et prudentes* [48].

Que la femme ait pu tenir ce rôle culturel important est encore attesté, à mon sens, mais de manière indirecte, par la véritable haine que lui voue alors l'Eglise et que symbolise exactement une curieuse miniature, dans un recueil de vies de saints, représentant saint Eloi tenaillant les lèvres d'une

---

48. *Les Evangiles des Quenouilles,* édition P. Jannet, Paris, 1855.

femme-diable qui cherchait à le tenter [49]. Banale misogynie cléricale et haine du sexe de la femme, auquel font immédiatement penser les lèvres douloureusement meurtries, dira-t-on. Mais cette haine ne repose-t-elle que sur le péché originel, ou exprime-t-elle plutôt une peur profonde de ces femelles qui perpétuent un tenace paganisme ? La légende — urbaine, il est vrai — d'un cimetière valenciennois donne à réfléchir. Racontée en 1582, cette histoire transporte en 1394 la fondation de l'Attre-Gertrude, cimetière situé aux portes de la ville et destiné à recevoir tous les étrangers morts à Valenciennes, ainsi que des déviants comme la sorcière de Préseau (qui y fut enterrée de nuit en 1645 au lieu d'être brûlée, comme de coutume). Et le récit décrit les tribulations de Gertrude, fille de Marissal, qui eut un fils des œuvres de son père, fils qu'elle épousa, sans l'avoir identifié, dix-huit ans après. Elle mourut de douleur, ayant appris la vérité, et fut enterrée sans l'aide de l'Eglise dans un pré, hors de la ville, bientôt rejointe par son fils-mari, qui revenait d'un pèlerinage expiatoire en Italie. Depuis lors, *l'ombre de Gertrude apparaît, vêtue de blanc, au sommet de la croix de marbre noir, allaitant son fils incestueux et poussant de profonds gémissements qui attestent assez que son âme n'éprouve pas le repos du juste...* [50]. Passons sur la remarquable définition d'une communauté et de ses morts, par opposition aux morts étrangers, que contient cette légende. Remarquons simplement qu'une femme, à la fois fille, mère et épouse, est chargée de fonder dans un péché inouï ce cimetière honteux pour morts de passage, et de rendre éternelle par ses apparitions fantomatiques la séparation spatiale qui en découle entre ce cimetière et ceux de la ville. Pourquoi une femme ? Parce qu'elle est source de tous péchés, selon la doctrine admise par l'Eglise ? Ou parce qu'elle représente ici tout groupe humain — elle a père, mari et enfant — extérieur à la ville et vivant hors de la voie chrétienne ? D'abord, son crime la rend plus étrangère encore à la cité que tout autre étranger. Tout comme son fils-mari, qui revint à

49. B. M. Lille, Ms. 795, miniature au f° 184 r° (xvᵉ siècle).
50. A. Dinaux, « Légende valenciennoise... », *A.H.L.*, 1ʳᵉ série, t. I, 1829, p. 394-403.

Valenciennes après une longue pénitence imposée par le Pape, *lavé de toute souillure selon l'Eglise, mais non à ses propres yeux ni à ceux de ses concitoyens qui s'éloignèrent de lui comme s'il eût été frappé de lèpre,* et qui en mourut. Ensuite et surtout, ce groupe humain représenté en raccourci, enfreint les principaux tabous de la civilisation chrétienne et constitue le parfait archétype, en 1582, d'une société profondément païenne semblable à celle que cherchent à déraciner les missionnaires de la Contre-Réforme.

Il n'est pas jusqu'à l'image de la Vierge, que l'on proposera au XVIIe siècle comme modèle aux femmes, qui ne présente à la fin du Moyen Age et au XVIe siècle des caractères qui choqueront profondément les protestants, et qui font d'elle un tout autre modèle féminin que celui du Siècle des Saints. Souvent représentée, dans l'iconographie, sur un croissant de lune, elle semble détrôner la païenne déesse Diane [51], dont le culte était encore très important au XIe siècle, d'après le pénitentiel de l'évêque Burchard de Worms. Elle conserve cependant des traits lunaires, venus de la rivale subjuguée. Elle est de ce fait reliée à une certaine notion de fertilité et de croissance des biens. Après tout, la lune rousse n'est-elle pas responsable de gelées tardives en avril, juste avant les rites fécondateurs du mois de mai ? Comme les saints phalliques, la Vierge est en outre une déité de la fertilité. Elle a bizarrement, pour les paysans, les caractères d'une déesse-mère païenne [52]. Souvenons-nous des défoulements sexuels qui marquent l'Assomption. Saint Alphonse de Liguori (1696-1787) disait même que la Vierge prenait la place des femmes adultères, dans le lit conjugal, pour protéger celles-ci [53]. Ces traits ne permettent-ils pas de croire à la survivance non du culte païen d'une divinité maternelle mais de traces éparses d'une telle religion ? Et, dans ce cas, comment douter que ces traces n'aient eu un impact, si feutré soit-il, sur la place des femmes dans la société rurale, sur leur rôle dans la conservation et dans la diffusion de la culture populaire ? L'Eglise, à mon sens,

51. H. Dontenville, *Histoire et géographie mythiques de la France*, Paris, 1973 (rééd.), p. 94 suiv.
52. G. R. Taylor, *op. cit.*, p. 107-108 et p. 269.
53. *Ibid.*, p. 108.

n'attaquait pas seulement Eve à travers la femme, mais visait aussi son rôle éminent de conservatoire d'une vision du monde jugée païenne et superstitieuse par les autorités ecclésiastiques. J'avoue pourtant qu'une miniature, une légende, et l'interprétation de la figure de Notre-Dame ne peuvent en la matière fonder une entière certitude. Par contre, l'étude du rôle socioculturel de la femme nous entraîne sur un terrain plus solide.

Le rôle de la femme commence au chevet — le berceau étant alors l'apanage des riches et des nobles — du nouveau-né. Il est alors exclusif, jusqu'à ce que l'enfant atteigne sept ans environ. Par la parole, mais aussi par l'exemple et par l'imitation, les enfants acquièrent, à un âge de grande réceptivité, un bagage culturel qui consiste en sentences, observations pratiques, recettes diverses, que je décrirai plus loin. Cette culture maternelle perd sa primauté, pour les garçons, quand la seconde enfance les pousse derrière les pas de leur père, devenu à son tour modèle pratique, et qui les initie au travail comme aux loisirs, les entraînant aux champs ou au cabaret. Les filles, elles, continuent dans l'ombre de leur mère à accumuler le savoir de celle-ci, qu'elles reproduiront à leur tour auprès de leurs enfants. Pour elles, le véritable rite de passage est constitué par le mariage, alors que leurs frères devenus adolescents, vers quatorze ou quinze ans, s'agrègent au groupe structuré de la Jeunesse locale. Durant un stade de marge de plusieurs années, ces jeunes mâles recueillent l'expérience de leur *Abbaye de Jeunesse*, participent avec elle aux rites des grandes fêtes, plantent des *Mais*, font des charivaris, etc., avant d'entrer dans le groupe d'âge des hommes mariés. Comme on le voit, l'influence des mères est plus complète et plus continue sur les filles que sur les garçons. Mais ceux-ci ont néanmoins mémorisé, durant leurs premières années, les leçons et les exemples maternels. En outre, leur vie adolescente les pousse à fréquenter les veillées, pour y rencontrer les jeunes filles. Or ces veillées, où étaient permises selon Noël du Fail *d'honnestes familiaritez,* étaient aussi *contreroolez par un tas de vieilles*[54]. Entendons par là que les femmes du village étaient toutes, ou peu s'en faut, réunies les soirs d'hiver

54. Cité par J.-L. Flandrin, *op. cit.*, p. 122.

pour causer et rire en filant la quenouille dans ces *escreignes,* que l'on nommait aussi *séries* en France ou *siètes* en Artois. Un conteur, et plus souvent une conteuse, faisait généralement frissonner les présents aux récits de légendes et de contes effrayants, mettant en scène des loups-garous, des sorcières, des monstres... Imaginons l'effet produit sur tous, et en particulier sur les plus jeunes, par ces récits débités dans la faible lueur des bougies et du foyer qui multiplient les ombres, alors que la nuit, le froid, le vent ou la neige règnent dehors, et qu'il faudra les affronter, ainsi que les monstres et les démons évoqués, pour retourner chez soi, vers minuit. Sans nul doute, ceci ravivait, même chez les grands garçons, le souvenir d'identiques récits racontés par leur mère lors de leur prime enfance. D'autant que les conversations abordaient ensuite, ou auparavant, les mêmes thèmes, distillaient les proverbes et les recettes de la sagesse populaire, commentaient les événements désastreux ou bénéfiques survenus dans le village et ailleurs, racontaient aussi les faits familiaux et la chronique locale des potins et des cancans. Homme fait, pouvait-on ne pas être sensible d'une manière ou d'une autre à l'influence de la parole féminine, répétitrice des mêmes thèmes et des mêmes hantises ? Quant aux filles, elles baignaient dans cet univers de la naissance à la mort et ne pouvaient que transmettre à leurs filles la culture de leurs mères. Devenues vieilles et chenues, elles s'accroupissaient devant le foyer des veillées, surveillant le bon déroulement de celles-ci. Image qui rappelle étrangement les descriptions littéraires ou les représentations artistiques des cercles de vieilles sorcières se préparant à partir au sabbat. Image qui explique déjà un peu pourquoi la majorité des accusés de sorcellerie étaient des femmes, c'est-à-dire celles qu'il fallait abattre ou glacer de peur pour que ne se perpétue plus la culture populaire ! Dangereuse, pour les autorités et pour l'Eglise, la femme l'était surtout parce qu'elle parlait d'un monde magique multiforme, résistant depuis plus d'un millénaire aux efforts de la christianisation, ou plutôt qui accueillait et ingérait les formes du christianisme tout en conservant intacts ses ressorts intimes. Partons maintenant à la recherche de ceux-ci que nous livreront les six matrones des *Evangiles des Quenouilles* déjà cités. Quelques mots du texte, pourtant, avant d'en analyser le contenu. Ce *livre des Quenouilles*, nommé aussi les *Evangiles des femmes* — l'opposition aux Evangiles eux-mêmes est claire — fut rédigé selon toute vraisemblance par plusieurs hommes, vers le milieu du xve siècle, dans les états septentrionaux des ducs de Bourgogne. La première édition parut à Bruges vers 1475, chez Colard Mansion, et fut suivie de huit autres éditions françaises et d'une édition anglaise jusqu'à la fin du xvie siècle. Les caractéristiques linguistiques du texte permettent d'assurer qu'il appartient à l'aire de civilisation picarde, qui couvrait alors un vaste domaine allant des marges de la Normandie aux territoires wallons aujourd'hui belges, et de la côte aux confins de la Champagne. Les auteurs ont, à n'en pas douter, observé les mœurs et les coutumes des populations de langue picarde, en particulier des sujets du duc de Bourgogne. Le livre lui-même s'inscrit dans le mouvement littéraire plein de vitalité qui caractérise les possessions bourguignonnes. Mouvement littéraire alors très sensible aux comportements populaires, comme en témoigent entre autres les *Cent Nouvelles Nouvelles* et les textes utilisés par J. Huizinga [55]. Le problème reste de savoir si un tel document ne travestit pas la réalité populaire sur laquelle il se fonde de toute évidence. Le dernier éditeur du recueil, P. Jannet, a répondu partiellement à cette question en livrant au public, à la suite des *Evangiles,* la matière d'un manuscrit du xve siècle, signé par Fouquart de Cambray, Anthoine du Val et Jean d'Arras dit Caron, qui présente sous une force concise, moins littéraire et même parfois un peu rugueuse et maladroite, les mêmes thèmes. A tel point que P. Jannet voit dans ce manuscrit le premier jet du livre édité vers 1475. Deux autres arguments, en outre, permettent d'affirmer que ce dernier décrit bien la culture populaire sans la travestir. En premier lieu, des documents d'archives, que j'étudierai à propos de la sorcellerie populaire, fournissent d'identiques recettes et proverbes pour le Cambrésis rural. En second lieu, chacun sait que Rabelais a puisé dans les régions septentrionales de la France des légendes et des

55. J. Huizinga, *Le déclin du Moyen Age,* Paris, rééd., 1967 (également réédité sous le titre *L'automne du Moyen Age,* Paris, 1975).

croyances populaires qu'ont repérées les spécialistes et qui ressemblent à la fois à celles des sorcières du Cambrésis et à celles des matrones des *Evangiles des Quenouilles*. Transportons nous maintenant dans l'*écreigne* où elles pérorent, racontant à tous ce qu'est le corps humain, comment interpréter les signes du bonheur et du malheur, et à quoi sert la sorcellerie [56].

Magies du corps humain

La culture populaire analyse le corps non pas comme un système indépendant et doté d'un équilibre vital mais comme une partie d'un tout, qui est le monde visible et invisible. Tout est dans tout et réagit sur tout, ce qui explique qu'un geste puisse déclencher un orage, tout comme un phénomène naturel peut se passer au même moment et à la fois dans le monde et dans un corps humain. Cette conception vitaliste, partagée dans une certaine mesure par les hommes de la culture savante, par les néoplatoniciens, par exemple, exige des humains une attention constante à tous les ordres de phénomènes à la fois. Attention qui débouche sur des tabous, sur des rites que l'on peut définir comme des signes avertisseurs du danger et des essais « pour éviter une déperdition de force » [57]. Mais des signes et des essais qui ne suivent pas le cheminement d'une pensée rationnelle. Si bien qu'il est souvent difficile à l'historien du XXᵉ siècle de découvrir la logique de telles actions. Disons pour simplifier que cette logique repose sur l'idée que le semblable attire le semblable, ou encore provoque le contraire, selon les cas. Toutes les autres « lois » du monde magique, qu'ont décrites les ethnologues [58], procèdent de ce principe qui est en fait la capacité « sauvage » d'introduire un ordre dans le monde en reliant tout à tout.

---

56. *Op. cit.* (ci-dessus, n. 48). Sauf indication contraire, les pages qui suivent sont basées sur ce document. Les références (exemple : I, 6) renvoient aux six journées qui constituent ce texte et, à l'intérieur de celles-ci, aux sentences, proverbes, histoires relatés. Les références aux pages renvoient au manuscrit du XVᵉ siècle édité à la suite de ces six journées.

57. A. Van Gennep, *Religions, mœurs et légendes...*, Paris, 1908 (« Le mécanisme du tabou », p. 31-49).

58. J. Delumeau, *Le catholicisme...*, p. 240-241.

Le corps humain, donc, est sensible aux dangers et est lui-même dangereux, pour son possesseur comme pour les autres. Dans certains cas précis : maladies et mort, sexualité et excrétions, grossesse et accouchement, il est en contact privilégié avec l'*extérieur,* qu'il reçoive ou fournisse quelque chose. La vigilance et les rites protecteurs doivent alors redoubler.

La maladie et la mort ne sont pas naturelles pour les gens du XV⁰ et du XVI⁰ siècle, mais procèdent d'une invasion du corps par des forces néfastes. Il faut, par des tabous, fermer la porte à ces influences désastreuses. Pour éviter le mal d'yeux dit *leurieul* ou *rougerol,* il faut éviter de pisser entre deux maisons ou contre le soleil (III, 1). Uriner contre un monastère ou un cimetière conduit à l'apoplexie ou à la gravelle (III, 2). L'eau bénite reçue le dimanche devient inefficace pour *aidier contre le tonnoire pour celle sepmaine* si l'on pisse contre une église (id.). Ne pas saluer à jeun un lépreux, ou ne pas pisser à jeun contre un mur où celui-ci a pissé, permet d'éviter de devenir *mesel* (lépreux; p. 116). Ces préceptes, ces tabous, interdisent au semblable (le soleil, un lépreux) de produire le semblable (la maladie). Certains lieux sont particulièrement chargés de force, qui peut devenir destructrice : le cimetière, l'église, et puis le monastère qu'habitent de gras moines volontiers sujets à l'apoplexie ou à la gravelle. L'urine, enfin, est le trait d'union entre l'intérieur et l'extérieur, et la voie d'une éventuelle contamination.

Dans d'autres cas, des rites protecteurs plus généraux font du corps un asile inviolable : *dire des patenostres, porter des brevetz et bouter son doigt en ung trou...* (sont) *superstitions en médecinnes* [59]; tout comme le fait de porter constamment sur soi *la petite peau* (que l'homme) *apporte du ventre de sa mère,* évite toute blessure (VI, 12). Les *bien-allant* du Frioul se distinguaient justement par le port à leur cou de cette membrane amniotique [60]. Son efficacité vient du fait qu'elle sort du corps d'une femme enceinte, c'est-à-dire d'une femme qu'habitent des forces puissantes. Le fil produit par une femme

59. B. M. Lille, Ms 131, f° 123 v° (XVI⁰ siècle).
60. C. Ginzburg, *op. cit.*

en couches et lié autour des verrues ne fait-il pas immanquablement tomber celles-ci (p. 158) ?

La maladie installée, des signes permettent de préjuger de son développement. Le corbeau criant au-dessus de la cheminée de la maison d'un malade prévient celui-ci de sa mort prochaine, alors que la pie est signe de guérison (III, 5). Il est possible de provoquer celle-ci, en appelant à son secours des forces diverses. Porter *à son col en un petit de soye les haulz noms* (Dieu et ses saints ?) *lyez* guérit des fièvres tierces (VI, 2); déjeuner quatre jours en suivant de trèfles à quatre feuilles chasse évidemment les fièvres quartaines (VI, 4), comme la soupe bue dans le *vaissel* (vase) *sainct George* éloigne les fièvres blanches (VI, 6). Nul besoin de multiplier les exemples. Les recettes médicinales sont innombrables à cette époque, comme les maladies elles-mêmes. Si elles ne guérissent pas toujours, au moins en donnent-elles l'espoir aux masses populaires. Masses qui savent que les mêmes forces sont susceptibles de causer leurs maux ou de les guérir : le problème n'est que celui de la protection par les tabous, et de la possibilité d'orienter par les rites l'action de ces forces.

D'identiques problèmes apparaissent à propos de l'exercice des fonctions corporelles, en particulier de celles du bas du corps. Nous avons déjà pu remarquer l'importance de l'urine. Ce liquide est chargé d'une puissance mystérieuse par le fait qu'il sort du corps, lequel est lui-même réceptable de puissances vitales tout aussi mystérieuses. L'urine est donc utilisée dans de multiples remèdes, en particulier l'urine de sorcière [61], puisque cette dernière dispose d'une plus grande puissance que le commun des mortels. Son pouvoir s'exerce aussi dans la divination, ainsi mise à la portée de tous. Pour savoir si elle est enceinte, une femme pissera au bassin et y mettra une clef ou un loquet durant trois ou quatre heures, avant de répandre l'urine; si la marque de la clef ou du loquet subsiste dans le bassin, la grossesse est certaine (V, 20). L'urine porte réellement les qualités de celui qui l'émet, et peut faire apprécier celles-ci par une personne qui entre en contact avec elle : une mère

61. Un exemple dans J. Delumeau, *op. cit.*, p. 240.

obligera son époux à aimer tous ses enfants en lui faisant laver, sans qu'il le sache, ses mains et son visage, durant neuf jours, avec l'urine de ces derniers (V, 4). De la même manière, les excréments ne sont pas l'objet d'un dégoût profond comme de nos jours. Ils constituent, pour les paysans comme pour Rabelais, la « matière joyeuse » qu'à décrite M. Bakhtine dans un admirable livre. Car, souligne cet auteur, urine et excréments sont en liaison, par leur localisation dans le bas du corps, avec les phénomènes éminemment sacrés que sont la fécondité et la naissance et, de ce fait, avec « la rénovation, le bien-être » [62]. Ajoutons que ces émissaires du corps auprès du reste du monde portent la chance ou la malchance de leur possesseur. Et, comme toutes les parcelles du corps qui se séparent de celui-ci, ils peuvent transmettre ces qualités. Ainsi à Montaillou, au début du XIVᵉ siècle, enlève-t-on aux cadavres des mèches de cheveux et des fragments d'ongles « pour que le mort n'emporte point avec lui la fortune de la *domus* (maison) » [63]. Je n'insisterai pas sur ce thème, rappelant seulement pour conclure un écho affaibli, en notre temps, de ces croyances dans l'idée que marcher dans les excréments porte chance...

Le bas du corps, c'est aussi la fonction sexuelle, qui n'est alors que très faiblement reliée à l'idée chrétienne de péché. En réalité, les paysans n'éprouvent nulle honte à exercer l'œuvre de chair. Une solide gauloiserie règne, même parmi les femmes, que n'effarouchent ni la vue ni l'évocation des organes virils. L'une des conteuses de la veillée ayant parlé d'une recette pour guérir un mal de sein, qui consiste pour le mari à faire trois cercles autour de la partie douloureuse avec *son instrument viril,* une femme ajoute que ce rite doit plutôt être fait en dessous de la ceinture, et toutes les assistantes rient à *ceste joyeuse conclusion* (I, 26). Comment s'en étonner, si l'on songe au grand nombre de bâtards, aux concubinages fréquents, aux filles allègrement culbutées lors des fêtes ou dans les champs, avant que ne s'en mêlent les missionnaires de la Contre-Réforme ? Par contre, si la sexualité n'est pas vraiment un péché, elle est l'occasion de dangers multiples.

62. M. Bakhtine, *op. cit.*, p. 151, 178, 354 et 366-432.
63. E. Le Roy Ladurie, *Montaillou...*, p. 61.

Car elle est conjonction de deux forces vitales : les défenses de chaque corps s'affaiblissent et les forces mauvaises peuvent y pénétrer. Le mystère qu'est la conception aggrave encore cette impression de danger pressant, pour la femme surtout, dont le corps devient le centre de mouvements qu'elle comprend mal. A nouveau apparaissent des tabous et des recettes destinés à écarter tout danger. Tabous alimentaires : une jeune fille à marier s'abstiendra de manger une tête de mouton, une crête de coq ou une anguille, sinon elle sera facile en amour (I, 9), ces mets étant reliés à la notion de virilité. Tabous sociaux et religieux, telle l'interdiction de faire l'amour avec sa *commère,* c'est-à-dire avec la marraine de son enfant, ou la mère d'un enfant dont on est le parrain. Sinon, le paradis sera fermé aux deux coupables, à moins que le filleul ne fasse de son plein gré pénitence pour eux. Un mariage avec une *commère* est une telle rupture de l'ordre normal des choses que le tonnerre ou l'orage accompagnent chacun des ébats du couple (IV, 3). L'homme qui aurait des rapports sexuels avec une nonne ou avec une femme qui fut violée par un clerc mourrait *à membre roit* (raide) et très douloureusement, tandis que ses enfants connaîtraient les pires maux (IV, 4). Un prêtre ou un religieux commettant l'adultère avec une femme mariée ne sera jamais pardonné par Dieu s'il ne l'est d'abord par le mari trompé (IV, 6). Un homme marié adultère, lui, n'entrera pas au paradis, sauf si le mari cocu lui ouvre en personne (IV, 7). Cette série de croyances a pour fonction de régulariser la vie sociale et indique les limites de la permissivité sexuelle, qui est alors réelle. Les prêtres eux-mêmes ne se font pas prier pour imiter sexuellement leurs ouailles [64]. Celles-ci, autant qu'on puisse en juger, s'offusquent moins de tels débordements qu'elles ne craignent la contamination des femmes de leur communauté par le curé, qui est dépositaire du sacré et, en ce sens, se trouve chargé de forces plus dangereuses que les paysans. Pour faire avancer un cheval réticent ne doit-on pas lui dire à l'oreille : *Cheval, aussi vray que meschine* (servante et maîtresse) *de prestre est cheval au diable, tu vueilles souffrir*

---

64. J. Delumeau, *op. cit.,* p. 227-230, et le cas du curé Pierre Clergue dans E. Le Roy Ladurie, *Montaillou...,* p. 220-241.

que je monte sur toi (VI, 11) ? La maîtresse du prêtre est un *chevalet au diable* et ne fera pas une bonne fin, pas plus que son concubin ni ses enfants (IV, 5). Vieux fonds d'anticléricalisme aussi, chez ces ruraux qui raillent les moines paillards et les concupiscents curés ! Au chapitre des tabous figure également le conseil de ne pas se marier le jeudi pour éviter des malheurs (p. 158), ou celui de ne jamais tirer une épée nue devant une femme enceinte sans d'abord lui toucher doucement la tête du plat de cette arme, afin que son fruit soit toute sa vie hardi (I, 15). Le mécanisme en action est toujours celui du semblable attirant le semblable dans un monde perpétuellement dangereux. En découlent diverses précautions à prendre pour éviter la décharge sur votre tête de ces dangers.

Le même mécanisme permet de les écarter lorsqu'ils ont fondu sur vous. Des recettes assagissent un mari volage ou brutal. Les chats, par exemple, produisent *grant eur* (bonheur) *et avanchement en amour* (p. 124), surtout si la femme trompée a pris soin de cacher son chat durant deux jours sous une cuve, les quatre pattes liées ensemble et enduites de beurre, en ne lui donnant à manger que du *pain trempé en son orine* (p. 140). Délicieuse manière, que celle-là, d'associer le chat à l'urine de la femme délaissée ! Quant au mari brutal, il cessera de battre sa femme si celle-ci lui prend ses chemises, les place sous l'autel lorsque le curé lit la Passion, le vendredi saint, et les lui fait porter le dimanche suivant (V, 2). Les souffrances du Christ rachètent ainsi, d'une manière peu orthodoxe, celles de l'épouse, et la sainteté du jour choisi déteint littéralement sur l'homme aux chemises purifiées. D'autres recettes attirent l'amour. Faites donc manger à l'homme aimé de l'herbe de chat (II, 1), ou des herbes cueillies lors de la Saint-Jean, quand sonnait none, et préparées en soupe (V, 1), et vous serez sûre de l'attirer ! D'autres encore font disparaître les conséquences funestes de l'amour. Une femme vérolée est guérie par son mari qui la lie dans la peau, chaude encore, d'un agneau noir de l'année, et fait ensuite un pèlerinage à sainte Arragonde (VI, 9). Puissance des herbes, des animaux comme le chat ou comme l'agneau noir, de l'urine, des cérémonies religieuses ! Puissance des choses, telle la chaussure perdue dans la rue par une femme, ce qui indique son infortune conjugale (I, 25) ! Tout est puissance bénéfique, si les rites sont observés, et maléfique, si les hommes ne savent se cuirasser de tabous. Tout est signe; rien n'est neutre et stable. Les humains sont condamnés à l'action magique et protectrice incessante.

A cet égard, l'un des instants les plus intensément dangereux est celui de la grossesse et de l'accouchement. Les fileuses de la veillée concentrent donc leur attention sur ce phénomène complexe, et sur le destin futur du petit enfant.

Des précautions doivent être prises longtemps à l'avance, car l'enfant aura des lèvres fendues si sa mère, étant jeune fille, a mangé la tête d'un lièvre (I, 8). Lors du mariage, il faudra éviter qu'un puceau épouse une pucelle, sous peine d'avoir un premier enfant *fol* (I, 12), ou qu'un puceau épouse une veuve, car le premier enfant, si c'est une fille, sera innocent toute sa vie, tandis qu'un fils *tiendra* de sa mère et sera sage (p. 147). Dans le premier cas s'exprime une idée banale chez les peuples dits « primitifs », concernant l'extrême danger que constitue cette double virginité, certains groupes humains allant jusqu'à déflorer rituellement leurs filles avant l'union pour y remédier. Dans le deuxième exemple apparaît le thème d'une consommation anormale, par la veuve, d'un deuxième mari, ce qui prive les jeunes filles du lieu d'un parti possible. Les villages retentissaient alors des charivaris des jeunes gens, qui marquaient la désapprobation de la communauté à de tels couples mal assortis. D'autant plus que la mère, dans ce cas, produit une fille idiote ou un garçon qui ne ressemble pas à son père, c'est-à-dire un *monstre* dans chaque éventualité. La conception courante dit en effet que si l'homme engendre un fils, qui est son semblable, ne se pose pour lui aucun problème, mais que s'il procrée une fille, *il s'en treuve fort aliéné, voire pour deulx ou trois jours* (IV, 11). D'où l'idée, qui survit encore aujourd'hui, qu'une fille est une charge, un événement « sinistre », et le garçon une bonne chose [65]. Aux xve et xvie siècles, cette idée donnait une importance particulière aux signes permettant de prédire le sexe de l'enfant à venir. La femme enceinte qui marche en partant du pied droit aura un fils, et une fille si elle démarre du

65. A. Van Gennep, *Manuel...*, t. I, 1, Paris, 1943, p. 117.

pied gauche (IV, 10). Si sa grossesse est facile les trois premiers mois puis douloureuse ensuite, l'enfant sera un garçon et inversement une fille si les trois premiers mois sont douloureux et les six autres plus faciles (IV, 11). D'autres préceptes encore reliaient la fille au côté gauche du corps et le garçon à la droite (IX, 9, 15...). Plus importantes étaient les recettes destinées à assurer un avenir riant au futur bambin. Que son père l'ait conçu en ayant les pieds sales et puants donnera mauvaise haleine au fils, et la fille *l'aura puante par derrière* (I, 11). La mère aura-t-elle mangé des têtes de poisson durant sa grossesse ? L'enfant aura la bouche relevée et aiguë et, si c'est un garçon, un long *débout* (sexe; I, 22). Et si elle a mangé du fromage mou, *s'elle porte filz, il aura petit v... et court et, se c'est une fille, elle aura c... large, parfont et maigre* (p. 158). Comme chacun sait, toute envie alimentaire de la mère se transformera en *enseigne* sur le corps de l'enfant (I, 27). S'il lui arrive, étant grosse, d'enjamber le timon d'un char, son fils aura *gros membre et dur à mervilles* et sa fille grosses lèvres vermeilles *dessoubz comme dessus* (V, 8). Les fileuses assurent même qu'une femme qui tient ses mains closes durant l'acte sexuel est assurée d'avoir un fils. Elles disent aussi que les garçons sont engendrés le matin ou le jour, alors que l'heure de vêpres et la nuit produisent des filles (V, 18). Comme on le voit, les précautions à prendre sont nombreuses et contraignantes si l'on veut obtenir ce que l'on désire, puisque le ventre de la femme, le bas de son corps et de celui de son partenaire, sont directement branchés sur l'univers entier. A l'occasion de l'acte d'amour, puis des mois de grossesse, toutes forces peuvent contaminer le couple et surtout l'enfant à venir. Le destin de celui-ci — et notamment sa puissance sexuelle — est déjà fixé par cette contamination, aussi convient-il d'éviter qu'elle ne soit malheureuse, en filtrant rituellement les forces qui se présentent. Là ne s'arrête pas l'effort humain pour influer sur le destin de l'enfant. A peine né et sorti de la membrane qui l'entourait, on lui lave la tête au vin blanc et on le baigne dans une décoction de racine de vigne blanche pour lui donner des cheveux crépus (I, 14). On lui porte aussi *le petit boyau* (la membrane amniotique ?) *jusques au chief* pour lui assurer longue vie, douce haleine, bonne voix et gracieuse éloquence (I, 13 et p. 108). Avant le baptême, le tenir sur le bras gauche serait l'exposer à devenir gaucher (IV, 15). Par contre, si le père porte le nouveau-né mâle et met ses petits pieds contre sa propre poitrine, il lui évite une mauvaise fin (V, 17). Puis doit venir le baptême, aussitôt après la naissance, pour éviter que l'enfant n'ait *en sa vie mal encontre ou quelque autre male aventure* (p. 156-157). Qu'on évite surtout de lui donner deux parrains ou deux marraines : il aurait deux conjoints dans sa vie (I, 19). Ainsi protégé par des rites et par le baptême, le petit enfant n'est pas quitte de tous les dangers. Il restera nain si on l'enjambe, sauf si on le *rengambe au contraire*, c'est-à-dire si on accomplit le même geste à l'envers (I, 24). Sa mère aura soin de développer à son égard un amour paternel que l'on devine discret par le rite de l'urine déjà cité, ou en faisant manger au père la moitié des bouts de l'oreille d'un chien, et à l'enfant l'autre moitié (V, 3). Naîtra alors un amour exclusif pour cet enfant, par la vertu d'un aliment peu courant, et surtout parce qu'un lien étroit aura été tissé entre les deux estomacs et donc entre les deux corps. Dès lors, l'enfant entrera dans le monde des signes. Il avertira d'un danger de mortalité, par exemple, en portant des gonfarons par les rues avec ses camarades, en chantant, et en jouant à la guerre (I, 20).

Au terme de cette exploration, très incomplète, du corps humain, affleure l'idée que celui-ci joue un rôle essentiel dans la culture populaire. Il est l'objet d'agressions multiples, sous la forme de maladies et de présages mauvais. Il est aussi excrétion de forces vitales, par l'urine, les excréments et l'activité sexuelle. Il est encore vie interne mystérieuse, pour la femme enceinte comme pour le malade. Son fonctionnement réel est pratiquement inconnu de ses possesseurs eux-mêmes. Voilà pourquoi ces derniers ont élaboré un système explicatif cohérent, mais non pas rationnel, de leur vie physique ! Ils considèrent que leur corps est un monde, ce que les lettrés du temps nomment un microcosme. Ce monde est le champ d'action de forces bénéfiques, agréables également, qui jaillissent par les orifices du bas du corps. Mais ce monde, n'étant pas clos, est constamment sous la menace d'une invasion, par la bouche, le nez, les yeux, les oreilles, l'anus et le sexe. Invasion qui est plus que certaine, étant donné que le monde est plein d'âmes. A priori, celles-ci sont toutes dangereuses, même si elles se manifestent sous l'aspect de saints. Leur puissance, toujours efficace, trouble constamment l'équilibre du monde corporel et celui du grand monde. Car les deux sont reliés par d'invisibles fils, chaque partie de l'un correspondant à une partie de l'autre. Dans ces conditions, seule une lutte magique incessante peut éviter un déséquilibre de cet ensemble, à commencer par un déséquilibre du corps humain. Et, en défendant son corps, le paysan défend l'ordre du monde tout entier. Des tabous et des signes l'avertissent du danger, des rites généraux de protection évitent l'invasion de son corps par des forces non contrôlées, des rites de rejet des forces néanmoins entrées dans sa personne lui permettent de guérir ses maladies. En outre, des gestes que l'on peut qualifier de sorcellerie populaire imposent sa volonté aux forces extérieures, qui deviennent bonnes ou mauvaises, amies ou ennemies, selon sa capacité à les dominer. Une pratique quotidienne profondément magique, bien que fortement teintée de christianisme parfois, découle de tout cela. Car le paysan voit des rapports étroits dans ce qui nous paraît n'en posséder aucun. Il impose ainsi — du moins le croit-il — son corps au monde entier. Il en fait une magie universelle, grâce à laquelle il chasse ses peurs et ses angoisses. Il établit un rapport de domination mentale avec tout ce qui l'entoure, alors que la réalité même de sa vie est d'être dominé par la nature et par la mort. Il survit. En guettant les signes que lui prodigue cette nature et en les interprétant magiquement.

Les signes du bonheur et du malheur

La nature, nous le verrons, est définie par le paysan du XVe et du XVIe siècles comme un composé de forces constamment en action. Aucun vide n'existe en son sein. Rien de ce qui s'y passe n'est sans importance. Elle est le seul livre ouvert d'une civilisation orale qui y déchiffre les recettes permettant de mener une vie aussi peu désagréable que possible. Des signaux avertisseurs de multiples dangers s'y allument et l'homme peut parfois, par des attitudes appropriées, éviter ces mêmes dangers.

D'abord existe un système très général de bons et de mauvais signes, qui ne font pas référence à un fait particulier mais à la présence constante de forces ambivalentes, c'est-à-dire qui peuvent aussi bien être nuisibles qu'utiles pour les humains. Mauvais signe, d'après les *Evangiles des Quenouilles,* que la rencontre d'un lièvre sur le chemin, à moins de retourner trois fois d'où l'on vient, alors que croiser un loup, un cerf ou un ours est signe favorable (II, 3). Mauvaises nouvelles si les pies *gargonnent* (jacassent) au-dessus d'une maison, mais bonnes nouvelles au contraire si les *moussons* (moineaux) y font leur nid; s'il s'agit de cigognes, elles assurent aux habitants richesse et longue vie (II, 7). L'oreille droite qui démange est porteuse de bonnes nouvelles et la gauche, dans le même cas, de mauvaises (II, 8). Un *vaisseau d'eeps* (essaim d'abeilles) découvert dans un arbre du jardin constitue un signe néfaste, à moins d'étrenner ces nouveaux locataires d'une pièce d'argent (II, 18). Un chien qui hurle annonce des malheurs. S'il s'agit de loups, une grande pestilence, la guerre ou la famine ne sont pas loin. Au contraire, le hennissement du cheval est faste (III, 9). Comme est faste la rencontre, le matin, d'un moine noir, mais dangereuse celle d'un moine blanc (V, 11). Dans d'autres régions, il est certain que les signes généraux du bonheur et du malheur diffèrent, ou même contredisent les exemples choisis ici. Car il est relativement rare de trouver des animaux ou des choses portant uniquement une qualité diabolique, ou bénéfique. Le chat, dans l'aire picarde, n'est pas toujours signe de danger, pas plus que l'abeille ou le loup. Ce dernier indique aussi bien les grandes calamités que la chance, nous venons de le voir. La pensée paysanne, en effet, ne fige pas les signes parce que les forces qu'ils permettent de déceler ne sont pas elles-mêmes figées. Chaque détail a son imporance pour l'interprétation : l'époque, le lieu, les circonstances colorent positivement ou négativement ce qui nous paraît être le même phénomène. Le loup sur le chemin n'est pas relié à la peur, alors que son hurlement, la nuit, ou simplement loin de l'espace dominé par la communauté villageoise, installe l'angoisse dans les esprits. Le chat, animal diabolique, est pourtant aussi l'objet d'un grand intérêt de la part de ses propriétaires, qui le feront tourner trois fois autour de la crémaillère et lui frotteront les pattes contre le mur de la cheminée pour éviter de le perdre (II, 24). Cercles magiques et contact du mur du foyer l'intègrent ainsi à l'espace rassurant de la maison, le transformant en un petit démon familier, qui ne peut plus nuire. Encore convient-il aussi de lui couper le bout de la queue, *car, après que il a quatre ans, il pense nuyt et jour comment il porra son maistre estrangler* (p. 143).

Ceci prouve également que les signes ne sont que la cristalli-sation des peurs des hommes. Aux indices généraux, qui nous parlent de l'angoisse diffuse dans toute la société, s'ajoutent des signes relatifs à des craintes précises et aux manières de les conjurer. Crainte de vieillir et de se rider, que la femme écarte en ne laissant pas sur le feu un gril ou un trépied sans y mettre *baston ou tison ardent* (II, 5). L'extinction du feu domestique est normalement reliée, par l'idée de vieillissement, à celle de la mort. N'éteint-on pas ces feux dans toute l'Europe, lors des « ténèbres » de la Semaine sainte [66] ? Et le foyer domestique possède de nombreuses vertus efficaces, dues au fait qu'il est le centre de toute vie, qu'il réchauffe, cuit les aliments, en même temps qu'il soude la communauté familiale. On y lit l'avenir et le passé des membres de celle-ci : celui qui écrit dans les cendres avec ses doigts ou avec un bâton, celui qui joue avec le feu, a pissé ou pissera au lit; quant à la fille qui regarde couvrir le feu sans se lever, elle ne se mariera pas dans l'année (II, 23). Il préserve de certaines maladies : n'aura pas mal aux dents, pour l'honneur de saint Laurent, celui qui ne jette pas au feu les os rongés par lui (II, 13). Il protège des sorcières, par des rites que j'étudierai plus loin. En somme, subsiste une sorte de culte du foyer domestique, lié aux vertus purificatrices et pro-tectrices du feu. Ces vertus sont également à l'œuvre dans les cérémonies de la Saint-Jean et des brandons mobiles allumés à l'occasion d'autres fêtes, ainsi que dans le feu qui brûle le mannequin de Carnaval. Survivances d'un culte préchrétien organisé, ou simplement trace d'un étonnement humain compré-hensible devant les qualités à la fois créatrices et destructrices du feu ? Peu importe ! Il s'agit là d'un thème important de la culture populaire, puisqu'il est relié à la vie comme à la mort.

66. N. Belmont, *Mythes et croyances dans l'ancienne France,* Paris, 1973, p. 82 (citant C. Lévi-Strauss).

Thème qu'entretient la peur des incendies, si répandue et si poignante à l'époque. Villes et villages vivent dans la hantise du *feu de méchief* ou de l'incendie criminel que décrivent à l'envi les chroniqueurs ou les sources judiciaires. Une fileuse rappelle également qu'un grand nombre de chauves-souris autour d'une maison indique qu'on y mettra bientôt le feu (V, 15).

D'autres craintes précises ont trait aux maladies et aux dangers physiques. Ainsi faut-il noyer la première portée d'une chienne, ou encore des chatons nés au mois de mai, sous peine de danger (p. 148). Ainsi doit-on éviter de laisser des miettes sur une nappe, car les souris les mangeront et celui qui l'utilisera le lendemain verra ses dents noircir et pourrir (V, 16). Un homme à cheval rencontrant une femme qui file doit retourner en arrière et prendre un autre chemin, sauf si la femme cache sa quenouille dans son giron ou derrière *son cul* (IV, 22). Ces exemples concernent le contact réel, indirect ou simplement visuel avec des êtres et des choses chargés d'énergie destructrice. Les chiots sont pollués par le passage de leur mère d'un état de virginité à un état de reproductrice. A cette occasion, les forces hostiles ont pu l'envahir, comme elles ont envahi la fille pucelle épousant un puceau et produisant un enfant fou. Les chatons semblent, eux, être reliés au caractère magique particulièrement fort du mois de mai, alors que renaît vigoureusement la végétation et que se déchaînent les sorcières, dans la nuit du premier mai surtout. Le rapport entre les rongeurs que sont les souris et les dents qui pourrissent est évident : le contact étant établi par la nappe, ces dents subissent le sort des miettes laissées par négligence sur celle-ci. Enfin, la quenouille, objet phallique, met en danger la virilité de l'homme à cheval; le semblable détruit ici le semblable, à cause du fil invisible qui les relie, si les routes des deux acteurs se croisent.

Les forces du malheur et du bonheur sont nommées, dans certains cas : Dieu, diables, ou éléments « naturels ». Chaque chose visible peut les contenir, par exemple des draps blancs, où se repose l'ange de Dieu jusqu'à ce qu'on y fasse un pet ou une vesse, ce qui y fait entrer le *dyable puant* (III, 12). Particulièrement prisés sont les signes chrétiens, utilisés en manière de conjuration. L'eau bénite du dimanche empêche le *diable mauvais* de tenter ou d'approcher à moins de sept pieds celui qui l'a reçue, et ceci durant une semaine (III, 13). Les prêtres prétridentins admettent volontiers cette utilisation magique de l'eau bénite. Comme dit un curé de Cysoing, mort en 1533, *vous vous en debvés souvent espandre* (en répandre sur vous) *par dévotion... et ainsi vous vauldra pour reboutter les ennemis* (repousser les diables) [67]. Les paroissiens, quant à eux, sont certains que le diable peut jour et nuit s'asseoir sur l'épaule de celui qui n'a pas reçu l'eau bénite (III, 13). De la même manière, ils font le signe de croix, suivi d'un lavage des mains, au lever, pour éviter que le diable ne puisse leur causer du tort (III, 15). Les prières à Dieu, aux saints, à la Vierge sont utilisées fréquemment comme moyen de pression sur ces mêmes divinités, ou encore sur les choses et sur les êtres associés aux prières. Pour éviter les caprices d'une vache, il suffit de dire, avant de la traire : *Vous sauve Dieux et sainte Bride* (III, 17). Remarquons le pluriel divin, qui fait référence à l'animisme paysan, et l'invocation à une sainte imaginaire qui « bride » la bête. Certaines prières s'adressent aux éléments : pour assurer la multiplication par deux de ses biens, il faut souvent bénir le soleil, la lune et les étoiles (III, 14). Qui s'en dispense, *incontinent devient misérable* et connaît divers maux (p. 128). Un reste de culte lunaire, que les dévotions à la Vierge reléigueront dans l'oubli entre le XVIe et le XVIIe siècle, est nettement observable. L'homme dont la bourse est vide n'a pas intérêt à regarder la nouvelle lune, par exemple, sous peine de ne pas avoir d'argent durant tout le cours de celle-ci (II, 14). Traces païennes ? On pourrait en dire autant des rites concernant le soleil, le tonnerre, etc. En fait, trace des inquiétudes humaines dans une culture matérielle qui dépend étroitement de la qualité du temps et des saisons. Malgré le christianisme, les forces « naturelles » — qui ne le sont nullement pour les paysans — conservent un tel mystère que des rites sacrificatoires sont nécessaires pour se les concilier. Bénédictions diverses, rites de rejet, sacrifices survivront même au XVIIIe siècle et plus tard. Le curé local y participe souvent, exorcisant notamment les animaux nuisibles, telles les limaces en 1481 à Mâcon, ou les chenilles à Pont-du-Château,

67. B. M. Lille, Ms. 148, f° 225 v°.

en Auvergne, en 1690 [68]. Le paysan, lui, se protège quotidiennement en rendant une sorte d'hommage à toutes ces puissances.
On lui conseille de payer une sorte de dîme au loup, en lui
offrant un agneau par an, sinon la bête féroce se servira elle-
même (III, 18).

Le bonheur n'est pas souvent présent dans ces groupes
humains que menacent tant de dangers. Aussi est-il surtout défini
négativement comme la capacité à écarter le malheur. Protéger
son corps, sa famille, ses animaux et ses biens est le souci constant du paysan. Accroître ses richesses l'occupe également beaucoup. Le travail n'y peut suffire et, dans un monde de pénurie
pour les masses, le seul espoir en ce domaine s'accroche à des
recettes magiques. Deviendra riche celui qui couchera un *vrai
mandegloire* (mandragore) dans ses draps et le nourrira deux
fois chaque jour en jeûnant complètement lui-même (II, 2).
Encore faut-il découvrir, une nuit de la Saint-Jean, cette plante
qui a la forme d'un corps humain ! On devient vite sorcier, à cette quête ! Autre recette pour devenir riche et heureux toute sa vie : garder *en révérence* un trèfle à quatre
feuilles. Mais attention de ne pas marcher dessus, pieds nus,
car un homme attraperait la fièvre blanche alors qu'une femme
perdrait la fidélité de son époux (II, 15) ! Une épouse veut-elle
assurer la prospérité de son foyer ? Qu'elle ouvre le coffre de son
mari avec le premier nœud d'un fétu de froment cueilli durant
la nuit de la Saint-Jean, alors que sonnait none (VI, 3). Veut-on
bien vendre ses chapons ? Il se faut chausser en commençant
par le pied droit (III, 16), ce qui rappelle l'adage « partir du
pied droit », qui signifie avoir de la chance.

Chance, malchance. Ces deux termes ne désignent pas, pour
les hommes du xve et du xvie siècles, des concepts abstraits mais
le jeu favorable ou défavorable de forces qui les dépassent. De
forces partout présentes, dans la nature et dans les corps
humains. De forces dont la qualité n'est a priori ni bonne
ni mauvaise. D'où la constante nécessité d'interpréter les signes
qui annoncent leur présence, de se prémunir contre leur éventuelle furie, de se concilier leur bonne grâce, si nécessaire, ou

68. Nombreux exemples dans J. Vartier, *Les procès d'animaux...*,
p. 151-167.

même de leur imposer une volonté précise. En ce sens, chacun est alors un peu sorcier au village, car chacun essaye de faire jouer à son profit ces connaissances magiques qui sont un fonds commun. Le sorcier réputé, lui, dispose simplement de secrets complémentaires et d'un surplus de puissance par rapport aux humains ordinaires. Ce spécialiste de la magie œuvre dans un univers familier à tous, mais n'intervient que dans les cas les plus difficiles et les plus dramatiques. Il est la perfection du savoir magique et sa traduction en actes exceptionnels.

La sorcellerie populaire

La sorcellerie telle que la vivent les masses populaires est très différente de celle qu'ont décrite les chasseurs de sorcières aux XVIe et XVIIe siècles, et que j'étudierai dans la seconde partie de ce livre [69]. Elle se présente comme une mise en action de la culture populaire, comme une sorte de médecine totale, pour les êtres aussi bien que pour les choses. Mais elle est ambivalente, comme toutes les forces obscures qui peuplent le monde, et peut aussi détruire. De ce fait, les gens ordinaires utilisent à l'occasion la sorcière, mais la redoutent en temps normal, puisqu'ils croient, de toute manière, à l'efficacité de ses actes. Aussi sa position sociale est-elle fréquemment de marginalité. Non pas à cause d'une franche hostilité à son égard, mais plutôt comme conséquence de son état mystérieux et sacré. Elle vit un stade de marge continuel, parce qu'elle est constamment en contact avec des forces dangereuses. Le rite de passage qu'elle subit, entre les humains et ces forces, ne se termine jamais, alors que dans le cas de la jeune mariée ou de la femme fraîchement accouchée, par exemple, le stade de marge qui est vécu entraîne purification, puis à nouveau agrégation à la communauté humaine. Notons également que la sorcellerie est un phénomène généralement, mais non pas exclusivement, féminin. Trait qui provient sans nul doute du rôle primordial des femmes dans la transmission de la culture populaire et des recettes qui s'y attachent.

69. R. Muchembled, « Sorcellerie, culture populaire et christianisme au XVIe siècle », *Annales E. S. C.*, janv.-févr. 1973, p. 264-284.

Dans la vie quotidienne normale, il convient d'écarter la sorcière, dont la puissance ne peut qu'être menaçante et destructrice de l'équilibre établi par les tabous et par les rites magiques habituels. Les *Evangiles des Quenouilles,* ici encore, en fournissent les moyens. Remuer le siège sur lequel on se déchausse évite d'être chevauché la nuit par la *quauquemare,* c'est-à-dire par la sorcière (II, 15). Le mot qui désigne celle-ci signifie : cauchemar; il la relie aux peurs exprimées la nuit dans d'effroyables rêves. Pour éviter, toujours, l'invasion de la maison par les *cauquemares,* il est nécessaire de faire la soupe et de la laisser bouillir en la retirant du feu, car les sorcières craignent par-dessus tout *un pot qui boult jus du feu* (hors du feu; II, 9). Puissance du foyer domestique et phénomène étrange d'une soupe qui continue à bouillir hors des conditions normales se combinent pour chasser cet autre *monstre* qu'est la sorcière. De même, si celle-ci s'assied sur une sellette en bois de chêne placée devant un bon feu, elle ne pourra se lever avant le jour (II, 10). A nouveau fonctionne un piège relié au foyer domestique, dont nous avons vu l'importance dans les rites magiques. D'autres méthodes pour éloigner les sorciers utilisent le gestuel chrétien : s'endormir les bras en croix (p. 154), ou mettre aux quatre coins du lit quatre petites croix de paille faites de huit fétus cueillis la nuit de la Saint-Jean (p. 153). Le semblable chasse le semblable, dans ces deux cas, puisque la croix possède une puissance extraordinaire, et de ce fait identique à celle de la sorcière. En outre, n'oublions pas que la nuit de la Saint-Jean est celle des sorcières, ce qui annule la puissance de la visiteuse du soir. Car toutes ces pratiques se rapportent bien à la sorcière qui rôde la nuit, à la sorcière sans visage et sans doute étrangère au village. Elle n'est alors qu'une représentation de la mort, laquelle se fait plus pressante dans l'obscurité, lorsque l'espace dominé par l'homme se réduit aux dimensions des foyers domestiques, ces derniers et frêles remparts contre les ombres qui se massent à l'extérieur. Dans la journée, les démons sont présents, naturellement, mais on peut alors facilement les chasser. Un signe de croix de la main droite éloigne le diable, mais évitez de vous tromper et d'utiliser la main gauche, car vous obtiendriez l'effet contraire (p. 130). Quant au loup qui suit une femme, il sera effrayé si celle-ci traîne sa ceinture par terre derrière elle en disant : *Garde toy, loup, que la mère Dieu ne te fière* (blesse; III, 4). La nuit, par contre, leur hardiesse n'a plus de bornes. Des lutins se manifestent, ainsi que des loups-garous, que la plupart des conteuses soupçonnent d'être... leur propre mari. Pour éviter le pire, il faut traîner une courroie ou un tablier derrière soi, ou tenir dans sa main une chandelle bénite non allumée. L'une des fileuses dit même qu'elle est défendue contre son mari-loup-garou par son chat, qui va de nuit à ses amours (p. 152-155). Apparaissent aussi aux attardés les esprits des morts, dont *les pires sont ceulx des enfans mornez* (mort-nés) *et les plus courtois sont des enfans destruits, puisqu'ilz sont nez,* et *après leur baptesme occis ou estains* (p. 156). Ces croyances diverses mélangent paganisme et christianisme, et surtout peuplent la nuit de démons divers, que la puissance de signes chrétiens ou d'un chat domestique permettent de chasser. Les enfants non baptisés paraissent d'ailleurs si dangereux que des sanctuaires à *répit* leurs sont dédiés. Ils y reprennent vie (?), le temps du baptême, pour mourir à nouveau presque aussitôt ! Démons et monstres ne sont pas seulement des morts. Certains sont des hommes dont une deuxième personnalité malfaisante se manifeste la nuit. Comme les sorcières, ils ont acquis héréditairement ce caractère : *se un homme a telle destinée d'estre leu warou* (loup-garou), *c'est fort se son filz n'en tient, et, se filles a et nulz filz, volentiers sont quauquemares* (p. 156), ce qui signifie que le fils a toutes les chances de devenir loup-garou, et les filles sorcières, si elles n'ont aucun frère.

La nuit, maléfique en elle-même, ne peut qu'amener calamités et désastres. Les défenses magiques habituelles s'affaiblissent, l'isolement se fait plus angoissant. La sorcière est alors chargée des caractères morbides de ce moment si peu propice aux hommes. Le jour revenu, pourtant, elle reprend sa place dans une société qui la craint mais qui n'hésite pas à avoir recours à elle, si la nécessité s'en fait sentir.

Un texte daté du dimanche 6 février 1446 (nouveau style), décrit avec bonheur les heures et les jours d'une sorcière rurale. Il concerne les campagnes situées entre Le Cateau, dans l'actuel département du Nord, et Saint-Quentin, dans l'Aisne, c'est-à-dire la pointe sud-est du Cambrésis et la partie la plus septentrionale du Vermandois. Une nommée Perrée, veuve de Gilles Pingret, et demeurant à Saint-Martin-en-la-Rivière (Aisne, arr. Vervins, canton Wassigny), était accusée de sorcellerie. Une information ouverte contre elle conduisit à l'audition de neuf témoins. Ces témoignages, conservés, constituent un document exceptionnel [70]. D'abord, parce que les procès de sorcellerie sont relativement rares avant 1500 : vingt exemples de 1351 à 1500 contre deux cent soixante-huit cas de 1501 à 1700, dans le Nord [71]. Ensuite, parce que la doctrine des juges n'est pas encore nettement fixée en 1446, avant la publication des grands manuels de chasse aux sorciers. Les témoins ont donc l'occasion de raconter les faits qu'ils ont observés, au lieu de tenter de conformer leur récit à ce que les magistrats en attendent. De plus, la sorcellerie n'étant pas, à cette date, systématiquement poursuivie, les témoins ne ressentent pas encore la peur d'être accusés de complicité — tout au plus un peu de gêne, parfois —, alors qu'au XVIe siècle ils craindront d'être assimilés aux sorciers mis en accusation et tairont certaines choses, à propos, notamment, des pratiques magiques connues de tout le monde.

On peut donc considérer ces témoignages comme des récits sans fard, comme la langue du peuple conservée par hasard dans des documents écrits. Les greffiers de la cour de justice ont simplement enregistré, sans les modifier, les paroles des paysans. Là s'arrête d'ailleurs pour nous ce procès, car aucune autre trace n'en subsiste, et le sort de Perrée Pingret est totalement inconnu. Mais écoutons les cinq témoins de Saint-Martin, dont la sorcière est originaire, les deux témoins de Vaux-en-Arrouaise, et les deux témoins de Saint-Souplet — villages tous deux situés à quelques kilomètres du premier, l'un au sud-ouest, l'autre au nord. En remarquant, tout d'abord, que ces personnages appartiennent au même petit « pays » et vraisemblablement à la même aire d'endogamie.

Micquiel Prévost, trente-deux ans, domicilié à Vaux-en-Arrouaise, parle le premier. Il raconte l'histoire de Marion,

---

70. Arch. du Nord, 5 G 558, Pingret, 8 pages.
71. R. Muchembled, « Sorcières du Cambrésis. L'acculturation du monde rural aux XVIe et XVIIe siècles », dans M.-S. Dupont, W. Frijhoff, R. Muchembled, *Prophètes et Sorciers dans les Pays-Bas (XVIe-XVIIIe siècle)*, Paris, Hachette, 1978.

jeune fille de Saint-Martin qui fut engrossée puis abandonnée par un berger et qui s'adressa à Perrée, laquelle lui promit que le berger en question *retourneroit bientost vers elle.*

Lui succède Mahieu Créprin de Saint-Souplet, âgé de soixante ans environ, qui dépose que Perrée, avec son accord, *ly fist ung baing, ouquel bain il y avoit aulcunes herbes.* La femme de ce personnage, âgée de trente-huit ans, et nommée Catherine Jolie, précise que le bain contenait, selon Perrée, *IX paiiés d'erbes cuellies le nuyt Saint-Jehan,* et que celle-ci le fit chauffer avec du bois de *IX passaiges* et de l'eau de *IX courans,* en y ajoutant de l'eau bénite et de l'eau de fonts. Soumis à un tel traitement, le vieux Mahieu devint noir. Sa femme le sortit du bain, le porta dans son lit et chassa Perrée. La conduite de cette « bonne » épouse paraît quelque peu ambiguë. Elle affirme que le bain était destiné à guérir son époux d'une maladie dont elle ne précise pas le nom, mais avoue que la sorcière lui avait demandé si elle souhaitait être débarrassée de Mahieu. La différence d'âge entre les conjoints explique certainement cette tentative de meurtre suivie d'un repentir un peu tardif.

Après Catherine se présente Marion de Vrely, qui demeure à Saint-Martin et est âgée de dix-huit à vingt ans. Il s'agit de la pauvre fille dont avait parlé le premier témoin. Elle raconte son histoire et affirme avoir donné de l'argent et d'autres choses à la sorcière, qui lui promettait le retour de l'amant volage en faisant dire des messes et en utilisant des herbes. Mais Marion ajoute qu'elle n'est jamais retournée voir Perrée à cause de la rumeur publique qui accusait la sorcière d'avoir fait mourir sa propre bru, ainsi que la femme de Gilles le Double.

Comparaît alors Jehan Lorens, âgé de cinquante ans, qui habite le même village. Il affirme que Perrée est réputée sorcière à Saint-Martin et dans les environs, et que *pluiseurs hommes et femmes ont alet et venut souvent en la maison de ladite Perrée pour parler à elle, alfin qu'elle meist hors* (délivre) *aucuns de leurs amis qui estoient ensorcelés, comme ils disoient.* Il cite le cas d'une femme, venue de la ville du Cateau — située à 15 km au nord, environ — dans l'espoir que la sorcière *feroit revenir son dit mary,* et qui fut prise par la justice dans le jardin de Perrée.

Le sixième témoin, Guillaume de Langlée, demeurant à Saint-Martin, âgé de trente-deux ans, dépose longuement. Voisin de Perrée, il connaît celle-ci depuis vingt-six ans, et sait que Gilles Pingret, son mari, est mort voici vingt ans. Il affirme que la réputation de Perrée attire des gens venus de Valenciennes, du Quesnoy, c'est-à-dire d'assez loin, aussi bien que du Cateau et des environs. Ces gens demandent à la sorcière *de faire revenir avecque lez femmes leurs maris* et vice versa. Il a entendu dire que ceci se faisait *par force de dire messes,* Perrée prenant l'argent de ces personnes et faisant dire les messes elle-même. *Et a oy dire... que aucuns en sont revenus, mais ne scet que il en est.* En outre, il cite le nom de deux femmes dont avait parlé Marion de Vrely, et d'un homme du village, tous trois morts dans des conditions étranges qui ont fait penser à des envoûtements. Il conclut par l'histoire de Mahieu Créprin, dont l'épouse avait souhaité *estre délivré,* mais qui se ravisa, le voyant devenir *aussy noir que ung diable,* après avoir été baigné deux fois dans le bain maléfique préparé par Perrée, parce qu'elle *en eult pitié,* lui évitant une troisième baignade, laquelle devait être fatale selon la sorcière elle-même.

Mahieu le Carlier, maire de Vaux-en-Arrouaise, âgé de soixante ans, confirme également la mauvaise réputation de Perrée et affirme ne savoir rien de précis.

Gillot Doublet, trente ans, de Saint-Martin, témoigne à son jour. Il s'agit de ce Gilles le Double dont la femme est morte ensorcelée, selon les quatrième et sixième témoins. Il avoue ne pas savoir comment son épouse a été maléficiée et suppose que ce fut en passant devant la porte de la sorcière. Pour le reste, il reprend diverses accusations déjà présentées par d'autres, insistant surtout sur la capacité qu'aurait Perrée de faire revenir les amants, les maris ou les femmes volages.

Le dernier témoin, Jehan Billaut, âgé de soixante ans, habite également Saint-Martin. Il sait par ouï-dire que Perrée est sorcière, mais n'en a aucune preuve. Il raconte que Guillaume de Langlée, le sixième témoin — lequel n'a pas insisté sur ce point — lui a dit soupçonner Perrée d'avoir ensorcelé son épouse. Aussi Guillaume alla-t-il trouver une femme du Cateau capable de *dessorceller gens,* laquelle lui conseilla *que sa femme se gardast bien qu'elle ne veist point devant IX jours la femme qu'elle souspechonnoit* de l'avoir maléficiée. Mais, au bout de neuf jours, Guillaume mit sa femme en présence de Perrée. Aussitôt, elle *fu plus mallade que devant.* Le pauvre mari retourna au Cateau et reçut de la guérisseuse locale le conseil de faire pratiquer une nouvelle « neuvaine » à son épouse. Ce qui fut fait, et se révéla efficace. Les deux voyages avaient coûté à Guillaume deux écus, donnés à la guérisseuse, suppose le témoin.

La sorcière ainsi mise en scène est ambivalente. Dans son village, elle maléficie et tue, selon la rumeur publique. A tel point que Marion de Vrely, qui s'était adressée à elle pour retrouver l'amour de son amant, abandonne vite cette idée en apprenant les méfaits de Perrée (Peut-être aussi, bien sûr, se démarque-t-elle de celle-ci devant le juge...). Par contre, pour les consultants venus de l'extérieur, la sorcière apparaît comme une guérisseuse de village, capable d'occire un vieux mari gênant, ou bien de ramener un conjoint lassé ou volage. Toutes choses qui sont évidemment considérées comme bénéfiques par les « clients » de passage. Ceux-ci, qui recherchent l'anonymat et l'impunité, viennent des villages environnants mais aussi de villes éloignées : Valenciennes se situe à une journée de voyage, et Le Cateau à un peu moins d'une demi-journée, de Saint-Martin où « exerce » Perrée. Notons aussi que Guillaume de Langlée, lui, se déplace deux fois au Cateau pour y consulter une guérisseuse locale capable d'annuler le sort que Perrée est censée avoir jeté sur son épouse, mais qui est vraisemblablement réputée maléfique par ses voisins et par ses concitoyens. En somme, la sorcière n'est pas prophète en son village. Elle y est crainte et marginalisée, alors qu'elle est réputée bénéfique, utile et efficace pour les gens venus de l'extérieur. Ce phénomène marque d'ailleurs aussi bien le xve siècle que les époques ultérieures, dans la région considérée, laquelle dépend administrativement du Cambrésis. En 1599, par exemple, débute une vague de procès de sorcellerie, qui dure jusqu'en 1627, dans le petit village de Bazuel, situé à quelques kilomètres du Cateau et à une douzaine de kilomètres au nord de Saint-Martin. Une sorcière, nommée Reine Percheval, y sévit, entre autres, d'après les archives judiciaires. Elle est alliée à un *vaudois,* c'est-à-dire à un sorcier, de Saint-Souplet, village proche de Saint-Martin.

Contre elle se dresse, à l'appel des maléficiés, une guérisseuse de Bertry — à une quinzaine de kilomètres, environ, au nord-ouest de Saint-Martin... [72]. La géographie locale de la sorcellerie n'a guère évolué en un siècle et demi. Des jeteurs de sort villageois subsistent, que combattent des guérisseurs d'autres villages. N'a pas non plus évolué l'aspect ambivalent des uns et des autres. Mal vus chez eux, ils sont toujours l'espoir des gens venus d'ailleurs. Leurs recettes magiques, également, restent les mêmes : herbes de la Saint-Jean, eau bénite, gestes rituels, formules obscures en constituent l'essentiel. Tout au plus le diable apparaît-il sous sa forme classique à l'orée du XVIIe siècle — mais ceci est une autre histoire, que je raconterai plus loin. Quant aux recettes, on pourrait suivre leur trace, en Cambrésis, du XIIIe siècle à 1880, et même à nos jours [73]. Elles eussent pu figurer dans les *Evangiles des Quenouilles*. Par exemple, dormir enveloppé d'une toile bénite permet de guérir d'un sortilège. Ou encore, pour savoir si un homme malade mourra, il faut mettre son urine dans un vase et y faire s'égoutter le lait d'une femme nourrissant un bébé mâle à la chevelure noire; si le lait reste en surface, l'homme est condamné; etc. [74].

En conclusion, les campagnes cambrésiennes du XVe et du XVIe siècles sont le théâtre d'une sorcellerie populaire que je n'hésite pas à considérer comme typique. Partout en France, à la même époque, devait exister, dans le monde rural, un équilibre magique que les jeteurs de sorts et guérisseurs avaient pour fonction de préserver. Chaque village, chaque petit « pays » groupant quelques communautés rurales, possédait un ou plusieurs jeteurs de sorts, qui étaient le plus souvent des femmes. Leur existence était connue de tous. Comme était connue celle

---

72. *Ibid.*, section 7 de l'article (d'après *Arch. du Nord*, 8 H 312).
73. H. Coulon, « Curiosités de l'histoire des remèdes... », *Mémoires Soc. Emulation de Cambrai*, t. XXXXVII, 1892, p. 1-153 (p. 51-70 : d'après un Ms. du XIIIe siècle de la B. M. de Cambrai) et A. Jacqmart, « Erreurs, préjugés, coutumes et légendes du Cambrésis », *id.*, t. XXXVI, 1880, p. 315-360 (faits recueillis peu avant 1880).
74. H. Coulon, *art. cit.*, 80 recettes du XIIIe siècle (n° 61 et n° 80; voir aussi nos 53, 56, 57, 78...). Certaines sont clairement d'origine savante. Le fait qu'elles soient *utilisées* par les masses populaires me suffit pour les inclure dans la culture populaire (comparer avec les remèdes en usage dans la même région vers 1892 : p. 138-143).

d'autres spécialistes de la magie exerçant leur art dans des villes ou dans des villages plus éloignés. Maîtres des forces mystérieuses innombrables qui peuplaient le monde, ces *penseurs de secrets* — comme on dit encore aujourd'hui en Artois — étaient un danger permanent pour leur communauté, puisqu'ils attiraient sur elle l'attention de ces mêmes forces. Mais au-delà de leur cercle villageois, ils étaient réputés efficaces, tant pour guérir une maladie réelle que pour annihiler la puissance de leur *alter ego* du cru. L'explication de cette double image du même sorcier réside dans la conception de l'espace cloisonné, caracté-ristique des mentalités villageoises, que j'ai évoquée au début de ce chapitre. L'espace du village est celui d'une sécurité maxi-male, qui décroît dans la couronne des villages voisins puis s'annule au-delà d'un cercle de 15 à 20 km de rayon. Du premier cercle sont bannies les forces dangereuses, contenues à la péri-phérie par les rites des vivants comme par l'activité des morts du village. Or la sorcière du lieu est en contact avec ces forces et risque ainsi de leur ouvrir un chemin jusqu'au cœur de la communauté à laquelle elle appartient. Par contre, pour les membres de celle-ci, sa collègue habitant au loin vit dans un monde normalement hostile et dangereux. Etrangère, elle n'intervient jamais, en temps normal, dans le village de la première. Sa puissance ne s'y exerce que dans des circonstances très précises, à la demande impérative de quelqu'un qui y réside. Et dans ce cas, par conseils magiques ou en personne, l'étrangère dangereuse annule au profit de son client l'effet d'un sort jeté par la sorcière locale. A nouveau, le semblable chasse le semblable. L'ordre antérieur se réinstalle par l'invasion momentanée de forces extérieures, qui concurrencent d'autres forces extérieures méchamment déchaînées par la sorcière du cru. Une recherche d'équilibre existe bien. Il suffit pour la réaliser d'aller chercher au loin un « guérisseur » qui annule les pratiques du sorcier du lieu, lequel rend le même service à un autre village, où il se comporte en « guérisseur ». Et ainsi de suite. On est alors tout à la fois le sorcier maléfique de quelqu'un et le médecin bénéfique d'un autre. Ceci en vertu d'une mentalité paysanne animiste et vitaliste, qui voit partout des dangers à éviter par une lutte incessante. Par une lutte que chaque homme mène, pour son compte et pour celui de ses proches, par des tabous et par des rites magiques innombrables. Dans ce schéma, les sorcières et autres devins-guérisseurs jouent un rôle d'intercesseur entre les âmes qui peuplent le monde et les hommes. Leur fonction est équivalente à celle des prêtres dans la religion chrétienne. Comme ces prêtres, qu'ils concurrencent fortement auprès des masses, ils représentent un supplément de forces sacrées, nécessaire dans certaines occasions pour vaincre un ennemi trop puissant. Comme ces prêtres encore, ils assurent l'équilibre et l'ordre du monde. Comme ces prêtres, enfin, ils sont l'espoir de populations constamment effrayées et durement éprouvées par les malheurs du temps. En ce sens, ils ont une double utilité, cristallisant les peurs humaines sur la sorcière locale, mais évacuant ces mêmes peurs par le recours aux guérisseurs extérieurs.

Ainsi peut fonctionner, à une époque souvent dominée par d'atroces difficultés, un système mental qui permette à l'homme de ne pas totalement désespérer. Ni l'Etat ni l'Eglise ne peuvent alors assurer la sécurité, réelle ou mentale. Les paysans s'en chargent eux-mêmes, par le jeu de ce qui nous paraît n'être que superstitions méprisables. On comprend mieux pourquoi la sorcellerie a pu s'enraciner en France, comme partout en Occident, durant ce millénaire qu'on nomme le Moyen Age. Elle n'est finalement qu'une expression, qu'une partie d'une vision du monde magique, laquelle permit l'adaptation humaine aux conditions du temps. Les textes qui la décrivent, avant la fin du xve siècle, sont relativement rares. Non pas qu'elle soit absente de certaines de nos campagnes, mais, bien au contraire, parce qu'elle y était la règle ! Le document de 1446, de ce fait, est un jalon sur la longue route de la répression qui la guette : elle n'apparaît sous la plume des scribes qu'au moment où elle commence à être menacée. Elle envahira la scène au xvie siècle, quand les réformateurs protestants ou catholiques la décriront comme un mal universellement répandu en Europe. Ils n'avaient pas tort, eux qui comprirent qu'une christianisation en profondeur passait par la lutte contre les *superstitions,* en un mot contre la vision du monde populaire. Leur seule erreur fut de croire — ou de feindre de croire — qu'il s'agissait là d'un phénomène récent.

La culture populaire, en résumé, s'exprime dans le monde rural par une vision du monde superficiellement christianisée mais fondamentalement magique. Transmise essentiellement par les femmes, cette philosophie ne distingue pas d'une manière tranchée la vie de la mort. Ni le décès ni la maladie ne paraissent choses naturelles ou normales, et semblent être causés par l'action omniprésente de forces surhumaines. Le monde est plein de forces, plein d'une vie mystérieuse et a priori dangereuse. Les âmes des morts s'enfoncent dans cette étendue imprécise et invisible et peuvent aussi bien causer de graves torts aux vivants que défendre ceux-ci contre tous dangers. Car cet univers magique, finalement, n'est pas clairement divisé en une zone du Bien et en une zone du Mal. Les puissances qui sont partout prêtes à l'action sont à la fois fastes et néfastes. Tout dépend du système de rites et de tabous qu'utilise l'homme face à elles pour se protéger, nuire à autrui, ou obtenir ce qu'il désire. Chacun est donc un peu sorcier, dans ses rapports avec ces puissances effrayantes. Le véritable sorcier, qui est souvent une femme, dispose simplement de plus d'atouts qu'un humain ordinaire dans ce jeu rituel. La communauté à laquelle il appartient, de plus, peut expliquer par sa présence et par son action l'invasion de forces dangereuses, alors que de multiples rites et tabous auraient dû protéger l'espace villageois. De ce fait, les paysans n'ont pas à se poser la question de l'efficacité de leur système de défense magique. La présence du sorcier, devenu bouc émissaire, suffit à les rassurer sur la validité du système, en reportant l'irruption des dangers sur l'activité néfaste d'un de leurs concitoyens. Et puis, le recours à un sorcier du voisinage remettra assurément tout en ordre. Ce sauveur est pourtant redouté dans son propre village. Comme la langue, selon Ésope, le sorcier est paré à la fois de toutes les qualités et de tous les défauts. Car, à l'image des forces mystérieuses qu'il domestique, il est virtuellement danger et moyen de défense en même temps. Un jour, pourtant, il ne sera plus qu'un bouc émissaire local, et alors commencera une longue persécution...

Mais en attendant que le christianisme n'impose un dualisme net entre les catégories du Bien et du Mal, la culture paysanne valorise, aux xvᵉ et xv1ᵉ siècles, le bas du corps humain. La sexualité et les fonctions d'excrétion sont sources de joies et de plaisir, à condition que l'homme les protège par des tabous et par des cérémonies destinés à empêcher les forces extérieures de pénétrer en lui par les orifices naturels en action. Bien que le côté gauche de la machine humaine soit considéré comme plutôt « sinistre », il n'est pas du tout évident que l'opposition gauche/droite soit alors primordiale dans la topographie du corps. L'image d'un Jugement dernier séparant les élus, à la droite du Père, des damnés, à sa gauche, ne semble pas encore s'imposer aux masses rurales. La terre, mère et reproductrice, les appelle plutôt à elle, par les rites de fertilité des grandes fêtes, par l'image d'une Vierge qui est souvent une déesse-mère, par le bas de leur corps aussi, qui s'enracine dans cette terre qu'il féconde — primauté des engrais humains — et qui perpétue l'espèce. Civilisation matérialiste ? Voire ! En tout cas l'Eglise mettra de longs siècles à déraciner ces croyances et ces attitudes, cette vision du monde ancrée au ras du sol et qui fait peu de place au « Ciel » chrétien. Il faut dire qu'un tel monde, totalement peuplé d'âmes dont les actions dépendent de la magie humaine, se satisfait mal d'un paradis et d'un enfer caractérisés par le bonheur ou par le malheur total. D'ailleurs, ceux-ci n'existent pas sur terre à l'état pur. Joies et douleurs se mélangent constamment, comme le bien et le mal. Le purgatoire répond mieux que les séjours paradisiaques ou infernaux à la réalité de la vie quotidienne. D'où son immense prestige au Moyen Age finissant !

Ne nions pourtant pas les efforts de l'Eglise pour offrir aux masses de nouvelles valeurs. La lutte contre le paganisme et les *superstitions* est depuis longtemps engagée, en particulier dans les villes, nous le verrons. Au village, cependant, le christianisme ne réussit pas encore à prendre l'avantage, car il se dilue dans l'océan d'une culture populaire bien vivante. Le prêtre, d'ailleurs, ne se fait-il pas souvent sorcier, en exorcisant les gens, les bêtes et les choses ? Et si la vie quotidienne des paysans est marquée par l'efflorescence du sacré, il s'agit d'un sacré syncrétique : un peu de christianisme, beaucoup de magie...

III. *Les gestes et le sacré :*
scènes de la vie quotidienne

La description de la vie de tous les jours, ne fût-ce que pour l'une des provinces de la France, demanderait des livres entiers. Aussi bien mon propos n'est-il nullement de tenter d'épuiser une telle matière, mais plutôt de présenter quelques scènes typiques de la vie de nos ancêtres du xve et du xvie siècle, en les reliant, autant que faire se peut, à la globalité de leur vision du monde. Eliminons d'emblée la vie matérielle : maison, mobilier, costume..., trop inégalement connue, selon les régions. Pourtant, le culte domestique aurait mérité quelque attention. La mère, en Alsace, au xviie siècle, ne disait-elle pas matin et soir une prière devant le *Coin du Bon Dieu,* dans la salle commune, en y associant chaque jour, par une formule spéciale, les défunts de la famille, et ceci sans interruption de la Toussaint à Pâques [75] ? On aimerait en savoir plus long sur un tel culte féminin faisant place aux âmes des morts, ce qui rappelle certains thèmes déjà évoqués pour les xve et xvie siècles...

Faute de mieux, je limiterai donc l'enquête à trois éléments : les grandes étapes de la vie collective; le temps des loisirs et des jeux; l'expression religieuse populaire, enfin [76].

Du berceau à la tombe :
grandes étapes de la vie collective

La vie commence dans la douleur et le tourbillonnement du sacré. Les fileuses des *Evangiles des Quenouilles* nous ont raconté à quel point les soins magiques devaient être importants pour assurer longue et heureuse vie à l'enfant. Elles nous ont également dit que le baptême rendait moins dangereux le

75. M. N. Denis, « La salle commune et son évolution dans la plaine d'Alsace », *Ethnologie française,* 1972, n° 3-4, p. 302.
76. La base documentaire, ici encore, est constituée par l'admirable livre de R. Vaultier, *op. cit.* (ci-dessus, n. 13), sauf indication contraire.

petit être, que la mort fauchait alors très facilement dès ses premiers jours, et dont l'âme errait dans le monde. Certes, la naissance constituait un passage très difficile. La terreur devait souvent habiter ces mères qu'aucune science médicale ne protégeait. Pour tous, la mort autant que la vie, venait ainsi au monde. Ce moment était donc particulièrement inquiétant. La mort, n'étant pas « naturelle », ne pouvait provenir que des désastreux efforts de démons pénétrant dans le corps de la parturiente, ou en sortant avec — ou dans — l'enfant. Rites magiques et baptême protégeraient celui-ci. Quant à la mère, elle subirait un stade de marge et de purification, emprunté au rite juif des « relevailles », et durant théoriquement quarante jours [77]. Après un temps variable selon les lieux, en réalité, elle « devait être purifiée par les soins de son curé », et par un amessement qui lui permettait de réintégrer la communauté des fidèles. Ces derniers, de toute évidence, ne voyaient pas là une simple cérémonie religieuse, mais une marginalisation destinée à éviter à tous le contact d'une femme encore habitée par les forces mystérieuses que la naissance avait mises en œuvre. D'ailleurs, la comparaison est évidente avec les tabous divers attachés à l'accouchée et avec la cérémonie finale qui la désacralise et l'agrège à nouveau à la société, dans de nombreuses sociétés dites « primitives ».

De la naissance à l'adolescence, l'enfant des paysans nous échappe presque totalement, en ce qui concerne les attitudes affectives des parents à son égard et les rites de passage d'une classe d'âge à une autre, qu'il subit certainement. Les documents retrouvent la trace du garçon lorsqu'il atteint dix à douze ans et plus. Il appartient alors à un *royaume de Jeunesse*, à une *bachellerie*, à une société joyeuse d'adolescents mâles. Celle du village de Laleu, près de La Rochelle, est signalée en 1392. Ses membres ont coutume, *le dimanche de la Trinité, chacun an, à baignier en un fossé plein d'eaue, appelé Corteniguet, hommes et femmes demourans audit lieu de Laleu qui ont eu compaignie charnelle contre leur mariage avec autre.* Partout en France existent, aux XVᵉ et XVIᵉ siècles, de tels groupes de jeunes

77. F. Lebrun, *La vie conjugale sous l'Ancien Régime*, Paris, 1975, p. 123.

paysans, qu'il faut distinguer de leurs équivalents urbains plus complexes. D'après l'historienne américaine N. Z. Davis, ces groupes ruraux préparaient les jeunes à leurs rôles adultes futurs, et agissaient, lors de charivaris semblables à celui de Laleu, comme la voix de la conscience de la communauté en matière de passions et de discordes domestiques [78]. Tous les jeunes garçons, semble-t-il, devaient y entrer, au début ou à la fin de leur adolescence. Leur rôle ne se bornait pas aux charivaris, c'est-à-dire à une réprobation rituelle des adultères, des mariages mal assortis, des remariages de veufs ou de veuves, de tout ce qui n'était pas considéré comme normal, en somme, en matière sexuelle. Ils plantaient aussi des *mais* et participaient aux grandes fêtes, nous le savons, pour associer leur jeunesse aux cérémonies magiques de fertilité. Ils constituaient également un groupe de choc dans des expéditions punitives ou défensives contre la jeunesse des villages voisins. En août 1450, par exemple, un jeune homme d'Alaincourt, près de Laon, dans l'Aisne actuelle, courtisait une jeune fille de Choigny, village situé à une lieue du premier. Or les jeunes gens de Choigny n'aimaient pas *que il aloit veoir les jeunes filles de leur ville sans leur en plaire, et dont ilz n'estoient pas bien contens.* Bagarre générale qui laisse un mort sur le terrain ! De même, le premier octobre 1588, Jean Dufour, de Pernes, en Artois, épouse Catherine Païelle, originaire du village voisin d'Ames. Le curé raconte à cette occasion que le clerc et chapelain d'Ames avait été *navré à sang coulant* par deux jeunes gens de Pernes lors des fiançailles [79]. Car la jeunesse locale est organisée pour défendre l'espace de sa communauté contre toute invasion, y compris contre les menées matrimoniales des habitants des villages voisins. Le vivier que constituent les jeunes filles d'un village est considéré comme chasse gardée par les adolescents du lieu. Les démographes nous apprennent néanmoins que les migrations matrimoniales à petite distance ne sont pas rares. Mais elles concernent pour la plupart des « faux étrangers », c'est-à-dire des habitants de la couronne des villages immédiatement voisins

78. N. Z. Davis, « The Reasons of Misrule », dans *Society and Culture.., op. cit.,* p. 97-123.
79. R. Rodière, « Deux vieux registres de catholicité du pays d'Artois », *B.S.E.P.C.,* t. IV, 1902, p. 141.

du premier. Et si les jeunes réclament le *vin donné* comme un tribut dû par tous les nouveaux mariés de leur communauté, ils se montrent encore plus exigeants pour les conjoints venus d'ailleurs. Le droit de *culage* n'est pas un mythe. Il n'appartient pas seulement au seigneur, mais aussi souvent aux jeunes gens célibataires de la paroisse de l'épouse, et parfois à ceux de la corporation de l'époux. A Chauny (Aisne, arr. Laon) est réclamé un droit de *cognage* qu'un texte du 2 janvier 1343 (n. st.) définit abruptement comme : *chinc* (cinq) *peaus de son con ou chinc sols parisis.* Les jeunes célibataires ont, de plus, le privilège d'apporter aux nouveaux mariés, durant la nuit de noces, le *chaudeau,* bouillon d'aspect plus ou moins repoussant destiné à aiguillonner les ardeurs du couple, et dont Van Gennep a donné une excellente description [80]. Leur incombent également nombre de cérémonies plaisantes, comme de faire chevaucher à l'envers un âne par les maris cocus ou battus par leur épouse. Au total, les *bachelleries* et autres *abbayes de Jeunesse* rurales ont un rôle social et culturel important dans le village. L'adolescent, situé dans un long stade de marge entre l'enfance et l'état d'homme marié, est investi de ce fait d'une puissance extraordinaire. Avec ses camarades, il manie le sacré local lors des fêtes, rappelle à de multiples occasions que le village est un tout, exerce un droit de regard sur les cérémonies matrimoniales, stigmatise toute déviance et en venge la communauté. Il défoule également plus facilement son agressivité que ses aînés, blesse, et même tue plus qu'eux, semble-t-il. Il est à la fois le dépositaire de la violence et du sacré dans le village. Il est en fait la définition vivante de celui-ci, la force impétueuse et bénéfique qui accroît la fertilité, la force brutale qui définit les limites spatiales par de rituelles bagarres avec les adolescents d'autres villages. Il fait passer sur tout et sur tous le souffle de la nature naissante et renaissante, la puissance fécondatrice du printemps, qu'il représente, qu'il *est,* dans la vision du monde des ruraux de ce temps.

Par le rite de passage du mariage, il accède à une catégorie que négligent un peu plus les sources. A peine assagi, il manie toujours le couteau taille-pain, ou toute autre arme, mais entre

80. A. Van Gennep, *Manuel..,* t. I, 2, Paris, 1946, p. 560-572.

de plus en plus dans le cycle des travaux et des jours. Homme désormais, il perd le contact avec les forces du renouveau de la nature et voit pâlir l'auréole mystérieuse et sacrée de sa jeunesse. Il participe toujours, évidemment, aux cérémonies, aux rites, aux tabous qui régissent le monde magique auquel il adhère pleinement. Mais il ne fait plus partie d'un groupe d'âge particulièrement actif en ce domaine. Enfin, une dernière cérémonie l'agrège à l'univers de ces morts qui demeurent vivants pour les populations. Les funérailles, suivies d'un repas que ne domine pas la tristesse, l'aident à passer du côté de ces âmes qui ont dominé toute sa vie. Ame entre les âmes, il devient l'objet d'un culte, déjà décrit, et participe en conséquence — pensent les vivants — à la défense du sol de son village. Car il a rejoint un groupe imaginaire, structurellement identique à la *bachellerie* qu'il connut. Groupe qui appartient aux forces du dépérissement, de l'hiver et de la mort, et qui a fonction d'assurer magiquement la survie de sa communauté d'origine en luttant contre des forces identiques mais étrangères, puisque le semblable est capable de chasser le semblable.

Du berceau à la tombe, et encore au-delà, l'homme, on le voit, recherche désespérément une sécurité que dément toujours la réalité, en ces siècles de fer. Au moins cette recherche l'aide-t-elle à bâtir dans un désert l'oasis des fêtes et des jeux.

Les fêtes et les jeux

Le jésuite Mariana (mort en 1624) avait-il attentivement observé le monde populaire européen, lorsqu'il prétendait que la violence faisait partie du plan de Dieu destiné à transformer l'individu en un être social ou politique [81] ? Sa formule, en tout cas, s'applique à merveille à la fête et aux jeux dans les villages français du XVe et du XVIe siècles. Car de telles manifestations étaient très « étroitement liées aux structures sociales et aux mentalités collectives », elles exprimaient la culture du temps et,

81. Cité par J. R. Hale, « Sixteenth-Century Explanations of War and Violence », *Past and Present,* mai 1971, p. 8.

par-dessus tout, représentaient un « élément de cohésion fondamental pour ces groupes » [82].

La fête, tout d'abord, est un moyen de renforcer les liens
internes constitutifs d'un groupe donné. Or le nombre de fêtes
obligatoires était autrefois proprement prodigieux : cinquante-
cinq dans le diocèse de Paris au début du XVIIe siècle, outre les
cinquante-deux dimanches, par exemple [83]. Le travail était alors
interdit, sous peine d'importantes amendes. L'abbaye de Cysoing
(Nord) condamna en 1427 un laboureur du village de Louvil à
neuf livres et un denier d'amende, en vertu d'un droit de *senne*
sur ses sujets *qui faisoient œuvre par jour de feste* [84]. Les
paysans restaient inoccupés, par la force des choses, durant plus
d'un quart de l'année, avec cependant d'importantes variations
locales. Et, à l'époque considérée, ils passaient plutôt ce temps
libre en beuveries et en amusements profanes qu'en fréquentation
assidue de l'église. L'un n'excluait d'ailleurs pas l'autre, avant
que les autorités ne sévissent en ce domaine, au XVIe et surtout
au XVIIe siècle. L'atmosphère villageoise des fêtes et des
dimanches, on s'en doute, était celle du contact entre parents,
amis, voisins, alliés de tout poil, ennemis également. A l'image
des six grands cycles de festivités qui jalonnent l'année et que
j'ai décrits au début de ce chapitre, la poussière des petites
réjouissances villageoises permettait de décharger régulièrement
et fréquemment les tensions internes de la communauté, et de
redéfinir la cohésion toujours menacée de celle-ci. La fête
mettait exceptionnellement en contact, dans un espace restreint,
toutes les générations des deux sexes. Elle les brassait
durant une journée, parfois pendant beaucoup plus longtemps : les *ducasses* du nord de la France duraient huit jours
entiers au XVIe siècle et mélangeaient en permanence le religieux
et le profane [85]. Le vin ou la bière coulaient à flots, aussi bien à
l'occasion des fêtes patronales que lors des ducasses et des
kermesses flamandes, autant à la table des confréries reli-

82. J. Heers, *Fêtes, jeux et joutes...*, p. 146 et p. 79.
83. J. Ferté, *La vie religieuse dans les campagnes parisiennes
(1622-1695)*, Paris, 1962, p. 267.
84. I. de Coussemaker, *Cartulaire de l'abbaye de Cysoing...*, Lille,
1884, p. 380-384.
85. « Ducasses, kermesses et fêtes dans les Flandres », *S.F.W.*,
t. V, 1865, p. 114-124.

gieuses qu'à celle de la *bachellerie* locale. Si le déroulement des fêtes n'est pas identique partout en France, si les costumes et les mœurs diffèrent beaucoup selon les régions, partout se manifeste une jouissance effrénée du temps qui passe alors agréablement. Mais ceci inquiète déjà les autorités religieuses et civiles. Car la fête est un défoulement. La boisson aidant, elle conduit aux bagarres et aux meurtres que dénonce par exemple l'abbaye de Cysoing en 1531, à propos d'une fête de l'*épinette* dans le village de Somain (Nord, arr. Douai). Le jour de la Saint-Michel, la confrérie du même nom avait coutume de *faire une espinette de florettes de chire et autrement, laquelle se donne ou doibve donner à la plus belle fille venant de dehors à ladite feste.* Cette fille recevait une fleur de cire, une *rose ou autre joyau* pour prix de sa beauté [86]. Les confrères de saint Michel étaient loin de commémorer ainsi le pèlerinage à la Sainte Epine qui donnait son nom à la fête ! Et l'abbaye de Cysoing fit supprimer de telles réjouissances, devenues totalement profanes, qui mettaient en valeur une « rosière » venue de l'extérieur. Nul doute que les batailles et les blessures dont parle en outre le texte n'aient fleuri à l'occasion d'une dramatisation sexuelle de la fête, et de l'expression de tensions entre villages, ou même entre habitants de Somain. Car toute fête, à l'époque, connaît des affrontements. La violence accumulée, fruit des peurs incessantes, en est responsable. Même si le sang ne coule pas, elle s'exprime par une bataille rituelle, telle la *cournée,* en 1386, à Langres. Il s'agit d'un jeu qui se passe hors de la ville, près des murs, chaque jour de fête, les gens se lançant mutuellement des pierres. Dans ce cas, la violence est fondatrice en redéfinissant une communauté qui vient de se défouler, et qui ne risque plus de se briser en luttes intestines. De la même manière, la plupart des jeux villageois qui apparaissent lors des fêtes fonctionnent surtout comme des soupapes de sécurité. Ils transforment l'individu en un être conscient de son appartenance à un groupe, dans le choc avec un groupe étranger.

Les boules, la paume, l'arc, l'arbalète, la populaire *soule* (balle), avec ou sans crosse, le jet de la pierre, le jeu *du plus*

86. I. de Coussemaker, *op. cit.,* p. 554-555.

près du couteau, la *raie du van,* le *picquarome,* le bouclier, l'épée à deux mains, le *jeu de bateaux,* les barres, les poulies, les noix, la grille : autant de jeux populaires au xv siècle, en une énumération que surpassera Rabelais au xvi siècle; autant de jeux connus ou obscurs qui développent l'esprit de groupe. La *soule,* qui se joue partout en France lors des grandes fêtes carillonnées, et qu'apprécient les Picards, les Normands et les Bretons durant toute l'année, est typique à cet égard. Comme beaucoup des autres jeux cités elle se joue entre équipes enfiévrées de paroisses voisines, ou entre les hommes mariés et les célibataires d'un même village. Elle renforce le sentiment d'appartenance à une localité ou à un groupe d'âge et, pour cela, se pratique avec une extraordinaire dureté. Elle est l'équivalent paysan des jeux guerriers des nobles et exaspère autant que ceux-ci les passions. Néanmoins, transférant au plan sportif les rivalités, tensions ou haines quotidiennes, elle les consume dans une brutale et courte compétition. Elle évite, comme les autres jeux, que le sang ne coule plus souvent encore dans chaque village, en purgeant les passions.

Mêmes fonctions du jeu, mêmes rivalités détournées, dans le tir à l'arc, ou à l'arbalète, dans les jeux cruels consistant à tuer un animal en lui jetant des pierres, des bâtons ou des couteaux, comme *l'abattis* d'un porc ou d'une oie, voire d'un bœuf, très prisé en Artois ou en Champagne. Le vainqueur de ces divers tournois, promu *roi* pour un an, recueille la gloire, donne souvent un banquet, participe aux festivités profanes et religieuses du lieu.

La représentation de mystères, de jeux de saints, est également très répandue dans les campagnes du xv et du xvi siècle. Le fait dura jusqu'en 1840 dans les environs de Compiègne, par exemple. Ce théâtre populaire, ainsi que les danses de village, la musique, le chant, et la gastronomie — admirons les tableaux de Bruegel à ce sujet — contribuent à enraciner plus encore dans les esprits, dans les oreilles, dans les ventres, dans les jambes des participants le sentiment d'être une partie d'un tout social, qui est réellement un corps de population. La fête, si fréquemment réitérée, ne constitue pas qu'évasion et plaisir. Elle *est* la culture paysanne en action. Elle est le temps dense de la vie, qui permet d'oublier les malheurs et les peurs pour un instant, même si elle est traversée de meurtres et de batailles. Elle est aussi l'oubli, fugace, des forces dangereuses qui rôdent dans le monde. Elle est finalement la perfection du rituel magique populaire, puisqu'elle réalise, momentanément il est vrai, une solidarité exceptionnelle : maîtrise de l'espace, du temps, des rapports sociaux, du bonheur tel que peut l'offrir la vie. Rien d'étonnant, dans ces conditions, à ce que se déchaînent la sexualité, l'ivrognerie, la goinfrerie et toutes les passions humaines, du jeu rituel au meurtre individuel. Tout est possible, pour peu de temps, à l'homme habituellement écrasé par son environnement. Rien d'étonnant non plus à ce que les autorités, et en particulier l'Eglise, ne commencent à s'inquiéter des multiples excès commis au cours des fêtes, et entreprennent déjà de prohiber certains jeux, d'interdire certaines fêtes, de défendre les danses, de limiter l'accès aux tavernes..., pour couper les racines trop matérialistes de la culture populaire. Car la religion des masses est contaminée par le même esprit, et se révèle rien moins qu'orthodoxe.

De la religion populaire

Immense sujet que celui-là, dont je ne veux dire que quelques mots, pour le rattacher à la culture populaire ! Fondamentalement, la religion des masses rurales est définie par la profusion du sacré. Les XVe et XVIe siècles constituent la grande époque des saints, avant comme après la Réforme. En Champagne, en Artois, en Flandre, en Cambrésis, par exemple, le culte de leurs reliques atteint des proportions extraordinaires. Des milliers d'entre elles s'offrent, dans chacune de ces provinces, à la vénération des foules. L'abbaye de Saint-Bertin, à Saint-Omer (Pas-de-Calais), possède en 1465 un abrégé des principales reliques imaginables : parmi d'autres, des morceaux de la crèche de Jésus, de son berceau, de sa table, de sa tombe; dans un *œuf*, un fragment d'étoffe taché du sang et de la cervelle du bienheureux saint Thomas, avec de la poussière des ossements de saint Hubert et de saint Quentin, dont on guérissait les infirmités et les accidents; une autre relique de saint Hubert efficace pour la guérison des boiteux et de la rage... [87]. L'espace visible, en conséquence, est saupoudré de lieux de culte. Chapelles de dévotion dédiées à la Vierge ou à tel saint guérisseur; rustique petite niche des carrefours abritant l'une de leurs effigies; sources, fontaines, bois sacrés mis sous la protection de l'un d'eux; grands centres de pèlerinage comme Saint-Hubert dans les Ardennes, le saint du même nom guérissant de la rage, ou comme Boulogne-sur-Mer et Chartres, qui attirent de toute la France, et d'ailleurs, les fidèles de Notre-Dame... La liste complète en serait impossible à dresser. Mais on sait que cette topographie sacrée est bien connue de tous et que les pèlerins viennent parfois de très loin. L'espace est quadrillé, de façon incessante, par les marches de dévotion. Le sacré se diffuse partout et toujours. N'imaginons pourtant pas que ce sacré reflète l'orthodoxie religieuse la plus pure. Même dans les campagnes parisiennes du XVIIᵉ siècle, les pèlerinages, les processions et les dévotions locales ont pour but d'obtenir de bonnes récoltes, ou de bons troupeaux, en exorcisant les animaux prédateurs et déprédateurs, en repoussant les possibles calamités. Les humains cherchent également, de cette manière, la guérison de toutes maladies du corps et de l'âme [88]. A plus forte raison, durant les deux siècles précédents, abondent les pratiques magiques à l'occasion de ces dévotions populaires. Les pèlerinages sont alors extrêmement nombreux, d'autant qu'ils constituent souvent des pénitences judiciaires imposées pour divers types de crimes. Les traces de tels *escondits* judiciaires sont d'autant mieux connues qu'il fallait prouver les avoir accomplis, en rapportant un certificat, ou une *enseigne de pèlerinage* dont tout fidèle, d'ailleurs, se munissait : c'était une figure grossière en plomb, acquise à bas prix, et qui se fixait aux vêtements ou au chapeau; les plus riches achetaient une médaille de piété en cuivre, ou travaillée au burin; les plus pauvres se contentaient d'images qu'ils mettaient au mur de leur maison ou qu'ils attachaient sur une baguette, formant ainsi une sorte de bannière [89]. La vogue des pèlerinages est en

87. « Inventaire des reliques de l'abbaye de Saint-Bertin à Saint-Omer (1465) », *A.H.L.*, 2ᵉ série, t. IV, 1842, p. 127-136.
88. J. Ferté, *op. cit.*, p. 107-108, 336-358.
89. A. Preux, « Essai d'iconographie religieuse douaisienne », *S.F.W.*, t. VIII, 1868, p. 1-3. Voir aussi A. Van Gennep, *Le folklore de la Flandre...*, t. I, p. 302 suiv.

outre prouvée par l'usure de certaines parties des statues de saints, rituellement touchées ou embrassées, durant des siècles, par les foules. A Sebourg (Nord, arr. Valenciennes), dans l'église, le gisant nu de petite taille qui représente saint Druon, et qui date sans doute du xvie siècle, a le nez usé. Ce saint, né à Sebourg, était le patron des bergers et guérissait les maladies des intestins, des reins et des voies urinaires, ainsi que les femmes en couches [90]. Chaque saint, d'ailleurs, était spécialisé dans la guérison d'une maladie ou d'un groupe de maladies, souvent en relation avec les circonstances de sa mort, ou avec les phases marquantes de sa vie. S'exprimait en ce domaine l'idée populaire que le semblable entraîne le semblable. Saint Eloi, qui avait été orfèvre, patronnait les métiers utilisant le marteau. Cet outil, associé au *cornet* de saint Barthélemy, était l'objet d'un culte, au xvie siècle, dans l'église de Seclin (Nord, arr. Lille). Ce qui faisait dire à un prêcheur anonyme de la première moitié du xvie siècle : *Aussy, ceulz qui vont au marteau saint Eloy en cuidant* (pensant) *qu'il vous guérisse de quelque malladie, vous estes ydolatres. Et, s'il advient que vous en soiés guéris, ce n'est poinct le marteau saint Eloy qui vous a guéri, c'est le diable.* Réprouvait-il également les bénédictions de chevaux, avec un marteau-reliquaire de saint Eloi, à Béthune (Pas-de-Calais) ? En tout cas, le curé de Wavrin (Nord, arr. Lille) acceptait de jouer un rôle très important dans la même cérémonie, le premier décembre... 1905 [91].

Dévotions et pèlerinages populaires mélangeaient aisément le sacré et le profane aux xve et xvie siècles. R. Vaultier décrit des pèlerinages joyeux, hommes et femmes mélangés, pour le meilleur comme pour le pire. Ce qui ne choquait nullement les contemporains, habitués à faire des cimetières des lieux plaisants, n'hésitant pas à exprimer leurs passions dans les églises, introduisant dans les confréries religieuses autant de gauloiserie que de rites pieux. En réalité, les paysans n'étaient pas capables de distinguer sacré et profane. Tout, pour eux,

90. J. Foucart, dans *Le sanctuaire gallo-romain de la rivière d'Aisne à Condé-sur-Aisne*, Amiens, 1975, p. 19-20.
91. B. M. Lille, Ms. 131, f° 126 r°, pour le 1er texte, et A. Van Gennep, *Le folklore de la Flandre..*, t. I, p. 393-399, pour les autres cas.

participait de la première catégorie, puisque chaque acte de la vie se passait dans un monde plein d'âmes. Celles des saints, partout présentes, étaient puissantes entre les puissantes, donc susceptibles d'aider plus efficacement l'homme, dans la lutte pour la survie, que les rites et les tabous ordinaires. On s'adressait à elles de la même manière que l'on allait voir les sorciers. Avec, en plus, dans bien des cas, l'assentiment du clergé local et l'apparat de la fête qui accompagnait fréquemment ces dévotions. On rendait un culte aux morts, en particulier le 1er novembre, quand se confondaient les dévotions aux saints et aux défunts ordinaires. On exigeait l'efficacité, n'hésitant pas à faire les pires misères aux statues des saints qui n'avaient pas exaucé vos prières. Et puis, on profitait de l'occasion pour associer le saint à des rites totalement magiques, auxquels sa puissance donnait une plus grande chance de réussite. A. Van Gennep, dans son *Manuel de folklore français contemporain* a recensé de nombreux exemples de ce genre, tant pour les xve et xvie siècles que pour les époques ultérieures. Je me contenterai de présenter un cas typique.

Le village de Maroilles (Nord, arr. Avesnes-sur-Helpe), jusqu'à la Révolution, possédait une fontaine miraculeuse dédiée à saint Humbert. Un saint local, abbé de Maroilles et mort en 682 portait bien ce nom, mais sa fête avait lieu le 25 mars, et non le 6 septembre, comme dans le cas présent [92]. De plus, saint Humbert guérissait de la rage, comme saint Hubert, dont il semble être un imitateur local, par suite, vraisemblablement, d'une invention populaire autonome, à partir de ce modèle très réputé. Cependant, la date du 6 septembre n'a rien à voir avec le saint ardennais et l'association de saint Humbert à une fontaine laisse à penser qu'il s'agit du travestissement chrétien d'un culte des eaux plus ancien. Donc, le 6 septembre, une procession avait lieu à Maroilles pour guérir bêtes et gens de la rage. Des rites précis l'accompagnaient. Chaque malade devait effectuer une grande neuvaine, se confesser, faire dire une messe à saint Humbert et communier. Durant neuf jours, il fallait réciter chaque jour cinq *pater* et cinq *ave maria,* puis déjeuner de trois tranches de pain ayant touché les reliques

92. A. Giry, *Manuel de diplomatique,* Paris, 1894, p. 295.

du saint et trempées dans de l'eau pure. Dans cette même eau, il fallait laver quotidiennement ses blessures ou ses morsures. En outre, il était nécessaire de coucher seul, dans des draps blancs nouvellement lavés, et de ne pas les changer durant la neuvaine. Il fallait aussi boire du vin trempé d'eau, ou seulement de l'eau, ne manger que certains plats précis, les consommer froids. Durant le même temps, il était indispensable d'éviter le contact de la fumée d'un four, du fumier, du soleil, et de se garder des excès et de la colère. Puis, pendant quarante jours, on devait éviter de se baigner, d'aller aux étuves, de se peigner et de se mirer, tout en consommant des aulx, des oignons, du poivre et des poireaux. Il était indispensable d'avoir confiance en Dieu et en saint Humbert et d'honorer chaque année, le 6 septembre, la fête de celui-ci. Outre cette date, il était possible d'aller chercher la guérison n'importe quel jour à Maroilles, à condition d'effectuer la neuvaine déjà décrite. Les animaux, eux, allaient boire à la fontaine après application sur leur front d'un fer rougi [93].

Apparaît, sous le vernis chrétien, un ensemble de croyances, de recettes, de tabous et de rites que véhiculait la culture populaire, et que les *Evangiles des Quenouilles* comme les procès de sorcellerie du Cambrésis nous ont habitués à repérer : chiffres magiques; eau purificatrice; draps propres où loge l'ange de Dieu selon les fileuses des *Evangiles;* tabous alimentaires; importance du feu domestique et des éléments naturels comme le soleil... La vertu de l'eau, surtout, est importante. D'après la légende fondatrice, saint Humbert avait été voir sainte Aldegonde à Maroilles. La sainte eut soif, et de leurs communes prières sortit la fontaine miraculeuse, ainsi investie de la puissance de deux saints et capable, désormais, de guérir de la rage. Le contact de l'eau pure magique est à la base des cérémonies marquant le pèlerinage. Il est associé au froid : aliments refroidis, et interdits concernant ce qui est chaud, matériellement ou mentalement, comme la fumée, le soleil, le fumier et la « chaude » colère. A la base de cette technique se trouve certainement l'idée que la rage est en rapport avec

93. Bottin, « Pèlerinage de Maroilles », *A.H.L.*, 1ʳᵉ série, t. III, 1833, p. 420-425.

la chaleur. Le malade souffre en effet énormément et sue abondamment. Le seul recours réel est habituellement de l'étouffer sous des oreillers, après des tentatives magiques avortées, ainsi que le décrit un long texte, épouvantable et fascinant, sur les tribulations d'un enragé de Wissous (Seine-et-Oise), en mai 1446, cité par R. Vaultier[94]. La théorie savante des humeurs qui gouvernent le corps humain rejoint ici la pratique populaire, qui tente de curer la maladie « chaude » en faisant passer dans le malade la froideur de l'eau. Tout comme des recettes de santé, écrites en 1358, conseillent de ne pas se baigner en hiver, et de *mangier sauge et sel et gingembre et caudes espices* en janvier[95]. Enfin, pendant quarante jours, le malade doit éviter le contact de toute autre eau, celle du miroir comme celle du bain, afin que la froideur de ce semblable non consacré ne détruise pas les effets du semblable lustral. Et aussi pour se décharger lentement des vertus sacrées de l'eau de saint Humbert, et pour retourner au monde normal en consommant des légumes « chauds » comme les aulx et les oignons. Cette quarantaine est donc un stade de marge, dans un rite de passage du pathologique au normal, du danger à la santé recouvrée.

De semblables croyances ont parfois survécu jusqu'à la Révolution, et même jusqu'à nous. Elles chargent les dévotions populaires d'il y a quatre et cinq siècles de traits que les réformateurs protestants et catholiques nommeront *diaboliques* et *superstitieux*. Elles prouvent plutôt, à mon sens, que le christianisme a été digéré par la culture populaire rurale et intégré dans une vision du monde animiste et vitaliste. Çà et là peuvent bien tonner, déjà, des prêcheurs atterrés par ce spectacle. S'ils marquent profondément les élites citadines, et commencent à modifier la religion des plèbes urbaines, ils n'ont que peu de prise sur le monde rural. Le paysan les écoute attentivement, lorsqu'ils viennent exceptionnellement à lui, mais il ne perçoit leurs paroles qu'à travers son propre système de compréhension du monde, et classe les nouveautés qu'ils apportent dans le cadre immuable du monde plein d'âmes et de forces qui est le

94. R. Vaultier, *op. cit.*, p. 145-149.
95. B. M. Lille, Ms. 366, f° G v° et H r° (recettes pour chaque mois, 1358).

sien. La grande mutation des consciences rurales ne commencera que lorsque des légions de missionnaires zélés viendront, au XVIIe siècle, saper ce système du monde par la parole, par l'exemple, par l'enseignement, par l'encadrement religieux effectif, par la contrainte des corps et par la soumission des âmes.

Bien que le monde rural représente au XVe et au XVIe siècles plus des neuf dixièmes de la population totale de la France, il nous est moins bien connu que celui des villes. Le chapitre qui s'achève et qui concernait la culture populaire paysanne n'épuise nullement le sujet. Il pose tout au plus des jalons pour d'ultérieures enquêtes. Le fait primordial me paraît être l'orientation magique du combat désespéré des paysans pour leur survie. La technologie est insuffisante pour dominer la nature. L'Etat et l'Eglise ne réussissent pas à sécuriser les populations. La vie, dans ces conditions, n'est qu'attente de catastrophes et de malheurs. Et l'attente, en ce domaine, est rarement déçue : pestes, famines, guerres, misère physiologique, brève durée de la vie, mortalité infantile très importante donnent des hommes inquiets, instables, agressifs. Seul recours : un système mental qui évite au plus grand nombre le désespoir pur et le suicide, en donnant une explication cohérente et globale de l'existence en ses cortèges de malheurs. Peupler l'univers de forces innombrables, d'âmes qui interviennent sans cesse dans la vie humaine, permet de comprendre que tant de dangers rôdent. Affirmer que l'homme y peut quelque chose, par la magie des tabous et des rites, permet d'accepter de continuer à vivre. Penser que les sorciers, les saints guérisseurs, les démons, les défunts, peuvent être obligés de se comporter selon les désirs humains donne même parfois une lueur d'espoir, la vague idée d'une sorte de bonheur possible, au ras du sol.

Technique « primitive » de domination de l'univers, la magie joue dès lors un rôle fondamental dans tous les aspects de l'existence. Elle est l'ultime cercle de sécurité de toute communauté villageoise. Elle contribue à isoler celle-ci des dangers. Car chaque village constitue une sorte de bulle entourée d'un espace restreint dominé, dans un temps cyclique et perpétuellement identique. Bulle que parcourent des humains engoncés dans les armures superposées des solidarités, familiales et autres, qui sont alors extrêmement importantes. Bulle aux limites de laquelle prolifère le sacré, toujours angoissant et toujours dangereux, et qui aurait tendance à se rétracter devant l'invasion de ce sacré extérieur, ou même à exploser sous l'effet des tensions internes accumulées. Les fêtes, les jeux, la danse, la musique, le théâtre, les repas de noces ou de funérailles, et surtout l'activité rituelle des groupes de la jeunesse locale et des défunts du village ont pour fonction d'éviter cette rupture, de redéfinir fréquemment pour chacun le sens d'appartenance au groupe. Des chemins mènent au-delà de l'îlot villageois, vers les voisins immédiats que l'on accepte aux prix de bagarres elles aussi rituelles, et puis, plus loin, vers l'inconnu, vers le bout du monde. On s'y risque plus rarement, sauf dans l'euphorie et la sécurité de pèlerinages collectifs, sauf en protégeant sa marche individuelle par de puissantes magies.

Ce monde tend vers la clôture. Il se pense fondamentalement immobile, pour résister au spectacle de la mort toujours à l'œuvre. N'a-t-il pas atteint une sorte d'équilibre mental précaire, entre la difficulté de la vie quotidienne et les joyeuses décharges d'énergie des fêtes ? Celles-ci sont d'autant plus nécessaires qu'elles constituent une provisoire victoire de la vie sur la mort, une façon de surmonter les peurs [96]. Ne nous étonnons pas de constater que les gestes de la vie quotidienne sont toujours étroitement reliés à des rites dont la fonction est de perpétuer sans changement l'état de choses existant. On peut y voir, en termes du XXe siècle, « l'esprit d'immobilité, la terreur du mouvement qui caractérise les sociétés pressées par le sacré » [97]. Même la sexualité qui se déchaîne, lors des fêtes surtout, se rattache à des rites de fécondité. Elle constitue à la fois une manifestation de ce bas du corps qui est l'équivalent des forces du renouveau naturel, et une assurance que le monde fonctionne toujours normalement. Et passent les générations, sans que grand-chose ne se modifie, les femmes transmettant

96. M. Bakhtine, *op. cit.*, p. 282 et p. 98.
97. R. Girard, *La violence et le sacré,* Paris, 1972, p. 391.

par le geste, par la parole, par la veillée, le capital culturel aux jeunes, qui imitent déjà les anciens, à l'intérieur de leurs *bachelleries*, en veillant sur l'ordre de toutes choses au village.

La culture populaire rurale, qui est faite à la fois de représentations mentales et d'attitudes sociales, aurait pu survivre encore longtemps sous cette forme, puisqu'elle refusait les « nouveautés » dans tous les domaines. Mais, venus de l'extérieur, les missionnaires, les agents royaux, ainsi que des bribes de la culture savante, la pénétrèrent de plus en plus vigoureusement entre le XVIᵉ et le XVIIIᵉ siècle, brisant son équilibre interne. Cette invasion culturelle, ou acculturation, fait l'objet de la seconde partie du présent livre. Elle se manifeste plus tôt et plus profondément dans les villes que dans les campagnes. Mais une culture populaire urbaine existait, qui différait sur certains points de son homologue rurale, et qui résista désespérément à l'acculturation. Tournons-nous maintenant vers ces originalités urbaines.

CHAPITRE III

ORIGINALITÉS
DE LA CULTURE POPULAIRE URBAINE

Les citadins du xvᵉ et du xvıᵉ siècles représentaient moins d'un dixième de la population française. Mais l'importance du phénomène urbain était sans commune mesure avec cette faiblesse numérique. La ville constituait déjà un puissant point d'appui de la monarchie. Elle était un monde économique plus dynamique que la campagne. Elle était peuplée d'une société plus complexe qu'au village. Elle permettait l'épanouissement de l'art, de la littérature, de la pensée savante : l'Humanisme et la Renaissance, notamment, ne peuvent se comprendre sans référence à la vie urbaine. De nouvelles modes, de nouvelles mœurs y trouvaient un terrain d'action privilégié. En un mot, y naissaient lentement une nouvelle civilisation et une nouvelle civilité, qui allaient s'épanouir aux siècles suivants. Cependant, la ville restait tributaire de la vie rurale alors prédominante, tant au point de vue matériel qu'au point de vue mental. En conséquence, la culture savante y voisinait avec une culture populaire proche de celle des ruraux. Avec une culture populaire marquée par le même animisme et par la même magie qu'à la campagne, et s'exprimant en des gestes et en des attitudes collectives identiques. Nul besoin, donc, de décrire à nouveau ceux-ci en détail. Par contre, doit nous retenir le fait que la ville constitue un milieu très original, socialement beaucoup plus explosif que le village, et où s'expriment des procédures particulières de domination politique. Cette atmosphère urbaine n'est que médiocrement favorable à la survie intégrale de la culture populaire, comme le montrera l'étude des fêtes et des jeux dans la cité : leurs modalités, et surtout leurs fonctions, se transforment aux xve et xvie siècles. Car évoluent les rapports entre les autorités et les masses, entre la culture savante et la culture populaire. Cette dernière, bien avant la grande mutation culturelle des xviie et xviiie siècles, est déjà en passe de se dévaloriser et de s'effriter, malgré sa résistance, dans un monde urbain qui lui devient de plus en plus hostile.

I. L'atmosphère urbaine

La ville met quotidiennement en contact des gens appartenant à toutes les catégories sociales imaginables, y compris des paysans de passage, ou d'autres qui cherchent à s'installer dans la cité. Ce fait évident, ce brassage continuel des gens les plus riches et les plus pauvres du temps, a pour conséquence de rendre explosive la vie urbaine. Les révoltes ne sont pas incessantes, mais les tensions se révèlent plus vives qu'à la campagne. L'équilibre interne repose de ce fait sur un ordre que tentent d'imposer les couches dirigeantes. Ordre qui se concrétise par une topographie propre aux villes et par une prolifération de petits corps collectifs évitant aussi bien l'individualisme que le développement de luttes entre grandes classes sociales. Mais l'insécurité domine fondamentalement les villes malgré tous ces efforts. Tels sont les trois volets d'un triptyque où serait peinte l'atmosphère urbaine.

La topographie urbaine

Paris atteint ou dépasse 100 000 habitants au xvie siècle, suivi par Marseille, Rouen et Lyon. A part ces quatre villes exceptionnellement grandes pour l'époque, et quelques capitales provinciales peuplées de plusieurs dizaines de milliers d'habitants, le phénomène urbain est surtout le fait de petites villes, de moins de 20 000 et même de moins de 10 000 habitants. Très inégal selon les régions, le réseau des petites villes renferme au moins la moitié de la population citadine totale. Villes médiévales, petites villes plus ou moins immobiles, elles se rapprochent souvent, en apparence, des structures campagnardes [1]. Typique est la ville « puante, sonnante et médisante ». Elle est sale et malsaine, faute de réseaux d'égouts, à cause des ordures qui s'amoncellent au hasard, et au milieu desquelles courent les rats et les animaux « domestiques » laissés en liberté, tels les porcs et les chiens. Elle est bâtie de bois, de terre et d'argile, plus souvent que de brique et de pierre. Ses rues étroites et tortueuses, ses places irrégulières, ne sont que rarement pavées et manquent totalement d'éclairage la nuit. L'entassement humain dans des maisons minuscules ressemblant aux chaumières rurales y distingue les masses populaires des élites urbaines, qui commencent à bâtir des demeures plus solides et plus hautes. De nombreux espaces non bâtis — cimetières, prés, jardins, vignes, champs et pâturages — trouent le tissu urbain, que n'organise aucun plan d'urbanisme avant le XVIIe siècle. Epidémies et incendies embrasent très fréquemment ces villes, que guette aussi la typhoïde, propagée par des eaux polluées. Aussi consomme-t-on facilement la bière et la « piquette », ce qui accroît l'agressivité ambiante.

Ville puante, car l'entassement humain produit une masse de déchets que rien n'élimine, fors la pluie ou le vent. Ville médisante, car chacun y connaît son voisin, aussi bien qu'au village, et participe à une vie collective très dense. Ville sonnante, enfin, car les cloches sont le symbole de ses privilèges. Depuis Charles VII, qui s'attacha les *bonnes villes* du royaume, la ville française a en effet renforcé ses privilèges, multiples autant que différents selon les lieux. Elle jouit durant le XVe et le XVIe siècle d'une remarquable autonomie administrative, bien que Louis XI ait proclamé en 1453 que cette administration

1. Voir le chapitre sur les villes dans l'admirable ouvrage de P. Goubert, *L'Ancien Régime*, t. I, *La société*, Paris, 1969, p. 191-216.

urbaine n'appartenait qu'au roi, et malgré les efforts des souverains de la Renaissance pour assurer leur mainmise sur elle. Durant toute l'époque considérée, les rois donnèrent ou vendirent des privilèges à telle cité ou à telle autre, créant ainsi presque autant d'exceptions qu'il y avait de villes aux règles qu'ils édictaient. Et puis, les guerres de Religion permirent aux villes de retourner franchement à leur autonomie médiévale. Autonomie ? Certes, mais aux mains d'un patriciat urbain qui se renforça très nettement au XVIe siècle, dans notre pays comme ailleurs en Europe [2].

A cet égard, la ville ressemble et diffère à la fois du village. Comme ce dernier, elle constitue une cellule presque totalement autonome du corps qu'est la France. Mais elle s'en distingue par l'existence en son sein d'un groupe patricien qui accapare les fonctions et qui domine totalement la vie urbaine, alors que le pouvoir, dans le monde rural, appartient d'abord aux seigneurs locaux, puis à la communauté d'habitants, laquelle n'est pas encore exclusivement, avant le XVIIe siècle, aux mains des notables paysans. La topographie urbaine reflète cette double caractéristique : autonomie et nets clivages sociaux.

L'autonomie de la ville apparaît dans le paysage, dans les murs qui l'entourent. Peu importe le nombre de ses habitants, ou son caractère franchement rural : il n'est de ville qu'enceinte de murailles. Ces remparts ont un rôle évidemment défensif. Une garnison, un guet doté d'une artillerie, et qui constitue un devoir de *bourgeoisie,* y est entretenu aux frais de la ville. La nuit, ils scintillent de torches et l'hiver de braises, auxquelles se réchauffent les guetteurs, alors que l'obscurité règne dans le cercle ainsi protégé et totalement clos. Car les portes sont fermées, du soir jusqu'au matin, et nul ne peut entrer ni sortir de la ville. L'escalade des murailles est très sévèrement punie. Le fait même de s'en approcher *hors d'heure* est considéré comme un crime. D'autant que les villes sont alors plutôt surprises que prises par force, lors des guerres. Le rôle des murs est d'assurer aux habitants une sécurité, d'ailleurs relative, nous le verrons. En outre, ils concrétisent la limite entre l'espace

2. H. G. Kœnigsberger et G. Mossé, *L'Europe au* XVIe *siècle,* Paris, 1970, p. 61, 63, 74-75 et 77.

théoriquement bien dominé et le monde extérieur. Ce dernier se divise en deux parties : une *banlieue* forme une couronne plus ou moins large autour de la ville, à laquelle elle est juridiquement liée; au-delà, s'étend le monde hostile et inconnu, d'où peuvent venir tous les dangers. L'espace, plus encore que dans les campagnes, est ainsi cloisonné en trois zones de sécurité décroissante, les murs marquant les limites, autant mentales que visuelles, entre la première et la deuxième de ces zones. Quant aux habitants d'une ville, si vaste soit-elle, ils ont conscience en observant les murailles d'appartenir à une communauté que leur regard n'arrive pas à embrasser totalement. Qu'on se souvienne, d'ailleurs, des aspects effrayants de la nuit dans le monde rural pour imaginer à quel point les remparts jouent un rôle sécurisant. Non pas qu'ils écartent tout danger, tant s'en faut, mais au moins dressent-ils leur masse sombre, piquetée de lucioles, pour s'interposer entre l'inconnu nocturne et le citadin, qui ressent ainsi moins fortement que son cousin villageois la pression du sacré et des forces terribles hantant l'obscurité extérieure à la ville.

L'espace garanti par les murs est pourtant loin d'être quiet et homogène. L'enceinte est souvent un corset trop serré pour les villes, qui débordent alors vers l'extérieur. Et, des deux côtés des murailles s'organise une vie très différente de celle du centre de la cité. La topographie reflète les clivages sociaux. Car, à la périphérie de la ville se multiplient les lieux mal famés, étuves, tavernes, *bordeaux,* que fréquente une faune peu recommandable. Hors des murs, les taxes sur les boissons sont moins élevées qu'en ville. Dans les faubourgs intérieurs se risquent rarement les peu nombreux représentants de l'ordre de l'époque. Tout concourt à drainer vers cette couronne, la nuit spécialement, les mendiants, vagabonds, voleurs et déviants de tout poil, ou même des bourgeois qu'attire le fumet des plaisirs défendus. S'y installent aussi les plus pauvres, qui dressent une cabane contre l'enceinte ou que l'on voit se tapir dans des abris de fortune. Certains métiers réputés polluants, ou méprisés, tels les tanneurs, les teinturiers, les métiers en rapport avec ce qui est sale, y sont repoussés. La misère et la déviance — constatation banale — s'épanouissent dans ces espaces réservés. Le reste de la ville est divisé en quartiers et en paroisses qui présentent le plus souvent une relative homogénéité sociale, due à la concentration des mêmes métiers dans les mêmes rues et dans les mêmes quartiers. Le ou les centres sont généralement réservés aux plus riches et aux enclos abbatiaux ou épiscopaux, comme en témoigne l'architecture. Bien sûr, cette ségrégation géographique n'est pas toujours exacte. Elle peut prendre une forme verticale dans les plus grandes villes, comme le rappelle Pierre Goubert. Les maisons à plusieurs étages accueillent alors diverses catégories sociales : boutique en bas, familles aisées au premier, et la misère « monte progressivement le long des escaliers » [3]. Mais généralement la topographie différencie clairement les pauvres des riches, les déviants des « normaux », les lieux de plaisir des centres administratifs et religieux. Il est plus facile d'assurer l'ordre au centre que dans toute la ville. Et puis, en cas de guerre, d'épidémie ou de famine, cette disposition spatiale de la population permet aisément de faire des coupes sombres dans les classes pauvres et « dangereuses ». La ville se rétracte alors, expulse ses marginaux, ses filles de joie, ses mendiants ou fait détruire les abris misérables accotés aux murailles. Symboliquement, ces mêmes individus peuplent en temps normal un espace situé aux limites mêmes de la cité. Celle-ci les tolère, sans plus, car elle les craint. S'ils vivent en marge, ils pérégrinent néanmoins quotidiennement dans toute la ville et offrent le spectacle d'individus déracinés, donc anormaux, dans une société fondée sur la nécessaire appartenance à une multitude de petits corps collectifs.

Le conformisme social : les corps de population

La communauté urbaine ne fonctionne pas sur le modèle relativement « démocratique » de son équivalent rural. Elle est aux mains d'une oligarchie bourgeoise, d'un patriciat. Forte des privilèges accordés par le souverain, cette oligarchie choisit en son sein le Magistrat urbain, qui est composé d'un nombre variable d'échevins, que l'on nomme aussi consuls dans le Sud, ou jurats à Bordeaux, et d'un mayeur ou maire. Des officiers

3. P. Goubert, *op. cit.*, p. 197.

inférieurs, choisis par le Magistrat, sont chargés de tâches précises : greffiers, huissiers, sergents qui assurent la police de la ville, médecin, etc. Le Magistrat dispose pratiquement de tous les pouvoirs, militaires, judiciaires et financiers en particulier. Il impose à la masse la loi d'une minorité numérique. Or les moyens de coercition dont dispose cette minorité sont en général assez faibles. Il n'est pas rare, par exemple, de voir une ville de 10 000 habitants ne disposer que d'une dizaine de sergents. Si bien que la principale garantie de l'ordre réside dans le conformisme social imposé à tous par de multiples canaux.

Le modèle d'un tel conformisme est fourni par le Magistrat lui-même, qui s'entoure d'un apparat propre à subjuguer les foules. Soit l'exemple d'Arras, capitale de l'Artois, qui appartenait au xve siècle aux ducs de Bourgogne, avant de passer aux Habsbourg d'Espagne un siècle plus tard. L'Artois constituait d'ailleurs une zone de transition entre la France relativement peu urbanisée et les Pays-Bas, que distinguait un réseau très dense de villes : 45 % des habitants de la Flandre et 50 % de ceux de la Hollande étaient des citadins au xvie siècle. Arras, donc, était gouvernée par un mayeur et par des échevins, depuis la charte communale de 1194. Le mayeur, qui était élu de 1414 à 1493, fut ensuite nommé à vie par le comte d'Artois jusqu'en 1614, date à laquelle la charge devint héréditaire. Il commandait la milice communale, gardait les clefs du beffroi, les bannières de la ville et les poids et mesures. Il était exempt de taille, et la corporation des charbonniers devait allumer un feu devant sa maison, la nuit de la Saint-Jean, en lui offrant un *chapel* (chapeau) *de fleurs.* Les échevins exerçaient initialement leur charge durant quatorze mois. A la fin de leur mandat, ils élisaient quatre notables qui en désignaient à leur tour vingt autres. Cette cooptation continua à fonctionner après 1414, le duc de Bourgogne ayant seulement fixé le renouvellement de la *Loi* à la veille du 1er novembre, réduisant à un an la charge échevinale. Les échevins devaient être d'anciens marchands. Ils veillaient à la police de la ville, à la fermeture des portes, et se répartissaient *par billets,* pour l'année, les autres charges : justice, surveillance des hôpitaux et des marchés, etc. Ils avaient le droit de porter un couteau et recevaient de la ville des robes ainsi que des dons en vin lors du mariage de leurs filles. Disposant en particulier d'un droit de justice en toutes matières, civiles comme criminelles, sur les habitants et sur les bourgeois de la ville et de la banlieue, ils étaient en fait tout-puissants. Nul n'osait les brutaliser, sous peine d'une condamnation dure et expéditive. Se moquer de l'un d'eux, ou l'insulter, exposait le coupable à des sanctions sévères, corporelles, pécuniaires ou infamantes. Tout un cérémonial entourait l'amende honorable que devait faire un condamné, en cas de désobéissance ou d'injure : à genoux, en chemise, tête nue, une torche en main, il fallait se repentir devant le Magistrat et la population assemblée pour l'occasion. Les Arrageois recevaient donc un châtiment *de leur Magistrat, comme de leur père,* pour divers types de crimes. Et les robes pourpres, écarlates ou cramoisies des échevins ne trouvaient devant elles que soumission et respect. Lors des solennités, les échevins revêtaient une robe de drap noir, *avec bloucqz,* qui étaient les signes visibles de leur autorité [4].

De nombreuses villes de France pouvaient offrir le même spectacle. Notons cependant qu'Arras, comme Lille, Valenciennes et d'autres villes « moyennes » — de 20 000 habitants et moins — du nord de la France, disposait de la haute justice, et pouvait condamner à mort pour divers crimes, y compris parfois pour hérésie ou pour sorcellerie. Ces villes avaient atteint un stade exceptionnel d'autonomie, malgré les efforts des ducs de Bourgogne pour mieux les contrôler. Ce n'est évidemment pas le cas de toutes les villes françaises du XVe et du XVIe siècle. Néanmoins, partout le conformisme social passait par le respect du Magistrat et s'épanouissait dans la prolifération de corps de population qui étaient les structures obligatoires de la vie urbaine normale.

La société urbaine n'était constituée ni de classes ni d'ordres, mais de corps. La division entre dominants et dominés existait bien dans la réalité quotidienne, mais non pas dans les mentalités des citadins. De même, les trois ordres traditionnels — clergé, noblesse, tiers état — étaient présents dans la ville, sans

4. *Observations sur l'échevinage de la ville d'Arras, par* Charles de Wignacourt, *conseiller de la ville,* Arras, 1864, p. IX-XI et p. 30-50 (écrit en 1608).

pour autant avoir une grande importance, en tant que tels, dans le fonctionnement de la machine sociale. Car la population se répartissait dans de multiples collectivités qui constituaient autant d'écailles recouvrant le grand corps citadin. Nés lentement au Moyen Age, ces groupements s'étaient épanouis au xve et au début du xvie siècle « comme si l'organisation de la société en collectivités sociales juridiques correspondait non pas aux périodes de calme et d'étale, mais à celles de crise et de transformation » [5]. Aucune règle, aucun principe précis, aucune autorité n'était à l'origine de ces formes d'association propres aux villes. La religion y jouait cependant toujours un rôle important. Et il semble que ce phénomène ait été une réponse spontanée des villes, de celles du Nord tout particulièrement, au problème de plus en plus grave de l'insécurité du temps. La cité « tendit à la fin à devenir une sorte de composé de petits corps collectifs.., finalement un état d'anti-individualisme » [6]. En ce sens, les corps d'habitants remplissaient une double fonction : assurer la sécurité en général; encadrer chaque individu pour garantir l'ordre et la paix internes. Les plus connus sont les corps de métiers, de marchands ou d'artisans, qui existaient depuis des siècles, avec leurs statuts, leurs règles de travail, leur esprit d'entraide. Des cotisations y étaient exigées, ainsi que certains gestes religieux précis consistant surtout en aumônes, dons et participations au culte d'un saint patron. En échange, les orphelins et les malades du groupe étaient pris en charge par celui-ci. Enfin, chaque métier était dominé par une minorité de riches patrons, qui imposaient ou modifiaient les statuts, décidaient de l'accueil des nouveaux confrères et régentaient le métier en général. Statut juridique, caractère religieux et hiérarchie interne : ces trois traits s'appliquent à presque tous les autres corps de population qui se multiplièrent au xve siècle. Corps professionnels de médecins ou d'apothicaires. Confréries religieuses laïques, tels les *Charitables* qui, un peu partout en France, se chargeaient des enterrements. *Abbayes de Jeunesse* urbaines, en fait composées de célibataires et de gens mariés,

5. G. Espinas, « Le droit d'association... », dans *L'organisation corporative du Moyen Age à la fin de l'Ancien Régime,* t. VII, Louvain, 1943, p. 192-193.
6. *Ibid.,* p. 229-230.

à la différence de celles qui existaient dans les villages, et dominées par des chefs adultes [7]. Confréries d'archers, d'arbalétriers, et un peu plus tard de canonniers et de *joueurs de trait à poudre* (armes à feu), qui possédaient des statuts et organisaient des concours annuels d'adresse, où l'on décernait au vainqueur un titre de *roi* ou *d'empereur* [8]. Confraternités diverses, en un mot, bien connues pour la Champagne du XVe et du XVIe siècle, par exemple [9]. L'insécurité conduisait à l'association, dans tous les domaines, et à la décentralisation politique. Désormais, seuls les gens appartenant à ces corps avaient droit de cité. En marge, vivaient les domestiques, les mendiants, les vagabonds, les femmes seules, qui ne pouvaient constituer leurs propres associations et étaient exclus de ce fait de la vie urbaine, ou considérés comme dangereux et relégués à la périphérie des villes. L'individu isolé devenait une abomination sociale en même temps qu'un être dont la sécurité n'était pas assurée. La norme, en effet, était pour chacun d'appartenir à plusieurs corps de population, en même temps qu'à une famille et à des cercles de solidarité basés sur la parenté, le voisinage et l'amitié. Plus encore que le paysan, l'homme des villes multipliait ses appartenances à des groupes divers, familiaux, géographiques — rue, quartier, paroisse, ville enfin — professionnels, religieux, ludiques. Sécurité oblige ! En conséquence, il apprenait dans chaque corps à respecter des valeurs civiques, religieuses et morales, en même temps que s'imposait à lui une stricte hiérarchie. Le Magistrat urbain fournissait le modèle originel de ces divers corps. En d'autres termes, la domination d'une majorité par une étroite minorité se répercutait en cascade tout au long de la société par l'intermédiaire des corps de population. L'ordre et la paix internes étaient garantis par l'inlassable répétition, dans le travail, dans les loisirs, dans les activités religieuses ou

7. N. Z. Davis, « The Reasons of Misrule », dans son recueil d'essais : *Society and Culture in Early Modern France,* Stanford, 1975, p. 109-116.
8. De La Fons-Mélicocq, « Les archers... », *A.H.L.,* 3e série, t. I, 1850, p. 500-509.
9. Articles de N. Z. Davis et de A. N. Galpern dans : C. Trinkhaus et H. A. Oberman, *The Pursuit of Holiness in Late Medieval and Renaissance Religion,* Leyde, 1974. Voir aussi A. N. Galpern, *The Religions of the People in Sixteenth-Century Champagne,* Cambridge (Mass.), Harvard U. P., 1976.

profanes, des notions de déférence et d'obéissance aux chefs. Chaque corps de population était un abrégé du tout urbain, une structure identique à celle qui réglait les rapports entre le Magistrat et la population. Qui plus est, chaque corps imprégnait ses membres de la notion de différence sociale, entre maîtres et compagnons comme entre *roi* et vaincus des concours d'adresse. Mais, contrairement au monde nobiliaire, la porte n'était pas fermée à celui qui avait la capacité de gravir les échelons de son métier ou de devenir le chef de son *Abbaye*. Elle était cependant suffisamment étroite pour instaurer une concurrence acharnée et pour détourner ainsi des élites urbaines l'agressivité des classes populaires. En somme, la multiplication des corps de population résulte de la mainmise croissante des patriciats sur les villes. Elle répond initialement à de nouvelles exigences de sécurité en des temps très troublés. Elle permet ensuite, ou en même temps, d'atténuer les dangers d'une situation sociale explosive, en diffusant le modèle dominant du haut en bas de l'échelle sociale, et en fractionnant la ville en de multiples petites cellules. Dans de telles conditions, la masse des dominés ne peut évidemment prendre conscience de son unité et de sa force. Les conflits embrasant toute la ville seront donc relativement rares. Mais l'oppression n'en est pas moins durement ressentie par les gens du peuple. Faute d'engendrer une claire conscience d'exploitation, elle se manifeste néanmoins par des explosions désordonnées et incessantes. La ville est le terrain d'action d'une extraordinaire violence interne. L'insécurité, à la différence du village, est plus souvent au cœur de l'espace urbain qu'à l'extérieur de ses murs.

L'insécurité au cœur de la ville

Aux XVe et XVIe siècles, les populations agricoles affluent vers les villes en « convulsions saccadées », par exemple lors des crises agricoles[10]. Certains paysans repartent ensuite chez eux, d'autres restent en ville ou peuplent de leur misère les chemins.

10. Voir l'excellent article de B. Geremek, « Criminalité, vagabondage, paupérisme : la marginalité à l'aube des temps modernes », *R.H.M.C.*, juill.-sept. 1974, p. 372-373. Du même : *Les marginaux parisiens aux* XIVe *et* XVe *siècles*, Paris, 1976.

Et le monde urbain ne peut généralement absorber cette « masse marginale de gens sans spécialisation », cette « main-d'œuvre à l'état pur », dont la présence maintient les bas niveaux des salaires, rendant ainsi plus élevé le profit et plus dynamique le développement industriel des villes. Flotte donc dans et autour de l'espace urbain une masse de gens, qui travaillent à l'occasion et qui passent le reste de leur temps en vagabondage, en recherche des secours qu'organisent alors certaines cités, et surtout qui versent facilement dans la criminalité de violence ou de vol. Cette pression incessante, bien que d'ampleur inégale selon les temps et les lieux, entretient dans les villes une insécurité constante. Là se concentre la violence, alors qu'elle est, sinon moins importante, tout au moins plus diffuse dans l'espace rural. L'exemple d'Arras permettra de saisir les composantes essentielles de ce climat d'inquiétude [11].

Inutile d'insister longuement sur l'insécurité nocturne, que mettent en valeur les bans de police, régulièrement réitérés, interdisant sous peine d'amende d'aller la nuit sans lumière par les rues après la dernière cloche. L'amende, qui est réellement levée, est de dix sous en 1394, soit le prix, au moins, d'une soixantaine de pains pesant dix-huit onces chacun. En outre, un même crime est généralement plus durement jugé s'il a été commis la nuit, dans le but d'assurer aux bonnes gens un peu noctambules une meilleure sécurité — ce qui est loin de se réaliser en pratique.

Le jour, l'insécurité est à peine moindre que la nuit. La prolifération des animaux, tout d'abord, entraîne de graves dangers. Des porcs s'ébattent en liberté dans les immondices, croquant au passage un tout jeune enfant sans surveillance [12]. Plus grave est la divagation des *chiens truands,* qui peuvent toujours propager la rage. Comme d'autres villes artésiennes, Arras a créé un

11. Ce qui suit s'appuie sur mes recherches personnelles dans les archives municipales d'Arras : registres mémoriaux (sorte de journal de la ville), BB 3 à BB 7 et BB 15 (1392 à 1597, avec des lacunes importantes); ordonnances de police, BB 38 à 40 (1405-1495 et 1580-1659), etc. Pour ne pas multiplier les notes, seules les longues citations et les faits les plus importants feront l'objet d'une référence précise.
12. Exemples, pour toute la France, dans H. P., « Animaux judiciairement mis à mort », *A.H.L.,* 2ᵉ série, t. IV, 1842, p. 78-80.

office de *tue chien*. A l'exclusion des chiens de chasse, lévriers et chiens de bouchers, le tueur de chiens exerce son activité, sauf le samedi et le dimanche, contre une prime variable, qui est de quatre deniers pour trois animaux en 1403, par exemple. Faible salaire, puisque le pain de dix-huit onces vaut environ deux deniers ! A moins, évidemment, que les chiens errants ne soient très nombreux. Ce qui semble être le cas : à Noyon, en 1555, est ordonnée l'exécution de tous les chiens et de tous les chats, vu leur trop grand nombre [13].

Le port d'armes constitue un autre facteur d'insécurité, et non des moindres. Général dans les campagnes, il est l'objet d'une législation urbaine répressive mais peu efficace. Chacun porte un couteau taille-pain, ou un bâton ferré, voire une épée, qui n'est nullement l'apanage de la noblesse, et plus tard, parfois, une arme à feu. Car les dangers réels sont pressants, en particulier dans les tavernes et lors des fêtes, à l'heure de l'ivresse agressive. A tel point que le proverbe : *aller en Flandre sans couteau* désignait une situation anormale, aussi bien dans un livre d'Henri Estienne publié en 1579 que dans les faits [14]. Une ordonnance de Louis XIV, en 1669, ordonnait d'émousser ou d'arrondir les couteaux flamands [15], ce qui prouve bien l'échec des bans de police antérieurs. Les archives judiciaires en témoignent. Le port d'armes était passible d'une énorme amende, fixée à soixante livres à Arras, au XVe siècle. Néanmoins, les comptes de la ville pour 1403-1404 — année financière prise au hasard — enregistrent quinze cas de blessures commises avec une arme blanche sur un total de quarante-cinq amendes criminelles, imposées essentiellement pour des violences (gifles, coups de bâton, brutalités à mains nues ou avec des objets divers...). Dans ce total figuraient deux cas de port d'une dague. Les deux amendes étaient modérées à quarante et à soixante-douze sous, ce qui indique à la fois la pauvreté des « criminels » et l'aspect banal, très répandu, donc difficile à poursuivre avec toute la rigueur

13. A. M. Arras, BB 4, f° 55 r° (12 septembre 1403), et De La Fons-Mélicocq, « Police municipale des villes du Nord... », *A.H.L.*, 3ᵉ série, t. II, 1851, p. 532.
14. A. Dinaux, « Aller en Flandre sans couteau », *A.H.L.*, 3ᵉ série, t. II, 1851, p. 300-301.
15. A. Dinaux, « Les couteaux pointus en Flandre », *A.H.L.*, 3ᵉ série, t. III, 1852, p. 112-114.

désirée, du port d'armes [16]. Insécurité donc, et nécessité d'y pallier en ayant constamment une arme à portée de la main. Les fileuses des *Evangiles des Quenouilles* ne disaient-elles pas que deux amis mangeant ensemble dans une taverne doivent boire l'un après l'autre pour pouvoir se secourir mutuellement en cas de besoin [17] ? Toute chronique urbaine est remplie du tumulte des bagarres, qui n'épargnent aucun lieu, ni les places des marchés, ni les rues, ni les églises, ni les cimetières. Banale est la remarque d'un chroniqueur racontant, en 1607, que l'église et le cimetière Saint-Etienne de Lille furent rebénis le 4 janvier, après avoir été pollués *par le sang de deux voleurs, qui s'étoient battus pour leur vol entre trois et quatre heures du soir* [18]. A Arras, entre 1528 et 1549, furent commis, entre autres crimes, 90 meurtres jugés par l'échevinage. Les lieux de l'action sont connus dans 63 cas, selon l'ordre décroissant suivant : tavernes (28), rues (8), marchés (8), maisons (5), faubourgs (3), portes (2), halle (2), jeu de paume (1), église (1), plus 5 lieux situés hors de la ville [19]. La taverne est bien « l'école de masse » du crime [20], mais celui-ci marque aussi de son empreinte tous les lieux de passage de l'époque, d'autant que la vie est alors beaucoup plus tournée vers l'extérieur que de nos jours. A la taverne, en particulier, se rencontrent des gens de toutes les classes sociales et des familles entières venues y passer le temps : le 7 juin 1586, la taverne du Lion de Flandre, à Arras, s'effondre. De la salle du bas, on retire six hommes, trois femmes et deux enfants, tués ou blessés [21]. Comme on le voit, les enfants et les femmes peuvent partout assister au spectacle de la violence, et apprendre à vivre dans l'insécurité ambiante. Les femmes, d'ailleurs, ne se font nullement faute de participer aux bagarres, voire de les provoquer. Sur trente-huit crimes qui

16. A. D. Nord, B 13895, Comptes d'Arras, 1403-1404, chapitre « exploits de justice ».
17. *Les Evangiles des Quenouilles,* Paris, 1855, p. 149 (voir ci-dessus, chapitre II).
18. E. Leclair, « Faits divers » extraits d'une chronique lilloise manuscrite de 1600 à 1662 », *B.S.E.P.C.,* t. III, 1901, p. 104-105.
19. A. M. Arras, FF 3, registre aux sentences criminelles (1528-1549).
20. B. Geremek, *art. cit.,* p. 344.
21. A. M. Arras, BB 40, f° 256 r°.

donnèrent lieu à des amendes effectivement perçues par la ville d'Arras durant l'exercice financier 1401-1402, huit étaient l'œuvre de femmes : cinq coups et blessures, dont un cas très grave; un assaut de maison; deux crêpages de chignon [22]. De même, près de 15 % des crimes jugés entre 1528 et 1549 dans cette ville étaient le fait de femmes : 20 % des vols, 10 % des coups, blessures et injures, et 18 % des faits de résistance aux autorités leur étaient imputables [23].

Violence partout, violence de tous, violence toujours. Le style de vie urbain engendrait une extraordinaire agressivité, dont de nombreuses traces n'ont pas été conservées. Les crimes jugés ne sont que la partie apparente de cette violence, qui se manifestait dans les moindres actes de la vie quotidienne. Tout au plus peut-on imaginer cette atmosphère en utilisant les registres arrageois des *plaids du vendredi,* c'est-à-dire les archives du tribunal jugeant des causes mineures, comme les injures simples. Du 30 novembre 1539 au 16 juillet 1540, huit cas de ce type sont connus. Il fallait, bien sûr, que plainte fût déposée, ce qui permet de penser que nous échappe un nombre beaucoup plus grand de heurts verbaux entre personnes, spécialement si les gens concernés préféraient éviter d'attirer sur eux l'attention de la justice. Sur huit affaires, trois concernent un homme diffamé par un autre, qualifié de *garchon, blistre, meschant homme,* ou de *larron,* et qui réclame de son adversaire une réparation honorable publique, des dommages et intérêts et, dans un cas, un pèlerinage expiatoire. Les cinq autres affaires mettent face à face deux couples, qui semblent le plus souvent être des voisins, à l'occasion de médisances graves. Une femme a incité son beau-frère à dire d'un homme qu'il *estoit filz de chanoine* et *autres vilaisnes parolles.* Une plaignante s'est vue traiter de *larrenesse, carongne excommunié, ribaulde et meschant femme.* Une autre n'a pu supporter d'être appelée *larnesse et ribaulde couchant journellement avecq les relligieux de Bonnes Nouvelles,* etc. [24]. Toutes ces amabilités sont révélatrices de tensions

22. A. D. Nord, B 13893, Comptes d'Arras, 1401-1402, f° 30 v°-32 r°.
23. A. M. Arras, FF 3.
24. A. M. Arras, FF 140, registre du vendredi (ici, f° 8 v°-170 r°).

au sein des microcommunautés urbaines, c'est-à-dire dans le groupe de voisinage ou dans la même rue. Les connotations sexuelles des injures, lorsqu'un couple attaque en justice un autre couple, indiquent que se règlent alors des comptes. Parfois, l'accusation est plus précise. On évoque des liaisons amoureuses adultères, des efforts de séduction récompensés par l'empressement du voisin..., qui se présente néanmoins au bras de son épouse devant le juge. Ce qui fait courir en justice n'est pas toujours très clair, mais vise souvent à réparer un honneur familial un peu décrépit, par la procédure de l'amende honorable, du pèlerinage et des dommages et intérêts imposés aux deux coupables ou à l'un d'entre eux. Ainsi retrouve-t-on sa bonne renommée, grâce à la justice, auprès des autres voisins, en économisant un crime. Car, dans les mêmes conditions, d'autres fondent sur celui qui les injurie et le laissent mort ou blessé sur le terrain. En tout cas, l'injure brutale, triviale et sexuelle fleurit dans le terreau urbain, comme d'ailleurs à la campagne. Mais au lieu de se terminer uniquement en franches bastonnades ou en crimes, comme au village, elle peut conduire devant le juge-médiateur. Celui-ci est chargé d'évacuer les tensions, d'imposer un nouvel équilibre, et donc de restaurer à la fois l'honneur des plaignants et la cohésion du voisinage, que cette affaire a mis en cause. Il détourne parfois la pure violence, qui se plie à la loi. Procédure d'avenir, dans l'effort de domination des corps de population qui caractérise la ville ! Mais procédure elle-même génératrice de nouvelles tensions, puisque le juge cure surtout l'apparence du mal et non pas ses causes. Les condamnés accepteront-ils facilement la sanction, si l'injure fut pour eux défoulement contre quelqu'un qui leur avait effectivement nui, en séduisant leur mari ou leur épouse, par exemple ? Pour conclure sur ce point, disons que tout concourt à la diffusion dans la ville d'une violence et d'une agressivité dont la justice n'aperçoit pas les racines et qu'elle contribue, nous le verrons encore, à aggraver.

La sensibilité du citadin à l'insécurité est d'ailleurs rendue plus aiguë par les conditions spécifiques de l'habitat. Les murailles protègent, certes, mais rendent plus grave tout incendie ou toute peste. L'entassement humain, de plus, multiplie les dangers d'incendie. Le bois, la paille et le torchis dont sont faites les maisons flambent à la moindre occasion. Le *feu de méchief* est la hantise des hommes de ce temps. Durant tout le xvᵉ et le xvɪᵉ siècle des ordonnance de police insistent en vain sur les précautions à prendre. A Arras, en 1478, on précise que la cloche sonnera, que l'on *crira le feu et le lieu adfin que on le noteffie de main en main;* tous les officiers accourront à la Halle; les brasseurs, les teinturiers, les boulangers, les couvreurs de tuiles et leurs valets, *aussy les filles de joye,* se porteront au lieu du sinistre, tandis que les porteurs au sac iront chercher en Halle les échelles et les seaux nécessaires pour combattre le feu ²⁵. Ces précautions se doublent, à l'occasion des fêtes, quand les torches illuminent la ville, de l'obligation de mettre de l'eau devant chaque maison, en vue de maîtriser tout incendie éventuel. En 1464, il est décidé d'abattre les cheminées arrageoises menaçant *feu de meschief.* Dès 1447, les échevins avaient ordonné de couvrir désormais de tuiles toutes les maisons, de n'employer dans les charpentes que du chêne et avaient publié une liste de soixante-dix maisons et étables couvertes de chaume qu'il faudrait couvrir de tuiles avant trois ans. Mais il fallut attendre le xvɪᵉ siècle, et surtout l'édit royal de 1583 ordonnant de bâtir désormais en pierres et en briques, sans saillie sur la rue, pour que la ville d'Arras change définitivement de visage ²⁶. L'histoire architecturale des cités françaises suit grossièrement ce même schéma et le feu reste un danger très grave jusqu'au xvɪɪᵉ siècle au moins. Tout comme les épidémies, évoquées dans le chapitre premier de ce livre, sont plus graves et plus persistantes dans le milieu urbain fermé que dans les campagnes.

Au point de vue social, l'insécurité détermine des réactions urbaines de rejet. Tout au moins les autorités s'aperçoivent-elles que les principaux dangers viennent des gens que n'encadrent pas les corps de population. Ce ne sont pas, en effet, les masses populaires proprement urbaines qui inquiètent les patriciens. Qu'elles se révoltent en période de famine, que les femmes pillent alors les greniers des riches particuliers, des marchands et des abbayes est grave, et sera durement réprimé. Mais ces explo-

25. A. M. Arras, BB 38, f° 111 r°.
26. A. M. Arras, BB 39, f° 63 r°-66 r° et BB 15, f° 195 r°-196 r°.

sions brutales durent rarement plus de quelques heures. Ensuite, la justice fera trembler les coupables, et les autres, en rappelant à tous le principe fondamental d'obéidence, que les corps de population répercuteront à l'infini. Par contre, les déracinés de tout poil qui errent dans la ville sont autrement menaçants. En groupe, ils constituent un danger de subversion et un exemple désastreux pour les citadins les plus pauvres. Il faut donc les parquer, les intégrer ou les chasser. Aux xve et xvie siècles, à Arras, diverses procédures le permettent[27]. D'abord, les hôteliers doivent apporter chaque jour à l'échevinage la liste des étrangers qu'ils logent. Mais la fréquence du rappel de cette ordonnance prouve qu'elle est mal appliquée dans les faits. Lors des périodes de guerre, par exemple en 1493, ordre d'abandonner toutes leurs armes est donné aux étrangers résidant en ville, y compris aux nobles. Les pauvres et les vagabonds, eux, sont chassés régulièrement par les ordonnances de police. Ils sont expulsés en même temps que les porcs, en 1438, à cause du danger de *corruption* (maladie). En 1444 les bourgeois reçoivent le droit de s'entraider contre eux, ce qui légalise la violence à leur égard. Le ban du 5 avril 1474 donne l'ordre de partir, sous peine de fustigation et de bannissement, à *tous estrangiers ne estrangières, cayemans et cayemandes* (= caïmans) *qui ne sont point résidens ne ayans domicille honneste en ceste ville, et aultres hommes et femmes jones ou vieux* qui ne peuvent gagner leur vie. Les mendiants étrangers ont vingt-quatre heures pour quitter la ville, le 4 janvier 1492. En 1585 tous les étrangers, *brimbeurs et vacabondes* doivent partir sous peine de bannissement ou de punition arbitraire. En 1599 tous *brimbeurs, bellistres, vagabondes et gens oisifz* doivent partir sur l'heure... Ces quelques exemples prouvent la continuité d'une attitude de méfiance à l'égard des vagabonds, dont les groupes peuvent constituer une contre-société. De plus, le rejet de ces individus semble se teinter lentement d'une haine farouche. La crise des subsistances s'aggravant en France vers les années 1520, l'exode en direction des villes s'amplifie. Dès lors, les autorités urbaines expulsent de plus en plus vigoureusement les vagabonds, comme à Grenoble en 1513, tout en établissant des listes de « bons »

---

27. A. M. Arras, BB 38 à 40 (aux dates citées).

mendiants, peu nombreux, marqués du sceau de la ville et aidés par celle-ci [28]. Le mendiant devient un marginal accepté, portant le *rat* de la ville d'Arras sur ses vêtements, par exemple, et se distinguant nettement de tout oisif étranger. Dans le même ordre d'idée, les filles de joie sont l'objet d'une législation répressive qui les marque et les refoule vers des quartiers réservés. Un ban du 22 mai 1423 leur interdit, à Arras, de *porter manteaux de drap* et leur ordonne de mettre sur leur bras gauche *un gartier de drap vermeil de la largeur de deus dois et demi quartier de lonc,* sous peine d'amende. En 1430, *toutes filles de la joieuse vie prestans amours à détail portent sur leur senestre brach ung gartier cousu, à diférence des preudefemmes,* tout comme à Lille à la même date. En 1493, il est interdit à toute fille de joie d'aller *ès maisons, places communes, congrégations et assemblées des festes et solennitez* (noces, assemblées de confréries...), sous peine de prison ou de bannissement. Et depuis une ordonnance de 1398, les filles de joie devaient n'exercer leur art que dans des zones précises : les Placettes, la petite rue contre le pont Saint-Vaast, la maison du Toucquet derrière l'abbaye de Saint-Vaast, et une rue située hors de la porte Saint-Nicolas [29]. A Béthune, au xve siècle, il était défendu à toute *femme de vie* d'approcher de la ville plus près que du gibet, *ni autour, ni aux bois, sur 20 livres* (d'amende) *ou sur l'oreille* (coupée) [30].

Comme le dit justement B. Geremek, la société urbaine de la fin du Moyen Age et du début de l'époque moderne ne tolère pas l'individu isolé et l'encadre, mais ne supporte ses nombreux marginaux, à l'inverse, que sans liens et sans attaches; « dans deux errants, elle voit déjà des vagabonds redoutables » [31]. Ainsi s'explique la lente élaboration d'une attitude de rejet de tous les marginaux hors de la ville, à ses limites, ou dans des quartiers spécialisés. Lente élaboration car, au xve siècle, la position des autorités n'était encore que de surveillance sévère et désapprobatrice. A Arras, un officier nommé le *roi des ribauds,*

28. B. Geremek, *art. cit.,* p. 361-367.
29. A. M. Arras, BB 38 à 40 et Harduin, « Extrait des Affiches de Flandres... 1783 », *A.H.L.,* 2e série, t. VI, 1847, p. 323.
30. B. M. Arras, Ms. 1885 (fiches Guesnon).
31. B. Geremek, *art. cit.,* p. 358-359.

faisait encore serment, en 1441, *d'avoir congnoissance sur les filles et femmes difamées* (= filles de joie) *et de les mener et faire demourer ès lieux publicques, et aussy de enquérir lesquels sont méseaulx* (lépreux) *et de les mener aux espreuves, et dehors de nostre dicte ville d'Arras quand ilz sont jugiez* [32]. Depuis 1308, au moins, lui incombait la surveillance de tous les marginaux de la ville. Son office était initialement relativement prestigieux; et vers 1372, il donnait chaque année, le jour du Saint Sacrement, *un cappel* (chapeau) *de roses* pour *recongnoissance de* (son) *offices de royauté*. En 1441, la charge était devenue *chose honteuse et de grant infamie,* selon un individu qui la refusa alors. Aussi fut-elle confiée au bourreau d'Arras, avant de disparaître, à une date indéterminée. A Lille, elle avait été abolie en 1364, mais elle existait à Douai et à Béthune, notamment, au XV siècle [33]. Somme toute, le *roi des ribauds* représente une institution urbaine de surveillance qui se révéla insuffisant lors des arrivées massives de déclassés, dès la seconde moitié du XV siècle, et surtout au XVI siècle. Insuffisante et inadaptée. Il est symptomatique de voir le mépris qui commence à l'entourer en 1441, à Arras, et qui n'est que le reflet d'une attitude nouvelle envers la marginalité. De plus en plus, l'inconnu oisif est considéré avec peur, ce qui déclenche à son égard un sentiment de mépris, une attitude de plus en plus répressive, qui culminera avec les condamnations aux galères, pour simple vagabondage, au XVI siècle — le 11 avril 1535, à Lille, dix-sept vagabonds liés, la hart au col, sont emmenés aux galères sur trois chariots [34] — et surtout au XVII siècle. Au *roi des ribauds* succède à Arras, dès le XVI siècle, le couple répression-assistance, qui apparaît aussi dans toutes les agglomérations urbaines françaises. Répression des étrangers à la ville et, comme à Amiens en 1573 envers mille deux cents familles, assistance des habitants misérables mais « normaux » de celle-ci [35].

De telles procédures de rejet ou d'intégration, en leurs multiples variantes chronologiques locales, ne sont nullement gratuites. L'assistance elle-même est une nécessité pour le

32. (A. Guesnon), *Inventaire... des chartes... d'Arras,* S. l. ni d., p. 231 (28 janvier 1441, n. st.).
33. B. M. Arras, Ms. 1 885, fiches « Roi des Ribauds ».
34. B. M. Lille, Ms. 432, f° 230 v°.
35. B. Geremek, *art. cit.,* p. 346-356 et p. 373.

156

patriciat urbain, sous peine de voir se multiplier les révoltes. Fondamentalement, il s'agit de définir les limites exactes de la communauté ainsi que les valeurs sociales essentielles. De conserver un vivier de main-d'œuvre disponible en évitant l'accumulation de désœuvrés dans la ville. D'obliger les masses populaires à accepter à la fois les bas salaires et l'important volant de chômage constitué par les vagabonds, sans mettre en péril l'ordre établi. De ce fait, la ville devient de moins en moins accueillante aux déracinés, tout en laissant une partie de ceux-ci passer entre les mailles du filet. Fait primordial, toute la population, ou peu s'en faut, se laisse gagner par une sorte de xénophobie venue des classes dirigeantes. Qu'il y ait eu, à cette époque, « solidarité des couches populaires avec les pauvres »[36] est possible, mais ne me semble pas fréquemment s'appliquer aux pauvres étrangers, que l'on retrouve facilement morts de froid ou de faim, dans l'indifférence générale, au beau milieu de la cité. Après tout, les travailleurs n'avaient guère intérêt à accepter la venue de concurrents qui pouvaient ravir leur travail. Et ils manifestaient souvent une hostilité violente aux étrangers, y compris à leurs propres compagnons de labeur. Et puis, à Arras, le fait que 90 % des voleurs de la période 1528-1549 dont le lieu de naissance est connu soient originaires d'ailleurs que de cette ville donne à penser que leurs conditions de vie les poussaient au crime et que la « solidarité » populaire les en dissuadait fort peu [37].

Concluons à la montée dans les villes, entre 1400 et 1600, d'une attitude d'hostilité aux étrangers, qu'expriment la justice urbaine et la xénophobie ambiante générale. Qui dit hostilité collective contre certains types d'individus sous-entend obligatoirement l'existence d'une conscience d'appartenance, issue de l'adhésion de tous à un même système de valeurs que mettent en péril les individus visés. Conscience d'appartenance qui lierait les patriciens aux plus miséreux ? Certes oui ! Car comment expliquer, dans la négative, que les masses aient accepté si totalement, malgré quelques révoltes épidermiques, leur situation de dépendance et de misère ? Et pendant des siècles ! Conscience d'appartenance, donc, qui est issue des originalités de l'atmos-

36. *Ibid.*, p. 366.
37. A. M. Arras, FF 3.

phère urbaine : de l'autonomie de l'espace citadin, défendu par ses murailles; des contacts permanents entre toutes les classes; de la promiscuité obligatoire qui naît de l'entassement humain; du conformisme social sans cesse forgé dans les divers corps de population auxquels chacun appartient; de l'impression, fausse peut-être, de participer à la défense commune contre l'invasion du vagabond, du mendiant, du marginal, c'est-à-dire de ce qui *est* l'extérieur et l'inconnu. Et puis, conscience d'appartenance qu'entretiennent et décuplent les fêtes et les jeux dont apparaît l'ambivalence. Ces réjouissances réellement populaires, au fond, n'en servent pas moins les desseins de la minorité dirigeante, en renforçant sans cesse les liens qui unissent chacun au tout urbain !

II. Fêtes, jeux et société urbaine

Les citadins du XVᵉ et du XVIᵉ siècle ne vivent pas quotidiennement dans la joie et le bonheur, tant s'en faut ! Aussi opposent-ils à la froideur du réel le délire de la fête et des jeux. Plus encore que les paysans, peut-être, ils cherchent à inventer un monde meilleur, qui est en même temps pour eux le souvenir d'un Age d'Or mythique, d'un passé qu'ils embellissent, et qui chasse pour un temps les brumes du présent. La fête est évasion, déchaînement de vitalité, gaspillage réel de biens. Elle aboutit facilement à la contestation des valeurs établies, dans un temps de rêve et dans un espace que plus rien ne cloisonne. Ceci la rend dangereuse pour les autorités, qui cherchent à l'encadrer dans des rituels définis, afin de marquer les limites au-delà desquelles le retour à la vie normale ne serait plus possible. Dangereuse aussi, d'ailleurs, pour la société tout entière, qui risquerait de basculer dans un définitif chaos si des garde-fous ne fonctionnaient, si l'instinct social de conservation ne limitait les excès et n'assurait le retour à la vie quotidienne en amortissant la chute vers la réalité que constitue la fin de la fête.

La fête urbaine est plus ambiguë que son homologue rurale. Elle est, d'une part, création populaire, même si certaines de ses caractéristiques proviennent d'une imitation de phénomènes religieux orthodoxes, même si nombre de ses traits ont été empruntés aux fêtes officielles, royales et nobiliaires, du temps. Elle appartient bien aux masses qui la vivent. D'autre part, elle est l'objet d'une surveillance croissante de la part des autorités et du patriciat urbain qui voient en elle un phénomène nécessaire — du pain et des jeux, réclamait la plèbe romaine —, mais un danger constant de subversion. Le deuxième trait, peu connu ou même inconnu dans les villages qui étaient en général socialement beaucoup plus homogènes et beaucoup moins peuplés que les villes, entraîne une nette évolution des fêtes urbaines entre 1400 et 1600. Essentiellement profanes, dans des travestissements religieux, au xve siècle, les fêtes urbaines sont de plus en plus prises en main par les autorités au siècle suivant et cèdent peu à peu la place aux manifestations religieuses collectives, aux processions notamment. Les fêtes proprement dites ne disparaissent pas brutalement, ni totalement, mais se modifient. D'acteurs dans des réjouissances où se rencontrent toutes les catégories sociales, les membres des masses populaires deviennent peu à peu spectateurs des manifestations religieuses qu'on leur impose.

Deux considérations préalables s'imposent cependant, avant de partir à la découverte des fêtes populaires urbaines. Celles-ci, en premier lieu, existent partout en France, mais atteignent un lustre inégalé dans le nord-ouest du pays, qui est beaucoup plus urbanisé que le reste. Les fêtes burlesques septentrionales, en particulier, sont très réputées, ainsi que l'écrivait vers 1440-1442 Martin Franc, prévôt de Lausanne, dans un livre dédié à Philippe de Bourgogne et intitulé le *Champion des Dames* :

> *Va-t-en aux fêtes de Tournay,*
> *A celles d'Arras et de Lille*
> *D'Amiens, de Douay, de Cambray,*
> *De Valenciennes et d'Abbeville,*
> *Là tu verras de gens dix mille*
> *Plus qu'en la forêt de Torfolz*
> *Qui servent par salle et par ville*
> *A ton Dieu le prince des folz* [38].

38. Cité par H. Dubrulle, *Cambrai à la fin du Moyen Age* (xiiie-xvie *siècle*), Lille, 1903, note 6, p. 233.

Nombre d'exemples seront, de ce fait, choisis dans cette région. En second lieu, il faut noter que les fêtes populaires ont parfois subi la contamination des fêtes officielles, dont l'époque n'était point avare, et qui constituaient pour les masses des spectacles de la splendeur et de la puissance des rois, des princes ou des couches dirigeantes : festins princiers, funérailles de grands personnages, entrées solennelles de rois ou de prélats, cortèges et processions religieuses, tournois ou courses diverses, bals, illuminations — à Rome, au XVIᵉ siècle, par exemple —, ballets et représentations théâtrales, etc.[39]. Toute chronique urbaine fournit d'innombrables exemples de ces solennités, devenues magnificentes au XVIᵉ siècle. Et nul doute que les couches populaires n'aient été frappées d'émerveillement devant ces coûteux spectacles. Nul doute aussi qu'elles n'aient emprunté à la thématique de ces fêtes maint trait de leurs propres réjouissances. D'autant plus que les bourgeois et les notables imitaient souvent, purement et simplement, les fêtes princières ou nobiliaires, et offraient alors à toute la population un spectacle qui n'était pas en lui-même une véritable fête populaire. Ainsi, le samedi 20 février 1423, cinq bourgeois d'Arras allèrent-ils jouter à Lille, où le duc de Bourgogne avait organisé un concours. Avec eux partirent *cent notables personnes* d'Arras, qui portaient une livrée blanche et verte timbrée du rat de la ville. A leur retour *fist-on le soupper au Praiel des Ardans,* et y assistèrent cinquante-deux chevaliers et bourgeois notables, trente-deux dames et *grand nombre d'autres gens, trompettes, menestreulx..., et y ot à Arras grant joye et feste celle nuit.* On peut admettre que la liesse gagna toute la population, mais les réjouissances concernent les couches dirigeantes de la ville, au moins initialement. De même, les bourgeois d'Arras mettaient sur pied leurs propres tournois, par exemple en avril 1423, ou encore le 15 avril 1425, quand trois beaux-frères, époux des filles du bourgeois Jacques Cardon, joutèrent les uns contre les autres, devant la chapelle des Ardents[40]. Le patriciat répercutait ainsi l'exemple donné par le duc de Bourgogne et par sa

39. Ces fêtes sont décrites dans H. Biehn, *Les fêtes en Europe,* Paris, 1963 (textes et illustrations).
40. A. M. Arras, BB 6, f° 80 v°, 82 v° et 107 r°.

cour, et ceci durant tout le xve siècle [41]. A côté de cela existaient de véritables réjouissances populaires, dont la variété était extraordinairement grande. Aussi un classement s'impose-t-il, selon deux critères : spontanéité ou organisation, d'une part, et extension de la fête à un groupe, à plusieurs, à toute la ville, ou même à quelques cités, de l'autre. Apparaissent alors, dans un ordre croissant d'organisation et de complexité, huit types principaux de fêtes populaires urbaines : 1 — fêtes spontanées et occasionnelles; 2 — noces et banquets; 3 — fêtes de confréries ou de corporations; 4 — réjouissances limitées à une rue ou à un quartier; 5 — ducasses — c'est-à-dire anniversaires de dédicaces d'église — et foires; 6 — aspects populaires de certaines processions, à l'occasion des Rogations, par exemple, et participation, par des jeux divers, à des fêtes officielles, telles que les entrées princières; 7 — fêtes burlesques des *Innocents,* des *Fous,* des *Anes,* des *Sots,* etc.; 8 — et enfin, grandes fêtes de Carnaval-Carême et du mois de mai, qui deviennent parfois des *Principautés de Plaisance,* associant des villes voisines, ou même très éloignées, à une extraordinaire et complexe manifestation.

— 1 —

Les fêtes spontanées n'apparaissent malheureusement qu'assez rarement dans les textes du temps. Elles naissent d'un événement exceptionnel, qui brise l'ordre habituel des choses, d'un hiver très rude par exemple. Ce fut le cas à Arras, en 1434. Il gela et neigea durant trois mois et trois semaines à partir du 30 novembre, *et durant ledit temps furent fais plusieurs choses de neges en plusieurs lieux, dont le teneur s'ensuit : primes, devant la maison Jehan Wallois, en le rue des Balances, ung lion sur lequel estoit Sansse-Le-Fort. Item, au quarfour de l'Englentier, le Roy de Clacquedent. Item, en le rue de Ronville une estuves nommeez les IIII fieux Emon* (les Quatre Fils Aymon) *et y avoit personnages de hommes et femmes tout de*

_____

41. *Ibid,* BB 7 et *Inventaire imprimé des archives communales,* s.l. ni d., p. 168-264 (pour BB 8 à 11, détruits), à propos de telles fêtes à Arras.

nege. Item, en d'Ernestal, une grant femme nommée Passe-Route. Item, assez prez, un grant homme plus legier que vent, que on nomme Passe-Route. Item, au quarfour de la rue de Haizerue, ung prescheur nommé frère Galopin, et faisoit son preschement : espoir, désir et pacience. Item, devant les Loé Dieu estoit la danssse machabre où estoient en figure de nege l'Empereur, le Roy, le Mort et Manouvrier. Item, devant le porte de Miolens estoit le Roy et Paudesire (?) *et son valet. Item, en le rue de Molinel fut fait le grand seigneur de Courte-Vie, et depuis sa sépulture. Item, au goulot de l'abbeye fu fait un homme sauvage et se meschine* (servante), *qui avoit nom Margotine. Item, à le porte Saint Miquiel une bronde* (mot péjoratif désignant une sorte de folie ?) *d'entendement. Item, devant le Cat Cornu* (= auberge), *ou Grand Marchié, un nommé maistre Enguerran et son varlet Va-Li-Dire. Item, devant la Magdalene* (= l'église), *oudit Grand Marchié, estoient les VII Dormans. Item, ou querfour devant le Balaine* (= auberge), *ou Petit Marchié, le Cappitaine du Tournoy. Item, devant le Dragon* (= auberge), *le Grande Puchelle, et tout autour de le tour gens d'armes, et à l'entrée estoit Dangier. Item, devant le Bar d'Or* (= auberge) *estoit Perchehaye. Item, entre deux mai-siaux* (lépreux), *le Grand Veneur et ses chiens. Item, derrière Le Rose* (= auberge), *l'Ermite de l'Eglise. Item, à le porte de Ronville estoit Renouart. Et autres en plusieurs lieux. Et fist on de gens faisant mencion d'iceulx* [42]. Les Arrageois de 1434 niaient de cette façon les rigueurs de l'hiver et se moquaient du froid, contre lequel ils étaient presque totalement démunis, nous l'avons noté [43]. Conduite d'évasion typique qui fait perdre à la neige et à la glace leur aspect inhumain et les transforme en objets d'une fête rituelle. De la même manière, le premier janvier 1600, à Lille, *il fist une si forte gelée que l'on fit du feu, sur la rivière de la Basse-Deûle, derrière le château, qu'on y a brûlé un porc sur la glace, où estoient présens plus de cinquante personne.* En avril 1603, dans la même ville, *se fit une si rude gelée pendant huit ou nœuf jours que toutes les fontaines de la ville furent engelées; la fontaine au Change était si fort engelée*

---

42. *Ibid.*, BB 7, f° 78 v°.
43. Ci-dessus, chapitre premier.

*que vingt hommes ont dansé dessus et fait un feu de paille
sur la glace pour rôtir un porc* [44]. Réjouissances vraiment spontanées que celles-là ! Et qui chassent les dangers de l'hiver par
la joie, la danse, le feu et un repas impromptu. Mais à Arras, en
1434, il y a plus ! Nous surprenons dans les figures de neige des
fragments cristallisés de la pensée populaire, et d'autres qui
appartiennent à la culture savante. A la seconde se rapportent les
Quatre Fils Aymon, les Sept Dormants d'Ephèse, Samson sur
son Lion, gardien de la porte de Jean Wallois, échevin qui
s'enrichit en vendant des tapisseries au duc de Bourgogne [45]. La
première, elle, s'épanouit dans une joyeuse dérision et dans la
traduction de la topographie urbaine. Les hommes et les
femmes, devant les étuves, rappellent que celles-ci sont en fait
des lieux de débauche. Frère Galopin, la Danse Macabre et
l'Ermite traduisent un certain anticléricalisme populaire et l'idée
que tous sont égaux devant la mort. Celle-ci est présente d'une
façon obsédante dans la ville, comme dans les figures de neige :
le *seigneur de Courte-Vie,* le *Grand Veneur* entre deux lépreux,
la *Grande Puchelle,* qui conte l'histoire de Jeanne d'Arc brûlée
en 1431. D'autres thèmes apparaissent avec le ménage *Passe-
Route, l'homme sauvage,* le *capitaine du Tournoi, Perchehaye et
Renouard :* un ménage de géants, comme ceux qui naissent
dans le folklore urbain du temps; un couple sauvage dont
Bruegel se souviendra encore, plus d'un siècle après ; des histoires de tournois et de chevalerie; Renard et la satire — littéraire il est vrai — de la société féodale. S'y ajoute un zeste
d'impertinence envers le « roi », qui tremble aussi de froid,
envers la hiérarchie, que représente *maître Enguerrand* affublé
d'un valet *Va-Lui-Dire...* Dans l'ensemble, cette fête spontanée
de la neige évacue aussi bien les peurs réelles, du froid et de la
mort particulièrement, que les craintes nées de la sujétion aux
autorités, au roi, à l'Eglise. Comme dans la Danse Macabre
contemporaine, au cimetière des Innocents, à Paris, les valeurs
officielles, faites d'obéissance à ces puissances, sont critiquées,
par rapport à la mort qui nivelle les conditions, mais aussi par

44. E. Leclair, *art. cit.,* p. 97 et 99.
45. J. Lestocquoy, *Arras au temps jadis,* Arras, éd. de 1971,
p. 46-47.

la dérision et l'ironie, par le rire, qui « suppose que la peur est surmontée » [46]. N'oublions pas, en outre, que ces figures de neige sont contemporaines des fêtes de Carnaval-Carême, puisque le gel ne cessa que peu de temps avant Pâques 1435. On pourrait y voir une formulation originale et non codifiée des réjouissances de ce cycle. Celui-ci, nous le verrons, prenait dans les villes une importance primordiale et, de ce fait, était de plus en plus surveillé par les autorités. Comme étaient de plus en plus surveillées ce que l'on peut nommer les « fêtes » sexuelles, qui réunissaient un nombre relativement restreint de gens, spontanément et à n'importe quelle date de l'année, dans les lieux de plaisir et les *bordeaux* de la ville. Car la recherche du plaisir sexuel s'y accompagnait d'une atmosphère joyeuse, de ripailles et de danses, c'est-à-dire d'une sorte de petite fête. Les étuves, en particulier, vibraient au XVe siècle du bruit de ces réjouissances. Non seulement on s'y baignait, mais surtout on y venait chercher la compagnie des filles de joie et d'amis d'occasion. A Arras, en 1455, le mobilier des étuves de *Jérusalem* comportait une dizaine de lits, avec toute la literie nécessaire. Les échevins de la même ville, en 1450, interdisaient de coucher la nuit aux étuves avec une femme. En 1485, ils se contentaient d'ordonner que ne soient pas accueillis dans ces lieux des hommes et des femmes concubinaires et *dont l'un soit marié*. Les propriétaires des étuves du *Soleil,* du *Paon,* du *Gaughier,* de l'*Ymage de Saint Michel* recevaient le 4 janvier 1492 l'ordre de ne plus *tenir bordeaux* sous peine de cent livres d'amende. Et, le 11 avril 1550, les étuves du *Glay* étaient fermées durant quinze jours, pour *avoir souffert les josnes garchons avec les filles le Bon Vendredi durant le saint service divin* [47]. Tout prouve que l'on saisissait la moindre occasion pour « faire la fête ». Il ne semble pas que seuls les marginaux se soient adonnés à ce type de réjouissances. Les hommes, en général, fréquentaient les lieux dissolus, ou simplement les cabarets, et y trouvaient des amis et des concurrents pour de multiples jeux. Un ban lillois du 27 janvier 1422 interdit ainsi

46. M. Bakhtine, *L'œuvre de F. Rabelais...*, Paris, 1970, p. 98.
47. B. M. Arras, Ms. 1885, fiches « Etuves », septembre 1455 et 11 avril 1550; A. M. Arras, BB 38, f° 101 r°, 114 r°, 136 v°.

quinze types de jeux *tant en cabines, cabarets,* etc. [40]. Et jusqu'à la fin du XVIe siècle, malgré de semblables interdictions, les hommes passent généralement leurs dimanches loin des églises et dans une atmosphère de fête.

— 2 —

Les noces et banquets s'apparentent quelque peu au type précédent, par leurs excès, qui ont également attiré l'attention des autorités. Chaque rite de passage familial était l'occasion de grands festins qui permettaient de souder à nouveau la cohésion familiale. Les villes du Nord, à cet égard, imitèrent l'exemple des fastueux ducs de Bourgogne du XVe siècle, de leurs banquets extraordinaires, tel celui du *Faisan,* à Lille, en 1454. Selon l'adage local, *on ne vieillit point à table,* aussi multiplie-t-on les ripailles, quand les moyens financiers le permettent. Accouchements, baptêmes, mariages et enterrements sont pour tous des occasions de manger à sa faim et même au-delà. De boire à l'excès aussi : en 1614, un auteur parle du penchant des Flamandes pour le vin et la bière. Et la fête se déroule, en présence de plusieurs dizaines de convives, voire même d'une centaine et plus ! A tel point que Charles Quint, alors souverain de la Flandre et de l'Artois, tenta le 7 octobre 1531 de moraliser les fêtes et les dimanches, et ordonna en particulier de limiter les festins familiaux aux *prochains parens et amis,* et au plus à vingt personnes, et de terminer la fête le lendemain à midi au plus tard. Ceci indique que les banquets étaient habituellement démesurément longs et qu'ils accueillaient voisins, amis et parents éloignés. L'édit, d'ailleurs, ne réussit pas à transformer sur ce point les mœurs populaires. Les villes, à leur tour, cherchèrent à limiter les excès : Lille en 1549; Saint-Omer en mai 1606, qui fixe le nombre de convives des banquets de noces à vingt paires, y compris les mariés, et le nombre de repas à trois. Peine perdue ! Un nouveau règlement, en octobre 1613, est édicté par Albert et Isabelle, souverains des Pays-Bas. Il limite

48. B. M. Arras, Ms. 1885, fiches « Ferme des jeux », 27 janvier 1422 (n. st.).

à trente paires le nombre des invités aux repas de noces et interdit de prolonger les réjouissances au-delà de deux jours. Les repas d'enterrement sont supprimés. A nouveau, une résistance passive des masses empêche l'application totale de ces mesures. Au XIXᵉ siècle, par exemple, *croquer la tête du mort* se dit toujours pour les banquets funéraires, dans la région [49]. Les raisons essentielles du refus populaire à modifier les habitudes conviviales proviennent du fait que celles-ci constituent les rares moments de joie d'une existence difficile, et surtout ravivent la conscience d'appartenance à un corps de population. Recherche du plaisir dans la sécurité retrouvée : ces traits sont aussi ceux des fêtes corporatives et confraternelles, ou des réjouissances propres à un quartier.

— 3 —

Chaque corps de métier structuré organise une fête qui lui est propre. Les riches marchands de vin d'Arras se réunissent, à partir de 1430, au moins, *pour l'entretènement et à l'exsaltacion, union et commodité d'icelle marchandise,* en un banquet où ils invitent le Magistrat urbain et des marchands ou des notables n'appartenant pas à leur corps. La fête commence le premier jour du Carême, *avec ménestrez et grande joyeuseté et mélodyes,* et dure trois jours entiers, sous la houlette du *prince* des marchands de vin. Mais, en 1474, ceux-ci demandent l'autorisation de transporter leur fête au Jeudi Gras, afin, sans doute, de ne pas contaminer plus longtemps le temps du Carême par des divertissements profanes [50].

Les corps de métiers proprement populaires possédaient également leurs propres réjouissances, le jour de la fête de leur saint patron, en général. Ils participaient aussi aux grandes fêtes urbaines, ce qui nous permet de mieux comprendre leur rôle de sociétés joyeuses. A Douai, en 1530, lors d'une magnifique

49. A. Dinaux, « Habitudes conviviales... de la Flandre », *A.H.L.,* 2ᵉ série, t. II, 1838, p. 504-536. Voir aussi A. M. Arras, bans de police (BB 40, fᵒ 126 rᵒ, p.e. : ban de 1610).

50. (A. Guesnon), *op. cit.,* p. 275-276 (p. 221-222 pour la fête en 1430).

procession, chaque métier eut à charge de représenter des *histoires*. En 1531, dans la même ville, les *cayereurs* (faiseurs de chaises) durent construire à leurs frais, de concert avec les *mandelliers* (producteurs d'objets en osier), un géant, nommé *Gayant,* qu'ils exhibèrent à la fête du dimanche 18 juin 1531. En 1565 apparut la *Géande* des fruitiers, baptisée *Cagenon* au xvii⁰ siècle. Et, comme à Valenciennes, à Maubeuge, à Cambrai, les géants douaisiens, apparus peut-être vers 1480, bravèrent aux xviiᵉ et xviiiᵉ siècles les foudres de l'Eglise, qui leur reprocha de sentir *le paganisme ou le théâtre* [51].

Une méfiance identique, de la part des autorités religieuses et civiles, se manifesta à l'égard des confréries et des confraternités religieuses. Ces « institutions caractéristiques de la religion populaire médiévale » avaient recruté, avant la Réforme, la majorité de la population, et jouaient un rôle très important dans l'évacuation des tensions sociales par des festivités rituelles, tant dans les villes que dans les campagnes [52]. Festivités qui avaient un caractère à la fois profane et sacré, et qui s'exerçaient à diverses occasions, par exemple en mai, ou lors de l'anniversaire du saint patron, ou encore à l'occasion d'une *ducasse*. Les confréries dédiées à un saint étaient bien alors des « associations mi-pieuses, mi-gastronomiques », telle celle de saint Nicolas de Laon dont les statuts datent de 1382 [53]. Quant aux confréries d'archers et autres arbalétriers et canonniers, elles organisaient des concours. *L'usage est que, tous les ans, celui qui a abattu le papegai ou l'oiseau en bois fixé au haut de la perche, celui-là durant toute l'année est roi ou chef de la confrérie,* écrivait avec dégoût un chanoine de Saint-Pierre de Lille en 1587. En effet, après les exercices religieux proprement dits, avaient lieu des jeux, auxquels participaient des compagnies identiques venues d'autres localités, et qui se terminaient par des distributions de prix, des banquets, et le retour des vainqueurs chez eux *en vrais triomphateurs, à grand renfort de*

51. F. Brassart, « Fêtes communales de Douai... », *S.F.W.*, t. IX, 1869, p. 105-111.
52. J. Bossy, « The Counter-Reformation and People of Catholic Europe », *Past and Present*, mai 1970, p. 58-59 et 60-61.
53. R. Vaultier, *Le folklore pendant la guerre de Cent ans...,* Paris, 1965, p. 157-161.

chars et de chevaux. Ces fadaises, ajoutait l'irritable chanoine, coûtent des sommes inimaginables [54]. Ainsi en était-il à Péronne, à Arras, à Béthune... A Estaires (Nord, arr. Dunkerque), les statuts, rédigés à une date indéterminée, interdisaient aux confrères de blasphémer, de parler du diable, du *bren* (excréments), du gibet ou de la rage en regardant le concours. Tout autre jeu leur était défendu, ainsi que de *faire reuppes* (roter) *de sa bouche* [55]. C'était bien le moins pour une telle association ! Et tout semble indiquer que ces douces manières n'avaient point disparu au XVIe siècle, alors que les statuts ultérieurs des confréries accorderont la primauté au religieux sur le profane, et seront placés sous la stricte surveillance du curé local et de la hiérarchie ecclésiastique [56].

— 4 —

Les fêtes limitées à un quartier ou à une rue de la ville s'apparentent souvent aux banquets de noces, qu'elles imitent, à une plus vaste échelle. Elles semblent avoir été plus nombreuses à la fin du Moyen Age qu'au XVIe siècle. Elles témoignent d'une sociabilité très importante, mais aussi d'un esprit de « clocher » qui conduisait souvent à la bagarre entre gens de quartiers différents, tout comme deux villages pouvaient s'opposer entre eux. De ce fait, les autorités urbaines ont très rapidement tenté d'encadrer ou de limiter ces manifestations, afin qu'elles ne puissent nuire au sentiment d'appartenance à la communauté urbaine tout entière qui se développait alors.

Cependant, la notion de voisinage, génératrice de réjouissances topographiquement limitées, n'a certes pas aisément disparu. Un ban lillois de 1382, en interdisant les *assembleez de parrosche contre autre* et celles de *rue aucune contre autre,* ainsi que la plantation d'arbres sur la chaussée pour se réunir

54. Floris Van der Haer, *De Initiis tumultuum Belgicorum,* Douai, 1587, cité dans « Ducasses, kermesses et fêtes dans les Flandres », *S.F.W.,* t. V, 1865, p. 119-122.
55. De La Fons-Mélicocq, « Les archers... », *A.H.L.,* 3e série, t. I, 1850, p. 502.
56. J. Ferté, *La vie religieuse dans les campagnes parisiennes (1622-1695),* Paris, 1962, p. 75 suiv., 336 suiv.

à cet endroit, prouve l'existence de ces fêtes. Leur trace se retrouve à Valenciennes, en 1547. Les autorités interdisent à cette date les récréations de la Saint-Christophe, car s'y commettaient *débauchemens, folies, noises et plusieurs choses mal séantes,* dans des banquets publics organisés par *ruaiges* (quartiers) sur les rues, de jour comme de nuit. Des bandes de femmes insensées s'y rencontraient : *cela est frivoleux et fort inutil,* dit le texte, et conduit à la *dérision, bien souvent, de notre sainte religion*[57]. Et pourtant, dans la même ville, en 1520, avait été organisée une fête du quartier de *Le Sauch,* à l'occasion du retour de Charles Quint à Bruxelles. Tous les chefs de *ruages* furent conviés à venir, avec leur troupe, dans la rue de Le Sauch, où se déroulèrent joyeusetés et choses plus sérieuses. Chaque chef de quartier portait le blason de son *ruage,* ainsi qu'un titre : *sénéchal* de Le Sauch, *grand-bailli, mayeur, bailli, Roy de la beste à deux dos, maire, capitaine, soubdan, prince, amiral, souverain, marquis, châtelain, comte.* Ces quatorze titres, représentant les quartiers de la ville, imitaient joyeusement les dignités nobiliaires, et l'ordre de la Toison d'or en particulier. Noël Le Boucq, bourgeois de la ville et organisateur de la fête, avait traduit son admiration du genre de vie aristocratique et princier. Mais, en même temps, s'était introduite dans la cérémonie une idée parodique populaire, comme dans les neiges arrageoises modelées en 1434. Un peu de gauloiserie aussi, avec le *Roi de la bête à deux dos,* et beaucoup de joyeuses facéties dans le déroulement des festivités. D'ailleurs, cette fête de quartier disparut après 1566[58]. Les autorités furent-elles sensibles à son aspect impertinent envers les puissants de ce monde ? Ou préférèrent-elles mettre l'accent sur les grandes *Principautés de Plaisance* dont je parlerai plus loin ? En tout cas, les fêtes propres à un quartier ou à une rue semblent céder la place, au XVIe siècle, à des réjouissances offertes à l'ensemble de la population urbaine. Néanmoins, les bannières des quartiers, des rues et des paroisses, comme celles des corporations et des confréries, continuèrent

57. F. Brassart, « Fêtes populaires au XVIe siècle dans les villes du nord de la France », *S.F.W.,* t. XI, 1871, p. 58-60 et p. 73.
58. F. Brassart, « L'ordre du chapelet de N.D. de Le Sauch », *S.F.W.,* t. XIII, 1873, p. 158-170.

à flotter dans les grandes fêtes, dont l'une des fonctions, justement, était d'atténuer les différences au cœur de la ville. Ducasses et foires, tout d'abord, appartiennent à cette catégorie de réjouissances.

— 5 —

Selon le chroniqueur Guichardin, qui écrivait vers 1560, les *ducasses* et les *kermesses,* c'est-à-dire les fêtes anniversaires de la dédicace des églises, duraient huit jours entiers dans le nord de la France. Elles attiraient des gens venus de trente, trente-cinq ou quarante milles alentour. Une procession, qui sortait de l'église avec des chars et des *histoires,* marquait la première matinée. Puis se succédaient les banquets, les représentations de comédies, les jeux organisés par les corporations et les confréries, les exercices de rhétorique. Les derniers constituaient des divertissements *qu'on préférait à tout autre* dans ces régions, mais que des censeurs accusaient d'accoutumer *le vulgaire à parler sans raison des points capitaux de la religion, des affaires de l'Etat et surtout des devoirs du souverain,* et même de propager les religions nouvelles [59]. S'y ajoutaient les chants, les danses, ainsi que de multiples jeux : sont signalés à Arras les *barres,* les *billes,* le *blanc rosier,* la *boule,* le *briquet,* la *cache* (longue paume ?) la *choule* (balle), les *dés,* la *loterie,* la *paume,* les *portelettes* (portes), les *cartes,* l'*anette,* qui consiste à couper le cou d'une oie en lui jetant une faucille, etc. [60]. En somme, à cette occasion, se donnait libre cours le plaisir du jeu, de la fête, de l'ivresse et des banquets, alors que l'aspect religieux originel de la cérémonie s'estompait. La *ducasse* devenait une fête populaire parmi d'autres. L'autorité centrale réagit dès 1531. Charles Quint tenta sans succès de limiter les fêtes, dédicaces et kermesses à une seule journée. Philippe II, quant à lui, ordonna le 2 septembre 1588 que les dédicaces des paroisses se tiennent le même jour dans tout l'Artois, soit le

59. Ducasses, kermesses et fêtes... », *art. cit.,* p. 117-118 et 122-123.
60. B. M. Arras, Ms. 1885, fiches « Jeux divers ».

170

dimanche 7 juillet, ou le dimanche suivant, quand cette date ne correspondrait pas à un dimanche. Son but était de limiter les excès, les batailles et les homicides qui entachaient de telles festivités durant toute l'année, les gens allant facilement de dédicace en dédicace et y transportant leur violence. Ces tentatives, qui se doublent en 1601 d'un édit des Archiducs interdisant les *jeux de moralité, farches, sonnetz, dictiers, refrains, ballades,* etc., dans les Pays-Bas, témoignent des progrès de la Contre-Réforme catholique mais s'imposent difficilement aux masses. Au xviie siècle encore, dans la région parisienne, la foire de Bezons, qui se tient le dimanche suivant le 30 août (fête de saint Fiacre) est très mal vue des autorités religieuses [61]. Nul doute que les foires urbaines du xve et du xvie siècle n'aient été marquées, dans toute la France, par un mélange d'activités religieuses et profanes, comme dans les ducasses du Nord. Le sérieux de la vie quotidienne, les peurs, les tensions multiples existant dans les villes exigeaient, plus encore que dans les campagnes, une libération des énergies accumulées. Et les fêtes religieuses avaient pris cette tournure libératrice, sur le modèle de toutes les réjouissances de l'époque. Car, avant la Contre-Réforme, les hommes d'Occident ne séparaient pas clairement le sacré du profane. A part quelques esprits chagrins, nul ne s'horrifiait, ni ne criait à la profanation, devant les danses dans les cimetières, les fêtes des *Fous* dans les églises, ou la « licence » qui régnait lors des dédicaces et des foires. Pour un jour, pour quelques semaines parfois, ces dédicaces et ces foires transformaient la ville, bien qu'elle fût volontiers et de plus en plus xénophobe, en lieu d'accueil et de joie. A Douai, les criminels bannis avaient le droit de rentrer pour participer à la fête, lors de la foire de Saint-Pierre d'août (31 juillet-1er août), et surtout lors de celle de la Saint-Rémi, créée en 1344 et abolie en 1791. Un grand et bel arbre, dit le *Bannibau* (bois des bannis), était planté sur la Grand Place, le 21 septembre, et déplanté le 11 octobre. Il matérialisait la franchise dont disposaient les bannis durant cette période [62]. L'espace se faisait accueillant, le temps flottait, à l'occasion

61. J. Ferté, *op. cit.*, p. 291-293.
62. F. Brassart, « Fêtes communales de Douai... », *art. cit.*, p. 80-83 et 95-98.

des foires et des ducasses. Les rêves de bonheur des plus humbles se réalisaient pour un court instant, leur permettant d'affronter les dangers et les problèmes de la vie avec un courage renouvelé, dans une cité ragaillardie... et d'accepter d'autant plus aisément leur sujétion.

— 6 —

La participation populaire à d'autres cérémonies religieuses, à des fêtes célébrées en l'honneur du prince ou de personnages importants, renforçait encore cette sujétion, tout en donnant aux masses des modèles à imiter, et sur lesquels ironiser. Inutile de s'étendre longuement sur ce type de fêtes, qui est bien connu. Quelques indications et quelques exemples suffiront. Tout d'abord, le peuple participe en spectateur aux processions religieuses diverses, au « théâtre ambulant des clercs » [63]. Théâtre qui mêle fréquemment le sacré et le profane, la liturgie chrétienne et les croyances populaires. Les chanoines de Saint-Amé de Douai ne portent-ils pas, lors de la procession des Rogations, un dragon à queue de soie verte, avec *houpettes et fanonchiaux, cloquette de métal* au cou et clochettes à la queue ? Attesté dans les comptes de 1377-1378, ce dragon est porté par un clerc, ou par un enfant en 1540-1541 [64]. Il est vrai que les Rogations constituent « l'une des plus anciennes cérémonies agraires de l'Europe » et que les clochettes sont destinées, comme le dragon, à chasser les forces malfaisantes et à assurer la fertilité des terres [65]. Les processions du XVe siècle mélangent aisément le profane et le religieux, en de longs cortèges où se côtoient les clercs et les laïques, les femmes et les enfants, les *histoires* — théâtre muet ou non — édifiantes et celles qui le sont moins. Telle se présentait aux yeux des badauds la procession de Saint-Maurand, créée en 1480, et qui

63. J. Heers, *Fêtes, jeux et joutes...*, Paris-Montréal, 1971, p. 71.
64. « Inventaire du Trésor... Saint-Amé de Douai, 1382 à 1627 », *S.F.W.*, t. V, 1865, p. 161-162.
65. A. Van Gennep, *Manuel...*, t. I, 4, Paris, 1949, p. 1637 et 1646.

eut lieu chaque année le 16 juin, à Douai, jusqu'à sa suppression par un évêque en 1770 [66] !

Les entrées princières, les arrivées de personnages notables, les événements familiaux de la vie du souverain, les traités de paix, et de multiples autres occasions offraient également au peuple de remarquables spectacles. Les villes se paraient alors de tous leurs attraits, après avoir fait un brin de toilette en balayant les immondices et parfois en expulsant les troupeaux de porcs, voire les vagabonds et les mendiants. Des branchages et des feuilles étaient répandus dans les rues et décoraient les maisons et les églises. Toutes précautions étaient prises pour illuminer la ville la nuit, et pour éviter une surprise de la part des ennemis éventuels. Puis la fête déroulait ses fastes bien connus, émerveillant la populace, mobilisant les compagnies joyeuses du lieu qui venaient représenter des *histoires,* avec ou sans paroles, des *jeux de rimes* et des *jeux de personnages.* Le peuple s'ébattait à son tour, inondant la ville de rires, de musique, de danses et de banquets, d'inévitables batailles aussi [67]. Mais l'aspect populaire de telles festivités n'était que marginal et accessoire. Quelques miettes du grand festin des classes dirigeantes ! Par contre, les deux dernières formes de fêtes, celles des *Fous* et les grandes réjouissances du cycle de Carnaval-Carême, possédaient, au moins initialement, des caractéristiques plus nettement populaires.

— 7 —

Les fêtes burlesques, des *Innocents,* des *Anes,* des *Fous,* des *Sots,* etc., appartiennent au cycle des Douze jours, c'est-à-dire à celui qui s'organise autour de Noël et en plein cœur de l'hiver. Certains auteurs prétendent que ces fêtes sont purement d'origine cléricale, et illustrent à l'origine le thème de la fragilité de la vie humaine, puis qu'elles devinrent plus contestataires, aux alentours de 1300, et débordèrent le cadre

66. F. Brassart, « Fêtes communales de Douai... », *art. cit.,* p. 99-104.
67. H. Biehn, *op. cit.,* et A. M. Arras (ci-dessus, n. 11).

de l'église locale pour devenir de « grandes fêtes populaires » [68]. En effet, tous les observateurs avaient été frappés par les attitudes des prêtres dans les églises, entre Noël et l'Epiphanie. Masqués, ou le visage barbouillé, portant parfois des habits de femmes, ils dansaient dans le chœur de l'église pendant la messe, en chantant des couplets obscènes, en mangeant du boudin ou des saucisses sur l'autel, au nez du prêtre du lieu, en jouant aux cartes ou aux dés, en mettant dans l'encensoir des morceaux de vieilles savates, afin que se dégage une odeur nauséabonde. Après la cérémonie, ces clercs couraient, sautaient et dansaient dans toute l'église, certains se mettant même nus. Puis ils se faisaient traîner par les rues, sur des tombereaux pleins d'ordures, dont ils aspergeaient la population, en prenant des postures lascives et en disant des paroles impudiques...[69]. En fait, de tels actes se comprennent mieux si l'on fait référence aux aspects rituels et magiques des grandes fêtes paysannes que j'ai décrites. Les clercs accomplissent ici un rite de fertilité au moins autant qu'ils mettent le « monde à l'envers ».

Peu importe, finalement, l'origine de ces fêtes. A l'époque qui nous intéresse, elles sont devenues communes et banales en France, sous leur forme populaire : à Reims en 1479, à Noyon selon un *usage très ancien*, à Paris en 1444 ou en 1460. L'Eglise tente, depuis le concile de Bâle en 1435, de les faire disparaître. Le concile provincial de Rouen, en 1445, interdit les *jeux des fous* dans les églises et dans les cimetières, tout comme les statuts synodaux d'Orléans en 1525 et 1587 interdisent les danses, les chants profanes, les comédies et les spectacles dans ces mêmes lieux. L'*Aguilanneuf* (Au-Gui-l'An-Neuf) est aboli à Angers en 1595, puis à nouveau en 1668, de même que la fête des *Fous* dans le ressort du parlement de Dijon à partir du 19 janvier 1553 [70].

Essentiellement, ces fêtes burlesques reposaient sur les épaules de compagnies joyeuses, dirigées par un *évêque des Fous,* des *Sots* ou des *Anes,* ou par quelque *prince* affublé

68. J. Heers, *op. cit.,* p. 121-129. Du Tilliot, *Mémoires pour servir à l'histoire de la fête des foux...,* Lausanne et Genève, 1751, p. 7-8, proposait déjà une explication semblable.
69. Du Tilliot, *op. cit.,* p. 7 suiv.
70. *Ibid.,* p. 17-76.

d'un qualificatif de cet ordre. Le prélat ou le prince de circonstance exerçait un tyrannique mais éphémère empire sur la ville, sur le quartier ou sur l'église qu'il gouvernait. Parfois, mais non pas obligatoirement, ce personnage était un religieux, choisi parmi les plus jeunes et les plus novices. Les chanoines de Saint-Amé de Douai conservaient pour l'occasion, en 1470, *une mitre servans à l'évesque des Innocens..., estoffée de fil d'or et d'argent*, et une crosse de cuivre. En 1395 ils possédaient une *vermelle cappe despareillée qui sert à l'évesque des Asnes... et une laye là où reposent les bulles des Asnes, et comment on doibt faire le prélit, et plusieurs lettres faisant mencion de chil* (celui) *qui est par dessous l'évesque des Anes, et obéir à ses commandemens* [71]. La fête des Anes avait lieu le 1er janvier, à Douai. La veille, chacun allait recevoir ses *hiéloires* (étrennes). Le lendemain matin, on assistait aux réjouissances, qui commençaient par un défilé de chars sur la place du marché. Devant la halle, de dix heures à midi, étaient récités des *coq-à-l'âne*. Les chars parcouraient ensuite la ville, où étaient dressés des banquets. Des acteurs, groupés en associations de *Jeunes-Enfants*, d'*Enfans-Sans-Soucy*, etc., régalaient les spectateurs de représentations diverses. Un *Capitaine du Pénon*, à partir de 1493 au moins, dirigeait la jeunesse locale. Choisi généralement dans la haute bourgeoisie, il tenait sa cour le 2 janvier et offrait un grand banquet [72]. Comme on le voit, si les ecclésiastiques participaient aux festivités, il est difficile de qualifier celles-ci de religieuses ! De même, la fête des Innocents, le 28 décembre, prenait surtout une allure profane. A Lille, vers 1552 et vers 1556, des enfants et des jeunes gens, *en habis incogneuz,* parcouraient les rues, en se couvrant de cendres, en chantant des chansons dissolues et en frappant les gens et surtout les jeunes filles. Et, comme à Lyon, dont les statuts synodaux prohibèrent les jeux dans les églises, le jour des Innocents, en 1566 et 1577, de nombreuses interdictions visèrent à Lille ces débordements, si bien qu'ils cessèrent après 1564. Des ordonnances royales, en 1559, 1573

71. « Inventaire du Trésor... Saint-Amé de Douai... », *art. cit.,* p. 163-164.
72. F. Brassart, « Fêtes communales de Douai... », *art. cit.,* p. 84-89.

et 1601 étendirent même la répression à tous les Pays-Bas. On reprochait depuis longtemps aux jeunes gens et aux compagnies joyeuses de s'attaquer *presque toujours à la vie privée,* de dévoiler les malheurs domestiques, à l'instar des *abbayes de jeunesse* rurales, de faire des *dansses et assamblées de sottes ou de belles compaignies* et des danses pour *donner chappeaulx,* toutes choses que les échevins lillois avaient déjà tenté d'interdire en 1382, 1397, 1428, 1483...

En somme, la fête des Innocents met en évidence le rôle rituel de la jeunesse locale, chargée de critiquer la société à cette occasion, tout comme dans les fêtes rurales. La pression du pouvoir est cependant plus forte en ville qu'au village, témoin les tentatives pour limiter les excès, déjà citées, ainsi que l'interdiction de *farser* les princes, promulguée à Lille en 1514 puis en 1544, ou l'ordre donné aux enfants de cette ville, en 1520, de ne plus *faire de procession avant la ville* [73]. En outre, la jeunesse perd sa spécificité. Elle est de plus en plus dominée par les adultes, à Douai en 1493 avec le *Capitaine du Pénon,* comme ailleurs en France [74]. Ce nouveau climat mental urbain ne pouvait s'accommoder du caractère sexuel caractérisé des fêtes burlesques, qui étaient des survivances de cérémonies magiques paysannes destinées à assurer la fertilité de la terre et des femmes. Voyez les *Innocents* lillois promettre aux jeunes filles un mariage assuré dans l'année par la fustigation et les jets de cendres ou d'ordures [75] ! Finalement, les villes trouvèrent une sorte de parade à ces excès, avant que n'intervienne le pouvoir central, en institutionnalisant les compagnies joyeuses et en les confiant à la surveillance de bons bourgeois, à l'image de la structure hiérarchique qui existait dans les métiers, corporations et corps de population divers. Aussi est-il souvent difficile de distinguer les compagnies joyeuses des groupes de jeunes. Tous portent des noms identiques. Absence de spécificité qui révèle, au XVIᵉ et parfois déjà au XVᵉ siècle, une fusion des groupes sociaux plus avancée

73. De La Fons-Mélicocq, « Les sociétés dramatiques du Nord... », *A.H.L.*, 3ᵉ série, t. VI. 1857, p. 5-38.
74. N. Z. Davis, « The Reasons of Misrule », dans *Society and Culture in Early Modern France, op. cit.,* p. 111 et 113.
75. A. Van Gennep, *Le folklore de la Flandre...,* Paris, t. I, 1935, p. 264-266, analyse ainsi la fête des Innocents à Lille.

dans les villes que dans les villages. Ou qui traduit, tout au moins, la prédominance dans les cités d'une cascade d'imitations que l'on peut nommer sentiment d'appartenance à la ville, et qui trouve son expression la plus complète dans les fêtes complexes du cycle de Carnaval-Carême et du mois de mai.

— 8 —

Arnold Van Gennep avait signalé l'importance des réjouissances de Carnaval-Carême dans les villes du nord de la France [76]. Plus généralement, nombre de villes françaises et étrangères — songeons au Carnaval romain ou vénitien à l'époque moderne — voyaient se dérouler les fastes de cette période de licence typique [77]. Fastes qui se transformaient en *abus honteux,* selon un concile provincial rémois de 1456, dans les églises de Reims, d'Amiens, de Soissons, de Laon, de Senlis, etc, [78]. Enjambant l'époque pascale, qui semble avoir été plus proprement religieuse, surtout dans les villes, ces festivités reprenaient ensuite en mai.

La fête de la *Mère Folle* de Dijon, célébrée dès 1454 pour le moins, est sans doute l'une des plus connues du cycle de Carnaval. Une compagnie de cinq cents personnes *de toute qualité* était chargée de l'animer. Les confrères, déguisés en vignerons, parcouraient la ville sur des chariots et s'adonnaient à des satires *qui étoient comme la censure publique des mœurs de ce temps-là.* Jusqu'en 1630, date de sa suppression, cette compagnie accueillit d'importants personnages, tel le prince de Condé, en 1626, ou encore comme l'évêque de Langres. La ville de Chalon-sur-Saône possédait également sa compagnie de la *Mère Folle,* que le conseil de la ville abolit le 31 janvier 1626 [79].

A Saint-Quentin (Aisne) se déroulait, à l'époque du Carnaval,

76. *Ibid.,* t. I, p. 140-141.
77. A. Van Gennep, *Manuel..,* t. I, 3, Paris, 1947, p. 881-883 en particulier.
78. L. Lecat, *Deux siècles d'histoire en Picardie (1300-1498),* Amiens, 1971, p. 142-143.
79. Du Tilliot, *op. cit.,* p. 80-181, pour une description détaillée (iconographie intéressante).

la *course au chapels* — c'est-à-dire la course aux chapeaux de fleurs enrubannés — dont on possède la description à partir de 1586, et qui était assurément née avant cette date. Une compagnie de la jeunesse, organisée militairement, dirigée par des *capitaines* et par un *Roi de la jeunesse,* était au centre des divertissements. Cette compagnie se préparait à l'événement longtemps avant la course, et surtout le dimanche, par des cavalcades et par des déguisements. A partir de la veille du jour des Rois, ces manifestations se multipliaient. Puis arrivait le Mardi Gras. Dès l'aurore sonnaient trompettes et carillons. La Jeunesse allait à la messe en cortège, et le *Roi* faisait bénir les *chapels* par l'officiant. Le cortège, accompagné de mendiants qui réclamaient *largesse,* partait jusqu'aux murailles de la cité, hors desquelles se déroulait la course. Le vainqueur était déclaré *roi des chapels* pour un an, et rentrait en ville cérémonieusement, tel un véritable prince. Il parcourait toutes les rues, encadré des rois des deux années précédentes, précédé des capitaines, des lieutenants et des membres de la Jeunesse. Les échevins invitaient le prince fraîchement promu à un banquet, dans la grande salle du conseil. Ainsi se terminait la fête, mais la Jeunesse manifestait encore son existence à d'autres occasions : en courant la *bague* le premier dimanche du Carême, en allant offrir un cierge à la chapelle de Notre-Dame de Sissy le jour de l'Annonciation, etc. Fait notable, de telles festivités se raréfièrent à Saint-Quentin après 1618, et acquirent un aspect plus religieux et plus moral, avant de disparaître totalement au milieu du XVIIIe siècle [80].

A Aire-sur-la-Lys (Pas-de-Calais), des joutes sur l'eau furent organisées par l'*Abbé de Liesse* de la ville, de concert avec le *Prince de Jonesse,* le *Roi des Grises Barbes, l'Abbé de Jonesse,* le *Légat de Oultre l'Eawe* d'Aire et de la ville voisine de Thérouanne, le lundi 4 février 1494, début d'une semaine conduisant au dimanche Gras. Le jeu du Saint-Sacrement fut joué *à l'avant disner, à la pourcession* (procession), *par signes, et à l'après disner par parolles* [81].

80. Ch. Gomart, « La course aux Chapels à Saint-Quentin », *A.H.L.,* 2ᵉ série, t. IV, 1842, p. 431-454.
81. B. M. Arras, Ms. 1885, fiches « Jeux scéniques », 4 février 1494 (n. st.).

Transportons-nous enfin à Arras, où règne un autre *Abbé de Liesse,* dont l'existence est attestée de 1431 à 1534. Ce personnage est élu par le lieutenant de la ville, le procureur d'Artois, le mayeur, les échevins et les bourgeois notables. Il reçoit de la part des autorités des subsides très importants — cent trente livres en 1494; cent livres en 1505 [82] — pour les dépenses des festivités qu'il doit organiser et comme dédommagement pour ses déplacements vers d'autres villes, qui invitent sa compagnie à l'occasion de leurs propres fêtes. Il est en effet tenu d'offrir des banquets aux compagnies joyeuses étrangères qui participent aux réjouissances arrageoises et, d'autre part, il va à la fête du *Roi des Soz* à Lille en 1497, aux fêtes de Béthune et de Lille en 1501, à la fête du *Prince de Jonesse* de Béthune le deuxième dimanche de mai 1510, à la fête valenciennoise du *Prince de Plaisance* en mai 1521... D'autres compagnies joyeuses existent d'ailleurs à Arras, puisque le *Prince d'Amour* local est délégué en 1510 à la principauté de *Plaisance* valenciennoise, et qu'il remplace la même année l'*Abbé de Liesse,* malade, pour aller participer aux fêtes de Tournai. En somme, la capitale de l'Artois a institutionnalisé et pris en main les festivités populaires. L'*Abbé de Liesse* n'est qu'une sorte d'officier, chargé d'un chapitre particulier des activités urbaines. Il lui faut d'ailleurs être riche, malgré l'indemnité qui lui est accordée, pour faire face aux multiples obligations qui sont les siennes. Car il est le principal organisateur des fêtes du lieu. Le *Prince d'Amour,* chef d'une autre compagnie joyeuse, n'a pas son prestige : il ne reçoit de la ville que quinze livres en 1510, et remplace l'*Abbé de Liesse* au pied levé pour aller à Tournai. Ce dernier porte *chapel et crosse* d'argent doré, timbrés des armoiries de la ville, ainsi qu'un *écusson de Liesse.* Il est assisté de *compaignons, moines et confrères,* élus comme lui, et sans doute de la même manière, ainsi que d'un héraut en *cotte d'armes de damas violet.* Sa principale obligation est d'organiser la fête du samedi, dimanche et lundi Gras, qui se poursuit le dimanche suivant, et qui dure même jusqu'à la mi-Carême en 1490. Fête qui se compose

82. A titre de comparaison, tout le mobilier d'une étuve arrageoise est vendu pour 20 livres en 1455, et le pain le plus gros vaut 2 deniers (1/120ᵉ de livre) en janvier 1476.

notamment de jeux de *personnages,* de joutes et de jeux *sur cars.* Les échevins et les officiers du roi profitent de l'occasion pour dîner et souper ensemble, aux frais de la ville bien entendu, ce qui entraîne de grosses dépenses. L'atmosphère est alors au défoulement, voire à la licence, d'autant qu'il est interdit aux sergents du châtelain, en 1490 par exemple, de procéder à des arrestations durant ces fêtes. Les bans de police tentent cependant de limiter les excès. En 1494, ordre est donné à tous les étrangers venus à la fête du dimanche Gras d'abandonner leurs armes chez leur hôte; défense est faite à quiconque d'aller sur les remparts; obligation est imposée aux vagabonds de sortir de la ville sous peine de la hart. En fait, tout cela prouve plutôt que l'époque du Carnaval est marquée par des excès, comme en témoignent les violences diverses commises à cette occasion et consignées dans les registres de sentences criminelles. Pouvait-il en être autrement ? La ville est alors sillonnée par ses joyeux habitants, mais aussi par les bannis, qui rentrent à cette occasion, et par les déviants de tout acabit qui profitent d'une impunité consécutive à ces circonstances exceptionnelles. D'ailleurs, les représentants de l'ordre auraient bien du mal à réprimer les excès. Car la ville est envahie par des foules d'étrangers, de paysans, ou d'invités venus d'autres cités. Déguisements et masques, enfin, interdisent d'exercer quelque surveillance que ce soit. Violence, indiscipline, se manifestent à l'envi. A tel point que les échevins doivent préciser l'ordre du cortège joyeux qui ira au devant des invités étrangers, en 1494. Ce qui nous vaut une description des multiples compagnies joyeuses arrageoises rassemblées à l'occasion. En tête, la compagnie de l'*Abbé de Liesse,* suivie de celles du *Prince de Bon Voloir* et du *Prince de Saint-Jacques,* accueillera les compagnies joyeuses de Cambrai. Le *Roy des Lours* et le *Prince de Malespargne* iront au devant des Douaisiens, tandis que ceux de Saint-Pol et de la Cité épiscopale d'Arras verront venir à leur rencontre le même *Prince de Malespargne* et le *Prince d'Honneur.* Enfin, les gens de Béthune et de Lille seront accueillis par le *Prince des Locquebaux,* le *Prince du Bas d'Argent,* l'*Amiral de Malleduchon* et le *Maieur des Génois,* lesquelles compagnies devront se former en deux bandes, *sans noise, murmure et esclande* pour recevoir les invités des deux villes citées, si ceux-ci arrivent en même temps. Arras possède donc au moins dix compagnies joyeuses en 1494, tout comme Lyon, qui atteint 60 000 habitants, en a une vingtaine au XVIe siècle. Ces « abbayes » ne ressemblent plus guère aux *bachelleries* rurales, car elles ne sont pas uniquement formées de jeunes célibataires. En outre, elles sont de plus en plus surveillées par les autorités, qui les poussent, comme le dit un texte arrageois de 1533, à *entretenir les anchiennes et bonnes amitiés des villes prochaines* (proches) *et communication des marchands et autres gens de bien fréquentans en ceste ville.* Leur fonction se déplace, de l'organisation des fêtes populaires à l'établissement de bons rapports économiques entre les villes voisines. A cet égard, la dernière *Abbaye de Liesse* arrageoise, en 1534, est caractéristique. L'entrée à la messe, le jour du lundi Gras, est réglée comme suit, selon un ordre d'importance croissante :

1. *Prévosts des Coquins* de Cambrai et d'Arras ensemble.
2. *Prince des porteurs au sac* de Cambrai.
3. *Prince du Bas d'Argent* d'Arras.
4. *Admiral des Machons* de Cambrai.
5. *Admiral de Malleduchon* d'Arras.
6. *Prince de Sens Legier* de Cambrai, *Maire des Hideux* et *Prince de Jonesse* d'Arras.
7. *Prince des Bouchers* de Cambrai.
8. *Prince des Bouchers,* ou *Loquebaux,* d'Arras.
9. *Prince de Saint-Jacques* de Cambrai.
10. *Prince de Saint-Jacques* d'Arras.
11. *Prince des Amours* (sayetteurs) d'Arras.
12. *Prince de l'Estrille* de Douai.
13. *Prince d'Honneur* (drapiers) d'Arras.
14. *Prince de Hénin-Liétard* (Pas-de-Calais, arr. Lens).
15. *Prince de Franche Vollunté* de la Cité (d'Arras).
16. *Roy des Lours* d'Arras.
17. *Cappitaine du Pignon* de Douai.
18. *Abbé de l'Escache Prouffit* de Cambrai.
19. *Abbé de Liesse* d'Arras.

Le *Prince d'Amours* de Tournai, qui devait marcher entre celui de *Franche Vollunté* et le *Roy des Lours,* mais qui voulait entrer avec *l'Abbé de Liesse,* avant le *Cappitaine Pignon* de Douai, fit défection devant un tel affront et rentra chez lui. L'ordre établi accorde la prééminence aux compagnies spécifiquement joyeuses d'Arras, de Cambrai et de Douai, qui entrent dans l'église les dernières. Les seize premières principautés, quant à elles, sont des compagnies joyeuses secondaires, des corps de métiers surtout, et quelques organisations de jeunesse, lesquelles figurent en sixième position et n'ont plus en ville l'importance qu'elles conservent dans la vie et dans les fêtes villageoises. Par ailleurs, des querelles de préséance apparaissent. Et puis, une telle organisation devient très compliquée et très coûteuse. Adam Barbet, dernier *Abbé de Liesse* arrageois, élu le 20 décembre 1533, doit payer lui-même les habits de *ses paiges, laquais, trompettes et tambours,* et les frais de ses voyages à Douai et à Cambrai. Il abandonne vite cette charge ruineuse, que personne n'acceptera plus après lui. Le Magistrat avait évidemment d'autres moyens pour entretenir ses relations économiques avec les villes voisines. Aussi ne vit-il sans doute pas d'un mauvais œil la disparition d'une telle fête, génératrice d'excès populaires, que dénonçaient alors l'Eglise et les édits du souverain [83].

Les fêtes du cycle de Carnaval-Carême prennent aussi l'aspect d'une mise à mort de Carnaval. A Valenciennes, un mannequin représentant Mardi Gras était noyé par les *brouteux* (brouetteux), qui avaient constitué une corporation en 1522-1523. Peut-être ce rite était-il auparavant l'apanage des organisations de Jeunesse, comme le suppose Arnold Van Gennep ? Des géants étaient promenés à Douai, à Valenciennes, à Maubeuge, à Cambrai. Des sacrifices d'animaux avaient parfois lieu. A Ypres, dès 1475, la foire aux chats se tenait le deuxième mercredi de Carême. Des pots, enfilés sur des cordes placées en travers de la Place d'Armes, contenaient chacun un félin enrubanné. Les jouteurs, sur des chars, tentaient de briser ces pots à coups de poing, puis devaient enlever les rubans aux bêtes affolées et griffues. Enfin, les cordes étaient coupées et

---

83. B. M. Arras, Ms. 1885, « Jeux scéniques » pour l'ensemble de cette étude sur « l'Abbé de Liesse », et A. M. Arras, BB 38, f° 144 r°-145 r° (4 janvier 1494, n. st.).

les garnements du lieu poursuivaient les chats à coups de bâton [84].

Comparées à ces rites, les grandes fêtes proprement dites ne constituent-elles pas d'urbains gauchissements des cérémonies magiques du Carnaval-Carême rural ? Géants, bûchers et sacrifices d'animaux servent à redéfinir la communauté, de la même manière qu'à la campagne. Par contre, dans le cas des grandes fêtes urbaines, la magie a été évacuée, au profit d'un spectacle magnifique, organisé, c'est tout dire, par les autorités. La spontanéité populaire n'est plus créatrice de la totalité du phénomène et ne peut plus s'exprimer que dans un cadre imposé. Tout n'est pas possible, dans ces conditions. La licence qui règne est tolérée comme un mal nécessaire, non pas comme la manifestation autonome d'une vision du monde populaire.

A l'époque des cérémonies pascales, s'intercalent parfois des jeux et des divertissements cérémoniels appartenant au fonds commun des fêtes urbaines. Des danses, par exemple, ont lieu jusqu'en 1563, le jour de Pâques, dans l'église de Provins ou dans la cathédrale de Sens. Interdits alimentaires et sexuels s'y ajoutent, tel le rite nordiste consistant pour la femme à frapper son mari, le deuxième jour après Pâques, et pour le mari à prendre sa revanche le troisième jour [85]. Cependant, l'époque pascale ne semble pas constituer en France l'un des principaux moments des fêtes populaires urbaines. L'Eglise paraît avoir réussi à évacuer nombre de pratiques magiques, en particulier les festivals de fertilité, qui existent encore dans l'Angleterre du XVIe siècle [86]. Mais les bribes de festivités qui survivent à Pâques se relient nettement à de tels types de cérémonies. Les couples qui se fustigent mutuellement n'assurent-ils pas leur prospérité — et d'abord la fécondité de l'épouse — pour l'année nouvelle, qui commence souvent

84. A. Van Gennep, *Le folklore de la Flandre...*, t. I, p. 140-191 et A. Dinaux, « La foire aux chats, à Ypres », *A.H.L.*, 2e série, t. VI, 1847, p. 529-530.
85. A. Van Gennep, *Manuel...*, t. I, 3, Paris, 1947, p. 1381 et, du même, *Le folklore de la Flandre...*, t. I, p. 203-210.
86. G. R. Taylor, *Sex in History*, New York, 1973, p. 155. Voir également K. Thomas, *Religion and the Decline of Magic*, Londres, 1971, à propos de la religion populaire en Angleterre.

à Pâques ? Par ailleurs, le temps pascal ne voit pas se multiplier les festivités profanes à cause de sa trop grande proximité avec deux époques privilégiées de réjouissances. Celles du Carnaval se prolongent souvent pendant le Carême, nous l'avons vu. Puis débutent, en mai, d'autres fêtes importantes.

Les villes, autant que les villages, célébraient le mois de mai, et sans doute sous des formes identiques, à l'origine. Cependant, les autorités urbaines s'émurent très tôt et limitèrent ces activités, habituellement dévolues aux compagnies de Jeunesse locales. Les échevins de Lille interdisent en effet, le 17 avril 1382 — soit onze jours après Pâques — les jeux *de personnage* et *de rime,* les *assambleez de parrosche contre autre,* ou *de rue aucune contre autre.* Ils prohibent la plantation d'*arbre ou arbres aucunz en le caucié* (chaussée) *pour assamblée faire en aucune manière en ceste ville, ne* (ni) *dedens les murs et clos de ladite ville,* sous peine de soixante sous d'amende, et ceci jusqu'à la *saint Remi* (1er octobre). Un ban publié le 23 juin de la même année interdit également les assemblées et les *caroles* (danses) autour des feux *que on fera au lieu acoustumet les jours saint Jehan et saint Pierre* [87]. Dans ce cas précis, les fêtes populaires du printemps, de l'été et du début de l'automne, sont abolies. Méfiance des autorités à leur égard, et relative inadaptation de cérémonies surtout agraires au cadre urbain jouent conjointement un rôle dans cette répression. Si bien que les villes voient disparaître ou s'affaiblir, à la fin du Moyen Age, les réjouissances qui marquent les étapes du semestre le plus important de l'année pour les ruraux. Dans cet ordre d'idées, la résistance particulière des fêtes du mois de mai prouve assurément l'ancienneté et la vitalité du cycle. Cependant, un gauchissement analogue à celui qui caractérise les fêtes carnavalesques est observable, les patriciats urbains évacuant au maximum les excès et surveillant étroitement le déroulement des jeux et des festivités.

Dans le nord de la France, les réjouissances urbaines ont plutôt lieu dans le courant qu'au début du mois de mai. Tel

87. B. M. Arras, Ms. 1885, fiches « Jeux scéniques », 17 avril et 23 juin 1382.

est le cas à Béthune et à Valenciennes. Dans ces deux villes, qui s'imitèrent sans doute, la fête avait lieu le deuxième dimanche après l'Ascension, ce qui témoigne à la fois de la résistance des cérémonies anciennes de mai et d'une tentative de christianisation par assimilation. Car l'Ascension, qui dépend de la date de Pâques, se fête obligatoirement entre le 1er mai et le 4 juin, au plus tard, selon les années. Dans la plupart des cas, les *Principautés de Plaisance* béthunoises et valenciennoises avaient donc bien lieu en mai, c'est-à-dire au moment des fêtes traditionnelles de ce cycle, tout en subissant l'attraction d'une fête christologique importante. Apparaît ici la méthode traditionnelle adoptée par l'Eglise pour christianiser des fêtes païennes ou suspectes sans les supprimer brutalement.

A Valenciennes, donc, dès 1510 au moins, se tenait en mai une grandiose *Principauté de Plaisance.* Les habitants les plus notables tenaient à y figurer, groupés dans des *corps de plaisir* portant devise et bannière, sous l'autorité de chefs appelés : *Prévôt des Coquins, Prince de la Plume, Capitaine de la Joyeuse Entente, Chef des Hubins, Gardien de Dame Oiseuse,* etc. Tout nous indique que ces compagnies joyeuses étaient en fait des corps de métiers ou des corps spécialisés dans la préparation des festivités, et non pas de pures *Abbayes de Jeunesse.* Car y participer coûtait très cher et les autorités réglaient l'ordre des festivités : deux caractères contradictoires avec le recrutement large et la spontanéité des compagnies de la Jeunesse telles qu'elles fonctionnaient à la même époque en milieu rural. Et pourtant, ces fêtes organisées conservaient nombre de traits populaires, qualifiés d'excès dans les descriptions du temps. Assistons, pour nous en convaincre, à la *Principauté de Plaisance* du 12 au 14 mai 1548, à Valenciennes. Le samedi 12 arrivèrent les *têtes couronnées* burlesques des autres villes, accueillies, au son de la cloche et des carillons, par un cortège valenciennois brillant de soie et d'or. A pied ou à cheval défilaient dans l'ordre, à la rencontre de chaque compagnie étrangère invitée, les suppôts du *Prévôt des Coquins,* du *Roi des Porteurs au sac* et du *Prince de l'Estrille,* suivis d'une compagnie de quatre-vingt-dix cavaliers de la ville, puis du *Prince de Plaisance,* que suivait une garde d'honneur de vingt-sept archers de la *Confrérie de Sainte Christine*. Arrivée hors de l'enceinte, à l'extrémité de la banlieue, cette brillante procession accueillait les étrangers, les accompagnait en ville, puis repartait à la rencontre des nouveaux arrivants. Se présentèrent d'abord aux portes ceux de Condé, qu'imitèrent une demi-heure après les quatre-vingt-six cavaliers dits *Tost Tournez* du village d'Hasnon, puis ceux du village de Raismes — lieux proches, tous les trois, de Valenciennes. Arrivèrent ensuite les Lillois : treize sayetteurs, trente-huit porteurs au sac, vingt et un bouchers, dix-sept chevaliers de l'*Estrille,* marchant devant leur *Prince d'amour* et ses quarante-huit hommes. Le *Prince d'Amour* de Tournai se présenta à son tour, précédant de peu l'*Abbé des Pau Pourvus* d'Ath, costumé en pontife, accompagné de ses vingt-cinq moines et portant pour devise : *la liqueur de la vigne nous maintient en liesse.* Les soixante-douze *Etourdis* de Bouchain, à cheval, entrèrent à leur tour, suivis des *Cornuyaulx* du village de Douchy — dans la région valenciennoise — emmenés par le jeune seigneur du lieu. Le *Prince* de Denain, l'*Abbé du Plat d'Argent* du Quesnoy, et vingt cavaliers de Reims furent les derniers à pénétrer en ville.

La soirée se passa en représentations de comédies et de scènes diverses, souvent satiriques et mordantes à l'égard des puissants de l'époque. Les places et les carrefours ne se vidèrent que vers deux heures du matin. Et seul le veilleur, comme partout en Flandre, se fit entendre dans la nuit :

> *Réveillez-vous, gens qui dormez*
> *Priez Dieu pour les Trépassés.*

Le lendemain, vers neuf heures, les cloches appelèrent à l'office divin. Chaque compagnie se rendit en ordre dans l'une des églises de Valenciennes, avant de participer à un grand banquet et d'admirer les *moralités par personnages* qui furent jouées en face de l'Hôtel de ville et devant les demeures des notables. Le soir, un souper d'honneur réunit cinq cent soixante-deux convives à la halle aux laines, tandis que jouaient cinquante musiciens. Le *Prince de Plaisance* procéda à une cérémonie de lavement de mains, s'assit sur un trône, et plaça par rang d'ancienneté les *Princes* étrangers, ainsi que les notables, bourgeois et nobles de Valenciennes. Il reçut enfin des présents de la part de ses homologues des autres villes.

Le lundi 14 mai continuèrent les fêtes et les rires, entrecoupés de cérémonies burlesques. L'Abbé des *Pau Pourvus* d'Ath procéda par exemple à la bénédiction bouffonne d'un puits, derrière la halle au blé. Enfin, chaque délégation fut reconduite hors de la ville, dans le même ordre qu'à l'arrivée, au bruit des cloches et des canons, parmi les jets de deniers d'argent et les cris de : *largesse ! largesse !*

Un auteur du temps nota que l'on vit *des insolens commettre mesmement des ivrogneries et actes impudiques,* ainsi que *de grands débordements,* lors de cette *principaulté des folz.* Il concluait à la nécessité de réprimer de tels abus. Encore convient-il d'ajouter qu'en un domaine, au moins, ceux-ci devaient être limités. La fête de 1548 concerne aussi bien les nobles et les bourgeois que les classes populaires, mais exclut totalement les femmes [88]. Souvenir de l'aspect strictement masculin des compagnies de la Jeunesse ? Ou plutôt désir conscient des autorités d'éloigner celles par qui le scandale pouvait arriver ? En tout cas, l'année 1548 à Valenciennes peut être considérée comme une importante étape dans l'histoire des fêtes de cette ville, et des fêtes urbaines en général. Non seulement s'avère bridée la frénésie populaire, habituelle en de telles occasions, mais encore se précise la mainmise du patriciat sur les loisirs et sur les jeux. Car la fête de 1548 contient deux éléments nettement distincts. Elle est destinée à la consommation populaire, pourrait-on dire, tout en laissant aux masses l'illusion qu'elle leur appartient en totalité. Mais, d'autre part, elle est profondément oligarchique et patricienne. Elle imite en tous points l'entrée triomphale de l'empereur Charles Quint à Valenciennes, en 1540, comme en témoignent les processions venant accueillir les « étrangers » et l'attitude du *Prince de Plaisance* au banquet du dimanche 13 mai. Banquet qui est limité aux notables et aux compagnies joyeuses, elles-mêmes composées d'après les critères de l'argent et de la respectabilité, il faut le noter. En outre, la fête avait été

88. A. Dinaux, « Une fête... Principauté de Plaisance à Valenciennes (1548) », *A.H.L.,* 1ʳᵉ série, t. III, 1833, p. 313-338 (la source utilisée fut éditée dans *S.F.W.,* t. XI, 1871, p. 61-74).

réorganisée en 1547, après diverses interruptions, à l'initiative des couches dirigeantes de la ville, imitées en cela par celles de Lille et de Tournai, qui mirent respectivement sur pied un festin du *Prince des Fols,* le 2 juillet, et une fête du *Prince d'Amour* le 9 juillet 1547. En somme, les villes cherchent alors à resserrer leurs relations, en utilisant des fêtes « populaires » en voie de disparition : les *Rois de l'Espinette* avaient cessé d'exister en 1487, à Lille, et leur fête ne fut plus qu'intermittente, jusqu'à sa disparition en 1596. De même, l'*Abbé de Liesse* arrageois disparut en 1534. La résurgence de telles réjouissances, détachées à maints égards de leur contexte ancien, disciplinées et surveillées, placées, comme à Valenciennes, à proximité de fêtes religieuses importantes, n'est d'ailleurs qu'éphémère. Leur signification se brouille vite, puisqu'elles se situent à d'autres dates qu'auparavant et que leur contenu a évolué. De plus, elles paraissent de plus en plus dangereuses, malgré leur forme abâtardie, aux autorités, et en particulier à l'Eglise de la Contre-Réforme. Finalement, le temps des grandes fêtes populaires urbaines cède peu à peu la place à l'époque des processions spécifiquement religieuses. Change en effet, fondamentalement, la civilisation urbaine. Le pouvoir central et l'Eglise, plus puissants qu'auparavant, exigent de nouveaux conformismes.

La culture populaire urbaine du XV⁰ siècle avait résisté, tant bien que mal, aux efforts de domestication venus du patriciat et des autorités municipales. Ce duel se transforma, dès le XVI⁰ siècle, avec l'intervention de l'Etat et de l'Eglise, en un combat inégal entre tous les pouvoirs et les *superstitions* populaires urbaines. C'est dans cette optique qu'il convient maintenant de replacer le problème. Pouvons-nous apprécier ce qui survit de la culture populaire dans les villes, avant même la grande et systématique répression des XVII⁰ et XVIII⁰ siècles ?

III. De la culture populaire urbaine :
résistances et mutations

La cohérence de la culture populaire rurale réside, à la fin du Moyen Age, nous l'avons vu, dans une vision du monde animiste et magique, transmise essentiellement par les femmes, répercutée par les groupes de la Jeunesse locale et admise par tous. D'accumulations progressives de tensions en décharges joyeuses à l'occasion des fêtes, le paysan vit au rythme de la nature et du climat. Et la relative homogénéité de sa communauté empêche que ne soit brutalement et systématiquement contesté ce système de croyances, qui se veut explicatif de toutes choses. Des curés encore très proches des façons de penser de leurs ouailles, avant la Réforme tout au moins; des seigneurs qui partagent le mode de vie et les *superstitions* paysannes, ou qui s'isolent dans leur château, ou qui ne résident pas continuellement sur leurs terres; des bourgeois discrets, lorsqu'il leur arrive d'acheter des terres au village : la société environnante ne risque pas de modifier profondément, de l'extérieur, ce monde rural un peu immobile.

En ville, par contre, l'espace s'élargit, même si des murs l'entourent, et le temps s'accélère. Là résident suffisamment de nobles, d'ecclésiastiques, de bourgeois riches pour que l'on puisse parler, au choix, d'ordres ou de classes. Et les contacts avec le plat pays, avec d'autres villes, avec des étrangers, se multiplient à l'ère du capitalisme commercial. Dans ces conditions, les villes forment un monde obligatoirement accessible aux novations. Costumes, mœurs, attitudes, mentalités en témoignent. Cet esprit de mouvement, déjà ancien dans les zones très urbanisées du nord de la France, s'amplifie au XVIe siècle. Or les villes étaient nées, au Moyen Age, dans un environnement massivement rural, et avaient adopté, bon gré mal gré, nombre des traits du monde paysan. La culture populaire rurale était aussi celle des masses citadines, d'ailleurs souvent venues de la campagne, et périodiquement gonflées par l'émigration rurale, ou simplement par la masse des réfugiés en temps de guerre. Si bien qu'aux XVe et XVIe siècles, quand évoluent les structures économiques et que se renforce le mode de vie bourgeois, chaque cité porte en son sein les anciens et les nouveaux systèmes du monde. De leur heurt obligatoire naissent des révoltes, des frustrations, des types nouveaux de criminalité. Comme on peut s'en douter, les plus forts l'emporteront. Quant aux plus faibles, c'est-à-dire aux masses populaires, il leur faut s'adapter. Leur vision du monde commence à perdre de sa cohérence interne, à s'effriter. Prélude aux grandes mutations ultérieures, une dépréciation vive, qui ne devient que tardivement systématique, des *superstitions* populaires conduit, par un effort d'embrigadement des corps de population, et surtout de ceux de la Jeunesse, à une nouvelle définition du sacré, à l'amorce, en d'autres termes, d'une vaste conquête culturelle des masses.

Dépréciations de la culture populaire

La culture populaire urbaine pâtit, tout d'abord, d'une dépréciation du monde rural, qui ira s'amplifiant jusqu'à l'époque contemporaine. Une sourde hostilité réciproque existe au XVIe siècle, en France, entre les paysans et les citadins. L'œuvre célèbre du breton Noël du Fail transpose cet antagonisme au niveau littéraire, vers le milieu du XVIe siècle. Les *Propos rustiques* et les *Baliverneries d'Eutrapel* contiennent en effet une vision sociologique, propre à l'auteur évidemment, mais reflétant aussi les mutations socio-économiques de l'époque. Gaël Milin a remarquablement défini cette vision de la société, qui déprécie la bourgeoisie et le clergé, qui valorise la noblesse rurale et le passé. Dans cette optique, le paysan possède des caractères ambigus, bien qu'ils ne soient pas franchement négatifs. Noël du Fail le présente comme un être grossier, vis-à-vis du seigneur local, mais aussi comme le dépositaire de valeurs positives par rapport au monde urbain et ecclésiastique [89]. En fait, du Fail, seigneur de la Hérissaye, prêche pour sa propre paroisse, contre les forces nouvelles qui

89. Gaël Milin, « Modèles idéologiques et modèles culturels dans l'œuvre narrative de Noël du Fail », *Annales de Bretagne...,* 1974, n° 1, p. 65-104.

se révèlent plus dynamiques que la petite noblesse. Au passage, cependant, il traduit l'apparition, aussi bien chez les nobles que chez les bourgeois, d'un certain mépris de la rusticité.

D'autres indices de ce mépris existent, à propos des villes. Le paysan qui vient au marché ou aux fêtes urbaines a l'occasion de s'en rendre compte. Il est fréquemment l'objet de plaisanteries, et les citadins de toutes catégories sociales lui manifestent leur sentiment de supériorité. Trois bouchers d'Arras, en avril 1541, s'adressent à un *homme de village* qui vient vendre un veau, sur le petit marché de la ville. Ils se querellent avec lui à propos du prix demandé. L'un des bouchers menace le rustre d'un couteau, lui donne un soufflet, puis, dans un accès de colère, coupe la queue du veau. Dans la même ville, durant la nuit de *Pâques communaulx,* en 1547, un peigneur de sayette ivre se rend aux *basses rues* et demande à entrer dans la maison d'une fille de joie où boivent trois *compaignons de village,* avec la propriétaire et deux autres filles. Devant la porte close, il profère des menaces contre ces hommes, qui n'osent se risquer à l'extérieur. A ces exemples peut s'ajouter le fait que 54 victimes des 71 coupeurs de bourse jugés par les échevins d'Arras de 1528 à 1549 étaient des femmes, et pour la plupart d'entre elles des *femmes de village* [90]. A tous égards, le paysan qui se risque en ville arrive dans un monde étranger et même hostile. Les ruraux sont les cibles préférées des voleurs, car ils sont dépaysés et moins méfiants que les citadins. Faute de se sentir à l'aise, ils ne se risquent pas toujours à se défendre, même s'ils sont trois contre un ivrogne. Et sur 90 meurtres jugés à Arras de 1528 à 1549, seules deux victimes et un accusé sont nommément désignés comme des paysans, alors que le métier des accusés est connu dans 68 %, et celui des victimes dans 56 % des cas. Cette sous-représentation paysanne vient du fait que le meurtre est spécifiquement un exutoire des tensions internes arrageoises, mais sans doute aussi du refus des paysans, devant une hostilité générale à leur sujet, à se laisser entraîner dans des bagarres sévèrement jugées par les échevins. La violence paysanne est pourtant extraordinaire, à la même époque, dans les campagnes.

90. A. M. Arras, FF 3, f° 102 r°-103 v°, 165 r°-v°, etc.

Sa faible représentation dans le milieu urbain serait donc liée, si Arras ne constitue pas une exception, à un complexe d'infériorité paralysant les ruraux venus, fréquemment et en grand nombre, à la ville. En somme, la dévalorisation du paysan se marquerait déjà nettement. D'ailleurs, ce paysan n'est-il pas très facilement la proie des brigands ? La ville protectrice donne à ses habitants un sentiment de sécurité, qui accentue pour eux l'idée de l'infériorité paysanne, les campagnes étant totalement livrées aux brigands *vivant à l'advantaige,* c'est-à-dire pratiquant la technique des *chauffeurs* du xixe siècle. Une telle bande profita du Carême de 1543 pour se rendre, vers sept heures du soir, à une cense isolée, en Artois. Le censier et sa femme furent jetés à terre et menacés. Puis les bandits ont *descauchié les saulliers desdits censsier et sa femme, mis leurs piedz dedens le feu,* avant de leur faire boire des *laveures de pourcheaulx* (porcs) pour les obliger à dire où ils cachaient leurs richesses. Outrages et coups ont continué, y compris sur la personne des serviteurs. Les coffres ont été ouverts, et tous les habits et les principales richesses ont été raflés [91]. Des scènes identiques, fréquentes à l'époque, en Artois comme ailleurs, ne peuvent qu'accentuer les clivages entre les villes et les campagnes. Le genre de vie urbain étant de plus en plus original, à mesure que se développent le commerce et l'industrie, la campagne fait figure, elle, de conservatoire du passé. Ses *superstitions* sont jugées avec ironie par les citadins cultivés, ce qui contribue à affaiblir leur impact sur les masses populaires urbaines.

Ironie qui n'empêche pas le petit peuple de continuer à partager avec les ruraux une vision du monde animiste et magique, de recourir comme eux aux sorciers-guérisseurs et aux recettes médicales populaires. Mais ironie qui pénètre lentement dans toutes les consciences, creuse un fossé entre la culture savante et la culture populaire et prépare le terrain pour une reconquête — ou une conquête ? — spirituelle des masses débutant dans les enceintes urbaines. Témoignage de cette ironie, par exemple, le remède facétieux d'un clerc anonyme, contre la *grant mortalité* de novembre et décembre

91. *Ibid.,* FF 3, f° 131 r°-v° (procès du 5 mars 1544).

1433 en France, remède qui aurait été envoyé au pape ! *Primes, prendez le fiel et l'entraille de l'aymant, et le pomon d'un marbre, le nez d'un pillier de pierre, le chervelle d'une teste d'une cuignié* (cognée), *le moulle d'un barrel de fer, du sain de sablon, les mamelles d'un pinche...; tout broyé ensemble en ung mortier de voire* (verre), *d'un pestel* (pilon) *d'achier bien fort, et puis le destemprez de lait de nourriche qui oncques* (jamais) *n'ait vessy* (vessé), *et le ferés boulir en ung vaissel* (vase) *de glaiche, au feu de grofil* (groffiller = grogner), *et aprez le portés reffroidir en un thamis, dedens un chauffour, et puis le mettez en ung voire* (verre) *de cuir boully bien cler, et au vespre, quant vous serez couchié, gardez que vous soiiez couvert de rost* (chaleur brûlante ?) *ou d'esteulle* (paille), *pour vous garder de le pleuve* (pluie) *qui vient aprez le vent de minuit, et ne vous esveillez point en dormant, mais le buvez tout à une alaine* (haleine); *et sachiez, se ainsi le ferés, vous vous trouverez, se vous n'estes perdus, sains ou sainte... Che fu esprouvé par nuit sans candaille* (chandelle), *en sonjant* (songeant); *et ne say pour qui; et fu donné sans retollir* (reprendre) *à pis, au mois d'aoust, le jour de Noël, au matin à nonne, trois heures aprez jour faillant, par un compaignon gallant* [92]. La médecine populaire est assurément visée par l'auteur de ce texte. Il égratigne au passage nombre de gens cultivés du temps qui croyaient à l'efficacité de semblables remèdes, et même les véritables médecins, dont la science rudimentaire n'était pas encore tellement éloignée des préjugés du peuple. La facétie ne réside pourtant nullement dans la structure du document, fidèlement copiée sur celle des remèdes alors en usage. Après tout, un guérisseur, et surtout une sorcière, auraient pu tenir un discours identique, basé sur des rites précis, accomplis la nuit et à certains moments privilégiés de l'année. L'ironie n'apparaît que dans les liaisons totalement aberrantes entre les mots : outils et pierres doués d'une vie humaine, c'est-à-dire d'une âme; remarques sans queue ni tête; notion du chaud refroidi par le chaud; appréciation du temps devenue totalement incohérente, etc. Encore ces liaisons aberrantes le sont-elles plus pour nous que pour les contemporains. Car, au fond, le

92. A. M. Arras, BB 7, f° 74 v°-75 r°.

clerc parle des rapports du microcosme humain avec les choses inanimées, d'une logique non rationnelle, du principe magique selon lequel le semblable annule — ou attire — le semblable, des moments privilégiés de l'année et de la journée : toutes choses que nous avons vues à l'œuvre dans la culture populaire rurale. Son discours est donc parfaitement branché sur les principes fondamentaux de la vision du monde populaire. Simplement, en poussant ces principes à l'extrême, en désorganisant la cohérence interne du système qu'ils fondent, le clerc ironique exorcise une pensée qu'il connaît très bien et qu'il rejette. Il nous parle du heurt de deux cultures, mais aussi, et sans le vouloir, de la vitalité du système qu'il dénonce. Il faut dire que ses propos ont de nombreux échos dans le milieu urbain, à la Cour, ou chez les clercs, mais qu'une offensive concertée et de grande ampleur contre la culture populaire n'est pas encore déclenchée. La lutte contre celle-ci est déjà sévère, mais les adversaires se présentent en ordre dispersé.

Les plus virulents, depuis longtemps déjà, sont les prêcheurs, et en particulier les membres des ordres religieux, dont le terrain d'action est surtout urbain. Les superstitions et les péchés du peuple constituent leurs thèmes favoris. Ainsi le carme Thomas Connecte parcourut-il, sur un petit mulet, la Flandre et le Hainaut en 1428 et en 1429. A Douai, en célébrant la messe de minuit, le 24 décembre 1428, il stigmatisa l'ivrognerie des bourgeois et la coquetterie des femmes. Il obtint en février 1429, à Valenciennes, un autodafé des atours et des *hennins* (coiffures hautes et coniques) féminins, des souliers à longue pointe dits *à la poulaine,* et des cartes, dés et autres tables à jouer [93]. Il prêcha à Arras en février 1429, disant la messe sur une sorte d'échafaud et pérorant durant quatre ou cinq heures devant 30 à 40 000 personnes à la fois, selon les documents, qui ajoutent que *par sa remonstrance les dames et demoiselles mirent jus* (bas) *les grans cornes* (= hennins) *que lors portoient, et en y ot plusieurs qui les*

93. *La chronique d'Enguerrand de Monstrelet (1400-1444),* publiée par Douet d'Arcq, Paris, 1857-1862, vol. 2, p. 39.

bailloient pour ardoir (brûler); *furent arses à la porte de Cité, devant le boucherie, et sy* (aussi) *furent ars grant cantité de tabliers, et en fu le peupple très content* [94]. Etaient particulièrement visés, lors de cette croisade qui atteignit Cambrai, Tournai, Thérouanne, etc., le luxe vestimentaire, les mœurs, et les jeux. Thomas Connecte œuvrait notamment à l'époque des fêtes des *Fous* et des réjouissances de Carnaval-Carême. Son action fut efficace sur le moment. Mais, comme dans toutes les villes françaises de la même période, les masses retombaient rapidement dans les mêmes *erreurs*, jusqu'à ce que se présente un nouveau prêcheur. Un règlement lillois de 1459 signale que *la plus saine partie du Carême se passoit en joustes et esbatemens, partie en Lille, partie en Bruges, Valenciennes, Ipres, Tournay et aultres lieux selon que l'occasion s'offroit* [95], à peine une génération après la « croisade » de Thomas Connecte dans la même région. De ce fait, les villes françaises du xve siècle virent défiler de nombreux prédicateurs passionnés, dont le zèle n'avait d'égal que la force de résistance des mœurs et des comportements qu'ils fustigeaient. L'océan des superstitions reculait, devant la parole divine, puis déferlait à nouveau après le départ des hommes de Dieu. Il n'est cependant pas douteux que l'action des prédicants n'ait contribué, au moins, à élargir le fossé entre la culture savante et la culture populaire. Le discours religieux, axé sur la crainte de Dieu, et sur celle d'un diable omniprésent dans le monde, culpabilisait les foules sur le moment et créait des traumatismes que raviveraient d'autres prêcheurs. Il proposait un modèle de sainteté tellement difficile à atteindre, pour le commun des mortels, qu'il laissait un peu ceux-ci suspendus entre un idéal orthodoxe et une pratique quotidienne magique et animiste. Les ponts étaient de plus en plus étroits entre le christianisme des élites et le christianisme-magisme-animisme des masses. Et puis, avec la Réforme et la Contre-Réforme, le premier entreprit de détruire le second. Les prêches, les missions, les interventions ecclésiastiques se firent de plus en plus nombreux au xvie siècle et surtout au xviie siècle, refoulant les traits principaux de la

94. A. M. Arras, BB 7, f° 23 r° (février 1429, n. st.).
95. B. M. Lille, Ms. 440, f° 150 v°.

culture populaire. Mais ceci est une autre histoire, une rupture culturelle que conte la seconde partie de ce livre. En attendant que l'Eglise n'entreprenne cet immense effort coordonné et incessant, les prêcheurs du XVᵉ et du XVIᵉ siècle, qui agissaient dans le même sens, avaient affaire à forte partie. Il ne faut pas juger leur impact sur les masses urbaines à l'aune de leur lyrisme ou de leur virulence. Qu'ils aient préparé le terrain pour la grande lutte finale, soit ! Mais leur violence, leur agressivité, leur grossièreté même, témoignent de l'importance des résistances qu'ils rencontrèrent. Le franciscain Philippe Bosquier, né à Mons en Hainaut en 1561 et mort en 1636, publia en 1600, à Paris, des *Sermons sur la parabole du prodigue évangélique,* qui contiennent un violent réquisitoire contre les femmes et contre les fêtes, ces deux éléments primordiaux de la culture populaire. Les premières sont nommées *ces primprenelles, vrayes clystères de bourses, vrayes harpyes et sangsues, vous rongeant ces folastres et pauvres muguets jusques aux os et les réduisant jusques à la caymanderie, jusques à la chemise nouée sur le dos.* Parlant des fêtes antiques, le Père Bosquier ne décrit-il pas certains rites populaires des réjouissances de l'hiver, qu'il a pu observer ? *L'idolâtrie étoit pure paillardise en ses fêtes et sacrifices comme en ses dieux et déesses, desquels je n'en trouve nuls qui ne furent ou putiers ou putains... Je n'oseroye déboucher en vulgaire les impudicitez des festes de Faunus, ny des festes saturnales et florales, solemnisées par putains toutes nues et par hommes enfarinez de mesme...* [96]. Le moins que l'on puisse dire est que les fêtes des *Fous,* ou celles du Carnaval, ne devaient pas avoir bonne presse auprès de cet humaniste franciscain ! Tout comme l'ensemble des fêtes, des comportements et des superstitions populaires était devenu de plus en plus suspect aux patriciats urbains, beaucoup plus sensibles que les autres citadins aux leçons religieuses et morales ainsi assénées.

Les autorités urbaines, et le patriciat qu'elles représentaient, avaient d'ailleurs tout intérêt à écouter ces savantes leçons. Car,

96. G. Brunet, « Les sermons du Père Bosquier », *A.H.L.,* 3ᵉ série, t. IV, 1854, p. 460-461.

avant qu'Henri IV ne commence à brider sérieusement les cités, ces dernières appartenaient corps et âme à une oligarchie désireuse de faire respecter l'ordre — son ordre — et ses intérêts. Or si le marché du travail et la vie sociale normale étaient bien surveillés, par l'exercice de la justice, par l'organisation de toute la population en corps disciplinés, par l'expulsion ou la mise à l'écart des déviants et des individus dangereux, il n'en allait pas toujours de même des moments de fêtes, et plus encore des mentalités individuelles. Ces dernières s'avéraient rétives à des formes complètes d'embrigadement. Il n'était pas aisé de modifier les superstitions, les croyances, en un mot la vision du monde populaire. Tout au plus pouvait-on s'attaquer aux attitudes individuelles et collectives. Ce que firent les autorités urbaines ou royales, avec plus ou moins de succès. Au chapitre des attitudes individuelles, fut tentée une surveillance accrue des mœurs, des corps et des âmes, qui ne porta que lentement ses fruits, et ne se systématisa qu'entre le XVIe siècle et la fin de l'époque moderne. Aussi réserverai-je ce point pour un chapitre ultérieur. Par contre, les attitudes populaires collectives offraient plus de prise à la surveillance et à la répression. Les divers types de fêtes, précédemment étudiés, furent l'objet d'interdictions et de limitations diverses, qui se révélèrent efficaces dès la fin du XVe siècle parfois, et en tout cas au XVIe siècle, en général. Un pan entier de la culture populaire s'effondrait ou se modifiait sous les coups des autorités, relayant la dépréciation par les clercs des *excès* et des *abus*. Le phénomène paraît avoir été plus marqué dans le Nord que dans le reste de la France, car les villes y étaient aux mains de patriciats très puissants, et les souverains — alors espagnols — de la région développèrent dès le XVIe siècle une Contre-Réforme conquérante, qui s'installa plus tardivement dans le royaume de France proprement dit.

Divers traits répressifs étaient déjà apparus dans la description des fêtes populaires. Il importe maintenant d'en éclairer le développement chronologique. Car peu importe qu'un ban lillois de 1382 interdise les jeux, les assemblées de paroisses, la plantation de *mais* et les danses autour des feux de la Saint-Jean, puisqu'il n'est pas réellement suivi d'effet et qu'il faut le renouveler, le préciser et y ajouter des variantes, en

1397, en 1428, en 1483, en 1514, en 1520, en 1544, en 1552, en 1559, en 1573, en 1585, en 1601 [97]. Par contre, le renouvellement fréquent, surtout au XVIe siècle, de ces interdictions indique l'acharnement que met le Magistrat lillois, appuyé puis relayé par le souverain dès 1559, à vouloir contrôler étroitement les loisirs populaires. Contrôler, et non pas totalement faire disparaître ceux-ci. Car les patriciens savent bien que les fêtes sont des exutoires aux tensions accumulées, qu'elles exercent sur le corps social une action thérapeutique. Ne détournent-elles pas l'attention des réalités, des difficultés matérielles des masses ? Ne déchargent-elles pas la violence, qui pourrait s'accumuler et s'exercer en révolte ouverte contre les autorités, et qui se diffuse au contraire dans tout le corps social ? Mais justement, cette violence s'exprime par les bagarres, les meurtres, les viols, l'abus des boissons alcoolisées, le défoulement verbal et trivial... Les autorités urbaines sont prises, on le voit, entre la nécessité de conserver des périodes de fêtes et le désir d'éviter les abus. Elles réagissent souvent au gré des circonstances, au XVe siècle du moins. Cette contradiction majeure ne commence à s'estomper qu'avec le développement d'un nouveau climat de religiosité et avec l'intervention croissante du souverain dans la vie urbaine. Pour l'Eglise tridentine comme pour le roi, qui se veut absolu, les fêtes sont toutes des périodes de désordre et d'excès, qu'il faut interdire, ou très étroitement intégrer dans des cadres d'orthodoxie et d'obéissance. L'Eglise fait confiance à ses milices religieuses, le roi à ses officiers et à ses représentants, pour embrigader les masses et leur imposer le respect de l'ordre et de la discipline. Confortées par ces appuis solides, les autorités urbaines admettent peu à peu que les fêtes sont inutiles ou dangereuses, et qu'elles doivent d'abord être chrétiennes. La tolérance qui existait à propos des réjouissances populaires, considérées comme un moyen de gouvernement de la ville, se brise au cours du XVIe siècle. Les fêtes spontanées deviennent plus rares. Les banquets familiaux sont de plus en plus réglementés, ainsi que les fêtes de rues ou de quartiers et les ducasses. La religion envahit de

97. De la Fons-Mélicocq, « Les sociétés dramatiques du Nord... », *A.H.L.*, 3e série, t. VI, 1857, p. 5-38.

plus en plus les réunions confraternelles. Les fêtes burlesques sont frappées d'interdit absolu. Enfin, les grandes fêtes urbaines, autrefois reliées aux cycles saisonniers principaux, perdent la plupart de leurs caractères et se transforment en spectacles pour la populace, au lieu d'associer chacun à l'action. Les villes du Nord se singularisent par la précocité de ce mouvement systématique. Car Charles Quint et Philippe II, souverains espagnols successifs de la région, imposent une sévère répression de l'hérésie protestante et, de ce fait, surveillent attentivement la société urbaine. On note d'ailleurs la naissance, à partir de 1525, d'une organisation centralisée de l'assistance aux pauvres [98], qui n'est qu'une des formes d'un nouvel encadrement des villes. Un édit impérial de 1531, déjà, limitait les ducasses à un seul jour, les noces à un jour et demi — avec, au plus, vingt participants —, interdisait de rechercher des parrains et des marraines *pour en avoir ou recevoir présent ou prouffit,* défendait la création ou l'existence de cabarets hors des villes ou à l'écart des lieux habités, exigeait la fermeture des cabarets les dimanches et les jours de fêtes à l'heure de la grande messe ou des vêpres, interdisait aux ivrognes l'accès aux offices publics. Les villes en profitèrent pour publier des règlements locaux visant les mêmes excès, et d'autres abus encore, nous l'avons noté. Mais la force de l'habitude et la résistance passive des masses empêchèrent la parfaite réussite de ces stipulations. Philippe II revint à la charge, par une ordonnance de 1560, en interdisant à tous de *chanter, ou jouer, faire divulguer, chanter, ou jouer publicquement, en compaignie, ou en secret, aulcunes farces, ballades, chansons, comédies, refrains, ou aultres semblables escriptz, de quelque matière ou en quelque langaige que ce soit, tant vieulx que nouveaulx, esquelz soyent meslées aulcunes questions, propositions ou faitz concernant nostre relligion, ou les personnes ecclésiasticques...* Quant aux *moralités* et *aultres choses, qui se font, ou jouent, à l'honneur de Dieu ou de ses Sainctz, ou pour réjouyssance et récréation honneste du peuple,* elles devront obtenir au préalable l'aval du *principal curé, officier ou magistrat du lieu.* Sont expressément interdits,

98. J.-P. Gutton, *La société et les pauvres en Europe* (XVIᵉ-XVIIIᵉ siècles), Paris, 1974, p. 103-105.

s'ils contiennent *chose quy puist schandaliser, les jeux muetz, que l'on appelle remonstrances ou représentations par personnaiges.* Prise au pied de la lettre, cette ordonnance aurait dû avoir pour effet de faire totalement disparaître les fêtes burlesques et de modifier profondément les réjouissances populaires à toutes les autres occasions. Le texte contenait d'ailleurs la raison principale de sa promulgation, qui était d'empêcher que le *commun peuple* ne soit *mal édiffié, séduict et déceu...; et, pour aultant que par cy-devant n'estant le monde si corrompu, ne les erreurs si grans qu'ilz sont présentement, l'on n'a prins de si près regard à yceulx jeux, farces, chansons, refrains, ballades et dictiers, comme le convient au temps présent, ouquel les mauvaises et damnables sectes, de jour en jour, pullulent et s'accroissent davantaige.* On ne saurait mieux, ni plus clairement, formuler l'objet de la législation nouvelle ! Qu'elle n'ait pas réussi à modifier brutalement ni totalement des habitudes populaires invétérées n'est pas douteux. Mais son application obstinée, bien qu'inégale selon les lieux et parfois suspendue durant un certain temps, devait se révéler payante. Les contrevenants s'exposaient à de lourdes amendes, ou à des peines infamantes. En 1563, sept hommes, accusés d'avoir représenté sur une place publique le *jeu du veau d'or* sans la permission des autorités, étaient conduits, tête et pieds nus, en chemise, une torche ardente de six livres en mains, à l'église Saint-Etienne de Lille pour y demander à genoux pardon de leurs fautes, avant d'être ramenés en prison, d'où ils seraient extraits, le dimanche suivant, pour faire à nouveau amende honorable. Doit-on s'étonner, dans ces conditions, si la course des Innocents, par exemple, disparaît à partir de 1564 à Lille [99] ? Le théâtre populaire cède la place à celui des élèves de jésuites. Une atmosphère de peur, de suspicion, de délation, envahit les villes. Le citadin, comme Rabelais à la fin de sa vie, voit s'assombrir l'horizon, et apprend lentement à se conformer, en matière de loisirs et de jeux, aux volontés des puissants. A la fin du xvie siècle, l'évolution est très avancée dans les cités septentrionales. Les ordonnances répressives se multiplient. A Arras, il est défendu

99. Textes dans A. Dinaux, « Habitudes conviviales... », *art. cit.*, p. 515-516 et dans De la Fons-Mélicocq, « Les sociétés dramatiques... », *art. cit.*, p. 29-31 et p. 35.

à tous, en 1597, de se promener sur les marchés durant le service divin, les dimanches et les jours de fête, sous peine de soixante sous d'amende. Les échevins, dans la même ville, interdisent en 1593 de *ne danser du soir, à chanson ny aultrement, par les rues,* à peine de dix sous d'amende, payables par les parents ou par les maîtres si les coupables sont des enfants ou des serviteurs. L'amende est portée à soixante sous en 1598, avec défense *de faire danses, esbatz, masquerades et assamblés publicques avant les rues, tant de jour que de nuict, et que chascun ait à se comporter en toute modestie.* Sans doute ceci concerne-t-il la préparation d'une procession. Mais en 1610 reparaît l'interdiction de se masquer, ainsi que d'aller par les rues sans lumière *après la cloche lâchée,* et s'y ajoute l'obligation pour les cabaretiers de fermer à neuf heures du soir. Les jeux d'enfants sont prohibés, dans la même ville, à la fin du XVIᵉ siècle. Qui mieux est, les spectateurs seraient passibles de la même amende que les coupables de *jus* (jeux) *de biquetz, battes ou croches,* ou ceux qui se récréent *aux noix ny aux semblable jeux à l'argent.* Les autorités refoulent les joueurs des rues, des places, des marchés, des remparts, où ils s'ébattaient auparavant. Elles surveillent désormais attentivement les loisirs de tous. A Arras, encore, des comédiens français reçoivent en 1602, après examen de leurs pièces par des prêtres, le droit de *donner quelque relâche au peuple, de quelques honnestes récréations, pour peu de jours, à certaines heures.* Ils jouent du 24 au 27 juillet 1602, les jours ouvrables, de trois à cinq heures, quand ne se célèbre pas le service divin. Et le 22 septembre 1604, les élèves des jésuites arrageois interprètent *Mucius Scaevola,* à l'occasion de l'entrée dans la ville du nouveau gouverneur d'Artois [100]. Lentement se défait un vieux monde, lentement s'étiole la fête populaire. Commence en effet un mouvement de contrainte des corps et de soumission des âmes qui ira s'accélérant au siècle de la Raison et à l'époque des Lumières. Déjà, à la fin du XVIᵉ siècle, et sur le modèle des cités septentrionales, il devient difficile de rire et de jouer dans les villes françaises. L'offensive se prépare un peu partout,

100. B. M. Arras, Ms. 1885, fiches « Jeux scéniques » et A. M. Arras, BB 40, fᵒ 104 rᵒ (1593), 106 rᵒ (1597), 108 rᵒ (1598), 110 rᵒ (fin XVIᵉ s.), 126 rᵒ (1610).

même si les désordres de l'époque des guerres de Religion ne permettent pas au roi et à l'Eglise de conjuguer leurs efforts aussi efficacement que dans les Pays-Bas espagnols. Témoin, les statuts synodaux de Lyon, vers 1566-1577, qui défendent, sous peine d'excommunication, que *ès jours de fête des Innocens et aultres, l'on ne souffre ès églises jouer jeux, tragédies, farces et exhiber spectacles ridicules avec masques, armes et tambourins* [101]. Doit-on s'en étonner ? La reprise en main des masses catholiques passait d'abord par la sujétion des villes à l'orthodoxie religieuse. Le roi, lui, devait faire des citadins des sujets obéissants, s'il voulait devenir un roi absolu. Et les autorités urbaines n'avaient nul intérêt à défendre les masses qui les effrayaient contre une centralisation qui ne leur plaisait pourtant pas toujours. Des dépréciations multiples de la culture populaire, en ses fêtes et en ses jeux comme dans ses autres caractéristiques, étaient à l'œuvre depuis longtemps. Simplement, elles se conjuguent à partir du milieu du XVIe siècle. De nouvelles définitions de l'homme, sujet soumis et bon catholique réprimant ses pulsions, aboutissent au mépris des marginaux et des pauvres et à l'encadrement systématique de chaque individu, de chaque groupe social. La ville connaît plus vite ce phénomène que la campagne. La culture populaire, qui s'y meut en vase clos, sous l'œil des dominants, devient elle-même méprisable, voire sujet d'horreur, pour les esprits les plus religieux. L'heure de son déclin a sonné au cadran des horloges tridentines, absolutistes et patriciennes. De dépréciation en dépréciation disparaissent les fêtes et les jeux. Mais ce ne sont là que les parties visibles d'une déstructuration de la vision du monde populaire. Socialement, l'effort d'embrigadement des masses doit passer par la dévalorisation des femmes et surtout des groupes organisés de la Jeunesse.

Dévalorisation des femmes et des groupes de Jeunesse

Point n'est besoin d'insister longuement sur la dépréciation de la condition féminine, en France, avant une époque très

---

101. Cité par De la Fons-Mélicocq, « Les sociétés dramatiques... », *art. cit.*, p. 29.

récente ! Les clercs ont à l'égard de la femme un préjugé défavorable, qui s'accentue encore à l'époque de la Renaissance, malgré le très littéraire féminisme apparu dans les villes françaises vers le milieu du XVIᵉ siècle. En outre, la femme des villes semble être plus dévalorisée que son homologue rurale, dont la condition sociale n'est pourtant pas tellement brillante, nous l'avons vu. Plus dévalorisée parce que l'objet d'attaques incessantes de la part des prêcheurs, qui voient en elle la source de tous les péchés. Frère Thomas Connecte, qui attaquait les toilettes féminines, et le Père Bosquier, dont la parole se chargeait d'invectives à propos des femmes, n'étaient nullement des exceptions. Le thème de la frivolité féminine faisait les délices des pieux ecclésiastiques tridentins. Et l'anecdote anversoise suivante aurait pu se rapporter à n'importe quelle ville du monde catholique. Une jeune fille riche d'Anvers, coquette et voluptueuse, se fâcha en voyant ses collets mal empesés, alors qu'elle s'habillait pour se rendre à des noces, le 27 mai 1582. Elle jura Dieu qu'elle préférait que le diable l'emporte plutôt que d'y aller dans cette tenue. Le diable se présenta, en amoureux portant des fraises bien empesées, puis lui tordit le cou. Six hommes forts ne purent lever le cercueil de la morte, d'où sortit un chat noir. Mesdames, modérez donc votre luxe vestimentaire ! Car celui-ci n'est destiné qu'à *tromper, piper et émouvoir à la volupté la plus grande part des hommes* [102]. Ce petit catéchisme social fut au moins entendu par... de nombreux hommes. Et la citadine se dévalua lentement. Les écoles « primaires » lui furent bien ouvertes — dès le XVIᵉ siècle dans le Nord. Mais y régna une stricte ségrégation des sexes. Et, au-delà de l'apprentissage rudimentaire de la lecture et de l'écriture, très inégal selon les régions, d'ailleurs, la femme n'accédait pas en général à l'instruction. Un fossé d'autant plus profond se creusa donc, entre le sexe masculin, dont une élite monopolisait la culture écrite, et le sexe féminin, confiné aux abécédaires et à la culture orale. Le mépris envers les femmes se renforça en milieu urbain. Ainsi que l'écrivait un moine de Clairvaux en 1544, la femme est *de cueur et voulloir vain, terrestre, charnel*

---

102. « Discours miraculeux... », *A.H.L.*, 2ᵉ série, t. III, 1841, p. 536-541.

et mondain [103]. Rien de nouveau sous le soleil, dira-t-on ! Voire !
L'une des conséquences principales d'une telle dévalorisation,
amplifiée par les clercs, par les autorités, par les juges, par les
maîtres d'école, fut de couper la culture populaire urbaine de
ses racines. Le rôle fondamental de la femme, qui recueillait et
transmettait cette culture, déclina. Plus précisément, cette
culture elle-même subit la contamination de la dévalorisation
féminine. Les « histoires de bonnes femmes » pouvaient-elles
encore être facilement prises au sérieux par les fils, les époux
et les pères ? Et même si cela était, pouvait-on en faire publiquement état sans s'exposer aux lazzis ou à la violence
répressive ? En ce sens, la dévalorisation accélérée de la femme,
à l'époque moderne, fut l'un des principaux moyens utilisés
— consciemment ou non, peu importe — pour affaiblir la
culture populaire urbaine. Les structures sociales, par ailleurs,
étaient favorables en ville à un tel affaiblissement. La vie se
passait surtout hors de la famille, dans les corps multiples de
population, qui avaient fréquemment un caractère unisexuel.
L'influence des femmes était plus lointaine, plus diffuse, plus
combattue qu'à la campagne. Les fêtes de rues ou de quartiers
constituaient pourtant un équivalent des veillées rurales. Mais,
justement, les autorités limitaient les réjouissances de ce genre.
Quant aux grandes fêtes, elles ne permettaient pas d'enraciner
l'influence féminine, car elles s'adressaient à une foule trop
nombreuse, et devenaient de plus en plus des spectacles, et même,
comme à Valenciennes en 1548, excluaient parfois purement et
simplement les femmes. Il restait à ces dernières les relations
de voisinage et l'exutoire des révoltes strictement féminines.
Les *émotions* frumentaires de ce type ne sont pas rares dans les
villes du XVIe siècle, les femmes s'assemblant et pillant les
greniers à blé, puis se dispersant rapidement. D'autre part, les
citadines jouent un grand rôle dans des révoltes religieuses
catholiques ou protestantes, à la même époque. Elles y agissent
en apparence de façon désordonnée. En fait, leur attitude
n'est-elle pas plutôt issue du souvenir déformé de leur rôle
antérieur, rituel, purificateur, culturel en un mot ? A leurs
côtés, dans les mêmes révoltes, les garçons de dix-douze ans

103. B. M. Lille, Ms. 161, f° 4 v°.

agissent aussi comme la « conscience de la communauté en matière de discorde domestique » [104].

Les adolescents, comme les femmes, ne conservent plus dans les villes qu'une infime partie de leur rôle culturel antérieur. A la campagne, au même moment, s'affirme l'importance des *royaumes de Jeunesse,* des *bachelleries* de l'Ouest, des *abbayes de Jeunesse* du Midi et de la Bourgogne. En ville survivent des institutions semblables, à première vue, mais dont la structure et les fonctions ont été profondément modifiées, par imitation des autres corps de population, et en particulier des confréries et des corps de métiers. Aussi est-il parfois très malaisé de distinguer les groupes de Jeunesse urbains des autres organisations. Arnold Van Gennep lui-même, induit en erreur par ses sources, cite comme associations de Jeunesse, pour les villes du Nord et du Pas-de-Calais actuels, des corps spécialisés dans la préparation des fêtes : l'*Abbé de Liesse* d'Arras ou le *Prince de Plaisance* de Valenciennes; des corporations aussi : le *Prince d'Amour* (sayetteurs) et le *Prince d'Honneur* (drapiers) d'Arras... [105]. Quant aux véritables organisations de la Jeunesse, elles groupent bien des adolescents de la ville, mais pas uniquement. S'y intègrent des célibataires âgés et même des hommes mariés. Surtout, le groupe ainsi constitué s'organise sur des modèles militaires, fournis par les compagnies d'archers ou de canonniers qui existent dans chaque ville. Nous avons déjà rencontré le *Capitaine du Pénon* de Douai, en 1493 ou le *Roi des Chapels* à Saint-Quentin en 1586, qui appartenaient clairement à cette catégorie de corps dominés par des adultes, et même par de riches bourgeois. Les fêtes burlesques des Innocents ou des Fous, et les grandes réjouissances urbaines, à l'époque du Carnaval notamment, faisaient évidemment place à la jeunesse. Mais celle-ci, dans la plupart des exemples que j'ai cités, ne jouait pas un rôle moteur ou autonome. Ce qui permet de rejoindre les hypothèses de Van Gennep et les

104. Cf. N. Z. Davis, « The Rites of Violence », dans *Society and Culture in Early Modern France, op. cit.,* p. 182-183.
105. A. Van Gennep, *Manuel...,* t. I, 1, Paris, 1943, p. 205-206. Comparer cette liste avec celles que je propose dans la 2ᵉ partie du chapitre III, p. 181.

remarques de Natalie Z. Davis. Le premier souligne l'absence très ancienne de la jeunesse dans les fêtes de Pâques, et émet l'idée d'une possible élimination par le clergé de cette classe d'âge du cycle pascal [106]. La seconde parle du caractère ornemental qu'ont pris les organisations urbaines de jeunes mâles, et de leur complexité par rapport aux *Abbayes* rurales. Complexité qui correspondrait, selon elle, à leur capacité nouvelle d'accueillir des adolescents âgés, dans une société où le mariage devient de plus en plus tardif. De ce fait, les groupes de Jeunesse auraient un rôle nouveau, dans les villes, entre le xve et le xviie siècle : mieux « socialiser » les adolescents, et ceci essentiellement hors de la famille. Ainsi se comprendraient mieux la perte de la spécificité du groupe d'âge, la domination des adultes et la multiplication des groupes de Jeunesse dans les villes — vingt à Lyon au xvie siècle, s'il s'agit bien dans tous les cas d'*Abbayes* de Jeunesse ! On assisterait donc à l'application d'idées nouvelles, exprimées par Gerson puis par les jésuites et par les protestants : pour réformer l'Eglise, il faut commencer par les enfants [107]. En combinant les idées des deux auteurs cités, il est possible de proposer une explication chronologique et globale des modifications subies par les groupes de Jeunesse urbains. Rien n'interdit de penser que des décennies ou des siècles auparavant ces groupes avaient en ville les mêmes formes et les mêmes fonctions qu'à la campagne. La croissance urbaine de la fin du Moyen Age et du xvie siècle a changé tout cela, en détachant la population urbaine de certaines fêtes rurales saisonnières, et en faisant peu à peu disparaître l'aspect magique et fertilisateur de celles qui subsistaient. L'écart villes/campagnes s'accentuant, les cérémonies et les fêtes de l'été et de l'automne ont perdu en ville de la vigueur, car elles étaient trop intimement liées aux travaux agricoles. Les fêtes de l'hiver et du printemps, en gros de la Toussaint à mai, ont mieux résisté à l'érosion, parce qu'elles ne correspondaient pas à des époques de gros travaux

106. *Ibid.*, t. I, 3, Paris, 1947, p. 1394.
107. N. Z. Davis, « The Reasons of Misrule », dans *Society and Culture in Early Modern France, op. cit.*, p. 109-122; du même auteur « Some Tasks and Themes... », dans C. Trinkhaus et H. A. Oberman, *op. cit.*, p. 318-326.

agricoles mais plutôt à une préparation lointaine et magique de ceux-ci. Les citadins ont cependant perdu de vue les buts cérémoniels pour conserver essentiellement des réjouissances et des rites détachés de leur contexte, ou limités. Les *Innocents,* par exemple, cherchent toujours à rendre les femmes fécondes, mais sans doute ne voit-on plus le rapport de ces gestes avec la terre morte dont il faut assurer la renaissance prochaine. En tout cas, les citadins ont rompu, sans le savoir, le cycle complet des fêtes rurales magiques. Les plus éclairés d'entre eux, d'ailleurs, vivent dans un espace moins cloisonné que les ruraux et dans un temps de qualité différente. Très éloignés de la vision du monde paysanne, ils ne peuvent considérer certains excès, lors des fêtes burlesques en particulier, que comme des actes gratuits moralement dangereux. D'où la répression, peu systématique d'abord, qu'ils mènent contre ces excès méprisables. Or les jeunes gens, nous l'avons fréquemment noté, jouent un rôle fondamental dans la plupart des fêtes rurales. L'attention des autorités urbaines se porte en priorité sur eux, qu'il devient nécessaire de discipliner, pour faire cesser ce qui paraît constituer des abus. D'abord, tout naturellement, la Jeunesse est repoussée de la plus grande fête de l'année : Pâques. Puis, son dynamisme intempestif est l'objet d'interdictions plus générales. *Adfin de obvier aux noises et débas qui souvent adviennent à cause des danses et assemblées des jones gens, que plusieurs desdits jones gens vont armez et embastonnez de jour et de nuit,* les échevins d'Arras ordonnent le 8 juillet 1476 qu'*on ne face plus desdites danses et assemblées par tamburins ne aultrement, se n'est pas sollempnitez de noces* [108]. Enfin, la solution définitive est trouvée. Elle consiste à faire encadrer la Jeunesse par des adultes, eux-mêmes membres de ces groupes professionnels, confraternels, ou de voisinage, qui diffusent l'obéissance et la discipline dans toute la société. Solution vraisemblablement découverte inconsciemment, par imitation pure et simple des structures normales de la société urbaine. Les jeunes mâles, qui ont déjà perdu le contact avec la vision du monde populaire dans son ensemble, et qui pratiquent par habitude des rites dont ils ne comprennent pas

108. A. M. Arras, BB 38, f° 109 v°.

tout le sens, sont définitivement coupés de cette vision du monde. Devenus membres de groupes qui ressemblent trait pour trait aux confréries, associations « sportives » ou corporations de leur cité, ils se limitent désormais aux rites qui leur sont permis. Quelques heurts les opposent encore à des autorités de plus en plus sévères, moralisatrices et de stricte obédience catholique, au cours du XVIᵉ siècle. Et puis, de disparition d'excès en extirpation d'abus, ces organisations deviennent de pures et religieuses confraternités, comme les *Enfants de la ville* à Rouen en 1587, ou comme la *Confrérie des Enfants des Petites Ecoles* à Paris sous Louis XIII [109].

A l'image des femmes, les adolescents des villes perdent l'essentiel de leur rôle dans la culture populaire. La société urbaine, par la ségrégation des sexes et par la mise en conformité de chacun, à travers des corps de population structurellement identiques les uns aux autres, anéantit le dynamisme de la vision du monde populaire. Femmes et adolescents en étaient les canaux de transmission. La Jeunesse, qui plus est, actualisait et revivifiait sans cesse cette vision du monde. Désormais, si celle-ci survit en ville, c'est sous la forme de recettes, de superstitions, de rites, de tabous coupés de leurs racines et en train de se scléroser. Le mépris des élites et des représentants de la culture savante n'en sera que plus grand pour une populace superstitieuse. Un jour, finalement, cette crédulité permettra d'aliéner davantage les masses, en leur offrant un ersatz de culture populaire qui véhiculera en fait les valeurs des classes dirigeantes.

Une nouvelle définition du sacré

Un point de rupture est atteint, dans le monde urbain, vers le milieu du XVIᵉ siècle ou, au plus tard, dès le début du XVIIᵉ siècle. Dépréciation de la culture populaire et dévalorisation des femmes et des groupes de Jeunesse convergent alors. Tout n'est pourtant pas joué, car les structures

109. N. Z. Davis, « Some Tasks and Themes... », *art. cit.*, p. 319.

mentales collectives ne peuvent changer en une génération, ni même en plusieurs. Seules ont dû évoluer les attitudes de groupe, à propos des fêtes en particulier. Il reste à transformer les mentalités, à pénétrer dans chaque corps et dans chaque âme. Bataille de longue haleine que l'Eglise, l'Etat et les classes dominantes livreront pendant des siècles ! Bataille qui partira du postulat selon lequel toute déviance par rapport à la norme est condamnable. Mais encore faut-il clairement définir ce qu'est la norme. L'Eglise s'en charge, en désignant de la main gauche les *superstitions,* et de la droite l'orthodoxie. Elle impose une nouvelle qualité du sacré, pour mieux stigmatiser ce qui s'en écarte.

Jusqu'à la Réforme, le catholicisme ne s'était pas fait faute de condamner ses déviants, cathares et autres vaudois. Ce faisant, l'Eglise définissait en quelque sorte le sacré. Mais la situation du bas clergé était telle, avant les années 1520, qu'aucune frontière nette n'existait, au sein de la paroisse rurale ou urbaine, entre le profane et le sacré. Tout, en réalité, pouvait participer de la deuxième catégorie, depuis les cérémonies pascales jusqu'aux fustigations des statues de saints ou aux repas dans les cimetières. Les curés, en général, vivaient dans les mêmes conditions que leurs ouailles, portaient les mêmes vêtements qu'eux, étaient parfois concubinaires et pères de famille...

La Réforme et la Contre-Réforme modifièrent profondément cet état de fait. Le sacré fut défini comme une catégorie à part, que ne devait plus souiller le monde profane. L'orthodoxie catholique livresque commença à être appliquée dans la réalité. La disjonction, cependant, ne fut pas aisée. Elle s'appuya sur l'enseignement, nouvellement valorisé, sur les prêches d'ecclé-siastiques mieux formés et sur la répression. Apparut le délit d'opinion religieuse, à propos de faits mineurs. Jean Catoire, de Douai, avait fait un pèlerinage à Saint-Laurent d'Aix (localité voisine) pour être guéri d'un mal de jambe, en promettant de jeter *ung caillou en la teste* (du saint) *et l'abatre de l'autel* si ses vœux n'étaient pas exaucés. Il avait dit, également, qu'il était faux que Notre-Dame du Miracle Saint-Pierre, à Douai, ressuscitait les enfants morts qu'on y apportait, mais que le diable faisait parfois cela. Il fut condamné, le 20 juin 1555, à faire amende honorable, tête nue, à faire dire une messe dans les deux églises en question, et à donner à chacune un drap d'autel valant dix florins où serait représentée la Vierge. Cet homme, qui a toujours *vécu catholicquement* [110], n'a rien d'un hérétique. Quelques décennies auparavant, ses propos et ses actes n'auraient guère soulevé d'émotion, car il s'agit de croyances populaires banales. Sa faute fut simplement de s'être fait remarquer à une époque où le sacré et le profane commençaient à être clairement distingués. L'effort de l'Eglise fut en ce domaine appuyé par les autorités civiles, urbaines en particulier, qui portèrent une particulière attention, aux excès mettant en cause, d'une manière ou d'une autre, le phénomène religieux. De 1528 à 1549, les échevins d'Arras jugèrent 57 personnes pour crimes contre l'Eglise et contre les mœurs, soit 10 % du total des sentences criminelles rendues durant cette période. Figurent dans cette liste un père incestueux avec sa fille — il fut condamné à mort —, trois coupables de viol, sept hommes mariés accusés de fréquenter des filles de joie et condamnés à des peines allant de trois à dix ans de bannissement, selon leur bonne ou leur mauvaise réputation. S'y ajoutent des condamnations pour maquerellage, outrages à des femmes et à des filles... Une femme divorcée, qui avait abandonné l'enfant qu'elle avait conçu des œuvres d'un homme d'Eglise, son concubin, fut fustigée de verges et bannie pour dix ans [111]. Que de telles sentences aient pu occasionnellement être prises au Moyen Age est certain. La nouveauté, au XVIe siècle, réside dans une condamnation plus systématique, plus sévère aussi, de ces « crimes ». Parmi ceux-ci, la fréquentation des prostituées par des hommes mariés ou le concubinage des prêtres étaient condamnés en droit, mais assez aisément tolérés dans les faits, une ou deux générations auparavant. Un effort coordonné de moralisation se manifeste au XVIe siècle. Les juges sont sensibilisés au caractère sacré du mariage, qu'affirmera avec force le concile de Trente en 1563. Ils condamnent vivement les réjouissances, individuelles ou collectives, qui contaminent

110. F. Brassart, « Procès d'hérésie... Douai... (1545-1555) », *S.F.W.*, t. VIII, 1868, p. 131-132.
111. A. M. Arras, FF 3.

les principaux moments de la vie religieuse. A commencer par les fêtes de Pâques, que l'on essaye de débarrasser de toute souillure. Un homme dut payer une forte amende, le 4 mai 1537, à Arras, pour avoir connu charnellement sa servante le jour du *Bon Vendredi et nuit de Pâques.* Le cabaret du Glay, dans la même ville, fut fermé durant quinze jours, en avril 1550, pour avoir accueilli des garçons et des filles de joie venus y boire le *Bon Vendredy durant le saint service divin.* Et nous avons vu que les tavernes devaient rester closes les jours de fête et les dimanches, d'après des bans de plus en plus pressants, à la fin du XVIe siècle [112].

La moralisation de la société urbaine s'accélère. D'infimes détails, aussi bien que de véritables mutations sociologiques, le prouvent. Infime détail, mais très symptomatique, l'obligation faite aux échevins arrageois nouvellement élus, le 31 octobre 1580, de se vêtir *de noir chacun selon sa qualité,* pour assister aux cérémonies et aux processions, pour *perpétuer* également l'honneur de la justice. Interdiction leur est donnée, en outre, de fréquenter leurs confréries durant le temps de leur office, à l'exception du mayeur, qui est chef de la compagnie des arbalétriers [113]. Ces deux stipulations visent à instaurer une coupure nette entre les magistrats municipaux et le reste de la population, en particulier avec les confréries, suspectes d'excès profanes lors de leurs fêtes. Le Magistrat y gagnera en respect et en obéissance de la part de tous. Ce qui n'est pas sans rappeler l'atmosphère de la Genève de Calvin, où domine le noir des habits, où les comportements se révèlent austères et hostiles aux plaisirs et aux jeux profanes.

Dans un autre domaine sont visibles des mutations de grande ampleur. Les fêtes populaires cèdent la place aux processions, qui sont l'occasion rêvée de définir avec précision un nouveau sens du sacré. A Arras, toujours, cette évolution se manifeste durant le dernier tiers du XVIe et au début du XVIIe siècle. Une comparaison des règlements de police de cette époque avec ceux du XVe siècle permet de saisir la transformation. Non pas que les processions aient été absentes de la ville au Moyen

112. B. M. Arras, Ms. 1885, fiches « police religieuse ».
113. A. M. Arras, BB 15, f° 112 v°-113 r° (31 octobre 1580).

Age, tant s'en faut ! Mais elles débouchaient toujours, alors, sur des sortes de fêtes populaires, la foule se mélangeant aux ecclésiastiques. Par contre, interdiction est désormais faite à quiconque de *se mesler avecq les gens d'Eglise*. Interdiction qui n'est pas respectée de but en blanc, puisqu'il faut constamment la réitérer : en 1596, en 1598, en 1609. A cette dernière date, le 17 avril, jour du Vendredi saint, *on ordonne à tous bourgeois, manans et habitans de ceste ville de faire dresser autelz aux lieux accoustumez, ramonner* (balayer) *et nectoier les rues, tendre tapis, espandre verdeure et parcquetz* (joncs) *au devant de leurs héritaiges* (maisons); *deffendant aussy à tous bourgeois se mesler aux gens d'Eglise et aux femmes et fillettes de marcher derrière lesdites processions.* Qui plus est, se multiplient les processions exceptionnelles : pour la paix, en 1597 et 1598; par les Dominicains assemblés en chapitre provincial en 1599; à l'occasion d'un traité avec l'Angleterre en 1604... S'y ajoutent les processions annuelles. En 1615, par exemple, eut lieu le dimanche 29 janvier celle du Saint Sacrement, le 5 février celle de la Sainte Chandelle, le 22 avril celle du mercredi de Pâques, le 31 mai celle du Saint Sacrement de la paroisse Sainte-Croix, le dimanche 17 juin une nouvelle procession du Saint Sacrement, suivie le 24 juin de celle de la Sainte Chandelle. Peut-être une procession existait-elle également en novembre, comme celle du dimanche 9 novembre 1608 [114] ? L'aspect répétitif de processions aux itinéraires identiques, dans la même ville, ne peut que marquer les populations. Celles-ci participent au sacré processionnel, mais en simples spectateurs, désormais. Leur rôle actif se limite à nettoyer et à parer les rues, à y tendre des tapisseries ou des tableaux, et éventuellement à faire des feux de joie le soir. Imaginons ces foules massées sur le chemin du cortège, tentant parfois de le suivre, en groupe de femmes et d'enfants, mais généralement plutôt immobiles. En face se déroulent les fastes et les pompes de l'Eglise tridentine : cadre visuel grandiose, couleurs éclatantes des vêtements, or des châsses contenant les reliques, dais et cierges, cloches sonnant à toute volée et couvrant parfois la musique et les chants... D'un côté, le monde profane, de l'autre le sacré. Une frontière

114. *Ibid.*, BB 40, f° 103 r°-137 v° (1595-1615).

est tracée entre les deux. Nul doute que la religion n'en sorte revalorisée. Mais les masses sont devenues des corps immobiles, des oreilles, des yeux, des nez, qui perçoivent un magnifique spectacle. En outre, l'année liturgique remplace totalement, ou presque, les fêtes populaires antérieures. Voyez cet effort pour placer les processions dans le cycle d'hiver et de printemps. N'étaient-ce pas justement les moments privilégiés des grandes fêtes populaires urbaines, du Carnaval et du mois de mai, notamment ? Reste-t-il un peu de place, à Arras, en 1615, pour les *excès* de ces anciennes réjouissances grégaires ?

L'Eglise, appuyée par les autorités civiles, substitue les processions aux fêtes et, plus généralement, délimite une frontière nette entre la religion et la vie quotidienne. Partout, dans les cités françaises, se déploie au XVIIe siècle une semblable offensive. Les rythmes en sont divers, mais les résultats identiques. Il s'agit de transformer les fêtes religieuses en moments de piété et non de plaisir. En ce sens, Lille évolue moins vite qu'Arras, car les processions y entremêlent encore le sacré et le burlesque à la fin du XVIe siècle. On y représente l'histoire de *Darius recevant des baffes* et, le 7 janvier 1598, on y rencontre le *Pape des Guingans*, l'*Abbé de Tout-y-Faut* (manque), le *Roi des Testus,* le *Roi des Crochus,* celui des *A-Mitant* (demi-fous), etc. [115]. Vestiges déjà anachroniques des fêtes des Innocents, que tout cela ! Le temps des véritables processions est arrivé !

Avec ce temps s'établit dans la ville un nouvel équilibre mental. Car les fêtes avaient pour fonction de purifier la communauté locale, par des rites magiques, par la violence des jeux, par la décharge des énergies. La transition vers un sacré exclusivement chrétien fait disparaître cette fonction thérapeutique des fêtes populaires. La violence urbaine augmente. Le sacré tourbillonne entre son pôle profane ancien et son pôle religieux nouveau. Et seule la violence des autorités peut répondre à cette situation de transition culturelle. Les valeurs qui fondent la communauté sociale doivent être clairement

115. « Les processions ou cortèges de Lille », *A.H.L.*, 2e série, t. I, 1850, p. 252-257.

précisées : les notions de travail et de marginalité sont les compléments nécessaires du sacré nouvellement défini. La marginalité naît, à l'aube des temps modernes, non seulement parce que des phénomènes économiques et structurels se croisent dramatiquement [116], mais aussi à cause d'une mutation culturelle profonde. S'il faut désormais porter un intérêt nouveau à l'assistance sociale et à la répression du vagabondage, c'est que la mainmise des classes dominantes sur les villes en dépend étroitement. Meurt la vision du monde populaire. Meurent les fêtes populaires. Meurt donc l'équilibre antérieur entre la vie du travail et celle des loisirs. Le spectacle du sacré ne saurait suffire à rétablir un tel équilibre, d'autant que l'idéal chrétien proposé aux masses est inaccessible ou difficile à atteindre. Aussi faut-il fonder la société nouvelle sur une philosophie du travail et de l'intégration sociale. Toute la législation de la pauvreté n'est en fait qu'une définition indirecte du travail comme norme sociale. A Lille, dès 1527, fleurissent ces thèmes, dans une ordonnance qui débute par l'idée que la mendicité conduit à *l'oiseuse, quy est mère de tous maulx,* et surtout à la criminalité. Une bourse des pauvres est créée. Elle ne concerne que les pauvres véritables, résidant en ville depuis au moins deux ans, dont une liste sera dressée par cinq gens de biens, pris dans les cinq paroisses de la ville. Les *truans, brimbeurs, brimberesses, gens wiseux et aultres,* c'est-à-dire tous les vagabonds et marginaux ne remplissant pas ces conditions, doivent sortir de Lille avant trois jours. Le 4 janvier 1528 est instaurée une marque permettant de distinguer des autres les pauvres assistés : *une fleur de lys de drap rouge* (armes de Lille) *sur leurs manches,* bien en vue. Le 8 avril 1528 interdiction est faite à quiconque de mendier *sur rue, églises, chimentières et aultres lieux,* durant les fêtes de Pâques. D'autres textes précisent nettement que seuls les vrais pauvres ont le droit de mendier. Ils sont définis comme *gens débiles et non puissans de gaignier leur vie* en 1541... Seuls les inaptes au travail trouvent grâce aux yeux des magistrats. Quant aux vagabonds valides, ils apparaissent désormais comme un danger majeur et sont chassés, condamnés à un travail forcé, ou envoyés

116. B. Geremek, *art. cit.,* p. 371-372.

aux galères. Les villes se ferment aux étrangers sans travail, y compris aux réfugiés des zones dévastées par la guerre. Lille accueille encore des *poures gens honnestes,* venus d'Artois et *aians perdus leurs biens par fortune de guerre,* et leur fournit de quoi subsister, en 1528. Par contre, les échevins lillois décrètent en 1556 que les réfugiés *quy ne averont résidence ne polront couchier, de jour, du soir, ne de nuit, ès chimentières ne rues de ladite ville, à péril de fustigation de verghes et bannissement* [117]. Le paupérisme devient un problème d'ordre public, au XVIe siècle, dans toute l'Europe [118]. Rejeter les étrangers en général, les mendiants valides venus d'ailleurs en particulier; assister les plus défavorisés de la ville; définir le travail comme une valeur absolue : n'est-ce pas ainsi renforcer l'esprit de communauté et empêcher les explosions des révoltes ? Ces nouvelles procédures visent à restaurer un équilibre interne en train de se rompre. A défaut de jeux et de fêtes, les patriciats urbains donnent du pain aux pauvres « honnêtes », du travail aux masses, et des spectacles sacrés à tous. Ils définissent eux-mêmes les limites de la communauté, par une sévère législation, alors que la population s'en chargeait magiquement autrefois, à l'occasion des fêtes. Ils fournissent des boucs émissaires à la violence qui grandit, en désignant les vagabonds étrangers, les hérétiques, et déjà aussi les sorciers. Ils répondent, par la violence des jugements et des exécutions criminelles, à la brutalité ambiante.

Le sacré, défini en bonne orthodoxie catholique, et le travail, imposé comme une valeur fondamentale, sont les piliers du nouvel équilibre urbain. Un vieux monde s'écroule, qui mélangeait le rire et la religion, le travail et la fête, puisque cette dernière rythmait, sous ses multiples formes, toute l'année, toute la vie des citadins.

117. Textes édités par De La Fons-Mélicocq, « Ordonnances pour les pauvres de Lille (1527-1556) », *Bull. du comité de la langue, de l'hist. et des arts de la France,* t. III, 1855-1856 (Paris, 1857), p. 700-710.
118. J.-P. Gutton, *op. cit.,* p. 93-121.

La culture populaire urbaine se différencia de plus en plus nettement, aux XVe et XVIe siècles, de celle des masses rurales. L'évolution se fit en trois étapes, sous la pression de la société environnante. Car la ville constituait un monde original, clos et saturé de violence, vaste et difficile à policer. Dans un premier temps, au XVe siècle, la carence des pouvoirs civils et ecclésiastiques centraux obligea les autorités urbaines à ne compter que sur leurs propres forces pour assurer l'ordre et la paix dans leurs murs. La naissance, spontanée à l'origine, de multiples corps de population permit d'encadrer la société et d'y diffuser les valeurs d'autorité et d'obéissance. Cependant existait une culture populaire bien vivante et proche de celle des campagnes. Les bourgeoisies durent tenir compte de sa réalité, et des besoins ludiques et magiques des masses qu'elle exprimait. Ce qui conduisit les autorités urbaines à tolérer les superstitions et surtout les réjouissances populaires. Car elles y voyaient un moyen de gouvernement. Mais un moyen de gouvernement qui se révélait ambigu et peu sûr, la populace en fête dépassant aisément les limites du permis, et la subversion s'exprimant même assez souvent, en particulier dans les fêtes burlesques.

De ce fait, les couches dirigeantes des villes tentèrent, dans un deuxième temps, d'évacuer de tels dangers, par une législation répressive un peu désordonnée au XVe siècle, puis par des procédures plus subtiles, entre la fin du XVe et le milieu du XVIe siècle. Les festivités furent investies de l'intérieur et transformées en magnifiques spectacles pour les masses, comme à Valenciennes en 1548. Les remuants groupes de Jeunesse furent surveillés et encadrés par de riches bourgeois. Les caractéristiques superficielles des réjouissances étaient conservées, mais le sens et la fonction des fêtes avaient déjà été totalement gauchis. Les festivités devenaient finalement des moyens d'enraciner le conformisme social, de rassembler les riches et les pauvres et de les brasser, d'accentuer la conscience d'appartenance de chacun au vaste ensemble urbain. Au détriment de ce que nous appellerions une conscience de classe. Les gens de l'époque ne percevaient évidemment pas les choses sous cette forme. Mais les puissants n'exprimaient-ils pas une peur intense de la populace et de ses révoltes ? Quant aux masses, elles ressentaient bien la différence qui existait entre elles et les patriciens, et pouvaient à l'occasion témoigner d'une hostilité diffuse aux dominants, ou se grouper en séditions fugaces. Le climat social changeait, de toute évidence.

Il changeait même tellement qu'une troisième étape fut atteinte, dans l'évolution de la culture populaire urbaine, entre le milieu du XVIe et le début du XVIIe siècle, selon les cas. Une conquête culturelle de grande ampleur débuta alors, conjointement menée par une Eglise régénérée, par un Etat sur la voie de l'absolutisme et par des oligarchies détentrices d'un pouvoir total sur leurs cités. Chacun de ces pouvoirs portait désormais une attention nouvelle à l'établissement de l'ordre, de la paix et de la prospérité urbaine. Chacun d'eux désirait l'instauration d'une religion épurée et d'un sens quasi mystique du travail. Exceptionnelle conjonction d'intérêts qui répondait à d'exceptionnelles poussées religieuses, économiques et sociales, politiques aussi, nommées Réforme et Contre-Réforme, capitalisme et prolétarisation des masses urbaines, absolutisme et révoltes diverses ! Tout cela se traduisit dans les villes par la dépréciation des fêtes et des jeux, par la dévalorisation du rôle des femmes et des groupes de Jeunesse, par une définition nouvelle du sacré et du travail, par un embrigadement croissant de la population en ses multiples corps.

Jamais auparavant la culture populaire n'avait été l'objet d'une répression aussi systématique. Après la grande rupture des années 1550-1600, les ruraux, comme les citadins, allaient la subir de plein fouet durant deux siècles.

CONCLUSION

DE LA PREMIÈRE PARTIE

La survie des fêtes et de la culture populaire, aux xve et xvie siècles, correspondait à un certain type de pouvoir, fortement décentralisé, voire atomisé. Villes et villages constituaient autant de cellules dans un Etat extraordinairement vaste, étant donné la lenteur de la circulation à l'époque. La réalité du pouvoir se situait à ce niveau, plus qu'à l'échelon national ou même régional. Les coutumes, infiniment diverses, dominaient la vie quotidienne, alors que *la* loi comme unique source du droit, et comme facteur d'unification politique, devrait attendre le courant du xvie siècle et surtout les époques suivantes pour s'imposer définitivement. L'homme vivait collectivement, au sein de solidarités familiales, claniques, villageoises, ou féodales, nécessairement limitées dans l'espace. L'homme vivait aussi dans un milieu essentiellement rural et dans un tel climat d'insécurité et de peurs — réelles ou illusoires — qu'il lui fallait constamment renforcer ces solidarités, ces liens qui l'attachaient à des groupes de survie. La loi, l'individualisme, l'Etat, la religion officielle ne pouvaient assurer efficacement sa sécurité. Faut-il donc s'étonner qu'une telle humanité, parcellisée et apeurée, ait cherché dans une vision du monde magique et animiste une explication de l'univers, un soutien, un espoir, que ne lui apportaient pas les institutions établies ? Explication du monde valable partout, mais adaptée, essentiellement, au cadre étroit du village et de la vie agricole. Moyen d'action, en fait, à l'échelon local, sur tout ce que l'on ne comprenait pas, et d'abord sur les phénomènes de la vie et de la mort, de la nature physique et de l'homme, qui n'avaient rien de « naturel », selon les conceptions de l'époque.

Superstitions, est-on tenté de dire, en bon rationaliste du XXe siècle, à propos d'une telle vision du monde ! Superstitions, certes, pour les forces nouvelles que nous avons vues à l'œuvre dans les villes. Mais, pour la majorité écrasante des ruraux et pour le plus grand nombre des masses populaires citadines, il s'agissait tout à la fois d'une religion, d'une morale, d'une philosophie et aussi d'une possibilité d'action, dans tous les actes, normaux ou exceptionnels, de l'existence. Bref, d'un système du monde, possédant sa cohérence interne, qu'il faut juger — comme dirait Lucien Febvre — par rapport à celle-ci, et non pas d'après les formules péjoratives de ses ennemis de l'époque moderne... ou de notre temps. Et ce système du monde, pourrait-on dire, fut assassiné. Tout simplement parce qu'il était celui d'une civilisation presque exclusivement rurale et parcellisée, alors que l'avenir appartenait aux villes, au dynamisme capitaliste, à la centralisation et à l'absolutisme, à l'Eglise établie. La répression de la culture populaire commença dans les villes, nous l'avons vu. En fait, un équilibre millénaire était en train de se modifier : l'âge classique des paysans, entre le XIVe et le XVIIIe siècle, préparait la crise du monde rural au XIXe siècle. Même si les villes ne représentaient que 15 % des Français, environ, en 1789, leur importance dans la vie du pays était devenue considérable. Elles avaient sécrété le rationalisme cartésien, la science, la technique, et avaient pesé d'un poids très lourd dans l'évolution de l'Etat et de l'Eglise. A cause d'elles, l'inadaptation de la vision du monde populaire, d'origine paysanne, aux transformations accélérées de la civilisation, devenait éclatante. La route du Progrès, chère aux philosophes du XVIIIe siècle, passait par une mutation culturelle préparatoire, puisque le système du monde populaire était basé sur la pérennité et sur la résistance à tout changement. Ce qui avait permis à la société rurale de survivre, presque immobile — malgré l'aventure des grands défrichements —, durant un millier d'années, se révélait totalement inadapté aux conditions nouvelles. Dès lors, l'effort de refoulement de la culture populaire s'explique mieux : ce n'est finalement que l'écume d'une profonde mutation de la société occidentale. Aux XVIIe et XVIIIe siècles, la répression de la culture populaire, qui se fait consciemment au nom de valeurs religieuses et politiques, n'en prépare pas moins la victoire des villes, du progrès, de la science, de la culture savante. Dans le long terme, et dans cette perspective, les deux derniers siècles de l'Ancien Régime constituent une époque de transition entre la féodalité et le capitalisme conquérant, entre une civilisation rurale et une civilisation qui deviendra majoritairement urbaine dans la deuxième moitié du XIXe siècle.

Il reste, dans la seconde partie du présent livre, à décrire les voies, les moyens et les effets de cette révolution culturelle lente mais violente.

DEUXIÈME PARTIE

RÉPRESSION
DE LA CULTURE POPULAIRE
(XVIIᵉ-XVIIIᵉ SIÈCLE)

CULTURE ET POUVOIR

> « *Pouvoir et savoir s'impliquent direc-*
> *tement l'un l'autre.* »
>
> (Michel FOUCAULT, *Surveiller et*
> *punir*, Paris, 1975, p. 33).

> « *La politique n'est pas seulement*
> *affaire de partis, de syndicats, de cam-*
> *pagnes électorales, de manifestes, de*
> *défilés à pancartes. Avant d'en arriver*
> *là, et après en être arrivé là, elle se*
> *noue dans les profondeurs de chacun,*
> *dans ses tripes comme disent les uns,*
> *dans son âme selon les autres, dans*
> *quelque chose, en tout cas, qui vient de*
> *plus loin que toutes les philosophies.* »
>
> (Pierre-Jakez HÉLIAS, *Le Cheval*
> *d'Orgueil*, Paris, 1975, p. 515).

La répression de la culture populaire, en France, aux XVIIe et
XVIIIe siècles, n'est pas issue d'un plan mûrement élaboré et
systématiquement mis en œuvre par les couches dirigeantes ou
par les autorités, quelles qu'elles soient. Chercher les traces
d'une telle volonté répressive délibérée serait vain et illusoire.
En réalité, la révolution culturelle que décrit la deuxième partie
de ce livre provient de l'évolution même de la société d'Ancien
Régime. Car la France subit, entre les guerres de Religion et
la Révolution, une mutation lente et profonde. Inutile d'insister
sur le développement du capitalisme et de la bourgeoisie, sur
les progrès de l'urbanisation, sur l'accentuation des tensions
et des contrastes sociaux... Plus importante, pour notre propos,

se révèle être la modification de la structure du pouvoir. L'Etat absolu, appuyé par une Eglise régénérée, pousse des ramifications dans tout le corps social, auparavant très parcellisé. La centralisation politique se développe. Elle s'appuie sur un sentiment national qui est né ou qui s'est renforcé durant les guerres de Religion, sur une langue stabilisée qui étend son influence, sur la fixation des frontières définitives à l'occasion des guerres extérieures, sur la paix intérieure établie malgré la Fronde ou en dépit des révoltes populaires, sur la Loi du souverain imposée à tous... Et surtout, la centralisation se manifeste par le développement de liens verticaux reliant chaque sujet, chaque corps de population, à l'autorité centrale. Elle ne détruit pas les anciennes institutions, ni même les liens horizontaux qui unissaient les hommes dans le cadre des sous-groupes de la société, mais elle modifie profondément l'équilibre politique antérieur. Disparaît la relative indépendance dont jouissaient les segments du corps social, en particulier les communautés rurales et urbaines. L'Etat absolu garantit désormais la sécurité de tous. Sa réussite provient en partie du fait que les XVᵉ et XVIᵉ siècles avaient été marqués par une grande crise d'insécurité et notamment par la recherche de nouveaux dogmes religieux. Par la suite, l'Etat apparaît certainement à beaucoup de contemporains comme une institution-providence, qui offre la stabilité dans un monde dangereux et changeant. En contrepartie, cependant, il réclame de ses sujets des impôts plus lourds, et surtout un plus grand conformisme social.

En effet, le conformisme social se transforme complètement à l'époque des rois absolus. Il ne s'agit plus pour chacun de respecter essentiellement les normes du groupe de population auquel il appartient, mais de se plier à un modèle général, valable partout et pour tous. Là réside la répression culturelle. Car la société de cour, les lettrés, les nobles, les citadins aisés, les minorités privilégiées, en somme, élaborent un modèle culturel nouveau : celui de « l'honnête homme » du XVIIᵉ et de « l'homme éclairé » du XVIIIᵉ siècle. Modèle évidemment inaccessible pour les masses populaires, mais qu'il leur est néanmoins proposé d'imiter. D'abord parce qu'il hante l'esprit de ceux qui sont chargés d'apprendre au peuple la soumission et le respect de l'autorité. Ensuite parce que la centralisation et l'absolutisme engendrent obligatoirement un effort d'unification culturelle. Au fil des générations, de la Flandre au Midi, de la Bretagne à l'Alsace, à Paris comme dans le plus petit hameau, les officiers et les prêtres, bientôt relayés par ceux qu'ils ont convaincus, imprègnent leurs millions de contemporains des valeurs nouvelles véhiculées par la centralisation triomphante. Ce mouvement d'acculturation des masses, tout naturellement, entre en conflit avec la culture populaire, à laquelle correspondent de toutes autres valeurs, dans un monde décentralisé et particulariste.

Est-il besoin, dans cette optique, de préciser que la culture populaire n'est pas considérée par ses adversaires comme une philosophie de l'existence ? Le mépris des élites pour tout ce qui se rattache au monde des *gens vils et mécaniques* suffirait à expliquer cette méconnaissance. Et puis, les couches dirigeantes ont sans doute de moins en moins conscience, au cours des décennies, de s'attaquer à un tout culturel. De leur point de vue, n'existe qu'une seule civilisation : la leur. En face règnent l'ignorance, les superstitions et les abus, c'est-à-dire des écarts par rapport à *la* norme. Des écarts qu'il faut corriger, pour imposer à tous la même adhésion aux mêmes valeurs, pour assurer la stabilité et la pérennité de l'ordre social. Voilà pourquoi l'historien ne doit pas chercher dans les archives quelque plan cohérent de destruction de la vision du monde populaire. Un tel document supposerait la reconnaissance, par son auteur, du fonctionnement d'un autre système du monde que le sien propre. Cette idée est loin d'effleurer l'esprit des élites de l'Ancien Régime. Par contre, leurs efforts pour imposer le modèle culturel dominant aux masses, c'est-à-dire pour assurer la mainmise du pouvoir centralisé et absolu sur un monde trop atomisé, ont laissé de multiples traces. On ne s'étonnera pas de constater que les principales sources en la matière sont constituées par les archives judiciaires, ecclésiastiques et laïques. Nombre de renseignements peuvent aussi être glanés dans d'autres fonds, que ce soit ceux des administrations centrales ou locales, ceux de l'Eglise en général, etc.

Finalement, un système culturel est toujours relié à une forme précise de pouvoir. L'existence de la culture populaire, à la fin du Moyen Age et au début du xvie siècle, ne peut se comprendre sans référence à une vie politique très décentralisée. De la même manière, l'absolutisme conquérant sécrète un modèle culturel qui cherche à imposer l'unité au détriment de toute diversité. Pour ce faire, la soumission des individus est nécessaire. Elle passe, aux xviie et xviiie siècles, comme le montre le chapitre IV, par la contrainte des corps et par la soumission des âmes, afin que puissent facilement fonctionner les nouveaux mécanismes du pouvoir. Mais ceci ne va pas sans résistance, passive ou violente, de la part des humbles. Aussi trouve-t-on des boucs émissaires : les sorcières, dont le chapitre V décrit le long martyre. Avec elles sont brûlés — croit-on — les symboles et les derniers vestiges des abus, des superstitions et des excès, c'est-à-dire ce que l'historien du xxe siècle nomme la culture populaire. Mieux encore, se développe à partir du xviie siècle la littérature de colportage qui véhicule un faux-semblant de culture populaire. En fait, la « Bibliothèque bleue de Troyes » ne peut qu'aliéner davantage les masses et les couper des racines vives de leur ancienne vision du monde. D'origine savante, elle introduit partout un modèle idéologique unitaire. Elle systématise, au xviiie siècle notamment, la procédure de fabrication du consentement précédemment évoquée. Le chapitre VI est consacré à cette véritable et subtile acculturation des couches populaires de la société. Acculturation qui se poursuivit d'ailleurs aux xixe et xxe siècles : ainsi se posera, en conclusion, la question des prolongements jusqu'à notre époque de la révolution culturelle qu'étudie la seconde partie du présent ouvrage. N'assiste-t-on pas aujourd'hui à la résurgence désordonnée de thèmes et d'attitudes issus, bien que profondément modifiés, de cette culture populaire qui fut lentement étouffée, au temps des rois absolus ?

CHAPITRE IV

CORPS CONTRAINTS
ET AMES SOUMISES :
NOUVEAUX MÉCANISMES DU POUVOIR

Il serait faux de prétendre que les masses populaires n'étaient pas asservies aux xvᵉ et xviᵉ siècles. Elles l'étaient d'abord aux éléments naturels, aux maladies, à la mort omniprésente. Elles l'étaient encore aux hommes : au roi, aux seigneurs, aux autorités ecclésiastiques, qui exigeaient tous des impôts, des services, et une obéissance sans faille, quand c'était nécessaire. Mais les gens du peuple étaient relativement libres d'utiliser leur corps à leur convenance et n'avaient pas à réfréner constamment leurs pulsions sexuelles ou émotionnelles. Le catholicisme romain, en outre, exigeait d'eux qu'ils accomplissent les gestes de la religion, sans avoir le moyen de pénétrer profondément dans leurs âmes. Ces dernières restaient en grande partie dominées par la magie et par les « superstitions ». Somme toute, les masses n'étaient pas totalement aliénées, ni très étroitement surveillées. A condition de ne pas mettre en cause l'ordre et les valeurs établies, elles disposaient d'une relative autonomie, en matière culturelle surtout, ainsi que je l'ai montré dans les chapitres précédents.

Cette situation se transforma radicalement avec l'instauration d'un pouvoir royal réellement absolu. L'époque de Louis XIII et de Louis XIV fut pour les masses un siècle de fer. Non seulement parce que les impôts s'alourdirent énormément, que la guerre, les famines et les épidémies firent rage, donnant la démographie en « dents de scie » qu'a remarquablement mise en valeur Pierre Goubert, mais aussi à cause d'une domination idéologique renforcée. La royauté, appuyée par une minorité de privilégiés et par l'Eglise, entreprit de mieux encadrer les masses, laborieuses ou non. L'histoire proprement institutionnelle de ce grand effort est bien connue. Elle est symbolisée par la mise en place des intendants, ces yeux du roi dans les provinces, et par une activité politique qu'un livre entier arriverait difficilement à résumer. La face cachée du phénomène, pourtant, n'a fait l'objet, à ma connaissance, d'aucune étude systématique. J'entends par là la fabrication du consentement, voire simplement celle de la soumission. Car la multiplication des agents royaux ou les progrès de la centralisation ne peuvent à eux seuls expliquer que plus de 90 % de la population ait accepté, pratiquement sans révolte après 1675, de subir un joug plus sévère et une exploitation plus systématique que par le passé. En fait, les véritables bases de la domination politique nouvelle furent constituées par une mise en conformité sociale de chaque individu, à travers un assujettissement conjoint des corps et des âmes. L'Etat absolu découvrit et utilisa avec l'aide de l'Eglise et des élites sociales, une « technologie politique du corps » et sut se servir de l'âme, « prison du corps », comme « effet et instrument d'une anatomie politique » [1]. Pour aboutir, en fin de compte, à la diffusion dans l'ensemble de la société d'un modèle de relations politiques verticales organisé autour de la notion d'obéissance totale au roi, lui-même image et serviteur de Dieu sur la terre.

I. Les corps contraints

J'emprunterai à Michel Foucault une excellente définition de la « technologie politique du corps » dont useront, aux deux

1. M. Foucault, *Surveiller et punir. Naissance de la prison*, Paris, 1975, p. 31 et 34.

derniers siècles de l'Ancien Régime, la monarchie et ses séides :
« le corps ne devient force utile que s'il est à la fois corps
productif et corps assujetti ». La première condition est depuis
longtemps réalisée, en France. La seconde le sera bientôt, par
un « savoir » du corps, par une « microphysique du pouvoir »
qui n'est pas exprimée dans des discours systématiques, mais
qui est plutôt « une instrumentation multiforme » [2]. En
d'autres termes, la contrainte des corps procède bien d'une
stratégie du pouvoir, destinée à obtenir l'obéissance la plus
parfaite possible de la part des sujets, mais ne constitue nullement un plan cohérent et systématique. Les corps seront
contraints parce que la logique de l'absolutisme et de la
centralisation l'exigent et y poussent, sans qu'il soit besoin de
réfléchir sur l'impact ou sur la validité du fait. Et les corps
seront contraints de plusieurs façons : par la répression
sexuelle, par l'apprentissage de la maîtrise du corps en toutes
occasions, par la mutilation judiciaire ou par le supplice, qui
marquent les limites sociales au-delà desquelles chacun ne peut
plus utiliser à son gré son propre corps.

La répression sexuelle

« Il a été maintes fois démontré que les attitudes et le mode
de vie des xve et xvie siècles étaient prosexuels » écrivait il n'y
a guère Jos Van Ussel, dans une thèse de sociologie et
d'histoire [3]. De fait, les paysans comme les citadins du temps,
on l'a vu, ne manifestaient guère de gêne ou de sentiment de
culpabilité dans l'exercice des fonctions du bas de leur corps.
La répression sexuelle débuta vers 1500 et continua jusqu'à
notre époque, avec un temps fort particulièrement net entre
1550 et 1700 [4]. Une importante mutation du comportement en
fut la cause. De nouvelles règles de bienséance se développèrent.
Dès la fin du Moyen Age des *Babees Books* circulèrent en

2. *Ibid.*, p. 31.
3. J. Van Ussel, *Histoire de la répression sexuelle,* éd. française,
Paris, 1972, p. 39.
4. *Ibid.* Les exemples littéraires qui suivent proviennent de cette
source et du livre de Norbert Elias, *La civilisation des mœurs,*
Paris, 1973 (première édition allemande, 1939).

Occident et proposèrent aux enfants des couches dirigeantes une nouvelle civilité. Les mœurs évoluèrent. La chambre à coucher s'individualisa, se sépara des autres pièces de la maison, puis s'isola complètement au XVIIIe siècle. Le lit, qui accueillait pêle-mêle les adultes et les enfants au XVIe siècle, comme en font foi les descriptions de Noël du Fail, perdit peu à peu ces caractéristiques, dans les classes supérieures de la société tout au moins. L'habitude de dormir nu disparut, alors qu'apparaissaient au XVIe siècle les sous-vêtements, d'abord destinés à empêcher les attouchements impudiques. Le nu devint d'ailleurs un tabou, alors qu'il était fréquent de se laver et de s'habiller en public au XVIe siècle, et même encore sous Louis XIV. Des familles entières n'allèrent plus nues ou demi-nues aux étuves. La pudeur se développa. La brutalité sexuelle des paysans décrits par Noël du Fail ou des nobles présentés par Brantôme céda la place à plus de retenue en la matière. Le vocabulaire sexuel, très riche à l'époque de Rabelais, se raréfia, se transforma. Des mots moins crus et plus symboliques recouvrirent cette zone du corps humain devenue taboue. Des appareils barbares furent inventés pour empêcher l'enfant de se masturber...

D'une manière générale, toutes les choses en relation avec les excrétions ou avec la sexualité composèrent peu à peu la sphère de l'intimité de chacun. On apprit à se moucher, à cracher, à dormir, à se comporter en toute civilité. On apprit à maîtriser son corps, à éviter toute inconvenance. Le bas du corps devint un monde à part. A tel point qu'il semblait même ne pas exister pour les Précieuses du XVIIe siècle, ou même pour l'homme civilisé du temps. Par contre, il est certain que les masses populaires n'enregistrèrent cette évolution que lentement et imparfaitement. Ce qui accentua la coupure entre leurs mœurs et celles des dominants. Le mépris des élites pour les gens du peuple trouva à s'alimenter. Les humbles n'étaient-ils pas sales, puants, laids, grossiers, rudes et rustres, d'après les canons de l'urbanité nouvelle ? Pourtant, si les mœurs des élites ne s'acclimataient pas toutes dans les villages et dans les quartiers populaires des villes, la dévalorisation de la sexualité, qui en était l'un des principaux aspects, était imposée aux masses.

Le fait est patent dès que l'on jette un coup d'œil sur les travaux des démographes. Avant 1550-1600, les sources littéraires donnaient déjà l'impression d'une assez grande permissivité sexuelle dans le monde populaire. Et l'un des rares travaux de démographie historique concernant le XVIᵉ siècle insiste sur le fait que l'illégitimité, dans la région nantaise, oscille entre 3,9 % et 0,3 % du total des naissances dans les paroisses urbaines, et entre 4,6 % et 0,1 % dans les communautés rurales. En outre, 50 % des parents d'enfants illégitimes dont la situation familiale est connue vivent en concubinage, et 8,5 % ont procréé en situation d'adultère [5]. On ne peut parler à ce propos de licence généralisée, mais il est également impossible d'y voir un net refoulement sexuel. Par contre, le XVIIᵉ siècle connut certainement une répression efficace en ce domaine. Car, alors que n'existe aucune contraception de masse, les taux campagnards d'illégitimité ne dépassent presque plus jamais 1 %. Ils sont même de 0,5 % en Beauvaisis entre 1600 et 1730. Plus nombreuses dans les grandes villes qu'au village, les naissances illégitimes ont partout tendance à décroître au XVIIᵉ siècle, et parfois jusqu'au milieu du XVIIIᵉ siècle, avant de remonter très nettement après 1760-1770. Les conceptions prénuptiales, quant à elles, sont également en augmentation générale à partir du milieu du XVIIIᵉ siècle, et parfois même dès les années 1650 [6]. Ces indices sont évidemment difficiles à interpréter. Globalement, ils indiquent, dans l'état actuel de nos connaissances, que la répression sexuelle est à l'œuvre en France entre 1600 et 1750, alors que la période précédente et la suivante connaissent une plus grande liberté en la matière. Pour certains auteurs, l'Eglise avait réussi, entre 1600 et 1750, à imposer presque totalement la chasteté hors du mariage. D'un mariage alors très tardif, et même de plus en plus tardif sous l'Ancien Régime. Les filles

5. A. Croix, *Nantes et le pays nantais au XVIᵉ siècle. Etude démographique*, Paris, 1974, p. 94-97.
6. A. Armengaud, *La famille et l'enfant en France et en Angleterre du XVIᵉ au XVIIIᵉ siècle. Aspects démographiques*, Paris, 1975, p. 92-102. Voir également J.-L. Flandrin, *Les amours paysannes* (XVIᵉ-XIXᵉ *siècles*), Paris, 1975, p. 178-179 et 233-234. Du même : *Familles. Parenté, maison, sexualité dans l'ancienne société*, Paris, 1976.

ne célébraient guère leurs noces avant vingt-cinq ans et les garçons ne convolaient que vers vingt-sept ou même vers trente ans ! Compte tenu de la brève durée de la vie, en moyenne, nombre de célibataires devaient mourir sans jamais avoir connu les délices de la chair. Fait qui paraît aberrant à d'autres historiens, portés à s'interroger sur des formes possibles de défoulement sexuel que ne pourraient comptabiliser les démographes, et notamment sur la pratique de la masturbation [7]. Disons, sans pouvoir le moins du monde trancher, que les comportements sexuels populaires semblent avoir été dominés entre 1600 et 1750 par le respect des normes imposées par l'Eglise. Même si les appétits de chacun n'étaient pas aussi bridés qu'on le pense, il est certain qu'il n'était plus possible alors de disposer de son corps aussi facilement qu'aux siècles précédents. Au moins, il convenait désormais d'être circonspect et de ne pas exprimer trop librement ses désirs, sous peine d'être traîné devant les tribunaux. Car de nombreux types de crimes contre les mœurs étaient alors poursuivis.

Les officialités, c'est-à-dire les tribunaux ecclésiastiques, réprimaient les déviances sexuelles du troupeau chrétien comme de ses bergers. Au XVIIe siècle, l'officialité métropolitaine de Cambrai jugea 142 affaires de mœurs impliquant des prêtres ruraux et 664 délits sexuels laïques urbains et surtout ruraux. Les rapports charnels entre jeunes gens non mariés constituaient 38 % des délits laïques, les adultères, parfois doublés d'inceste 32 %, les incestes proprement dits 11 %. Les affaires de mœurs ecclésiastiques, qui étaient peu nombreuses entre 1600 et 1630, augmentèrent nettement de 1630 à 1650, revinrent au niveau antérieur de 1650 à 1670, puis atteignirent de nouveaux sommets entre 1670 et 1700. Les procès laïques, très nombreux de 1644 à 1664, disparurent presque totalement de 1664 à 1674 puis se multiplièrent durant le dernier quart du siècle. En outre, indépendamment de cette courbe des délits réprimés, le tribunal montra toujours, à l'égard des prêtres et des laïques, une très nette absence de rigueur. Cependant, il condamnait

---

7. A. Armengaud, *op. cit.*, p. 31-33 et 96-97 ; J.-L. Flandrin, *op. cit.*, 1975, p. 160-165.

en général plus sévèrement la femme que l'homme [8]. Ces faits prouvent d'une part que la répression sexuelle s'intensifia en Cambrésis, surtout vers le milieu et dans le dernier quart du xviie siècle, et d'autre part que la conduite sexuelle des villageois et de beaucoup de prêtres restait encore assez libre. En effet, le nombre élevé des procès et la relative indulgence des juges indiquent que l'Eglise est loin d'avoir gagné la partie dans cette région. Nul doute, cependant, que les comportements des masses et de leurs pasteurs n'aient à la longue pu être modifiés. Au xviiie siècle, la même officialité cambrésienne jugea 46 cas de défloration, 105 adultères — dont 26 incestueux — et 20 incestes commis par des laïques [9]. Même s'il existe des lacunes dans la documentation, on est loin des deux centaines d'adultères et des 73 incestes du xviie siècle ! Cependant, 90 % des crimes sexuels du xviiie siècle sont le fait de ruraux, ce qui laisse à penser que la répression sexuelle prend moins d'ampleur dans les campagnes que dans les villes. Quant aux prêtres, ils deviennent assurément de plus en plus vertueux. L'officialité de Troyes, par exemple, ne juge plus, de 1685 à 1722, que deux prêtres fornicateurs et deux curés à qui l'on reprochait seulement d'avoir eu une servante trop jeune [10].

Que l'Eglise ait entrepris avec succès de surveiller les mœurs ne saurait nous étonner. Mais elle n'est pas la seule à instaurer un « ordre moral » à travers la culpabilisation de la sexualité et la répression des déviances en ce domaine. Les tribunaux laïques y contribuent également. Le roi n'a-t-il pas donné l'exemple en faisant publier en 1556 « un des édits les plus terroristes de l'ancienne législation française », qui punissait de mort la femme coupable *d'avoir homicidé son enfant* [11] ?

8. J.-M. Baheux et G. Deregnaucourt, *Affaires de mœurs laïques et ecclésiastiques et mentalités populaires au* xviie *siècle (1594-1706), d'après les archives de l'Officialité métropolitaine de Cambrai,* Mémoire de maîtrise inédit, sous la direction de P. Deyon et A. Lottin, Lille, 1972, 338 p. dactyl. (p. 79, 82, 204-206, 210, 212, 215, 217, 261-263).
9. A. Lottin (et collaborateurs), *La désunion du couple sous l'Ancien Régime. L'exemple du Nord,* Lille, P.U.L., 1975, p. 97-112.
10. J.-L. Flandrin, *op. cit.,* 1975, p. 215.
11. *Ibid.,* p. 203-204.

En fait, le souverain ne faisait que traduire, dans ce cas particulier, l'évolution de la pratique répressive en matière de sexualité. Pratique dont il est possible de retracer l'évolution pour la ville d'Arras. Au Moyen Age, les crimes contre les mœurs ne semblent pas y avoir beaucoup attiré l'attention des juges [12]. A Anvers, de 1358 à 1387, par comparaison, ils représentaient moins de 1 % du total des crimes [13]. Par contre, les échevins arrageois mirent en accusation 42 personnes, dont dix femmes et deux adolescents, entre 1528 et 1549, pour maquerellage (12 cas), viol (3 cas), fréquentation des filles de joie par des hommes mariés (7 cas), outrages faits à des femmes ou à des filles (10 cas), inceste (1 cas), abandon d'enfant (2 cas), etc. Dans l'ensemble, ces crimes concernaient près de 8 % des accusés de la période. Fait plus important, les femmes étaient coupables de 24 % des délits de mœurs, alors que la criminalité féminine n'atteignait en moyenne que 15 % du total [14]. La répression sexuelle s'amplifia encore par la suite, à Arras et en Artois. Le juriste Pierre Desmasures, procureur général du comté d'Artois, nous l'apprend dans ses *Remarques et observations... sur la Coutume générale d'Artois...*, écrites avant 1638. D'après lui, l'adultère n'entraîne pas habituellement peine de mort, mais réparation honorable et amende si les coupables sont de *condition honneste,* fustigation et bannissement s'il s'agit de *personnes viles et abjectes.* Les maris complaisants sont exposés en public avec des quenouilles ou bannis après avoir fait amende honorable, et leur épouse est exposée et fustigée. L'inceste en ligne directe vaut la mort à son auteur, mais non pas l'inceste commis en ligne transversale, c'est-à-dire celui dont se rend coupable un frère, par exemple. Quant à l'inceste au sens large, il ne mérite que le bannissement, après fustigation ou réparation honorable. A moins que ne s'y ajoutent des circonstances aggravantes :

12. Cf. A. Laurence, « Les comptes du bailli d'Arras au xɪvᵉ siècle. Source du droit criminel et pénal », dans *Positions des thèses... de l'Ecole des Chartes,* Paris, 1967, p. 57-64 et Comptes d'Arras, A. D. Nord, B 13893 (1401-1402) et suivants, chapitre « Exploits de justice ».

13. J. A. Goris, « Zeden en criminaliteit te Antwerpen... van 1358 tot 1387 », *R.B.P.H.,* 1927, tableau entre les p. 204-205.

14. A. M. Arras, FF 3.

Gilles dit Joly Filiot fut pendu à Béthune le 19 mars 1584 pour avoir connu charnellement deux sœurs, dont l'une était âgée de treize ans. Ces filles étaient les cousines germaines de sa femme. Il leur avait fait prendre des *breuvaiges empeschans la conception,* et elles avaient longtemps vécu avec son épouse et lui-même. En cas de *stupre,* c'est-à-dire de dépucelage d'une fille par un suborneur, le coupable peut être contraint à doter la victime ou à l'épouser. Mais on recherche peu ce crime en Artois, dit l'auteur. La bestialité expose à la mort par le feu. Ainsi périt Oghuet de Sainte Marguerite, à Béthune, malgré sa *grande simplicité* et sa jeunesse. Sa jument fut exécutée au même lieu. L'auteur signale qu'en France on brûle le procès avec le condamné pour effacer toute trace du crime. La masturbation n'est pas considérée avec autant de sévérité, et sa *recherche n'est ni usitée ni pratiquée* en Artois. Les accouplements anormaux sont jugés avec « indulgence » si la femme mariée les subit contre son gré : les échevins de Bapaume firent simplement brûler un *chapeau d'estouppes* sur la tête d'une épouse coupable de telle *sodomie* ! La fornication simple, avec des veuves ou avec des filles, hors du mariage, n'est pas recherchée. Mais les concubinaires vivant *à pot et à feu, comme l'on dict,* sont délogés par la justice, à la demande du pasteur et des voisins. Les filles de joie ne sont admises que dans des *bordeaux* publics. Sinon, elles doivent partir, et ceci sur simple décision des échevins et sans formalité de justice dans le cas particulier de la ville d'Arras. Dans cette capitale de la province existaient, avant le concile de Trente, des bordels publics tolérés et surveillés par le *Roi des Ribauds.* Ils ont été abolis par la suite [15].

Ces observations à propos de la pratique judiciaire artésienne sont corroborées par un juriste anonyme, dans un recueil de sentences copié vers les années 1630 et concernant la centaine d'années précédente. On y relève vingt-deux exemples de condamnations pour adultère, dans les formes signalées par Desmasures, à Arras, de 1562 à 1613. Par contre, l'inceste est souvent puni *en dessous de la mort,* même en ligne directe, précise ce second document. Le 9 mai 1573, par exemple, est

15. B. M. Lille, Ms. 510 (copie du xviiie siècle), titre xi, f° 2449 r°-2481 v°.

fustigé et banni d'Artois pour dix ans un homme marié qui avait engrossé sa belle-fille. Le parlement de Dole, à titre de comparaison, condamna le 7 mars 1600 un villageois coupable d'inceste avec sa belle-sœur veuve au bannissement perpétuel, à la fustigation et à être marqué au fer chaud. L'auteur anonyme nuance également le jugement de Desmasures à propos de la sodomie et de la bestialité. La punition est grave, dit-il, mais je n'ai pas trouvé de sentence de mort. Pour le reste, les deux témoignages se recoupent, le juriste anonyme précisant cependant quelques points supplémentaires. Il décrit treize condamnations d'hommes mariés ayant fréquenté des filles de joie, entre 1533 et 1578, et que l'on força à faire réparation honorable, à payer des amendes, à rester trois jours et trois nuits en prison au pain et à l'eau, ou que l'on bannit parfois, pour cinq ans au plus. Il signale une dizaine d'exemples de polygamie, entre 1555 et 1593. Pierre le Clercq, brasseur, eut ainsi la tête tranchée le 15 janvier 1557, pour avoir successivement épousé trois femmes, dont une arrageoise. Un autre fut astreint aux galères perpétuelles. D'autres encore furent humiliés, flétris, fustigés, bannis... Enfin, l'infanticide est représenté par sept sentences prises de 1530 à 1634, dont trois, en 1530, concernent un père et ses deux filles. Tous les accusés furent exécutés, à l'exclusion d'une jeune fille proclamée innocente et d'une veuve, fustigée et bannie pour dix ans [16].

Très clairement, la pratique judiciaire laïque se calque assez étroitement sur la morale religieuse de la Contre-Réforme. Le juriste anonyme cité, qui appartenait au Conseil d'Artois, fit un rapport devant cette instance pour dire que *célibat n'est estat favorable s'il n'est suivy d'un vœu simple de chasteté.* Il émaille son manuscrit de formules telles que celle-ci : *L'amour charnelle est très dangereuse... elle abestit, abrutit toute la sagesse, résolution, prudence...* Ou encore : *le plaisir charnel n'est pas convenable à la nature des hommes* [17]. Tous les tribunaux devinrent d'acharnés défenseurs de la moralité chrétienne. La police des mœurs constituait l'une des principales fonctions de l'échevinage d'Arras à la fin du XVIIe siècle. Sur 232 sentences échevinales prises entre 1694 et 1717, 102

16. B. M. Lille, Ms. 380, aux diverses rubriques citées.
17. *Ibid.*, p. 254, 178, 185.

concernent ces problèmes, dont 92 — près de 40 % au total — se rapportent au libertinage, c'est-à-dire à la prostitution sous toutes ses formes, 3 à des viols, 4 à des concubinages, 2 à des abandons d'enfant, et 1 à la polygamie [18]. Que les échevins aient perdu, à cette époque, une partie de leurs compétences sur des crimes plus graves n'est pas douteux. De ce fait le pourcentage des crimes de mœurs par rapport au total est surestimé. Il n'empêche que ces statistiques traduisent l'existence d'une répression sexuelle très vive, et en particulier d'une lutte très active contre la prostitution urbaine. Sur 130 dossiers de mœurs arrageois étudiés pour la période 1674-1701 par André Cornette, 93 concernent des affaires de prostitution et 11 de maquerellage. Les sentences sont souvent sévères : 104 bannissements, dont 60 % à perpétuité, avec une ou plusieurs punitions supplémentaires, comme l'amende honorable, le carcan, la fustigation, la marque au fer rouge. Peu de bourgeois figurent parmi les condamnés. Par contre, 60 % des prévenus n'appartiennent pas à la ville, sont des errants, ou le plus souvent des « libertines » de 16 à 22 ans, d'origine modeste, qui suivent les soldats en garnison [19].

Au xviiie siècle, la répression sexuelle se fait moins sévère. A Bordeaux, de 1768 à 1777, les affaires de mœurs jugées par les jurats — les échevins locaux — ne sont plus que des délits marginaux. Les rapts de séduction dominent, dans cette catégorie, alors que la prostitution est tolérée si elle n'est pas dénoncée par le voisinage. A Paris, dans la seconde moitié du xviiie siècle, les attentats aux mœurs ne représentent que 1,6 % des causes présentées devant la Cour criminelle du Châtelet. Seuls sont poursuivis au criminel la bigamie et surtout les viols. Libertinage et adultère, désormais, « ne relèvent que de la juridiction du « qu'en-dira-t-on » [20].

18. A. M. Arras, FF 4.
19. A. Cornette, « La police des mœurs à la fin du xviie siècle », Plein-Nord, 8-9 mai 1974, p. 10-12.
20. D. Vié, « La criminalité à Bordeaux de 1768 à 1777... », dans Positions des thèses... de l'Ecole des Chartes, Paris, 1971, p. 193-199 et P. Petrovitch, « Recherches sur la criminalité à Paris dans la seconde moitié du xviiie siècle », dans A. Abbiateci (et autres), Crimes et Criminalité en France, xviie-xviiie siècles, Paris, 1971, p. 215-216.

La répression sexuelle, qui marque essentiellement la période 1550/1600 — 1700/1750, est donc attestée par les sources littéraires, démographiques et judiciaires. Plus que d'une lutte systématique de la part de l'Eglise seule, il s'agit en fait de la convergence des efforts des autorités et des membres des couches dirigeantes pour promouvoir un nouveau type de civilisation dans un nouveau type d'Etat. En ce sens, la surveillance de la sexualité de tous, par l'instauration de règles et de tabous, est destinée à assujettir les corps, et en particulier ceux des masses populaires, pour obtenir la plus grande obéissance possible. Les règles de la bienséance et de la pudeur, la continence nécessaire hors du mariage, pourtant très tardif, sont autant de normes sociales imposées à tous. Comme est imposée la nécessité de jouir modérément, et dans les limites autorisées, des plaisirs de la chair à l'intérieur du mariage. La justice ecclésiastique et celle des laïques délimitent, dans la conscience de tous, les bornes du permis, du possible, de l'interdit. Par des canaux divers, chaque individu apprend que son corps ne lui appartient pas entièrement. En termes du XXe siècle, on le persuade que la sexualité est une fonction sociale et non pas une fonction érotique ou individuelle. Il y a mieux. On lui apprend aussi à maîtriser son corps tout entier pour le mettre au service de la société.

Maîtrise sociale du corps

Les pédagogues protestants ou jésuites avaient compris, dès le XVIe siècle, que le meilleur moyen de former de bons chrétiens était de s'intéresser à l'éducation des enfants. Plus généralement, et dans le même ordre d'idées, l'enfance devint, sous l'Ancien Régime, le principal lieu d'activité d'une « technologie politique du corps ». L'enfance, l'adolescence, et même l'état d'homme marié, pour peu que ce dernier restât sous la dépendance de son père. Jusqu'à vingt-cinq ou trente ans, et parfois encore plus, on apprit désormais à maîtriser son corps.

Dès le point de départ, et ceci longtemps avant l'époque considérée, le bébé apprenait sans le vouloir à contrôler son corps. Emmailloté entièrement, jusqu'à ce qu'il marche, il lui était impossible d'exercer cette recherche de l'autonomie à laquelle les psychologues attachent une grande importance. Buffon, dans son *Histoire naturelle,* publiée de 1749 à 1782, précisait que ce *défaut d'exercice est capable de retarder l'accroissement des membres et de diminuer les forces du corps,* et se prononçait contre le maillot. Plus récemment, David Hunt, étudiant l'enfance de Louis XIII, affirmait que les enfants français du xviie siècle souffraient d'un important complexe, dû à une recherche contrecarrée de l'autonomie, dans toute la prime enfance. Le dauphin Louis avait été sevré à vingt-cinq mois — les prescriptions habituelles étaient de dix-huit à vingt-quatre mois. Ses gardiens s'étaient peu intéressés à sa propreté, mais l'avaient fréquemment purgé, le privant d'un contrôle personnel sur ses propres boyaux. Après un stade de liberté totale, de jeux sexuels permis ou provoqués par ses nurses, il avait commencé à être « brisé », à être régulièrement fouetté, après trois ans. A ce sujet, l'auteur parle d'une inhibition des désirs d'autonomie, qui s'accompagne de l'apprentissage de l'obéissance totale à un père très autoritaire. L'image du « bon » Henri IV en est un peu ternie. Peut-être cette éducation princière est-elle peu typique ? Néanmoins, la manière forte est utilisée à l'époque dans toute la société française pour inculquer aux enfants le respect des parents ou des supérieurs. Car l'enfance, dit encore Hunt, est considérée par les adultes comme une « maladie », comme un danger, tant que le petit être n'a pas appris à se conformer aux volontés des grandes personnes, c'est-à-dire jusqu'à six ou sept ans [21]. S'ouvre alors la période de la seconde enfance, jusqu'à quatorze ou quinze ans, qui est celle de l'apprentissage d'un métier ou d'une fonction. Les enfants de toutes origines sociales partent généralement loin de leur famille, pour subir la férule et les châtiments corporels d'un maître inconnu. Cependant, au xviiie siècle, seuls les nobles et les artisans continuent à placer

21. D. Hunt, *Parents and Children in History. The Psychology of Family Life in Early Modern France,* New York, 1970. Voir aussi E. Marvick, « The Character of Louis XIII : the Role of his Physician », dans *Journal of Interdisciplinary History,* IV, 3, 1974, p. 347-374.

ainsi leurs rejetons comme apprentis. Le collège, quant à lui, accueille une élite sociale : moins de 50 000 élèves pour toute la France en 1789. Ce « grand enfermement » des enfants dans les écoles s'accompagne également de punitions corporelles fréquentes. Une adolescence très longue, enfin, permet aux filles et aux garçons issus des masses populaires de gagner lentement de quoi s'établir et se marier [22].

Dans l'ensemble, l'enfant comme l'adolescent subit une tutelle paternelle de plus en plus lourde aux XVIIe et XVIIIe siècles. Les filles des milieux aisés de la population sont souvent promises au couvent forcé ou au mariage contraint, afin de ne pas trop écorner le capital qui doit échoir à leurs frères. Les garçons nobles et bourgeois, surtout, sont enfermés, disciplinés, surveillés dans les collèges. On leur apprend à se conduire en « honnête homme ». On les sépare de la mort, de la sexualité, c'est-à-dire du monde des adultes. Eux aussi se marieront selon les volontés de leur famille et surtout de leur père. Car l'autorité paternelle est renforcée par la législation, qui permet, par une lettre de cachet, de faire interner un enfant rebelle. A la fin du XVIIe et au XVIIIe siècle des mesures seront prises contre l'arbitraire des parents en cette matière, mais sans modifier l'essentiel, qui est d'empêcher un adolescent de se marier à son gré, dans le but d'éviter une possible mésalliance [23]. La puissance paternelle n'est pas moindre dans les masses populaires, spécialement en pays de droit romain. En Languedoc, vers 1690-1730, le père peut exercer toute justice sur ses enfants. Ainsi un paysan attache-t-il son fils âgé de douze ans au poteau, toute une journée, pour avoir fait une fugue et pour avoir commis un vol. Les bagarres ou les meurtres ne sont pas rares au sein des familles, le père favorisant l'aîné au détriment des cadets et une stricte et pesante hiérarchie, selon l'âge, les capacités de travail et le sexe régentant les rapports domestiques. Pour la même région entre 1730 et 1790, Yves Castan parle même d'une obéissance passive

22. Cf. Ph. Ariès, *L'enfant et la vie familiale sous l'Ancien Régime*, Paris, rééd., 1973; F. Lebrun, *La vie conjugale sous l'Ancien Régime*, Paris, 1975; etc.
23. G. Snyders, *La pédagogie en France aux XVIIe et XVIIIe siècles*, Paris, 1965, p. 255-256.

du fils au père, semblable à celle « que le citoyen moderne consent au chef militaire et politique, et qu'il considère comme une occasion évidente de dégager sa responsabilité » [24].

Le fondement de la famille est bien alors la puissance paternelle. Une puissance revalorisée, dans toutes les couches sociales, par la volonté des autorités religieuses et politiques. Car l'autorité absolue du père, qui incarne le sommet de la hiérarchie familiale, garantit et reflète l'ordre du monde immuable voulu par Dieu. Chaque père est un roi au petit pied, c'est-à-dire l'un des millions d'agents dociles et inconscients de l'affermissement de l'absolutisme centralisateur. En Alsace, sous Louis XIV, les membres de la famille apprennent les gestes de la soumission au roi en regardant vivre le père. Chaque acte de la vie quotidienne est relié à une conception autoritaire et hiérarchique : « le maître de maison (s'installe) en haut de la table, sa femme à sa droite, ses fils à sa gauche, les filles à côté de la mère, puis les domestiques ». Lors des repas, le père boit son vin le premier, puis passe le verre au plus âgé des mâles présents, avant que n'y puissent goûter les autres hommes, dans l'ordre de leur ancienneté et de leur prestige [25]. Restif de la Bretonne, au XVIIIe siècle, décrivait également son père, riche paysan bourguignon, comme un tyran domestique fouettant un fils coupable d'avoir conté fleurette sans sa permission à quelque demoiselle, ou manifestant son pouvoir envers les femmes, les enfants et les serviteurs. Véritable « prêtre » d'un culte de l'autorité, le père de Restif exigeait, comme les autres chefs de famille de son époque, la soumission de tous. La chasteté des filles bourguignonnes était ainsi « bâtie sur la rigueur des pères » [26].

Les corps des enfants, de la naissance au mariage, apprenaient les gestes de la soumission et de l'obéissance

24. N. Castan, « La criminalité familiale dans le ressort du Parlement de Toulouse (1690-1730) », dans A. Abbiateci (et autres), *op. cit.*, p. 91-107; Y. Castan, « Mentalités rurales et urbaines... dans le ressort du Parlement de Toulouse... (1730-1790) », *ibid.*, p. 141.
25. M.-N. Denis, « La salle commune et son évolution dans la plaine d'Alsace », *Ethnologie française*, 1972, n° 3-4, p. 299-302.
26. E. Le Roy Ladurie, « Ethnographie rurale au XVIIIe siècle : Rétif, à la Bretonne », *ibid.*, 1972, n° 3-4, p. 233-241 et 247-248.

passive vis-à-vis de leurs parents, en particulier de leur père. Ce dernier n'avait évidemment pas droit de vie et de mort sur sa progéniture. Mais, à part cela, il disposait réellement d'un pouvoir absolu, sur ses fils et plus encore sur ses filles, comme d'ailleurs sur ses domestiques ou sur ses apprentis. Par là, il se trouvait être un agent de mise en conformité sociale des corps de ses enfants. Nous avons vu qu'il décide de leur avenir, de leur mariage, de leur sexualité même. Il use facilement des châtiments corporels ou de la force pour leur imposer ses volontés. Il trône même encore à la place d'honneur quand habite avec lui son fils marié. Plus encore, il insuffle lentement l'obéissance à tous ses rejetons par des rites quotidiens d'interaction. L'histoire de tels rites est encore en grande partie à faire. Car il s'agit là de comportements mineurs qui ont lieu entre deux ou plusieurs individus et qui sont autant de signaux déterminant la ligne de conduite des protagonistes [27]. Par exemple, le fait de tirer son chapeau ou d'esquisser un sourire devant un inconnu appartient à cette sociologie du comportement. Or l'hypothèse que j'avancerai est celle d'une évolution des rites d'interaction, sous l'Ancien Régime, dans le sens de l'apprentissage permanent des valeurs d'autorité et de hiérarchie dans la famille. Les rapports entre les parents et les enfants semblent se plier désormais à un cérémonial propre à accentuer la discipline et à diminuer l'intimité, à l'exception de la bourgeoisie, qui connaît le cheminement inverse. Ainsi en est-il des rapports proprement hiérarchiques autour de la table paysanne alsacienne, bourguignonne, ou languedocienne. Un complexe réseau de gestes rituels définit, selon le sexe, l'âge, les capacités et les conditions locales, la place de chacun par rapport au maître de la maison. L'action des lettrés, ces miroirs d'une société de hiérarchies et de privilèges, est évidemment à la base de l'évolution. Plus insidieusement, l'activité des tribunaux définit les gestes de la soumission aux parents. Car la désobéissance grave des enfants est jugée criminellement, aux XVIe et XVIIe siècles, comme le prouvent les exemples arrageois suivants : En 1561, un fils accusé d'avoir tué une vache

27. E. Goffman, *Les rites d'interaction*, Paris, 1974.

appartenant à sa mère et d'avoir commis *plusieures molestes, indignités et menaches contre icelle, l'enchassé de sa maison avec violence ad cause que sadite mère estoit de trop longue vie,* est condamné à faire réparation honorable, à tenir prison, puis à recommencer sa réparation à l'issue de la grand-messe paroissiale, le dimanche suivant sa délivrance. Une femme qui avait battu et outragé sa belle-mère est soumise en 1572 à une réparation honorable *avecq torse sans lumière,* avant d'être bannie d'Artois pour trois ans. En 1594, un fils qui s'est opposé à son père pour une question d'intérêt et qui lui a dit *garçon, belistre et larron,* paie une amende de douze florins et reçoit l'ordre de se comporter *en toutte modestie et révérence allencontre de sondict père,* sous peine de bannissement. Il n'est pas rare de voir s'effectuer en public de telles réparations honorables : un cordonnier ivrogne, qui a battu son père et qui a blasphémé, s'en acquitte avec sur la poitrine un billet où est écrit : *renié Dieu et bastus son père,* et passe ensuite un mois en prison[28]. La justice vient donc à la rescousse d'un père ou d'une mère outragés. Elle dramatise, dans les sanctions imposées aux coupables, la déférence qui est due aux parents. Les spectateurs y voient sans doute la réaffirmation solennelle d'un rite d'interaction. Ils y découvrent aussi l'aspect sacré de la maternité, et plus encore de la paternité, qualités qui fondent toute la vie sociale. Aussi les juges condamnent-ils avec la dernière rigueur les pères incestueux, qui mettent en cause l'ordre normal des choses. Les pères trop indulgents, eux, sont rappelés à la raison, tel cet Arrageois de 1593 qui fut contraint d'assister à la fustigation de sa fille condamnée pour *vie lubricque et dépravée,* ce qu'il aurait dû éviter en la surveillant mieux. Les maris cocus sont bannis pour des raisons identiques. Quant au crime d'adultère, il est *énorme et chose horrible, pour ce qu'il destruit toute la société humaine, corrompt les familles, pervertit les républicques...* La justice définit clairement les fonctions parentales. Hommes et femmes coupables d'avoir laissé mourir leur enfant par négligence sont condamnés, à Arras, à des pèlerinages expiatoires ou à des réparations honorables. On leur ordonne

28. B. M. Lille, Ms. 380, p. 143-144 et 315-316.

de *porter plus grand soing à leurs enffants.* Par contre, la loi défend les parents contre l'intervention d'étrangers dans leur vie familiale. Même si celle-ci était aussi trouble que celle de Michel Lagnerel, bourgeois d'Arras et marchand de fer, dont la fille et la femme s'enfuirent hors de sa *puissance* grâce à l'aide de Noël Boussemart, avocat au Conseil d'Artois et soupirant de la demoiselle éconduit par le père. Les échevins condamnèrent Boussemart, le 15 octobre 1697, à demander pardon à Lagnerel et à payer une amende de vingt livres. Ils lui interdirent en outre de fréquenter la fille sans l'autorisation du père. Après appel de l'accusé, le Conseil d'Artois confirma, pour l'essentiel, ce jugement le 9 janvier 1698 [29].

A travers ces diverses sentences, la justice nous présente le modèle idéal du père qui surveille bien sa femme et ses enfants, qui évite lui-même et leur interdit toute déviation sexuelle, qui dispose d'une autorité presque sans limite sur sa famille. Autorité que garantit la loi, sans doute plus fermement à partir du xviiie siècle qu'auparavant. Le modèle idéal du bon fils ou de la bonne fille, d'après les mêmes sources, est celui de l'obéissance, de la soumission et du respect filial. Au xviiie siècle, Jean-Baptiste Greuze a traduit cette moralisation de la vie familiale, dans la *Malédiction paternelle* et dans *le Fils puni*. Le premier de ces tableaux met en scène un fils libertin, qui vient de s'engager dans l'armée et qui dit adieu à sa famille. Le père, retenu par une fille, le maudit, tandis que la mère et un tout jeune enfant s'accrochent à lui pour l'empêcher de partir. La Révolution n'est pas loin et la sujétion des enfants aux parents n'est plus aussi entière que deux ou trois générations auparavant. Pourtant, le fils maudit a du mal à arracher son corps à sa famille. N'est-ce pas là le parfait symbole des corps socialement maîtrisés par leur famille, par leur père, et qui ne se libèrent qu'à l'extrême fin de l'Ancien Régime ?

A nouveau, la période 1550/1600-1750 présente une grande originalité par rapport à celles qui l'encadrent. Comme la

29. *Ibid.*, p. 265-274, 225-228, 188, 145, et A. M. Arras, FF4, f° 56 v°-59 v° (cas Boussemart).

sexualité est réprimée, les corps sont assujettis à l'obéissance totale aux volontés des pères de famille. Finalement, de la naissance au mariage tardif, garçons et filles apprennent constamment à laisser leur famille décider de leur destin, à rester à leur place, à marquer de la déférence et de l'obéissance à leurs parents. Tous font ainsi l'apprentissage du conformisme social, du respect des autorités et des hiérarchies. Peut-être dira-t-on que cette valorisation de l'autorité paternelle existait avant le triomphe de l'absolutisme. La chose est possible. En tout cas, une nouveauté certaine réside dans le fait que l'adolescence et le mariage de plus en plus tardifs portent les enfants à subir la tutelle de leur famille jusqu'à près de trente ans, alors que l'espérance de vie est basse à l'époque. Et puis, les manuels des pédagogues et des moralistes insistent sur l'image du père vertueux et terrible, ce reflet du Dieu vengeur ou du roi tout-puissant qui dominent le monde. Admettons donc l'idée d'une valorisation de la figure paternelle, sous bénéfice d'inventaire et en la nuançant, car les Pyrénées centrales ou la Bretagne bretonnante accordaient une place beaucoup plus importante à la femme, à la mère, que d'autres régions de France. Chaque père était, dans cette optique, un agent essentiel de la centralisation et de la pérennité sociale. Encore fallait-il que le système politique soit constamment et clairement perçu par ces millions d'agents. Ni les institutions ni les officiers n'auraient suffi à définir ce qu'étaient la légalité et les normes sociales. La justice s'en chargea, tout naturellement, en imprimant ces valeurs dans les corps meurtris des suppliciés et dans la pensée des spectateurs.

Les corps suppliciés

Michel Foucault, très récemment, a ouvert la voie d'une étude politique du « corps des condamnés », en émettant l'idée que les supplices avaient, au XVIIIe siècle et auparavant, une fonction juridico-politique. Ils reconstituaient « la souveraineté un instant blessée », et ceci par « une affirmation emphatique du pouvoir et de sa supériorité intrinsèque ». Le condamné, ajoutait l'auteur, dessinait « la figure symétrique et inversée du roi ». Son corps supplicié permettait à l'acte de justice de « devenir visible pour tous ». Car le peuple se pressait aux exécutions, en spectateur, plus que d'une torture, « d'un pouvoir qui se retrempe de faire éclater rituellement sa réalité de surpouvoir » [30].

Dans le même ordre d'idées, je voudrais prouver que le corps des suppliciés était un objet politique important sous l'Ancien Régime, jusqu'à ce que la punition commence à devenir secrète, à la fin du XVIIIe siècle. Mais, à la différence de Michel Foucault, je m'intéresserai plus à la naissance qu'à la disparition de ce phénomène, en affirmant que son apparition est étroitement liée à celle de l'absolutisme triomphant.

Les supplices corporels eux-mêmes ne sont nullement une invention de l'Ancien Régime. Ils existaient au Moyen Age, pour ne pas remonter plus loin encore : faux-monnayeurs bouillis vifs, voleurs enfouis vivants, mutilations diverses, mise au pilori, torture, etc. Cependant, la part des supplices corporels autres que les exécutions capitales était faible dans le total des condamnations. J'en ai trouvé peu de traces à Arras aux XIVe et XVe siècles. De même, les autorités gantoises condamnaient rarement à la mutilation au XIVe siècle. A Anvers, on ne trouve que trois cas d'essorillement — oreille(s) coupée(s) — de 1358 à 1387, sur un total de 1 501 cas étudiés, ayant donné lieu à 84 mises à mort [31]. Au XVIe siècle, ces supplices corporels ont tendance à augmenter en nombre [32]. En particulier se multiplient les signes d'infamie : oreille coupée, marques au fer chaud, exposition au pilori, amende honorable faite en public... Les voleurs et les vagabonds portent de plus en plus sur leur corps la marque visible de leur état. A Arras, de 1528 à 1549, 168 individus furent jugés pour vol, ce qui représentait 30,2 % du total des sentences. Seuls 4 d'entre eux furent pendus à cause de circonstances aggravantes, alors que 149 voleurs

30. M. Foucault, *op. cit.*, p. 7-72 (en particulier p. 52, 33, 61).
31. D. M. Nicholas, « Crime and punishment in fourteenth-century Ghent », *R.B.P.H.*, 1970, p. 327-328; J. A. Goris, *art. cit.*, tableau entre p. 204-205.
32. B. Geremek, « Criminalité, vagabondage, paupérisme... », *R.H.M.C.*, 1974, p. 368-370.

étaient bannis, à temps pour la plupart. En outre, des peines secondaires infamantes furent appliquées à certains des condamnés : 9 femmes et 52 hommes ou jeunes garçons furent fustigés, le plus souvent en public; 5 hommes perdirent l'oreille droite, 5 autres l'oreille gauche, 3 les deux oreilles, et 2 femmes furent mutilées de l'oreille gauche. Presque tous étaient des récidivistes. Ce supplice permettait de le faire savoir à n'importe qui. Un coup d'œil suffisait pour connaître le degré de culpabilité du supplicié, car on ne coupait l'oreille gauche que lorsque manquait la droite. Dans un cas, les échevins firent même recouper *par en bas* les deux oreilles mutilées d'un « criminel » très endurci. Somme toute, 9 % des voleurs furent essorillés et près du tiers connut la fustigation, en sus de peines plus graves. Il faut ajouter que 22 % au moins des condamnés pour vol étaient de jeunes garçons, et que 90 % des coupables dont le lieu de naissance est connu — 133 sur 168 — étaient étrangers à la ville ! Et ce groupe de criminels subit, globalement, les mêmes peines que les vagabonds : même justice et même sociologie ! Car le vagabondage est un délit, puni de bannissement à temps, pour 1 an, 3 ans ou 5 ans. D'ailleurs, 3 des 19 condamnés pour ce crime sont déjà essorillés des deux oreilles, l'un étant même sans cheveux *oultre les oreilles,* ce qui indique leurs relations avec le monde du vol. La plupart des autres crimes imaginables donnaient fréquemment lieu à des mises au pilori ou au carcan, à la fustigation, sur une charrette, par les carrefours principaux de la ville, à la marque au fer chaud — le *rat* d'Arras —, à l'amende honorable publique. Celle-ci se faisait tête et pieds nus, en chemise, une torche ardente ou éteinte dans la main. Il fallait souvent s'agenouiller devant la victime, lui demander pardon, ainsi qu'à *Dieu, au roi et à justice,* puis porter la torche à une chapelle voisine, en y réitérant les gestes et les paroles du repentir. Encore heureux si les échevins ne vous imposaient pas un pèlerinage expiatoire lointain, long et coûteux [33] !

Jusqu'au XVIIIᵉ siècle inclusivement, le théâtre judiciaire multiplia les représentations. Les corps des suppliciés furent les scènes successives de celles-ci. Les Arrageois, habitants

---

33. A. M. Arras, FF 3.

d'une ville moyenne, avaient chaque année quelques dizaines d'occasions d'assister à l'exercice solennel de la justice. Les mutilations surtout, étaient fréquentes au XVIᵉ siècle, avant d'être remplacées à l'époque suivante par les expositions sur la place publique et par la fustigation. En Artois, d'une manière générale, on coupait encore le poing au début du XVIᵉ siècle. L'essorillement fut abondamment pratiqué durant tout le XVIᵉ siècle, en ce qui concerne les voleurs et les filles de joie. En 1592, et encore en 1613, un blasphémateur eut la langue percée. Les yeux crevés sont plus exceptionnels : un voleur de mouton subit ce supplice à Lens vers 1524-1525. La flétrissure au fer chaud, aux armes de la ville, ou plus tard à celles du roi de France, est pratiquée durant tout l'Ancien Régime sur la personne des voleurs et des vagabonds. Les cheveux brûlés ou tondus sont assez rares, à moins qu'il ne s'agisse d'hérétiques sur la tête desquels est posé un chapeau d'étoupe enflammée [34].

Le corps reçoit ainsi l'empreinte du pouvoir. Il n'est pas jusqu'aux suicidés que l'on ne punisse, en pendant ignominieusement leur cadavre au gibet. A Lille, sous Louis XIV, les dépouilles des suicidés étaient traînées hors de leur maison, la face contre terre, avant de subir un procès en bonne et due forme. Le corps de chacun, comme le dit une formule arrageoise d'amende honorable, appartient à Dieu, au roi et à la justice, avant même que son possesseur ne puisse en disposer. Cependant, aux XVIIᵉ et XVIIIᵉ siècles, les mutilations cèdent peu à peu la place aux supplices infamants, destinés à prouver également que le corps de chacun appartient à la collectivité qui le juge. De 1694 à 1717, les échevins d'Arras imposent encore la marque au fer chaud aux coupables de rapt d'enfant ou, en plus des galères, aux voleurs. Par contre, ils punissent le crime de faux par le cheval de bois, le concubinage ou la prostitution par le port du *tonneau* dans la ville, l'abandon d'enfant ou les crimes de mœurs par le carcan... Amende et bannissement, pour divers types de crimes, s'accompagnent souvent de l'une de ces peines, voire de plusieurs d'entre elles. Un polygame, en 1716, doit accomplir une amende honorable puis est mis au carcan durant une heure, un jour de marché,

---

34. B. M. Arras, Ms. 1854, fiches « Justice criminelle ».

avec deux quenouilles et un *escriteau devant luy où sera escrit le mot poligame*. Conduit ensuite dans cette tenue par toute la ville, il est en outre banni pour neuf ans et paye trente livres d'amende, plus les frais. Les peines les plus communes, dans la même ville, de 1674 à 1701, pour 130 dossiers de mœurs, sont le bannissement (104 cas), l'amende honorable (10 cas), la fustigation (20 cas), la marque au fer rouge (3 cas ?), qui se combinent parfois entre elles [35]. La justice marque moins cruellement et moins définitivement les corps qu'au XVIᵉ siècle, mais reste essentiellement exemplaire. Elle présente aux foules le drame de l'infamie sociale visible dans les corps exposés, qu'accompagnent de plus en plus souvent des écriteaux, afin que nul n'en ignore, et qu'on astreint à des rites terrifiants, comme de baiser la potence, pour accentuer la peur du coupable et celle des spectateurs. Ces derniers ont également de quoi frissonner, lors des exécutions capitales. En Artois, aux XVIᵉ et XVIIᵉ siècles, flambent les bûchers, pour rôtir les corps vivants ou préalablement étranglés des hérétiques, des sorciers, des incendiaires, des infanticides, des bandits de grand chemin. Roulent les têtes décapitées des coupables de viol ou d'homicide, des émeutiers, des coupables de crimes de lèse-majesté. Tournent au vent les cadavres pendus des voleurs, des traîtres, des coupeurs de bourse, des « égyptiens », des hérétiques, et en général des criminels de « condition inférieure » à qui est réservé ce type de mise à mort. Et puis apparaissent les galères, vers 1562 au plus tard [36]. Car, dans cette province comme dans toute la France, les supplices évoluent. Au XVIIIᵉ siècle, la justice française utilise concurremment d'anciennes et de nouvelles manières de punir. A Bordeaux, le vol, qui représente 25 % des crimes jugés de 1768 à 1777, conduit au bannissement, au carcan, à la flétrissure, à la fustigation, aux galères ou à la pendaison. A Paris, dans la deuxième moitié du XVIIIᵉ siècle, les voleurs constituent 87 % des criminels. Seuls les récidivistes sont marqués au fer rouge, alors que 10 % des coupables sont

35. A. M. Arras, FF 4 (f° 242 v°-245 r° pour le cas de polygamie en 1716) et A. Cornette, *art. cit.*, p. 10-11.
36. B. M. Arras, Ms 1854, « Justice criminelle ».

exécutés et que 14 % connaissent la prison. On hésite désormais à pendre ou à châtier les femmes, mais on roue et on brûle aussi aisément que par le passé. L'évolution en la matière provient-elle d'une mutation de la criminalité ? Les historiens se sont ingéniés à prouver que la violence des mœurs décroît et que la criminalité de « ruse » augmente sous l'Ancien Régime [37]. En réalité, j'aurais tendance à inverser les termes du problème, et à dire que la justice change parce que changent les procédures de domination politique, parce que l'Ancien Régime entre en crise et s'achemine vers la Révolution. Michel Foucault a insisté sur le fait que « la sombre fête punitive est en train de s'éteindre », que la punition des criminels commence à s'opérer en secret, à la fin du XVIIIe siècle [38]. Selon moi, la criminalité urbaine n'a guère changé en deux ou trois siècles, sauf exception et mis à part le cas de Paris. Car les échevins arrageois jugent déjà 30 % de voleurs contre 16 % de meurtriers et 14 % de violents entre 1528 et 1549. Est-ce très différent du cas bordelais de 1768 à 1777 ? Si l'on retient cette remarque, et si l'on porte attention à l'utilité politique des supplices corporels, la seule modification d'importance que l'on puisse enregistrer est celle de la dilution, ou des incohérences et des hésitations du pouvoir absolu et centralisateur avant la Révolution. Tout se passe alors comme si la monarchie et sa justice n'étaient plus aussi étroitement interdépendantes qu'auparavant. Les juges continuent à rendre une « justice de classe », mais à cause de leur origine sociale ils « se trouvent protéger surtout des valeurs bourgeoises » [39]. Comme chacun sait, ces mêmes valeurs coïncident de moins en moins avec celles d'une monarchie à son crépuscule. De ce fait, la répression se porte plus naturellement sur le crime de vol. Les juges ont intérêt à ériger la propriété en dogme intangible, et à mettre hors d'état de nuire ceux qui s'y attaquent. Par contre, ils ne se sentent plus directement concernés par la défense du « corps du roi », à travers les supplices corporels. Ils continuent pourtant, à cause d'une certaine inertie du droit, à imposer parfois aux

37. D. Vié, *art. cit.*, p. 195; P. Petrovitch, *art. cit.*, p. 231-233 et p. 258.
38. M. Foucault, *op. cit.*, p. 13-14.
39. P. Petrovitch, *art. cit.*, p. 233.

condamnés la flétrissure ou la marque d'infamie, symboles du pouvoir total et quasi divin du souverain courroucé sur le corps des rebelles à son autorité, et sur le corps de chacun de ses sujets en général.

Du XVIᵉ au XVIIIᵉ siècle, en France comme dans d'autres Etats absolus, le souverain avait imposé sa loi à l'ensemble de la société, à travers les corps meurtris, mutilés ou détruits des criminels. L'originalité de la période, à cet égard, provient peut-être moins d'une cruelle barbarie que de la systématisation des tortures inventées au Moyen Age ou auparavant. Chaque supplicié portait sur l'échafaud le message d'une autorité royale affermie. Chaque mutilé rappelait à ses contemporains que leur corps appartenait au roi, tout comme à Dieu. Constamment, laborieusement, la justice apprenait à tous les sujets du monarque à se conformer aux normes sociales, à brider leurs passions. Car les supplices étaient en même temps des symboles : le voleur perdait une partie de son corps, le meurtrier en était dépossédé, le sorcier brûlait au feu de l'enfer, le vagabond oisif était astreint au travail forcé sur les galères, l'auteur d'un crime inouï contre la personne royale souffrait mille morts. La justice, en un mot, définissait les limites de la liberté, individuelle ou collective. Limites singulièrement étroites, puisqu'étaient considérés comme des « crimes » la désobéissance ou l'injure envers les pères et les mères, la fréquentation des filles de joie par des hommes mariés, les réjouissances au moment des offices paroissiaux, le suicide, fût-ce au terme d'une très douloureuse maladie, le simple fait d'errer à la recherche d'un travail, l'utilisation de certains mots blasphématoires...

Si l'on recherche le procédé principal dont usa la royauté pour affirmer son emprise, et pour faire disparaître la culture populaire, il faut penser à la « technologie politique du corps ». Car ce dernier était l'un des fondements de la vision du monde populaire. Les masses usaient sans complexe, avant la répression, de leur sexualité, de l'urine, de la « matière joyeuse ». Dominées mais non pas aliénées, elles étaient en contact avec la nature, certes difficile et dangereuse, par le bas de leur corps. En découlaient des rites multiples, que j'ai décrits, et une conception magique et animiste de l'univers. Les gens du peuple mettaient bien leur force de travail au service des puissants, mais leur corps n'était assujetti qu'aux forces mystérieuses dont ils imaginaient partout la présence. Or à partir du XVIe siècle se modifie brutalement cette situation. Les autorités désirent avoir des sujets d'autant plus productifs et d'autant moins réticents qu'ils seront mieux assujettis. Par un immense effort coextensif à tous les membres des catégories privilégiées de la société, est entreprise la domination des corps humains, qui conduira au renforcement de la mainmise d'une élite sur la vie politique et sociale. Nul complot, nulle stratégie mûrement mise au point, ne sont à l'origine de cette mutation. Celle-ci n'est que le prolongement des procédures visibles de domination d'une masse par un petit nombre. Elle est aussi le résultat d'une « civilisation des mœurs » débutant à la cour et dans les couches supérieures urbaines. Les gens civilisés proscrirent désormais la nudité, la sexualité bestiale, les appétits violents, les passions excessives. Ils imposèrent aux masses cette répression sexuelle qu'ils s'étaient d'abord imposée à eux-mêmes, et le « tabou » concernant le bas du corps humain. Mieux encore, la logique du système politique, basé sur un Dieu paternel terrible dont le roi était l'image sur la terre, contribua à valoriser l'autorité du père de famille, qui devint sans le savoir le meilleur agent de transmission des notions de respect, d'obéissance, de hiérarchie, d'autorité. Les nobles comme les paysans pratiquaient les vertus familiales nouvelles qui enracinaient l'absolutisme plus facilement que n'auraient pu le faire les intendants. Par contre, en matière de justice, une nette différence de traitement s'imposait entre les privilégiés et ceux qui ne l'étaient pas. Les premiers n'étaient que rarement suspects de vouloir briser un ordre social qui les favorisait. Et quand cela était, on accordait aux puissants, aux riches, aux nobles, des traitements moins infamants qu'aux gens du peuple. Un aristocrate n'était pas pendu, comme un quelconque rustre, mais avait le droit d'être décapité. Par ailleurs, le corps des privilégiés subissait rarement les mutilations ou les supplices annexes. Il n'eût pas été bon de faire d'eux l'image inversée du roi. Il n'était pas utile de préciser complaisamment toute l'horreur de leur crime. Car le pouvoir absolu se serait affaibli lui-même, en suppliciant et en mutilant ceux qui étaient chargés de fonder sa pérennité et sa légalité. Il n'en allait pas de même des masses populaires, qui subissaient une justice de classe. Car les corps malmenés, exposés, mutilés, brûlés, pendus, découpés, roués, marqués des criminels du commun avaient le redoutable privilège de renforcer la puissance souveraine. Ils précisaient pour tous les limites du permis. Ils prouvaient que le roi surveillait ces limites sans faillir. Ils démontraient l'existence de l'autorité totale, cruellement surhumaine, du souverain. Ils terrorisaient les masses portées à s'identifier à eux. Ils imprimaient dans l'esprit de tous la notion de hiérarchie et celle d'obéissance. Ils permettaient aux privilégiés de se sentir en sécurité, défendus par la main terrible du prince. La vue des gibets, l'odeur des cendres, la rencontre d'un homme essorillé parlaient à tous les sens des contemporains de la nécessité de respecter l'ordre établi. La punition, à tous égards, était exemplaire et fondatrice d'une légalité un instant oubliée.

En fin de compte, et surtout en ce qui concerne les masses populaires, le corps des hommes et des femmes de l'Ancien Régime échappait au contrôle de son légitime possesseur. Car il appartenait au roi, par les mécanismes complexes du refoulement des passions, de la surveillance des corps et du supplice de ceux-ci en cas de transgression des normes. Les corps contraints devaient donner des hommes soumis. A condition, bien sûr, que ces hommes ne puissent se réfugier dans la résistance passive en se ménageant un coin obscur de mauvais esprit, peu accessible à la force pure. Chose difficile, assurément, car fonctionnait également une sorte de technologie politique de l'âme.

II. Les âmes soumises

La conquête des âmes est beaucoup mieux connue que celle des corps. Elle a passionné les historiens des religions, depuis de longues années. Il suffira donc d'en décrire les caractéristiques principales. Encore ne s'agit-il pas ici de définir la spécificité du phénomène religieux, mais uniquement de considérer son impact sur la culture populaire, sa capacité à soumettre les âmes. En ce sens, même si les buts des missionnaires sont proprement chrétiens, ils n'en permettent pas moins d'affermir la mainmise du pouvoir absolu sur chacun des sujets. Outre les vérités évangéliques, les prêtres et les moines enseignent la soumission au roi comme à Dieu. Ils véhiculent une morale religieuse, mais aussi une morale politique. En combattant les superstitions, les abus, les excès, c'est-à-dire la culture populaire, l'Eglise détruit un monde atomisé politiquement au profit d'un Etat centralisé, qui progresse d'ailleurs au même rythme que la Contre-Réforme. Le catholicisme romain, à partir du milieu du xvi⁰ siècle, bâtit une Eglise plus hiérarchique que par le passé, présente partout, et dont la structure se marie très bien à celle de l'absolutisme, également hiérarchique et autoritaire. Ce n'est pas un hasard si le protestantisme, lui, naît dans des pays plus décentralisés et domine ensuite des Etats dans lesquels l'absolutisme ne réussit pas, ou parvient imparfaitement à s'implanter définitivement. En France, l'Eglise aide l'Etat à soumettre les âmes par une surveillance accrue de toute la société, par une lutte active contre les « superstitions », par la définition d'une moralité qui repose sur une totale obédience envers Dieu et le roi.

Surveillance de la société

Jean Delumeau parle d'un « effort pour remodeler le fidèle », qui s'exerça essentiellement par les missions, par l'encadrement paroissial et par les « petites écoles », entre le milieu du xvi⁰ siècle et le début du xviii⁰ siècle [40]. La Contre-Réforme fut réellement une révolution silencieuse. Car elle entreprit de modifier un équilibre presque millénaire. Elle réussit à transformer des « chrétiens collectifs en des chrétiens individuels » [41].

Les masses populaires du xv⁰ et du début du xvi⁰ siècle, nous

40. J. Delumeau, *Le catholicisme entre Luther et Voltaire*, Paris, 1971, p. 274-292.
41. J. Bossy, « The Counter-Reformation and the People of Catholic Europe », *Past and Present*, n° 47, mai 1970, p. 62 (article très important et très suggestif).

l'avons noté, pratiquaient réellement un christianisme de groupe, dans le cadre des multiples solidarités qui liaient alors les hommes entre eux. Dans la famille, dans les fraternités médiévales surtout, dans les groupes d'âge, dans les corporations, etc., s'exprimait un culte chrétien qui prenait souvent, comme le dit John Bossy, « une forme crue et matérialiste ». Ce culte collectif constituait un mécanisme social d'importance lors des multiples fêtes que j'ai décrites, puisqu'il permettait d'évacuer les tensions accumulées au sein de chaque communauté. Or l'Eglise post-tridentine considéra qu'un tel christianisme entaché de paganisme devait disparaître. A l'initiative de Charles Borromée, archevêque de Milan de 1564 à 1584, les diocèses européens devinrent des « armées bien organisées, qui ont leurs généraux, leurs colonels et leurs capitaines » [42]. Les fraternités médiévales furent hiérarchiquement reliées, au sein d'un même diocèse, en « archiconfraternités ». Les initiatives laïques en la matière furent mal accueillies. Ainsi dut disparaître la puissante *Compagnie du très-saint Sacrement,* organisée sous Louis XIII. L'Eglise régénérée ne souhaitait pas que subsistent des centres de pratique religieuse qui puissent entrer en compétition avec la paroisse. Et finalement, les fraternités disparurent, les confréries religieuses tombèrent sous l'étroite dépendance du curé du lieu [43]. De la même manière, le concile de Trente élabora et fit appliquer un code matrimonial qui permit de surveiller étroitement la famille, considérée comme propagatrice de la subversion. Du berceau au tombeau, l'individu fut désormais directement surveillé par les prêtres ou par les missionnaires. Le baptême dut intervenir dès les premiers jours de la naissance. Le mariage fut revalorisé, tandis qu'étaient durement combattues les fiançailles à l'essai, qu'étaient traqués les concubinaires. Pour convoler en justes noces, il fallut publier les bans, produire des témoins de moralité, obtenir des certificats du prêtre de sa paroisse. Celui-ci décidait évidemment de l'inhumation en terre sainte, et la refusait aux mauvais chrétiens. La Contre-Réforme inventa aussi des moyens de surveillance nombreux et efficaces. Les registres de catholicité, bien tenus à

---

42. *Ibid.,* p. 59, citant les paroles du prélat.
43. *Ibid.,* p. 59-60 et J. Ferté, *La vie religieuse dans les campagnes parisiennes (1622-1695),* Paris, 1962, p. 75-76.

partir de la fin du XVIᵉ siècle, en général, contrôlèrent étroitement les baptêmes, les mariages et les décès. Le confessionnal individuel fut inventé, alors qu'on pratiquait auparavant la confession publique. Le cathéchisme fut créé. Avec les « écoles primaires » et autres classes du dimanche, fréquemment tenues par le curé, il permit d'insuffler aux enfants la foi chrétienne et ses automatismes. Se marquait là encore la méfiance de la famille, sur laquelle on ne pouvait compter pour christianiser en profondeur la société.

La soumission des âmes ne pouvait devenir effective qu'à condition d'encadrer une société apparemment chrétienne mais fondamentalement superstitieuse. Les hommes de la Contre-Réforme comprirent que la multiplication des missions, la meilleure formation des prêtres et le zèle de la hiérarchie ne suffiraient pas à modifier cette situation. Ils entreprirent en fait une véritable lutte sociale et politique. Pour christianiser les masses, l'Eglise s'efforça de détruire les solidarités familiales ou claniques, les parentés artificielles, les innombrables liens qui rattachaient chacun à tous les autres, dans le cadre étroit du quartier ou du village. A ces liens horizontaux entrecroisés, elle entreprit de substituer le seul rapport vertical qui devait unir chaque chrétien à la divinité par l'intermédiaire de la hiérarchie ecclésiastique. Tout l'effort de l'Eglise poussa à l'individualisation du sentiment religieux. L'homme devenait sans doute ainsi un chrétien meilleur et plus sincère. Cependant, il perdait le contact avec les solidarités qui le sécurisaient autrefois, pour se retrouver seul en face d'un Dieu terrible et peu miséricordieux. On lui offrait une « religion de la peur » [44]. On lui imposait un contrôle de tous les instants. Le prêtre paroissial, comme le recteur breton du début du XXᵉ siècle, surveillait à la fois l'orthodoxie religieuse et la morale de la communauté. Il tonnait en chaire contre les déviants et les mettait au ban du village ou de la ville. Il connaissait, par la confession, les opinions et les péchés de tous. De plus, il était un agent politique actif. Il informait ses paroissiens des événements locaux ou lointains, des guerres, des décisions royales.

44. J. Delumeau, *op. cit.*, p. 330. Ce livre fournit une mise au point et une bibliographie auxquelles je renvoie à propos des faits relatés ci-dessus.

Il conseillait en tous domaines, aussi bien à propos de la vie conjugale que de l'attitude à prendre face à des soldats qui arrivaient en garnison; ou encore il enseignait la manière de se comporter face aux impôts nouveaux. Son influence était devenue primordiale. D'autant plus que le curé du XVIIe siècle était mieux formé, mieux instruit que celui des époques antérieures, et qu'il se distinguait désormais très nettement, par ses vêtements comme par ses attitudes, de la foule de ses concitoyens. Il incarnait un sacré qui ne se mélangeait plus que très rarement au profane de la vie quotidienne [45]. En somme, le curé jouait le rôle de courroie de transmission de l'absolutisme, au même titre que le père de famille. Comme ce dernier, il surveillait son troupeau au physique aussi bien qu'au moral. Il imposait une pratique chrétienne que peu de gens oseraient enfreindre. Il démontrait quotidiennement les vertus de l'autorité, de la discipline, de l'humilité. Il inculquait la sujétion à Dieu, certes, mais également au roi et aux puissants.

En peu de mots, l'Eglise a réussi à imposer, tout au moins en apparence, entre 1550 et 1700, l'individualisme religieux et l'obédience au pouvoir. En ce sens, la déchristianisation du XVIIIe siècle [46] montre que la Contre-Réforme était directement liée à un type de système politique centralisateur et absolutiste, qui s'affaiblit alors et s'achemine vers une mise en cause brutale. « Du registre paroissial à l'école primaire (l'Eglise tridentine) avait posé beaucoup des fondations de l'Etat moderne » [47]. Les destins du sceptre et de la crosse étaient inéluctablement liés. Et si le clergé pourchassait fougueusement les « superstitions », c'était pour installer la vraie foi, mais également pour permettre le triomphe du roi absolu.

Lutte contre les « superstitions »

Les villes du XVIe siècle connaissaient déjà un effort de répression de la culture populaire. La dépréciation de cette

45. Cf. H. Platelle, *Journal d'un curé de campagne au* XVIIe *siècle*, Paris, 1965.
46. M. Vovelle, *Piété baroque et déchristianisation en Provence au* XVIIIe *siècle*, Paris, 1973 et J. Delumeau, *op. cit.*, p. 293-330.
47. J. Bossy, *art. cit.*, p. 70.

dernière s'y accompagnait d'une dévalorisation des groupes de Jeunesse et des femmes, d'interdictions diverses concernant les fêtes populaires, et finalement d'une nouvelle définition du sacré chrétien, clairement distingué du profane. Durant les deux derniers siècles de l'Ancien Régime, le seul fait véritablement nouveau fut la systématisation de ce processus, qui atteignit de plein fouet le monde rural. Toutes les autorités, à la suite de l'Eglise, conjuguèrent leur puissance pour détruire à jamais le paganisme, l'animisme, le magisme des masses. Quelques exemples, qui pourraient être multipliés, le prouveront.

Les fêtes, cela va sans dire, furent souvent interdites. En particulier les grandes fêtes calendaires ou les réjouissances burlesques. Aux exemples cités par Jean Delumeau [48], on peut ajouter l'interdiction des charivaris dans les campagnes parisiennes au XVIIᵉ siècle, ou encore en 1750, d'après un arrêt du Parlement de Paris. Dans la même région, le nombre des fêtes d'obligation passe de 55 au début du XVIIᵉ siècle à 21 en 1666, tandis que l'interdiction des danses les dimanches et les jours de fête est fréquemment réitérée, notamment le 3 septembre 1667 [49]. En 1700, le Conseil d'Artois reçoit une requête des religieux du Mont Saint-Eloi, près d'Arras, qui signalent que les dépendants de l'abbaye doivent se rassembler le 30 mai à la *Gueulle des Alleux* et y tirer au sort huit hommes chargés de veiller cette nuit-là dans les bois de l'abbaye, afin d'empêcher les jeunes gens des villages voisins de couper des *mays* pour leurs fêtes. On *veille le may,* ce qui indique à la fois une répression de la fête et la survivance de celle-ci [50]. Le mois de mai est d'ailleurs l'objet d'une grande attention de la part des autorités, qui sont soucieuses d'éliminer son aspect de grande fête païenne du printemps. Sa consécration à la Vierge, au début du XVIIIᵉ siècle, témoigne sans doute du souci de proposer aux masses une explication orthodoxe des interdits qui se rattachaient à cette époque. On évitait de se marier en mai, par

48. J. Delumeau, *op. cit.,* p. 256-258.
49. J. Ferté, *op. cit.,* p. 267-268, 292, 327.
50. Cardevacque, *L'abbaye du Mont Saint-Eloi,* Arras, 1859, p. 110 (mes remerciements à Bernard Delmaire, Université de Lille III, pour cette référence).

exemple. Désormais prévaudra l'idée que c'est par respect pour le « mois de Marie » et disparaîtront de ce fait les relations entre cet interdit et les pratiques magiques consacrant la renaissance de la terre au printemps.

Ces remarques nous amènent à considérer un autre aspect de la lutte contre les croyances et les réjouissances populaires. Les autorités se rendaient compte que la force pure et l'interdiction ne réussissaient pas aisément à modifier des comportements millénaires. Plus subtilement, l'Eglise entreprit de recouvrir de voiles orthodoxes certaines grandes fêtes, et de les réglementer. Les feux de la Saint-Jean furent contrôlés, sanctifiés et christianisés, notamment par une *Instruction populaire* de 1665 [51]. De la même manière, le clergé continua à prendre en charge certaines des « superstitions » qui résistaient à la répression. Dans les campagnes parisiennes du xviiie siècle, et comme deux siècles auparavant, des prêtres conduisaient des processions destinées à favoriser le croît des troupeaux et à assurer de bonnes récoltes. Le recours aux saints protecteurs fut aussi toléré par nombre de curés locaux. Néanmoins, les prêtres surveillaient désormais de près la piété populaire, évitaient les déformations excessives, tentaient de canaliser la foi vers le culte marial ou vers les dévotions christologiques, qui s'étaient épanouis au xviie siècle et qui développaient une stricte orthodoxie [52]. En Bourgogne, au xviiie siècle, selon les travaux de Pierre de Saint-Jacob, subsistaient également des bénédictions de récoltes et des exorcismes d'animaux nuisibles.

De nombreuses « superstitions » survivaient donc, comme le prouve encore le gros catalogue qu'en a dressé l'abbé Thiers pour le pays chartrain, dans le dernier quart du xviie siècle [53]. Pour les affaiblir et pour en détourner l'attention des foules, le clergé multiplia les riches et belles processions, qui offraient le spectacle d'un catholicisme épuré. Tout le xviie siècle fut marqué par la translation solennelle des reliques de saints, par la création de chapelles de dévotion nées de quelque miracle, par la déambulation solennelle des clercs à travers les villes

51. J. Delumeau, *op. cit.*, p. 260.
52. J. Ferté, *op. cit.*, p. 336-369.
53. Abbé J.-B. Thiers, *Traité des superstitions...*, Paris, 1679.

et les campagnes. A Douai, en 1662, fut reçu par les Récollets le corps de saint Prosper, martyr. Les Minimes ayant accueilli dans leur église en 1652 les restes de saint Guy et de saint Quintilian, les Récollets s'étaient adressés à Rome, où était enterré saint Prosper, et en avaient obtenu la translation. Le dimanche 3 septembre 1662, un immense cortège, précédé par de jeunes vierges, par des garçons habillés en martyrs, par des acteurs costumés en tyrans, en apôtres suppliciés, ou en bourreaux, convoya les reliques du saint de Lambres à Douai. Le corps reçut les honneurs militaires à l'entrée de la ville. Puis la procession pénétra dans les murs, en chantant. Des représentations théâtrales mystiques eurent lieu. Elles mettaient en scène d'horribles détails, qui frappèrent les imaginations. Un immense feu de joie termina la soirée. Le lundi 4 septembre au matin, la procession reprit sa marche, d'abbaye en église, au milieu des spectacles édifiants. La jeunesse de Douai participa à un *Jugement et supplice de saint Prosper,* joué par quatre-vingt-quatre acteurs. Enfin, la châsse arriva à l'église des Récollets où elle fut placée sur un autel d'apparat. La nuit, fut allumé un feu de joie. Durant huit jours, à l'occasion de l'exposition des reliques, se succédèrent les sermons. Un bref pontifical accordait un pardon de quarante jours aux visiteurs et l'indulgence plénière à ceux qui avaient participé à la procession [54]. Que l'on compare cette description à celle des fêtes populaires du début du XVI⁰ siècle, et l'on se rendra compte des différences. Partout en France, les fêtes religieuses de l'époque classique proposaient aux foules des spectacles sacrés qui enseignaient réellement la doctrine catholique, plus encore que ne le faisaient les sermons ou les prônes. Les réjouissances profanes pouvaient se manifester, à cette occasion, mais difficilement et imparfaitement. Les groupes de jeunesse, comme tous les habitants du lieu, participaient au théâtre sacré. D'autant plus qu'on y réussissait à gagner des indulgences.

Reliques, processions, miracles [55], en plus de l'enseignement catholique, de la surveillance efficace des fidèles, distillaient

54. A. Dinaux, « Une fête religieuse à Douai au XVII⁰ siècle... », *A.H.L.,* 2⁰ série, t. II, 1838, p. 38-66.
55. H. Platelle, *Les chrétiens face au miracle. Lille au* XVII⁰ *siècle,* Paris, 1968.

partout la conformité religieuse et sociale. Il était presque impossible de ne pas faire preuve de catholicisme, même si, comme cela est probable, une importante partie de la population conservait secrètement son attachement aux anciennes « superstitions ». Toutes les autorités, ecclésiastiques et laïques, coordonnaient leurs efforts pour imposer ce conformisme. En 1713, à Lille, un conseil de guerre jugea quatre soldats coupables de sacrilège. L'un d'eux avait reçu l'hostie, l'avait soufflée dans son chapeau et l'avait emmenée pour faire *des choses diaboliques et abominables*. Le voleur fut condamné au bûcher, après avoir eu la langue arrachée et le poing coupé. Un complice, qui avait tenu l'hostie en main, eut le poing coupé et fut également brûlé vif. Deux autres comparses furent, l'un étranglé et jeté au feu, l'autre fusillé, le 19 août 1713. Le dimanche suivant, une procession solennelle vint faire réparation honorable devant les casernes. Une cérémonie expiatoire annuelle fut instituée, le troisième dimanche d'août, et une confrérie spécialement créée en fut chargée. En 1763, année jubilaire du sacrilège, une procession générale eut lieu le 21 août [56].

La lutte contre les « superstitions » se déroulait également, d'une manière incessante, dans la vie quotidienne, car se développait une moralité exigeante. Une plainte de 1678 concernant un cabaret jouxtant le cimetière de Saint-Cande-le-Jeune, à Rouen, en témoigne : *Journellement, dans les heures indues et pendant le service divin, il s'y faisait des clameurs de personnes qui s'injurioient les unes les autres, dancoient avec grand bruit, chantoient des chansons dissolues, faisoient jouer des violons et violes, troubloient le service divin et empeschoient les processions, de sorte que l'on a esté obligé d'interrompre les processions qui se devoient faire autour du cimitière, les jours de dimanches et festes solennelles, pour éviter au grand scandalle, jusque-là mesme que, lors que l'on porte le Sainct Sacrement aux malades et que l'on est obligé de passer dans le dit cimetière, par devant la dite porte, ces sortes de clameurs ne cessent point, quoique l'on ne manque jamais de sonner la*

56. A. Dinaux, « Sacrilège à Lille, en 1713 », *A.H.L.*, 2ᵉ série. t. V, 1844, p. 82-85.

grosse cloche pour advertir le peuple, et que le clerc qui précède
le Sainct Sacrement fasse incessament sonner la clochette qu'il
tient en main [57]. L'indignation du requérant est causée par le
mélange, qu'il juge inadmissible, entre des réjouissances profanes et le culte catholique. Les cimetières deviennent de plus
en plus des lieux policés et silencieux, avant d'être relégués à
la périphérie des villes à partir du XVIIIe siècle. Les jeux, les
repas et les rires, qui s'y pratiquaient vers la fin du Moyen Age,
ont disparu. Le voisinage d'un cabaret bruyant est considéré
comme un scandale et même comme un sacrilège. D'autant que
les danses, la musique, les chansons sont mal vues des autorités
ecclésiastiques, surtout si elles ont lieu à l'heure du service
divin. « La sévérité et le pessimisme imprègnent la culture
catholique française au XVIIe siècle ». Les obsessions du temps
sont bien « le péché, la chair, la perdition, les sacrements et
le salut » [58]. Ces hantises poussent à une mise en valeur du
sacré au détriment du quotidien. La personne du prêtre, le
cimetière, l'église s'isolent et s'offrent comme modèles du
respect et de la dévotion dus à Dieu. Le curé de Merbes-le-
Château (Belgique, Hainaut) exprime clairement ceci en 1677,
à propos des dommages causés par la guerre : *Ladicte église*
n'estoit de nulle manière en estat d'y pouvoir faire sacrifice,
estante toutte à fait en désordre... aussy à cause d'une puanteur
insupportable et saleté... si bien que s'auroit esté tout à fait
contre le respect et la révérence que nous debvons à sa majesté
divine que de luy offrir cest agneau immaculé dans une place
comme dit est... [59]. La mutation est d'importance, par rapport
aux XVe et XVIe siècles, puisque les lieux de culte étaient alors
aussi le théâtre d'une vie quotidienne volontiers brutale,
paillarde et polluante, sans pour autant que les gens et le curé
local ne crient au sacrilège.

Pour déraciner définitivement les « superstitions », cependant,

57. A. D. Seine-Maritime, G 6325 (mes remerciements à Philip
Benedict, Brown University, U.S.A., pour la communication de cet
extrait).
58. P. Deyon, « A propos du paupérisme au milieu du
XVIIe siècle : Peinture et charité chrétienne », *Annales E.S.C.,* jan-
vier-février 1967, p. 150-151.
59. J.-M. Baheux et G. Deregnaucourt, *op. cit.,* p. 306.

il fallait s'attaquer directement aux agents et aux procédures de transmission de la culture populaire. La femme est directement visée. La misogynie croissante des clercs est bien connue. Quant aux laïques cultivés, ils participent de la même mentalité que les hommes d'Eglise. Un juriste artésien anonyme écrivait, vers 1630, que le stupre est un fait très grave qui enlève aux jeunes filles le *prétieux joyaux et trésor de leur pudicité et virginité*. Il ajoutait : bien que *les mariages soient bons et institué de Dieu mesme, touttesfois la continence et la virginité est plus noble et excellente* [60]. La surveillance des filles et des femmes ne se relâche pas, bien au contraire, aux XVIIe et XVIIIe siècles. La femme du peuple n'est-elle pas un peu sorcière ? C'est ce qu'affirme implicitement le curé de Gasny (Eure, canton Ecos), dans le doyenné de Baudemont, qui répond en 1687 à un questionnaire archiépiscopal : *un des plus grands abus qui sont dans cette paroisse et qu'on a toujours tâché de détruire, ce sont certaines veilleries et assemblées de filles et femmes dans des caves, en hyver, pour filler jusque presque à trois heures aprez minuit, et dans ces assemblées publiques se rendent les garçons et la jeunesse du pais, qui randent (?) le long des nuits à picorer, se battre et commettre cent insolences. On appelle ces sortes d'assemblées nocturnes les bureaux de diables. MM. les prédicateurs y ont perdu toutes leurs parolles.* Le curé de Boisemont, dans le même doyenné, se plaint en 1688-1690 d'identiques *veilleries,* où viennent des jeunes hommes *et mesmes des joueurs de violons.* Il menace de priver les assistants des sacrements si les désordres continuent et si les hommes ne sont pas exclus de telles réunions [61]. Sans doute exhumerait-on des archives, dans toute la France, de semblables et vertueuses condamnations. Les veillées apparaissent comme les *bureaux des diables* pour plusieurs raisons. D'abord, filles et garçons s'y rencontrent, la nuit, loin des yeux du curé. Celui-ci voudrait imposer dans tous les actes de la vie sociale la ségrégation sexuelle qu'il fait régner à l'école primaire et souvent dans l'église. Ensuite, les assistants s'amusent, dansent, se battent, commettent en somme tous les

60. B. M. Lille, Ms. 380, p. 252.
61. A. D. Seine-Maritime, G 1718 et G 1720 (communications de Philip Benedict).

excès normalement défendus ou limités dans la vie diurne. Enfin, bien que les textes ne le disent pas clairement, on y raconte des « superstitions », des légendes, des histoires, toutes choses propres à perpétuer les croyances « païennes » des masses paysannes. La veillée est donc considérée comme diabolique. De fait, elle sert de modèle, nous le verrons dans le chapitre suivant, aux descriptions des sabbats de sorciers que multiplient complaisamment les juges et les démonologues.

Le prêtre local, aux XVIIᵉ et XVIIIᵉ siècles, combat énergiquement les « superstitions » en sapant la vision du monde populaire. Il est aussi, dans chaque communauté, l'œil de l'évêque, comme l'intendant est celui du roi. L'une de ses principales tâches consiste à empêcher ses ouailles de crier trop facilement au miracle. La pensée magique n'ayant certainement pas disparu en totalité, notamment dans les campagnes, les masses ont tendance à interpréter les faits exceptionnels dans le sens miraculeux ou démoniaque. L'Eglise, si elle voit partout rôder le diable, reste circonspecte à propos des interventions supposées de la divinité. Elle charge le curé de prévenir la hiérarchie, laquelle organise une enquête minutieuse et sérieuse. En 1720, l'official de Cambrai, à l'instigation d'un doyen de chrétienté, curé d'Elouges (Belgique, Hainaut), examine le cas de Jacques Damme, jeune villageois *qui auroit subitement recouvert la veue dont il étoit privé depuis plusieurs années, et ce en faisant sa prière au devant de certaine image représentant Notre Seigneur après la flagellation, située au bord du village dudit Elouge, vers le midy.* Une visite de cette chapelle fut ordonnée. Puis l'official entendit le miraculé et dix témoins, qui étaient tous des prêtres de la région ou des chirurgiens. Car, disait un curé, *le recouvrement de sa veue est regardé par les peuples comme un miracle, qui l'ont toujours veu aveugle depuis sondit retour* [62]. La suite de l'affaire est inconnue. Mais l'Eglise, on le voit, redouble de prudence à propos des miracles éventuels liés aux lieux de dévotion, et plus généralement au culte très ancien des saints guérisseurs. Il s'agit aussi de démasquer les imposteurs abusant de la crédulité populaire, tel ce Charles Legrand, né à Lille,

62. A. D. Nord, 5 G 558, Elouges.

qui affiche dans cette ville, en 1723, des placards affirmant qu'il possède des reliques de saint Hubert et qu'il peut guérir de la rage, pour un modeste salaire. Tel encore ce *quidam*, qui vend en 1740, à Cambrai, un *libel* concernant un *prétendu miracle* arrivé à Marseille et contenant *des superstitions pour estre préservez du tonnerre, de mort subite, de la rage, de mort sans confession et de tout mal. Il donneroit aussi, avec certaines cérémonies, ce qu'il appelle « répis », pour préserver de la rage et empêcher qu'on soit mordu par les animaux qui sont dans ce mal.* Répits de quarante jours ou de quatre-vingt-dix-neuf ans, selon les moyens dont on dispose ! L'official de Cambrai ordonne, le 29 septembre 1740, la comparution du personnage et la confiscation de son *libel*, car *on peut, sans douter de la toute-puissance de Dieu, révoquer en doute des miracles qui ne sont annoncez que par un inconnu, et quoy que persuadé des choses qui se font à l'abbaye de Saint-Hubert par l'intercession de ce saint, on ne peut pas souffrir que le même inconnu sans aveu fasse des opérations semblables sans authorité et au scandale du peuple de cette ville* [63].

La méfiance des ecclésiastiques à l'égard des prétendus miracles redouble au XVIIIe siècle, car reparaissent à cette époque des superstitions et des attitudes peu orthodoxes. La sorcellerie connaît un certain regain, car elle n'est plus considérée comme un crime grave et qui entraîne la peine de mort. De plus, le mouvement spirituel né au XVIIe siècle s'épuise, tandis que se dressent, avec les philosophes, de farouches adversaires de l'Eglise établie. La déchristianisation, au moins dans certaines provinces, est en marche bien avant la Révolution [64]. Dans d'autres régions, la réforme catholique avait d'ailleurs été lente et modeste [65]. Somme toute, l'Eglise a de moins en moins les moyens de soumettre les âmes. Le prêtre trouve parfois en face de lui, au XVIIIe siècle, de fortes têtes qui profitent de l'affaiblissement du sentiment religieux pour vivre hors des normes sociales. Le curé de Viesly (Nord, arr. Cambrai, canton Solesmes) est mis en accusation en 1752,

63. A. D. Nord, 5 G 558, 1723 et 1740.
64. M. Vovelle, *op. cit.*
65. J.-F. Soulet, *Tradition et réformes religieuses dans les Pyrénées centrales au XVIIe siècle*, Pau, 1974 (diocèse de Tarbes).

devant l'official de Cambrai, par l'une de ses paroissiennes, nommée Marie-Anne Denisse, à qui il refuse de donner la bénédiction nuptiale. La demoiselle a conçu un enfant illégitime. Vingt et un mois durant, elle ne put se marier, car elle dut rester au lit à cause d'une *espèce de langueure,* qu'elle impute à un sortilège. Le curé refuse de la marier parce que, dit-il, elle a commis nombre de scandales. Elle *a taxé publiquement deux personnes du lieu, homme et femme, de l'avoir ensorcelé. Elle a fait venir des bergers pour ôter le sort, des chyrurgiens de différens lieux pour la visiter, et le sort est enfin tombé par le moyen d'un accouchement, qui cependant ne l'a point empêché de divulguer toujours le même fait et d'aggresser les prétendus sorciers au sortir de l'église, au grand scandale de toute la paroisse.* Elle a refusé de se repentir. Mieux encore, elle attaque le curé devant les juges ecclésiastiques en l'accusant d'abus divers [66]. La suite manque. Les pièces produites suffisent néanmoins pour se faire une idée de l'évolution de l'emprise du prêtre local sur sa communauté. Le curé de Viesly est, à n'en pas douter, un homme intransigeant en matière de moralité. Il stigmatise l'inconduite sexuelle de la jeune fille. Or l'époque est déjà celle d'une relative indulgence en ce domaine, consécutive à un relâchement des mœurs clairement observable : l'illégitimité, les conceptions prénuptiales et les abandons d'enfants sont en augmentation très nette. Marie-Anne, quant à elle, semble être très assurée dans ses actes. Elle ose se présenter devant la justice ecclésiastique malgré sa « faute ». Certes, elle impute celle-ci à un sortilège, dégageant par là sa responsabilité. Mais elle ne craint pas non plus de faire appel publiquement à des bergers guérisseurs. D'une manière cocasse, le prêtre en est réduit à disculper ceux qu'elle appelle des sorciers, alors qu'une accusation de ce genre leur aurait facilement valu le bûcher cent ans auparavant, et que le curé aurait poussé à les condamner. Il semble bien que ressurgissent, en particulier dans les campagnes, nombre de « superstitions », contre lesquelles l'Eglise n'est plus toute-puissante. Et même si la désobéissance de Marie-Anne est un peu exceptionnelle, on peut penser que la soumission des âmes

66. A. D. Nord, 5 G 558, Viesly.

n'est plus aussi totale au xviiie qu'au xviie siècle. La rigueur morale des prêtres, y compris des jansénistes, s'impose moins facilement à une société en pleine évolution. Seules des études régionales précises permettraient de nuancer cette idée, car il est certain que « la physionomie religieuse de notre pays était d'une grande diversité » [67]. Mais, d'un point de vul global, l'étau de la surveillance chrétienne se desserre parce que s'affaiblit le conformisme religieux, surtout après 1750. En fait, comme le dit Jean Delumeau, la révolte contre le christianisme, au xviiie siècle et après, fut « un refus du « Dieu cruel » » que l'on avait proposé à l'adoration des foules [90]. Un refus qui était rendu possible par la dépréciation du principe d'obéissance que l'Eglise catholique avait enseigné à partir du concile de Trente.

Le principe d'obédience

L'encadrement de la société et la lutte contre les « superstitions » n'avaient pu être menés sur une vaste échelle qu'en modifiant radicalement le rapport entre l'Eglise et les fidèles. La catholicisme post-tridentin fut plus centralisé et plus hiérarchisé qu'il ne l'avait jamais été. Et il réussit à imposer, à tous les étages de la société, les notions de hiérarchie, d'autorité et de discipline. Le modèle, à cet égard, fut constitué par la Compagnie de Jésus, créée en 1534 et approuvée en 1540 par une bulle pontificale. Peut-on rêver exemple d'organisation plus hiérarchique ? Lainez, successeur d'Ignace de Loyola à la tête de la Compagnie, en fit une véritable milice du catholicisme, organisée de façon militaire. Un général, qui n'obéit qu'au pape, la dirige. Le catholicisme de la Contre-Réforme est contenu tout entier dans ce modèle, même si l'organisation interne d'autres ordres religieux était rarement aussi structurée. Car l'ampleur de la crise religieuse du xvie siècle nécessitait des solutions radicales et efficaces. Plus que de modifier le contenu du catholicisme, il s'agissait de le réaffirmer clairement et

67. J.-F. Soulet, *op. cit.*, p. 355.
68. J. Delumeau, *op. cit.*, p. 330 (sur le conformisme, les superstitions, cf. p. 308 et p. 323-324, en particulier).

surtout de le diffuser dans les masses. Le problème, en somme, était celui de l'éducation, au sens large. Il fallait obliger des millions d'individus, souvent superstitieux et ignorants, à vivre et à penser selon l'Evangile.

En soi, le mouvement général de christianisation niait la relative autonomie dans laquelle vivaient les villes et surtout les villages du XVIe siècle. Car des prêtres et des missionnaires formés de la même façon apportaient partout un message identique. Ils œuvraient pour unifier religieusement la France, comme la royauté agissait pour l'unifier politiquement. Confrontés aux multiples croyances locales, ils n'avaient pas la tâche facile. D'autant que les masses croyaient à la fois au Dieu des chrétiens et aux saints intercesseurs, au diable et à d'innombrables forces obscures, maléfiques ou bénéfiques selon la capacité de l'homme à les dominer. Pour extirper ce paganisme et ces « superstitions », les hommes de la Contre-Réforme présentèrent une vision simplifiée et constamment répétée de la divinité. Ils tentèrent, avec un succès inégal, d'affaiblir le prestige des saints guérisseurs et intercesseurs, au profit d'une hiérarchie divine centrée sur Dieu le père. Ils ne faisaient rien moins que d'expliquer l'ordre de la Création tel que le décrivaient depuis longtemps les lettrés : Dieu, le Christ, la Vierge, les anges, les saints, l'homme, la femme — imparfaite parce que née d'une côte d'Adam —, etc. Ils modifiaient pourtant la perception des gens du peuple, portés à placer sur le même plan les interventions dans leur vie quotidienne de Dieu et des saints. Ils hiérarchisaient le monde divin. De la même manière, les sermons, les missions, les procès de sorcellerie contribuaient à présenter un enfer également hiérarchisé, du diable aux légions infernales conduites par des lieutenants du Malin. Ces notions imprégnèrent lentement les populations. Le discours religieux dessinait pour les masses une nouvelle topographie du monde, que n'avaient su imposer, dans les campagnes tout au moins, les prêtres prétridentins. La culture populaire alors dominante, nous l'avons vu, valorisait en effet le bas du corps. Elle enracinait l'homme sur la terre. Le paradis et l'enfer n'étaient pas très bien localisés. Ils faisaient partie de l'univers, qui constituait un seul ensemble, ni totalement bon ni totalement mauvais, mais entièrement peuplé de forces ambivalentes dont l'action finale pouvait être orientée, captée ou refoulée magiquement. Aux XVIIe et XVIIIe siècles, par contre, le manichéisme chrétien inlassablement répété modifie ces conceptions. Le pessimisme catholique, comme il l'avait fait longtemps avant dans les villes et dans les couches dominantes de la société, propose à l'homme de négliger la vallée de larmes qu'est la terre pour se projeter vers le ciel, vers le paradis. Le bon chrétien siégera là-haut, à la droite de Dieu. Le pécheur, au contraire, sera rejeté à la gauche du Père Eternel, puis vers le bas, dans l'enfer.

Une structure verticale et dualiste constitue le modèle chrétien proposé à tous. Cette structure remplace ou déprécie fortement la vision horizontale et ambivalente du monde qui était au centre de la culture populaire. Désormais, le bas du corps appartient à l'enfer et au diable, tout comme la gauche, devenue beaucoup plus « sinistre » qu'elle ne l'était au début des temps modernes pour les masses populaires.

Cette structure verticale est aussi une hiérarchie, en fonction de la proximité de la divinité. Or le roi n'est-il pas le lieutenant de Dieu sur terre ? Il occupera, de toute évidence, une place d'honneur dans le paradis chrétien. Par là, la hiérarchie religieuse rejoint la hiérarchie sociale. Le catholicisme, finalement, véhicule les notions d'autorité, de hiérarchie, d'obéissance. Obéissance à Dieu, qui a créé un univers immuable, où chaque chose, où chaque être est à sa place, en attendant d'atteindre un bonheur qui n'est pas de ce monde. Obéissance au roi, représentant de Dieu sur terre, à qui il faut totalement se soumettre. Se révolter contre lui, c'est mettre en cause l'harmonie de la Création, c'est se révolter contre Dieu, disent les clercs et les savants.

Le principe d'obéissance ne s'applique évidemment pas qu'aux humbles. La pédagogie du temps, qui est essentiellement aux mains des ordres religieux, et en particulier des jésuites, répercute ce principe dans les couches dirigeantes et dans certaines franges du tiers état qui envoient leurs enfants dans les collèges. Le but de ces établissements « n'est point de faire des études un instrument de promotion sociale, elles doivent au contraire contribuer à maintenir chacun à son rang et dans sa condition ». L'Eglise catholique est en parfait accord avec

« ce désir profond de stabilité sociale où le fils doit reproduire le père » [69]. Car, en fin de compte, ce que la religion propose à tous, élites ou masses, c'est de vivre en fils respectueux et obéissants dans une grande famille sacrée dirigée par Dieu le Père. Rien ne peut ni ne doit changer, puisque le destin de chacun est d'avance totalement déterminé et que sa place dans la société est définie de toute éternité.

La mise en conformité des âmes s'est réalisée, du milieu du XVIe au milieu du XVIIIe siècle, par un immense effort de l'Eglise catholique. Une étroite surveillance des foules comme des individus, une lutte très active contre les « superstitions » ont permis de christianiser et de moraliser la société, mais aussi d'imposer l'obéissance totale aux volontés divines. Or ces volontés sont celles de l'ordre et de la stabilité sociale. En ce sens, l'Eglise post-tridentine a joué un rôle primordial dans la fabrication de la soumission à l'autorité royale. Sans doute l'imprégnation des masses par ce catholicisme triomphant explique-t-elle en partie la disparition quasi totale des grandes révoltes populaires après 1675 et surtout après 1707. A cette époque, les sujets du Roi Très Chrétien n'étaient plus être que des âmes soumises et des corps contraints. Comme tels, ils se révélaient éminemment réceptifs au fonctionnement des nouveaux mécanismes de gouvernement qui leur étaient imposés.

III. Nouveaux mécanismes du pouvoir

L'histoire du triomphe de l'absolutisme et de la centralisation en France n'est pas à proprement parler mon propos. D'excellents ouvrages racontent cette évolution dont nous subissons encore aujourd'hui les conséquences [70]. De même

69. R. Chartier, M.-M. Compère, D. Julia, *L'éducation en France du XVIe au XVIIIe siècle*, Paris, 1976, p. 206.
70. D. Richet, *La France moderne : L'esprit des institutions*, Paris, 1973 et P. Goubert, *L'Ancien Régime*, t. II : *Les pouvoirs*, Paris, 1973 (p. 242-247 sur la survie des institutions d'Ancien Régime).

sont relativement bien connus les fondements idéologiques de ce nouveau type de pouvoir. Par contre, il semble que l'on ait plus rarement recherché par quels moyens autres que la force ces fondements idéologiques avaient été diffusés dans l'ensemble de la société, c'est-à-dire quelles avaient été les bases politiques — au sens large du terme — de l'acculturation des masses populaires. Dans cette optique, la description d'une psychologie collective de l'autorité, à partir de l'image du roi, permettra de définir une structure fondamentale dans toute la société : l'autorité paternelle, et une procédure de gouvernement : le refus des différences et de l'autonomie.

Psychologie collective de l'autorité : l'image du roi

La puissance royale a connu au XVIIᵉ siècle un progrès presque continu, malgré deux régences, de nombreuses révoltes populaires jusqu'en 1675, et la Fronde. Louis XIV incarne l'apogée de cette puissance, fondée sur un pouvoir devenu arbitraire et sur une tutelle administrative de l'ensemble du pays. Ordres et corps de population sont devenus des moyens d'action du roi et de ses agents. Le pouvoir s'est fortement concentré. Le nombre des officiers a vraisemblablement décuplé depuis le début du XVIᵉ siècle [71].

La conséquence principale — ou peut-être la cause — de la montée de cet absolutisme centralisateur fut la modification profonde de l'image du roi. Elle s'était fortement dépréciée à l'époque des guerres de Religion. Henri IV, par sa propagande habile et grâce à sa popularité, avait commencé à la restaurer. Et malgré les régences, malgré la personnalité peu convaincante de Louis XIII, la figure royale s'était précisée au cours du XVIIᵉ siècle. Le roi, pour les lettrés, était depuis longtemps le suzerain des suzerains, le fils aîné de l'Eglise, l'empereur en son royaume. Pour le peuple, il était « justicier, saint, Dieu et grand sorcier tout à la fois... et l'on se demande si l'on ne voit pas transparaître, avec l'image du Père, celle du

71. R. Mousnier, *La Plume, la Faucille et le Marteau...*, Paris, 1970, p. 231-265 en particulier.

mâle, voire du " super-mâle ", au moins pour quelques monarques... » [72]. Retenons que ces images diverses s'organisent autour de trois notions fondamentales : l'autorité, l'aspect sacré, la figure paternelle. Or ces trois notions enregistrent au XVIIe siècle une évolution très nette.

L'autorité royale est toujours féodale, et le restera jusqu'à la fin de l'Ancien Régime. Mais elle est aussi, et de plus en plus, souveraine. Car Louis XIV décide seul, ou presque, dans de nombreux domaines. S'il ne réussit pas parfaitement à maîtriser un pays immense, il dispose d'une organisation politique nouvelle et verticale. Au lieu de passer par des relais divers et complexes, ses ordres sont diffusés directement dans les provinces par les intendants, qui contrôlent pratiquement tout, et ne dépendent que du Conseil royal. Les communautés rurales, et plus encore les villes, qui possédaient auparavant une autonomie relativement importante, sont surveillées par l'intendant, réduites à l'obéissance stricte. De la même manière, les vieux organes de gouvernement locaux subsistent, mais perdent de leur importance. En somme, les anciennes structures horizontales du pouvoir, qui garantissaient les particularismes, ainsi que la lourde pyramide féodale théorique aboutissant au roi, sont supplantées par une structure verticale, autoritaire et efficace. L'aspect sacré de la figure royale est affirmé par le roi lui-même. Louis XIV, en 1667, parle de certaines des fonctions royales, *où tenant, pour ainsi dire la place de Dieu, nous semblons être participant de sa connaissance aussi bien que de son autorité...* [73]. L'analyse de l'image du roi dans cinquante histoires de France du XVIIe siècle confirme ce trait. Les auteurs, qui représentent assurément l'opinion publique « éclairée » de leur époque, définissent l'histoire du pays « comme la gardienne d'un ordre religieux dont le roi est le centre sacré ». Mieux encore, l'accent se porte « de plus en plus sur Dieu » au cours du siècle. Et le modèle royal parfait évolue : à Philippe Auguste succède Saint Louis, qui semble s'imposer à la fin du XVIIe siècle, « pour inspirer pendant longtemps le portrait le plus achevé du souverain que la France

72. P. Goubert, *op. cit.*, p. 28.
73. Cité par P. Goubert, *op. cit.*, documents, p. 34.

ait jamais connu » [74]. Le développement de la Réforme catholique fut pour beaucoup dans cette sacralisation accentuée du roi. Et joua également le fait que l'Eglise et l'Etat étaient désormais intimement liés. L'Eglise était dans l'Etat et vice versa, comme s'est plu à le dire Pierre Goubert [75]. La conséquence directe de tout cela fut d'amplifier encore la sainteté de la fonction royale et la toute-puissance du monarque. Sa justice, en somme, était celle de Dieu. Ce qui n'est pas sans expliquer la progression des supplices corporels : les coupables, rebelles à l'égard des lois, c'est-à-dire du roi, commettaient ainsi un véritable crime de lèse-majesté divine. Ils mettaient en cause l'harmonie de la Création, que le roi était chargé de défendre.

Enfin, la figure paternelle du roi semble bien s'être précisée au XVIIe siècle. Tout simplement, sans doute, parce que se précisait l'image d'un Dieu paternel, généralement présenté comme « cruel ». Rares étaient ceux, tel l'abbé de Chaulieu, qui le définissaient comme un père « bienfaisant » et « pitoyable » [76]. Le roi, à l'image de Dieu, était un « père du peuple ». L'idée était assurément ancienne, puisque Louis XII avait été honoré par l'attribution de ce surnom. Mais Louis XII était un « bon roi » qui aimait, selon Michel de l'Hospital, écrivant en 1561, se déguiser et se mêler au peuple *pour soi amender et corriger*. C'était un père proche de ses enfants. Par contre, Louis XIV, qui avait le souci de l'étiquette et de la majesté de sa fonction, constituait un modèle paternel plus lointain, plus impérieux, plus respectable. Un modèle calqué sur celui du « Dieu cruel » qui dominait alors la religion. Sans aller jusqu'aux excès d'interprétation parlant de « meurtre du père » à l'occasion de l'exécution de Louis XVI, il faut noter l'importance de l'image du roi-père. On la retrouve dans les cahiers de doléances de 1789 [77]. Les auteurs des histoires de France du XVIIe siècle en parlent allusivement, à propos de

74. M. Tyvaert, « L'image du roi : légitimité et moralité royales dans les histoires de France au XVIIe siècle », *R.H.M.C.*, oct.-déc. 1974, p. 543 et 545-546.
75. P. Goubert, *op. cit.*, p. 164-188.
76. Cf. J. Delumeau, *op. cit.*, p. 330.
77. P. Goubert, *op. cit.*, p. 30.

Louis XI, qu'ils jugent de manière ambiguë. Ils admettent presque tous ses qualités d'homme politique, mais lui imputent comme défaut d'avoir été « mauvais fils, mauvais père, mauvais mari, mauvais parent, mauvais maître » [78]. Qui pouvait garantir la famille et l'autorité paternelle, si le roi lui-même les contestait ?

Une enquête plus approfondie serait nécessaire pour préciser encore l'image du roi. Il n'est pas douteux que celle-ci ne soit à la base du système politique, en fondant le modèle de toute autorité. D'une autorité qui s'est nettement renforcée au cours du XVIIe siècle : Louis XIV dispose d'un pouvoir absolu, du moins en théorie, et des moyens de le faire respecter, grâce au développement d'une bureaucratie nombreuse, grâce à la création d'agents qui portent directement ses ordres dans les provinces. La cohérence interne de ce système politique provient du principe qu'une obéissance totale est due par tous au roi, qui représente Dieu le Père sur la terre, et qui est de ce fait le « père » de ses sujets. Toute rébellion, toute opposition, toute déviation par rapport aux lois du souverain est un crime contre la divinité. Or ce même principe se diffuse dans la société française. Bien mieux que ne le peuvent faire les hommes du roi, des millions d'agents bénévoles l'appliquent désormais dans leur propre famille.

Valorisation de l'autorité paternelle

Le prestige du père, au XVIIe siècle, « participe au pouvoir et presque à l'éclat royal », selon Georges Snyders, qui a écrit de remarquables pages sur le sujet [79]. Le père possède sur sa famille un pouvoir réellement politique. Il agit au profit de la monarchie, qui serait bien en peine d'investir efficacement chaque unité conjugale. Comme le dit Tocqueville, « le père est le lien naturel et nécessaire entre le passé et le présent » [80].

78. M. Tyvaert, *art. cit.*, p. 545.
79. G. Snyders, *op. cit.*, p. 261.
80. Cité par G. Snyders, *op. cit.*, p. 260.

Il stabilise, ou immobilise même, à la limite, la société en enseignant à ses enfants le respect de l'autorité et de la hiérarchie, qu'il représente. Souvenons-nous, à cet égard, des repas des familles paysannes du XVIIᵉ siècle. La place de chacun est réglée par rapport à celle du père, selon le sexe, l'âge, etc. Plus généralement, le père enseigne la soumission aux lois. Une Déclaration royale du 26 novembre 1639 dit clairement que : *La naturelle révérence des enfants envers leurs parents est le lien de la légitime obéissance des sujets envers leurs souverains.* Or ce texte vise à renforcer le droit de correction des parents [81] !

La valorisation de l'autorité paternelle au XVIIᵉ siècle provient peut-être également d'une pression nobiliaire qui s'est exercée à partir du milieu du XVIᵉ siècle pour renforcer l'autorité des parents sur les enfants, afin d'obliger ceux-ci à se marier sans mettre en péril le patrimoine familial. Car le mariage, loin d'être dévalorisé, au XVIᵉ siècle et plus tard, devient le problème crucial d'une aristocratie que ne favorise pas la conjoncture. Pour lutter contre le fractionnement excessif du patrimoine, et puisque la limitation des naissances n'est pas connue, il faut valoriser l'autorité du père, lui permettant plus facilement d'imposer le mariage contraint ou le couvent forcé à ses héritiers et à ses héritières [82].

En somme, la monarchie, l'aristocratie, et les pères avaient intérêt à développer le pouvoir de ces derniers. Mais il faudrait inverser la phrase de Bossuet : *On a fait les rois sur le modèle des pères* [83]. En réalité, les rois absolus ont bâti la puissance paternelle sur le modèle de leur propre autorité, elle-même imitée de celle de Dieu. C'est dire que le père dispose d'une puissance sacrée provenant directement de Dieu, ainsi que le prétendent Etienne Pasquier au XVIᵉ siècle, Bossuet au XVIIᵉ siècle, Malebranche au XVIIIᵉ siècle. Le catéchisme du père Pouget, en 1705, précise que : *Tous les supérieurs sont compris sous le nom de pères et mères, parce qu'ils doivent*

---

81. *Ibid.,* cité p. 261.
82. R. Muchembled, « Famille, amour et mariage : mentalités et comportements des nobles artésiens à l'époque de Philippe II », *R.H.M.C.,* avril-juin 1975, p. 255-261.
83. Cité par G. Snyders, *op. cit.,* p. 262.

aimer leurs inférieurs comme leurs enfants, et parce que les inférieurs, de leur côté, doivent aimer, craindre, respecter leurs supérieurs comme leurs pères. Tel est le sens du quatrième commandement [84] ! On comprend mieux comment se fit la diffusion de ces notions. Les lettrés et les ecclésiastiques les formulaient dans leurs livres. Les régents les enseignaient aux quelques dizaines de milliers d'élèves qui fréquentaient les collèges. Un cahier de thèmes latins de la fin du XVIIe siècle ou du début du XVIIIe siècle proposait aux élèves provençaux de traduire, entre autres, des sentences concernant l'autorité paternelle : *attendés vous que vostre père aura toujours la même complaisance pour vous... ? Ne craignés vous point que vostre père ne se mette en colère contre vous...? J'espère qu'il employera tous les moyens que son amour et sa sévérité pourront luy inspirer pour vous corriger...* [85]. Quant aux enfants des masses populaires, ils apprenaient ces notions à l'école primaire, lorsqu'elle existait, au catéchisme, ou en même temps que leurs parents lors des sermons. A l'occasion des cérémonies religieuses ou civiles, aussi, qui leur permettaient de visualiser les concepts d'autorité, de hiérarchie, de solennité, d'obéissance... Toute la vie sociale, en un mot, diffusait l'autorité royale, l'autorité divine, l'autorité paternelle. Les hiérarchies s'épaulaient mutuellement et dans tous les domaines : « La domination du père sur les enfants renvoie à la domination du roi sur les sujets — et aussi à la domination de Dieu sur ces créatures ». De plus, « cette domination a en chacun de nous un modèle intérieur » qui n'est autre que la raison l'emportant sur les passions et fondant ainsi la vertu bienfaisante de l'autorité [86]. Comment ne pas voir dans cette analyse faite par Georges Snyders l'explication globale d'un puissant mouvement de centralisation et de hiérarchisation qui s'exerça dans tous les aspects de la vie sociale ? On pourrait le symboliser de la manière suivante :

84. *Ibid.*, p. 262-264.
85. *Archives et documents pour l'histoire moderne*, XVIe, XVIIe, XVIIIe *siècles. Série I. Sources provençales*, Aix-en-Provence, Edisud, 1974, fiche 23.
86. G. Snyders, *op. cit.*, p. 264.

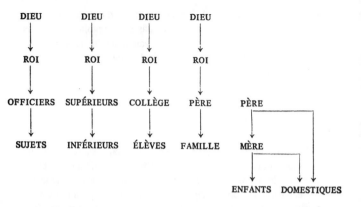

Jusqu'au milieu du XVIIIᵉ siècle, ce système fonctionna sans heurt important. Puis survint ce que Pierre Goubert nomme « un certain divorce entre la société et l'Etat », prélude à la Révolution [87]. Les notions de hiérarchie et d'autorité absolue commencèrent à être contestées. Et le Parlement de Paris, en réagissant contre cette évolution, en condamnant l'*Emile* de Jean-Jacques Rousseau par un arrêt du 9 juin 1762, nous donne une définition synthétique de cet Ancien Régime mourant. Le livre, dit l'arrêt, émet des *propositions qui tendent à donner un caractère faux et odieux à l'autorité souveraine, à détruire le principe de l'obéissance qui lui est due, à affaiblir le respect et l'amour des peuples pour leurs rois... Que seraient d'ailleurs des sujets élevés par de pareilles maximes, sinon des hommes préoccupés du scepticisme et de la tolérance, abandonnés à leurs passions, livrés aux plaisirs des sens, concentrés en eux-mêmes par l'amour-propre, qui ne connaîtraient d'autres voix que celles de la nature, et qui, au noble désir de la solide gloire, substitueraient la pernicieuse manie de la singularité* [88] ? Autorité, obéissance et respect étaient bien les maîtres-mots de l'époque absolutiste, qui avait voulu bâtir un type d'homme croyant, intolérant, maître de ses passions et en particulier de

87. P. Goubert, *op. cit.*, p. 189-241.
88. Cité par J. Palméro, *Histoire des institutions et des doctrines pédagogiques par les textes*, Paris, 1958, p. 235.

ses pulsions sexuelles, et surtout un type d'individu œuvrant pour la collectivité en ne cultivant pas sa « singularité ». Tous les efforts, durant deux cents ans, avaient tendu dans ce sens, en refusant les différences, les particularismes, en détruisant la culture populaire.

Le refus des différences

Au XVIIe siècle, « inexorablement, la chape s'abattait » sur la société tout entière et sur les humbles en particulier [89]. Dans les villes, le « grand renfermement des pauvres » et l'exclusion des éléments les plus dangereux de la société permirent à la royauté et à l'Eglise de soumettre les masses populaires ainsi épurées à une surveillance constante. Modeler selon le conformisme qu'exprimera encore le Parlement de Paris à propos de la condamnation de l'*Emile* en 1762, devenait plus facile et plus efficace puisque l'on s'adressait à des masses populaires plus « homogènes » que par le passé et moins travaillées par la présence et par le spectacle des « classes dangereuses ». Au village, la royauté commença à intervenir à partir du milieu du XVIIe siècle. La déclaration du 7 juin 1659 réputa désormais « mineures » les communautés rurales. Divers édits aboutirent à la fin du XVIIe siècle à l'ingérence constante et tyrannique de l'intendant dans leurs affaires, tandis que les représentants autrefois élus par la communauté devenaient de simples agents administratifs qui dépendaient du « commissaire » royal. Malgré des protestations au XVIIIe siècle, la communauté rurale française, à la différence de son homologue anglaise, ne put continuer à se gouverner elle-même, comme elle le faisait généralement aux XVe et XVIe siècles [90].

Globalement, l'époque de Louis XIV fut marquée par la pénétration de l'autorité royale jusque dans chaque village. Non sans que cette pénétration ne se heurte à des résistances, actives ou passives, et ne soit limitée par les distances à par-

89. D. Richet, *op. cit.*, p. 119.
90. H. Babeau, *Les assemblées générales de communautés d'habitants en France...*, Paris, 1893, p. 206-210.

courir ou par la lenteur et la lourdeur de l'appareil administratif. Il n'empêche qu'à partir de 1689, quand est installé le dernier intendant, en Bretagne, les rapports entre le pouvoir et les masses ont profondément évolué. La mosaïque des juridictions et des autorités anciennes subsiste, mais l'intendant et ses subdélégués sensibilisent réellement chaque sujet à l'autorité d'un roi absolu. Ils ont pour mission, comme le révèlent leurs « commissions », de faire observer les ordonnances royales touchant la *justice, police et finance, et tenir la main à ce qu'il ne s'y passe aucun abus* [91]. Représentant direct du monarque, « œil de Versailles » en province, l'intendant symbolise les nouveaux mécanismes du pouvoir, bien qu'il ne les résume pas tous. Car ce personnage est « commis » pour brider tous les particularismes au moins autant que pour administrer sainement. Lamoignon de Basville, intendant de Languedoc, décrit précisément ces tâches dans ses *Mémoires secrets*. Ne s'agit-il pas, dans les provinces excentriques et jadis fières de leurs prérogatives, de surveiller les corps de population, et notamment les Etats provinciaux, garants des privilèges de la région, afin *qu'il ne s'y passe rien contre les intérêts du Roi. La grande règle est que les Etats ne peuvent rien faire qui ne soit autorisé par S.M.* [92] ?

Telle est bien la philosophie du pouvoir restructuré : abolir autant que possible les particularismes et les différences régionales ou locales qui pourraient entraver la marche de l'absolutisme ! L'esprit des administrateurs proches du pouvoir royal est résolument hostile à la différence. Il s'agit d'appliquer partout la même loi. Pour cela, la force est parfois nécessaire, comme dans la révolte bretonne du papier timbré en 1675 [93]. Dans la plupart des cas, la procédure est plus subtile, plus lente, mais tout aussi efficace. Elle consiste à exclure de la participation à l'activité des gouvernants, en ne les convoquant plus, d'anciens corps puissants et particularistes : Parlements,

91. R. Mousnier, *op. cit.*, p. 212 (Commission pour l'Intendance d'Auvergne, 15 janvier 1656).
92. Cité par F. Billacois (et autres), *Documents d'histoire moderne*, t. I, Paris, 1970, p. 184-186.
93. Y. Garlan, C. Nières, *Les révoltes bretonnes de 1675*, Paris, 1975.

Etats provinciaux, assemblées de notables, etc.[94]. Une redistribution du pouvoir s'effectue, au détriment des multiples institutions qui se partageaient la France préabsolutiste, mais au profit de la royauté et des clientèles de nobles, de robins, de financiers qui se forment autour d'elle.

Comment, dans ces conditions, ne tenterait-on pas d'instaurer une seule et même réalité culturelle ? Modelée sur la « civilisation de cour », sur la civilité nouvelle apparue à Paris et dans les grandes villes, cette culture dominante devait lentement affaiblir et dévaloriser les langues minoritaires, les patois, les originalités provinciales, en particulier la culture populaire née dans le monde rural et confondue dans le mépris croissant pour ce qui apparaît rude, grossier, « paysan » en un mot. D'autant plus que l'affirmation de l'Etat et de la Nation passait par un véritable « centralisme culturel », qui aboutit d'ailleurs à notre temps : « la confusion de l'identité nationale et de la tradition culturelle a été un trait spécifique de la société française »[95]. Et ceci depuis Louis XIV au moins ! C'est dire que les deux derniers siècles de l'Ancien Régime virent les masses populaires perdre l'essentiel de leurs originalités culturelles. Tout comme l'enfant perdait, vis-à-vis de son père et de sa famille, la possibilité d'affirmer son indépendance ou son autonomie. Tout comme un « grand renfermement » des fous, des pauvres, des mendiants épura la société de leur contact. Tout comme la dépendance de la femme s'accentua... Le pouvoir se concentrait, aux mains du roi, des nouveaux notables, des intendants, des pères de famille. Et il se concentrait partout. Dans les villages, la communauté rurale se réduisait peu à peu aux membres de la *sanior pars,* c'est-à-dire aux plus riches et aux plus puissants[96]. Or, fait important, ces mêmes individus n'appartenaient plus au niveau culturel populaire. Ils étaient souvent alphabétisés, parfois frottés de culture littéraire, pour

94. D. Richet, *op. cit.,* p. 103-104 et R. Mousnier, *op. cit.,* p. 248 suiv.

95. D. Schnapper, « Centralisme et fédéralisme culturels : les émigrés italiens en France et aux Etats-Unis », *Annales E.S.C.,* sept.-oct. 1974, p. 1159.

96. P. de Saint-Jacob, *Documents relatifs à la communauté villageoise en Bourgogne, du milieu du* XVIIe *siècle à la Révolution,* Paris, 1962, p. XXIII-XXV et H. Babeau, *op. cit.,* p. 54.

avoir fréquenté quelque collège accueillant les fils de paysans riches. A Sacy, en Bourgogne, existait au XVIIIe siècle un tel clivage politique et culturel, dont Restif de la Bretonne nous a conservé la trace. Un type nouveau de « paysan déjà cultivé, dégrossi, alphabétisé », capable de lire les livrets de la Bibliothèque Bleue qui faisaient « vibrer une sensibilité nationale » [97], était apparu dans le village. En ce sens, les nouveaux mécanismes du pouvoir et de la culture avaient parfaitement réussi. Les paysans riches et relativement cultivés — ils ignoraient pourtant totalement les « Lumières », en général — se distinguaient de la masse de leurs concitoyens, participaient à leur niveau au pouvoir absolu et à ses visées d'acculturation. Ils étaient devenus, nous le verrons plus loin, des chasseurs de sorcières, des adversaires des « superstitions » et de la vieille culture populaire. Car eux aussi refusaient le droit à l'existence des différences, au nom de la « sensibilité nationale » à laquelle ils adhéraient, au nom surtout de leurs intérêts, bâtis sur un système social profondément inégal, dont ils voulaient assurer la survie.

« L'être humain apprend dans la première enfance à considérer l'un ou l'autre des aspects du fonctionnement du corps comme mauvais, honteux ou dangereux. Il n'y a pas de culture qui n'utilise une combinaison de ces diables pour développer, par opposition, son propre style de foi, de fierté, de certitude ou d'initiative » [98]. Ce jugement du psychologue américain Erik. H. Erikson rejoint la notion de « technologie politique du corps » définie au début de ce chapitre. En effet, le XVIIe et le XVIIIe siècles ont vu mettre au point, par l'État, par l'Église, par les couches dirigeantes de la société, une procédure nouvelle de fabrication du consentement basée sur la culpabilisation

97. E. Le Roy Ladurie, *art. cit.*, p. 242-251 (repris dans *Histoire de la France rurale*, sous la direction de G. Duby et A. Wallon, t. II, Paris, 1975, p. 588-589).
98. Erik H. Erikson, *Enfance et société*, Neuchâtel, 1959, p. 271.

accentuée des individus. Au point de départ de cette culpabilisation se trouve la sexualité. Car les masses populaires de la fin du Moyen Age se laissaient assez facilement aller à leurs pulsions sexuelles. Tout au moins n'étaient-elles que vaguement bridées par l'enseignement de l'Eglise, et ne s'imposaient-elles de limites en la matière que sous la forme de tabous et d'interdits essentiellement opératoires à l'intérieur de chaque communauté d'habitants. De la même manière, les Français de 1500 étaient souvent guidés par leurs passions, dans tous les domaines. La Contre-Réforme catholique et l'Etat absolu, entre 1550 et 1750 essentiellement, conjuguèrent tous leurs efforts pour bâtir un nouveau type d'homme, subordonnant ses appétits et ses désirs à la raison, acceptant d'autant mieux, de ce fait, l'autorité. Pour réussir à imposer ces vertus nouvelles, garantes de l'ordre et de la stabilité sociale, la force pure ne suffisait pas. Il fallait d'abord modifier les prêtres eux-mêmes, ainsi que les élites, ce qui fut entrepris avec succès et aboutit à l' « honnête homme » du XVIIe siècle, maître de ses passions comme de l'univers. En ce qui concerne les masses, la tâche fut plus ardue et plus lente. L'Etat et l'Eglise, conjointement, soumirent les corps et les âmes. Chaque individu apprit que son corps ne lui appartenait pas totalement, mais qu'il dépendait d'abord de ses parents, du roi, de Dieu. La sexualité fut contrôlée et réprimée dans ses excès. La tutelle parentale se fit plus lourde sur le corps d'adolescents de plus en plus retardés. Le roi et Dieu montrèrent clairement à quels supplices s'exposaient les corps désobéissants. Réprimés, maîtrisés ou mutilés, les corps portaient en eux les normes sociales de l'époque. La conquête des âmes se fit par l'encadrement chrétien et judiciaire de la société, par la lutte contre les « superstitions » populaires, par la réaffirmation constante du principe d'obédience liant chaque être humain à Dieu. L'orthodoxie religieuse excluait de ce monde tout bonheur, facilitant ainsi le refoulement des passions, et notamment celles du corps. Elle dessinait un univers immuable, voulu par Dieu, dans lequel il fallait obéir aux représentants de ce dernier. C'est-à-dire au roi, en premier lieu. C'est-à-dire aussi à tous les supérieurs, parmi lesquels les pères étaient éminemment sacrés. D'autant que leur autorité permettait à la monarchie de trouver à bon compte des millions d'actifs agents de surveillance, aussi efficaces au niveau des familles que l'étaient les intendants dans les provinces.

Finalement, se perpétua jusque vers 1750 un système autoritaire et hiérarchique fondé sur la valorisation des attributs paternels d'un Dieu peu enclin à pardonner. Du roi au père de famille se diffusait, en cascades successives, ce modèle du père puissant et terrible. Et durant deux cents ans, la soumission s'accentuant dans la société, il fut possible à la royauté et aux couches privilégiées d'exploiter toujours davantage des *gens vils et mécaniques* qui osèrent de moins en moins se révolter ouvertement. « L'enfance humaine, dit Erikson, fournit une base psychologique fondamentale pour l'exploitation humaine » [99]. Or les enfants, à n'en pas douter, furent l'objet aux XVIIe et XVIIIe siècles d'une surveillance qui ressemble au « grand renfermement des pauvres » de la même époque. Et les masses populaires, à bien des égards, furent infantilisées et terrorisées, ce qui les rendit plus soumises. Infantilisées par la diffusion d'une nouvelle culture de masse, aliénante et très différente de leur ancienne vision du monde. Terrorisées par les innombrables bûchers qui s'allumèrent pour consumer à la fois les sorcières et la culture populaire.

99. *Ibid.*, p. 279.

CHAPITRE V

RÉPRESSION DE LA SORCELLERIE
ET ACCULTURATION DU MONDE RURAL

La France, comme presque toute l'Europe, connut au tournant du XVIe et du XVIIe siècles une véritable épidémie de chasse aux sorciers et surtout aux sorcières[1]. Deux voies totalement opposées conduisent à la compréhension de ce phénomène. La première, récemment illustrée par Robert Mandrou, permet d'expliquer la disparition des persécutions massives, à la fin du XVIIe siècle, par une « conception plus raisonnée de l'existence » qu'auraient acquise les juges. Le crime de sorcellerie, affirme l'auteur, cessa d'être poursuivi parce que les juristes n'y croyaient plus. Pour eux, comme pour les élites culturelles du temps, « Dieu et Satan cessent d'intervenir quotidiennement dans le cours naturel des choses et dans la vie ordinaire des hommes »[2]. Mais cette thèse ne s'intéresse que peu à « cet essentiel qu'est, en fait, la sorcellerie

---

1. H.-R. Trevor-Roper, « L'épidémie de sorcellerie en Europe aux XVIe et XVIIe siècles », dans *De la Réforme aux Lumières,* Paris, 1972, p. 133-236.
2. R. Mandrou, *Magistrats et sorciers en France au XVIIe siècle. Une analyse de psychologie historique*, Paris, 1968, p. 540 et p. 561.

rurale » [3]. Elle ne permet pas non plus de comprendre les causes du déclenchement de la persécution.

Une seconde manière d'appréhender le problème consiste à le voir « du dedans, du point de vue des paysans, chez qui les sorciers proliféraient » [4], en se demandant pourquoi les procès se multiplièrent précisément après le milieu du XVIᵉ siècle. Car les pratiques superstitieuses et magiques étaient générales dans les campagnes françaises de la fin du Moyen Age, nous le savons [5]. Elles ne donnaient pourtant pas lieu à de nombreuses mises en accusation. Est-ce à dire que les adeptes de Satan devinrent innombrables et se firent de plus en plus menaçants entre 1580 et 1680 ? Au contraire, à mon avis, la sorcellerie proprement dite n'évolua nullement à cette époque. Seule changea la façon dont les juges, et les élites culturelles en général, la considéraient. Elle constitua désormais le symbole des superstitions populaires contre lesquelles luttaient les agents du pouvoir royal et les missionnaires. Pour réaliser la soumission des âmes et des corps, pour acculturer les campagnes, il fallait refouler les croyances et les pratiques magiques. Que les magistrats en aient été conscients ou non, les bûchers permettaient à une culture savante dynamique de repousser et d'affaiblir une culture populaire presque immobile et très ancienne, mais qui opposait une grande force de résistance à tout changement.

Mises à part les possessions démoniaques qui affectèrent les couvents, et qui n'appartiennent pas au registre de l'histoire des masses populaires, la répression de la sorcellerie s'effectua essentiellement dans le monde rural. Une « pesée globale » en déterminera la géographie, les rythmes et la sociologie, en

3. P. Chaunu, « Sur la fin des sorciers au XVIIᵉ siècle », *Annales E.S.C.,* juill.-août 1969, p. 898.
4. E. W. Monter, « Trois historiens actuels de la sorcellerie », *Bibliothèque d'Humanisme et Renaissance,* 1969, p. 207. Et aussi : *Witchcraft in France and Switzerland. The Borderlands during the Reformation,* Ithaca et Londres, Cornell U.P., 1976. Cf. également P. Chaunu, *art. cit.,* p. 901; R. Muchembled, « Sorcières du Cambrésis : L'acculturation du monde rural aux XVIᵉ et XVIIᵉ siècles », dans M.-S. Dupont-Bouchat, W. Frijhoff, R. Muchembled, *Prophètes et Sorciers dans les Pays-Bas (XVIᵉ-XVIIIᵉ siècle),* Paris, Hachette, 1978.
5. Ci-dessus, chapitre II.

Europe puis en France. Il faudra ensuite s'attaquer à décrire les caractéristiques du « crime » de sorcellerie, d'après les juges, mais aussi d'après les témoins des procès. Car, contrairement à une idée couramment admise, le magistrat et le sorcier n'étaient pas les seuls personnages du théâtre de la répression. Celle-ci ne partait pas uniquement du haut. Elle était relayée, et parfois désirée, par une partie des villageois eux-mêmes. L'explication finale de la chasse aux sorciers devra donc être recherchée à un double niveau : celui du monde rural, qui connaît alors une crise socio-économique, voit dans certains cas s'exacerber la lutte pour le pouvoir local et enregistre les effets d'une acculturation de grande ampleur; celui de la société environnante qui réalise cette conquête culturelle des campagnes et qui est pour beaucoup dans la crise générale qu'elles subissent.

I. Persécution de la sorcellerie rurale

La grande chasse aux sorciers qui marqua les XVIᵉ et XVIIᵉ siècles ne fut pas un phénomène spécifiquement français. Un bref tour d'horizon européen s'impose, avant de définir les traits caractéristiques de l'épidémie de sorcellerie dans notre pays.

L'Europe des sorciers

Le crime de sorcellerie fut parfois poursuivi dès la fin du Moyen Age. Il s'agissait en général d'affaires individuelles, telle la condamnation de Gilles de Rais à Nantes en 1440. Quant aux épidémies démoniaques, elles n'affectèrent alors que des régions limitées : les Pyrénées, les Alpes, la ville d'Arras. Dans les Alpes françaises et italiennes, l'Inquisition persécuta des vaudois, c'est-à-dire des hérétiques, accusés en outre d'user de sortilèges. A Arras, de 1459 à 1461, trente-deux sorciers — nommés « vaudois », bien qu'ils aient eu peu de rapports avec ceux des Alpes — furent mis en accusation et dix-huit d'entre eux furent exécutés. La répression, qui continuait à s'exercer dans les Alpes, les Apennins et les Pyrénées, ne toucha guère d'autres régions avant le milieu du XVIe siècle [6]. Vers cette époque se déclencha, dans plusieurs pays d'Europe, une grande chasse aux sorciers. Le sud-ouest du Saint Empire romain germanique, disputé entre les protestants et les catholiques, connut une extraordinaire flambée de persécutions de 1560 à 1670 : 2 953 personnes y furent exécutées à l'issue de 480 procès. La période 1570-1630, à elle seule, fut marquée par 363 procès et 2 471 mises à mort. Ces innombrables bûchers étaient aussi bien dressés par les protestants que par les catholiques. La sévérité des premiers à l'égard des accusés eut cependant tendance à décroître après 1600, alors qu'au contraire les juges catholiques redoublaient d'intransigeance [7]. Les Pays-Bas espagnols virent également s'organiser une féroce chasse aux sorciers, surtout après 1590. Dans le comté de Namur, 337 femmes et 29 hommes furent jugés entre 1509 et 1646. Et dans l'actuel département du Nord, qui ne devint français qu'au XVIIe siècle, sur 294 personnes mises en accusation de 1371 à 1783, 178 le furent entre 1550 et 1650 [8]. En France, le sommet des persécutions fut atteint entre 1580 et 1610, notamment dans les Pyrénées et en Lorraine. Une deuxième grande vague de procès embrasa, vers 1640, la Bourgogne, la Champagne, la Franche-Comté, le Languedoc, etc. Aux environs de 1670, la Normandie, le Béarn et la Guyenne constituèrent les épicentres d'une troisième vague de persécution [9]. Les juges anglais, quant à eux, furent surtout actifs entre 1570 et 1620, puis à nouveau vers 1645. Dans le comté d'Essex, 229 villages sur 426 furent en relation, d'une manière ou d'une autre, avec les persécutions des sorciers et 314 individus furent jugés pour ce crime de 1560 à 1680. Alan Macfarlane évalue à 2 000 personnes, dont

6. J. Palou, *La sorcellerie*, Paris, 1971, p. 54-62; H. R. Trevor-Roper, *art. cit.*, p. 178-180.
7. H. C. E. Midelfort, *Witch Hunting in Southwestern Germany, 1562-1684*, Stanford (Californie), 1972, p. 32-33.
8. E. Brouette, « La sorcellerie dans le comté de Namur au début de l'époque moderne (1509-1646) », *Annales de la Soc. archéol. de Namur*, 1954, p. 359-420; R. Muchembled, dans *op. cit.*, tableau n° 2.
9. R. Mandrou, *op. cit.*, p. 133-137, 372-383, 439-443.

300 auraient été exécutées, le total des accusés qui comparurent pour ce motif devant les « Assize courts » d'Angleterre de 1560 à 1706 [10]. Dans une partie du Jura composée du canton suisse de Neuchâtel et de l'évêché de Bâle, « au moins cinq cents personnes furent mises à mort pour sorcellerie » de 1570 à 1670. Chaque village, pratiquement, produisit quelques procès [11]. Le nombre des accusés fut également important dans les régions voisines : 214 à Genève, de 1573 à 1662; 163 en Franche-Comté de 1599 à 1668 [12]. Par contre, les sorciers furent plus rarement et moins systématiquement poursuivis dans d'autres pays. En Italie, seule l'Inquisition vénitienne témoigna, semble-t-il, d'une assez grande sévérité, ses archives conservant la trace de 549 suspects de sorcellerie pour la période 1552-1722. Quelques douzaines de procès de « benandanti » concernent également le Frioul, province vénitienne du Nord-Est, de 1575 à 1650. Ces « bien-allant » étaient en fait les acteurs d'une sorte de culte agraire. Le Saint-Office, qui n'employa jamais la torture à leur égard, réussit peu à peu à les persuader qu'ils étaient des sorciers, et à leur faire avouer leurs « crimes » [13]. L'Espagne, pourtant terre de l'Inquisition, ne connut guère la répression de la sorcellerie, sauf dans le pays basque [14]. La Suède, elle, ne vit se déclencher qu'une épidémie de sorcellerie tardive, vers 1670. Enfin, les célèbres sorcières de Salem défrayèrent la chronique, en Nouvelle-Angleterre, à la fin du XVIIᵉ siècle [15].

Somme toute, l'Europe des sorciers est surtout représentée par l'Allemagne, la Suisse actuelle, les Pays-Bas espagnols, l'Angleterre et la France. Les contrées orientales, nordiques et méditerranéennes ont été, par contre, généralement épargnées ou n'ont connu qu'une répression peu systématique et de faible

10. A. D. J. Macfarlane, *Witchcraft in Tudor and Stuart England*, Londres, 1970, p. 23, 62, 251.
11. E. W. Monter, « Patterns of Witchcraft in the Jura », *Journal of Social History*, 1971, p. 5 et 7 (ces chiffres et les suivants ont été révisés en hausse dans *op. cit.*, 1976, p. 208-228).
12. *Ibid.*, p. 14.
13. *Ibid.*, p. 14 et C. Ginzburg, *I benandanti. Ricerche sulla stregoneria e sui culti agrari tra Cinquecento e Seicento*, Turin, 1966.
14. J. Caro Baroja, *Les sorcières et leur monde*, Paris, 1972.
15. J. Palou, *op. cit.*, p. 70-71 et 85-88.

ampleur. En outre, les principes flambées de chasse aux sorciers se situent partout entre 1560 et 1630. Or cette époque correspond à une crise de l'Europe [16]. Chacun des pays cités est d'ailleurs le théâtre de guerres de religion et de troubles politiques importants : conséquences de la Réforme en Allemagne et en Suisse, puis guerre de Trente ans; révolte des Pays-Bas contre l'Espagne; installation définitive de la Réforme anglicane puis Révolution en Angleterre; guerres de Religion et révoltes populaires nombreuses jusqu'à la Fronde en France. Aussi peut-on se demander si la phobie de la sorcellerie est surtout soutenue dans ces pays, comme semble le suggérer Robert Mandrou pour la France, par un excès de procédure, lui-même causé par une attitude nouvelle des magistrats vis-à-vis de ce type de crime. En réalité, la pesécution n'est-elle pas au moins autant issue de ce qui est ressenti par les populations comme une insuffisance des contrôles magiques dans un contexte social troublé ? En d'autres termes, la sorcellerie n'est-elle pas rejetée à la fois par les juges *et* par certaines parties des masses populaires, lesquelles, tout en y croyant fermement, l'accusent de ne plus être adaptée aux conditions nouvelles de leur temps ? Ce refus ressemblerait alors étrangement à la peur de la sorcellerie qui se manifesta en 1925, chez les Lala de la Rhodésie du Nord, dans le mouvement de Mwana Lesa — « Le fils de Dieu » [17]. Pour répondre à cette question, il importe d'abord de définir les caractéristiques essentielles de la chasse aux sorciers en France.

La sorcellerie réprimée en France

La sorcellerie proprement dite, telle que je l'ai décrite dans le chapitre II de ce livre, constituait un élément fondamental de l'équilibre de la pensée magique, et par là du monde rural de la fin du Moyen Age. Il est vraisemblable qu'existaient alors

16. T. Aston (éditeur), *Crisis in Europe, 1560-1660,* New York, 1967.
17. T. O. Ranger, dans T. O. Ranger et J. Weller, *Themes in the christian History of Central Africa,* Londres, 1975 (Mes remerciements à J.-P. Chrétien pour avoir attiré mon attention sur cette étude).

partout en France des devins-guérisseurs, des sorciers de village, qui étaient à la fois des médecins de l'âme et du corps. De ce fait, la chasse aux sorciers aurait dû atteindre toutes les régions du pays. Or il n'en fut rien. La géographie de la persécution se révèle en effet très particulière. Comme l'est également la sociologie des accusés.

La sorcellerie réprimée, tout d'abord, est surtout rurale. Les archives judiciaires des villes conservent bien la trace de tels procès, mais ceux-ci concernent assez fréquemment des ruraux mis en accusation devant les tribunaux urbains. Peu de provinces françaises ont connu la frénésie de persécutions qui marqua le sud-ouest de l'Allemagne. En général, dans une région donnée, les procès se comptent plus par centaines, voire par dizaines, que par milliers, entre le milieu du XVIe siècle et la fin du XVIIe siècle. Seule la Lorraine constitue une exception, si l'on admet le chiffre de 3 000 victimes envoyées au bûcher par Nicolas Rémy, de 1576 à 1612 [18]. Ce juge sanguinaire, à lui seul, aurait fait exécuter plus de gens que tous les tribunaux du Sud-Ouest allemand en un siècle, ce qui paraît invraisemblable. En tout cas, la Lorraine constitua l'un des épicentres de la répression. D'une manière générale, le Nord et l'Est furent des régions privilégiées de chasse aux sorciers, ainsi que le Languedoc, le Sud-Ouest et plus tardivement la Normandie. Pierre Chaunu a pu en conclure que « la sorcellerie fleurit sur les marges..., sur les bords de la chrétienté ». Il précisait même que les bois, les landes, les montagnes, les marais, les forêts, c'est-à-dire les zones de peuplement relativement dispersé, étaient aisément productrices de sorciers. Ceux-ci étaient « implantés à la périphérie du monde agricole ». Ces remarques sont assurément judicieuses. Comme l'est une explication du phénomène de sorcellerie par la réaction des populations de ces marges à l'effort d'une Eglise « maladroitement missionnaire sur les franges qui traditionnellement lui résistent » [19]. Ainsi pourrait-on comprendre l'existence d'une dorsale nord-sud, allant de la Lorraine aux Alpes, qui est l'un des principaux axes de la lutte contre la sorcellerie, et qui se

18. J. Palou, *op. cit.*, p. 64.
19. P. Chaunu, *art. cit.*, p. 903-904.

prolonge dans le Languedoc aux traditions hérétiques bien connues. Par contre, la sorcellerie flamande, artésienne, champenoise même, ne correspond pas exactement à ce schéma. La Flandre, en effet, était très peuplée, urbanisée à près de 45 % et constituait une zone agricole prospère et dynamique. De même, le Sud-Ouest et la Normandie ne répondent qu'imparfaitement au modèle proposée par Pierre Chaunu. A moins d'admettre que le front de catholicité passait à l'intérieur de toutes les campagnes françaises, à l'époque de la christianisation en profondeur du monde rural. Mais, dans ce cas, comment expliquer que la Bretagne, qui subit de plein fouet cette christianisation au XVIIᵉ siècle, ne vit pas se multiplier les bûchers de sorcellerie ?

La géographie de la sorcellerie pose donc un problème d'importance. La répression s'installe essentiellement aux frontières de la France, sur les bords d'un cercle qui isolerait et exclurait la Bretagne. Par rapport à ce cercle, les autres procès de sorcellerie constituent sur la carte de simples petites taches ou des points isolés. Or ce cercle correspond aux provinces les plus tardivement conquises, les plus particularistes, les plus réticentes à l'égard de la centralisation absolutiste. A l'est, il s'agit bien de marges catholiques face à des pays touchés par la Réforme. Mais a-t-on remarqué que le Sud, le Sud-Ouest, la Normandie étaient les zones principales où se déroulèrent la plupart des grandes révoltes paysannes jusqu'à la Fronde : Pitauds de Guyenne en 1548, Croquants aquitains entre 1594 et 1637, Nu-Pieds normands de 1639, Audijos landais de 1663, etc. [20] ? Ne peut-on dire, de ce fait, qu'existe une corrélation entre les révoltes et les bûchers de sorcellerie ? Voyez la Normandie révoltée en 1639 verser dans la sorcellerie une génération plus tard, vers 1670 ! La Bretagne, elle, connut encore l'exutoire d'une grande révolte en 1675 et fit peut-être ainsi l'économie de la chasse aux sorciers. En effet, on peut penser que les paysans du Sud-Ouest et de la Normandie, écrasés après une révolte, se soient adonnés par désespoir aux pratiques diaboliques. Il s'agirait de leur part d'une résistance

20. Cf. Y.-M. Bercé, *Croquants et Nu-Pieds*, Paris, 1974, carte p. 55.

insidieuse contre les autorités, après l'échec de la violence. Et si l'on ne croit pas à la réalité du phénomène de sorcellerie, on envisagera l'explication selon laquelle les représentants de l'autorité royale et de l'Eglise, rendus méfiants à l'égard d'une région où vient d'éclater une révolte, accentuent leur surveillance, durant des années, durant quelques décennies. Cette chape de plomb motivera des comportements de résistance sourde, puisque la contestation brutale ne paie guère. Et les adultes, ainsi que leurs enfants, apprendront ce « grand refus des humbles ». Au bout d'un certain temps, les autorités, désirant briser cette opposition latente par d'effrayants exemples, choisiront de prétendus sorciers, qui seront chargés de rétablir symboliquement l'obéissance aux volontés des gouvernants. En Bretagne, par ailleurs, des révoltes tardives indiquent que le pays était resté « frondeur » jusqu'en 1675, dans l'océan des soumissions apparentes au roi absolu. Dans ces conditions, pourchasser férocement les sorciers bretons n'aurait peut-être pas été de tout repos pour les autorités, avant cette date. Et par la suite, même si la centralisation politique et la surveillance religieuse s'exercèrent dans les mêmes conditions qu'en Normandie après 1639, la répression de la sorcellerie n'était plus possible sur une grande échelle, tout simplement parce que le « crime » n'était plus systématiquement poursuivi depuis l'ordonnance royale de 1682.

En Europe comme en France, la chronologie et la géographie des procès de sorcellerie indiquent, comme l'a très bien vu Pierre Chaunu, l'existence d'un effort d'acculturation du monde rural. Un effort qui se développe conjointement sur deux fronts, la religion et la politique étant intimement liées, à partir du milieu du XVIe siècle, pour contraindre les corps et pour soumettre les âmes, pour substituer aux « conformismes de la surface » [21] une adhésion totale aux volontés de Dieu et du roi. Finalement, l'origine de la frénésie de persécution des sorciers en France n'est pas spécifiquement religieuse, mais politico-religieuse. Il s'agit d'un problème d'assimilation, à la fois par l'Eglise et par l'Etat, de provinces excentriques et trop indépendantes, à tous égards. Ces provinces sont aussi celles où

21. P. Chaunu, *art. cit.*, p. 906.

s'était enraciné le protestantisme : Est, versants méridionaux du Massif Central, Béarn, Guyenne, Normandie, etc. Mais, justement, la Réforme y avait fleuri à la fois pour des raisons spirituelles, et à cause de l' « esprit d'indépendance de ces provinces lointaines »[22]. Nombre de ces régions, qui plus est, connurent encore aux XIXe et XXe siècles une tradition d'indocilité aux volontés gouvernementales : tel est le cas du quart sud-ouest de la France et de ses réactions antifiscales au XIXe siècle[23]. Rien d'étonnant à ce que les bûchers exterminent les sorciers, dans ces régions excentriques, entre 1580 et 1610 surtout, avec de nouvelles poussées vers 1640 et vers 1670. Le rythme et l'espace sont ceux de l'implantation des nouveaux pouvoirs dans les zones les plus éloignées des centres de décision. Le sorcier, en ce sens, accumule sur sa tête les crimes d'hérésie et de résistance passive ou violente aux décisions des hiérarchies. Son supplice est contemporain de la répression des grandes révoltes populaires et de la lutte plus feutrée que mène la monarchie pour affaiblir le protestantisme, après l'Edit de Nantes. L'Eglise et l'Etat voient en lui le prototype de la rébellion totale, le sujet d'une Eglise diabolique et d'un royaume démoniaque bien organisés.

Le sorcier est donc un déviant, mais un déviant qui n'est pas totalement isolé. Le vagabond, le fou, le mendiant ou le véritable marginal de l'époque ne correspondent que très imparfaitement à l'image de cet adepte de Satan que recherchent les juges. Certes, les caractères anomiques et inquiétants du vagabond, par exemple, l'amènent à l'occasion devant les tribunaux pour répondre du crime de sorcellerie. Cependant, l'intérêt des magistrats se trouve limité, dans ce cas, par le fait qu'un tel individu, qui est en général solitaire, ne peut les conduire à identifier une Eglise et un Etat subversifs. Il n'est pas rare, en Cambrésis tout au moins, de voir le tribunal manifester une certaine indulgence envers de semblables accusés[24]. Le sorcier typique, lui, est membre d'une

22. E. G. Léonard, *Histoire du protestantisme*, Paris, 1960, p. 71 (1re éd. 1950).
23. Y.-M. Bercé, *op. cit.*, cartes p. 209 et 210.
24. R. Muchembled, dans *op. cit.*, à propos des notations concernant le Cambrésis et le nord de la France.

communauté rurale. De plus, il possède un certain profil sociologique.

Michelet avait déjà noté que les femmes étaient plus souvent soupçonnées de sorcellerie que les hommes. De fait, le pourcentage d'hommes accusés oscille autour de 20 %, en France comme ailleurs en Europe. Il est au minimum de 5 % dans certaines régions du Jura : le bailliage d'Ajoie (1574-1659), ou les Franches-Montagnes (1571-1670). Au maximum, ce pourcentage atteint 25 % en Franche-Comté (1599-1668) ou 28 % en Sarre (1575-1632)[25]. Dans le nord de la France, entre 1351 et 1790, les femmes constituaient 82 % du total des accusés. On note cependant une aggravation de la persécution à leur égard au XVIIe siècle, puisqu'elles représentent 86,5 % des cas jugés contre 72,5 % au XVIe siècle. Sont surtout visées de vieilles femmes, des veuves notamment, vivant de ce fait hors des normes d'une société qui accorde une importance primordiale aux relations humaines. Cependant, dans le Jura comme dans le nord de la France, les accusés de sorcellerie n'étaient pas tous pauvres, obscurs et faibles. Dans les mêmes régions, il serait faux de prétendre que la mise en accusation entraînait obligatoirement la condamnation à mort. La proportion des exécutés par rapport aux accusés fut d'environ 68 % dans la principauté de Neuchâtel de 1568 à 1660. Elle n'était que de 40 % en Franche-Comté, entre 1599 et 1667[26] et atteignait 49 % dans le nord de la France, pour tous les procès de la période 1371-1783. Dans ce dernier cas, d'ailleurs, la sévérité des juges était plus grande envers les hommes, puisque 60 % d'entre eux étaient mis à mort contre 46 % des femmes. Ce qui signifie que l'homme est moins souvent accusé de sorcellerie que la femme, mais qu'il a moins de chances qu'elle d'échapper à la mort, dans cette région, quand l'atteint la procédure judiciaire. Un dernier trait typique mérite d'être retenu : la sorcellerie est considérée par les juges comme héréditaire. Un exemple, entre de nombreux autres, suffira à le prouver. En 1612, le seigneur de Bouchain (Nord, arr. Valenciennes), signale à la cour souveraine de Mons, dont

25. E. W. Monter, *art. cit.*, tableau p. 14 et *op. cit.*, p. 119-120.
26. *Ibid.*, p. 12-16 (pourcentages légèrement modifiés dans *op. cit.*, p. 105-106).

dépendait alors la ville, l'existence de nombreux enfants-sorciers de sept-neuf ans dans sa châtellenie. Il demande la permission de faire exécuter ceux qui sont âgés de huit ans et plus [27].

La sociologie de la sorcellerie réprimée, vue à grands traits, pose le problème du choix des victimes. Pourquoi, entre 1560 et 1680, avec un paroxysme de 1580 à 1610, brûle-t-on en France des centaines de sorciers — Voltaire parlait même de cent mille bûchers ? Pourquoi choisit-on de préférence des femmes, des ruraux pauvres mais non pas vraiment misérables, des résidants plutôt que des errants ? Pourquoi, en outre, la périphérie de la France est-elle la principale zone de répression ? La recherche des causes peut partir de « la conquête spirituelle des campagnes », de « la présence plus efficace de l'Etat » dans celles-ci. Cependant, la réalité est beaucoup plus complexe, car elle suppose, comme le dit Pierre Chaunu, « un minimum de complicité entre le juge et sa victime » [28]. Entre le juge, sa victime et le village tout entier, serais-je tenté d'ajouter. Car la répression de la sorcellerie provient à mon avis d'une crise du monde rural, elle-même issue d'une crise des relations entre ce monde presque immobile et le dynamisme religieux et politique de la société environnante. Ce sont là les deux temps d'une explication de la sorcellerie réprimée en tant que moteur d'une acculturation des campagnes.

II. Juges, sorciers et villageois

La plupart des études sur la chasse aux sorciers ne considèrent que deux acteurs du drame : les juges et leurs victimes. Or apparaissent généralement dans les procès de nombreux témoins, dont le rôle se révèle très important. Ils connaissent bien le « sorcier » et ses prétendus « crimes ». Ils appartiennent au même village que lui, ou à des communautés voisines. Ils font entendre la voix de l'opinion publique du temps. Mais d'une opinion publique qui n'est nullement neutre. D'une part,

27. E. de Moreau, *Histoire de l'Eglise en Belgique*, t. V, Bruxelles, 1952, p. 368-369.
28. P. Chaunu, *art. cit.*, p. 906-907.

ils ont subi, prétendent-ils, des maléfices. D'autre part, ils s'adressent à des représentants de la culture savante et doivent éviter d'être compromis avec les sorciers. Car ils proviennent du même monde que ces derniers et se trouvent en situation d'infériorité culturelle face aux magistrats, portés à les regarder avec suspicion ou avec les mépris qu'affichent les élites pour tous les « rustauds ».

Dans cette structure ternaire, les sorciers sont le point d'intersection de deux discours totalement étrangers l'un à l'autre. Les juges parlent à leur propos d'une religion satanique organisée, d'une Eglise diabolique structurée. Les témoins, eux, racontent la sorcellerie populaire et cherchent à s'en démarquer. Au-delà de ce double niveau de langue, la participation, spontanée ou non, des témoins à la persécution des sorciers, nous invite à étudier le rapport qu'entretient l'accusé avec les habitants de son village d'origine. La répression ne part-elle pas parfois de ce niveau ?

La sorcellerie des juges

Depuis la publication, à la fin du Moyen Age, des grands manuels de chasse aux sorciers, les magistrats recherchent partout en France la trace d'une antireligion bien organisée, qui est exactement la projection à l'envers de la religion chrétienne. Toute sentence décrétant la mort de l'accusé contient d'identiques références à cette Eglise satanique. Ainsi, en 1679, Madeleine Allard, femme de Jean-Baptiste Gilles, demeurant à Fourmies, est-elle condamnée pour crime de sortilège par le grand bailli de la pairie d'Avesnes (Nord, arr. Avesnes-sur-Helpe). Elle a été convaincue *d'avoir depuis huit ans encha renoncée à son baptesme, d'avoir esté plusieures fois de nuit dans les assemblées des sorciers, d'avoir habité charnellement avec le diable, d'en avoir receu de la graisse pour faire des maléfices et d'en avoir engraissé des pommes et des poires qu'elle a donné à Marie Boulenger et à Marie Rousseau pour les maléficier. Et pour réparation de quoy elle a esté condemnée à estre délivré entre les mains de l'exécuteur de la haulte justice, pour estre par luy conduitte au devant de l'église de*

la Maladrie, banlieu de laditte terre d'Avesnes, et là, à genoux,
pieds et bras nus, en chemise, la corde au col, tenante une
torche ardente du poids de deux livres, dire et déclarer que
témérairement et meschament... (suit la même liste de crimes
que ci-dessus), *qu'elle se repentoit et demandoit pardon à Dieu,*
au Roy et à la Justice, et ce fait d'estre estranglé à un potteau
quy seroit à cet effect dressé au lieu désigné par ledit juge, et à
mesme tems son corps brûlé et ses cendres jetté au vent[29].
D'après cet exemple, et d'après les juges en général, la sorcellerie est constituée par l'adhésion d'un individu donné à la secte
satanique. En premier lieu, le futur disciple est initié, de manière
directe par le diable ou par l'un de ses séides, ou encore par
le fait d'appartenir à une lignée de sorciers. En deuxième lieu,
le nouvel adepte fréquente le sabbat, qui se tient la nuit, à
l'écart du monde habité. Les descriptions de ces assemblées
nocturnes sont innombrables. Elles insistent sur le fait qu'y est
célébrée une parodie de la messe et que la sexualité s'y déchaîne.
En troisième lieu, enfin, chaque sorcier reçoit une poudre ou
une graisse maléfique, afin de faire le plus de mal possible
autour de lui.

La sorcellerie ainsi définie constitue exactement l'inverse
éthique du christianisme et d'une conduite morale catholique
basée sur la notion de Bien. Elle est l'image du royaume et de
l'Eglise du diable dans ce monde. Elle est essentiellement une
construction de théologiens et de juges confrontés au paganisme
rural, à la pensée magique des paysans. Que les élites de la
culture aient totalement adhéré à cette vision des choses n'est
pas douteux. Le grand penseur qu'était Jean Bodin ne disait-il
pas, au XVIe siècle, qu'il faudrait brûler ceux qui ne croyaient
pas à la sorcellerie ? Cependant, cette construction ne fut édifiée
que pour offrir aux populations une image redoublée du pur
catholicisme. En effet, comme l'effort missionnaire visait à
synthétiser l'image divine pour des foules de fait polythéistes,
la chasse aux sorciers permit de cristalliser la figure opposée
du diable. On peut dire que le Dieu de la Contre-Réforme avait
besoin d'un équivalent maléfique bien défini pour mieux s'imposer aux masses. Car, en fin de compte, l'idéal chrétien positif

29. A. D. Nord, VIII B 761, 2e série, f° 37 r°-v° (1679).

n'était guère accessible qu'aux saints, tant il exigeait d'efforts et de contraintes. Par contre, l'insistance sur la présence constante du démon sur la terre était plus aisément compréhensible par tous. Elle permettait de culpabiliser les gens et de les pousser à faire quelques efforts pour s'écarter du péché, à défaut de pouvoir atteindre la véritable sainteté.

L'offensive catholique utilisait le mécanisme de la peur afin de christianiser les foules rurales. Il n'est pas exclu que celles-ci, peu à peu, aient pu croire à la réalité de la sorcellerie démoniaque et des sabbats. Est-ce à dire que des individus se réunissaient réellement, la nuit, pour évoquer le diable ? Aucune preuve certaine n'en a pu être découverte. Aussi considérerai-je avec scepticisme la remarque selon laquelle « la culture magique, la culture animiste, qui refuse d'abdiquer, cherche à se sauver par le pacte diabolique » [30]. A mon sens, la seule réalité du phénomène fut celle de la croyance. Peut-être certains individus tentèrent-ils effectivement d'appeler le démon à leur secours ? L'appréciation de leur réussite ou de leur échec dépend uniquement du fait que l'historien qui en parle croit ou non à l'action du diable dans ce monde.

L'Eglise de Satan peut donc être considérée comme une invention des théologiens, des clercs et des juges. Une invention basée sur l'observation des éléments réels de la vie quotidienne des masses, sur le spectacle des conduites paysannes superstitieuses, on le verra plus loin. Une invention réaffirmée et imposée à tous les spectateurs au cours de l'exécution solennelle des sorciers. Fait primordial, qui prouve que la sorcellerie diabolique était bien une construction des démonologues, tout procès se déroulait en trois temps : information préparatoire et audition des témoins; interrogatoire du suspect, avec ou sans torture ; sentence et supplice. Or la religion satanique n'apparaissait presque jamais dans les témoignages. Elle envahissait la scène dans les deux stades suivants. Les juges, en somme, imposaient à l'accusé, par la force ou par la persuasion, leur conception de la sorcellerie, alors que les déposants parlaient, eux, de tout autre chose.

30. P. Chaunu, *art. cit.*, p. 907.

Dans le nord de la France, les témoins des procès de sorcellerie ne décrivent *jamais* l'antireligion que recherchent les juges. Ils jouent leur rôle dans une pièce qui ne comporte généralement que trois « personnages » : le juge, le sorcier et le témoin à charge, car l'avocat de l'accusé ou le témoin à décharge n'apparaissent que rarement, et exclusivement en milieu urbain. Ils sont entendus soit à l'occasion d'une information préalable, à la suite de dénonciations visant un prétendu sorcier, soit durant le procès lui-même. Ils sont confrontés à l'accusé, après audition de leur déposition. Le schéma de celle-ci est toujours identique. En premier lieu, le témoin affirme qu'il connaît bien le suspect et assure que la réputation maléfique de ce dernier est parfaitement établie. En second lieu apparaissent des accusations précises concernant les dommages que le sorcier est censé avoir causé aux *biens,* aux *récoltes* notamment, aux *bêtes* et aux *gens* [31].

En 1599, à Bazuel (Nord, arr. Cambrai), défilent devant les échevins du lieu six témoins, qui accusent de sorcellerie l'une de leurs concitoyennes, Reyne Percheval, veuve d'Estienne Billot. On lui impute la mort d'une vache et la naissance d'un veau monstrueux *sans chaire ny sans peau.* Elle aurait également fait mourir sa propre petite-fille et aurait ensorcelé le *ménage* tout entier de Jean Parmentier, échevin et notable du lieu. Sa conduite sexuelle est critiquée. Une déposante affirme qu'un *vauldois* (un sorcier), qui habite le village voisin de Saint-Souplet, vient souvent la voir, *mesmes que l'on disoit qu'il y couchoit* (chez elle) *aucunefois.* Nulle trace du sabbat, ni même directement du diable, n'apparaît dans le discours de ces paysans. Reyne Percheval, mise à la torture le 13 septembre 1599, avoue tous ses « crimes », qu'elle dit avoir commis à l'aide d'une *poudre* maléfique. A partir de ce moment, il semble que les magistrats impriment les réponses à leurs questions dans l'esprit de l'accusée. Le diable apparaît enfin.

31. R. Muchembled (v. note 4, p. 288).

Il s'appelle Nicolas Rigaut. Il a connu charnellement Reyne, qu'il a nommée Marghot et qu'il a marquée, après lui avoir fait renoncer à *cresme et baptemme* et lui avoir fait donner son âme. Le sabbat, ou *dansse,* est évoqué, à la requête des juges, ainsi que les maléfices, qui rapportaient à la sorcière, selon ses dires, un *gros* par bête ou par personne, etc. [32]. On remarque donc entre les récits des témoins et les « aveux » de l'accusée une nette différence structurelle. Les premiers se rapportent aux croyances superstitieuses des ruraux de l'époque, telles que les décrit le chapitre II de ce livre. Les réponses de Reyne aux juges amalgament ces mêmes croyances et l'anti-religion définie par les démonologues. Il est évident que les témoins ne peuvent évoquer le sabbat sans avouer leur propre participation à cette assemblée ou sans être accusés d'avoir caché ce fait à la justice jusqu'au jour de leur déposition. Ils ne doivent d'ailleurs pas en ignorer les caractéristiques, puisque le mécanisme des procès, la lecture publique des sentences lors de l'exécution des sorciers, les prônes ecclésiastiques les décrivent sans arrêt. Le fait qu'ils passent sous silence ce que les juges recherchent frénétiquement s'explique certainement par la peur d'être assimilé aux adeptes de Satan. Peut-être aussi refusent-ils de parler un langage étranger, qui ne correspond pas aux réalités du monde rural ? Car les paysans sont d'abord concernés par les problèmes de récolte, de croît des troupeaux, de maladie et de mort des gens ou des animaux. Puisqu'on leur demande impérativement de définir l'action du diable en ce monde, ils le font en insistant sur ce qui est le plus « désastreux » pour eux dans la vie quotidienne, et en se démarquant autant que possible du satanisme proprement dit, lequel conduit alors facilement au bûcher, ils le savent.

D'après leurs témoignages, ces paysans sont à la fois naïfs et rusés. Naïfs, car ils dévalorisent devant le tribunal les croyances populaires, mais avouent parfois en même temps qu'ils y adhèrent : Jean Parmentier, l'échevin de Bazuel ensorcelé, se rendit avec sa famille chez une guérisseuse du village voisin de Bertry, *laquelle leur avoit baillié quelque bruvaige et esté ghary.* Rusés, cependant, car ils font du sorcier un bouc émissaire et

32. A. D. Nord, 8 H 312 (1599).

évitent d'évoquer devant les juges les apparitions du diable ou les sabbats, qui valent brevet de sorcellerie. Ces caractéristiques se retrouvent inchangées, dans la même région, jusqu'à la fin de la chasse aux sorciers. En 1679, Jeanne Marchant, qui habite *sur le maret* de la petite ville de Seclin (Nord, arr. Lille), est accusée d'user de maléfices. Un témoin prétend qu'elle a empoisonné l'un de ses porcs. Il en est certain, dit-il, car il a fait avaler *un peu d'eau de fonts* à l'animal, qui est tombé *roid mort*. En l'ouvrant, il a trouvé *une beste noire, de la forme d'un petit poisson ressemblant à un broceton, ayant une teste de cette forme, qui étoit attaché sur les poulmons dudit porcq.* Un deuxième déposant raconte qu'il a surpris la sorcière, en 1667, tirant le lait d'une de ses vaches et qu'il s'est mis en colère. Depuis, *sa vache a venu à tarir et seicher, quoy qu'elle donnast très bien du lait et du beurre auparavant.* De plus, l'un de ses enfants, âgé de deux ou trois mois, mourut en 1678 après que Jeanne Marchant soit venue le voir et ait dit : *Hé bien, vraiment, il y at icy un nouveau fruict et ne l'ay pas encore vu!* Une femme, quant à elle, impute à l'accusée la maladie de son fils. Car Jeanne, sa voisine, était venue lui demander un pot de beurre, le 21 septembre 1678. Peu après, l'enfant tomba malade : *il se plaignoit comme s'il auroit eu de la raison.* Il mourut aveugle, les yeux recouverts de peaux, bien que sa mère l'ait porté à l'église de Saint-Blaise de Houplin, non loin de Seclin, quelqu'un lui ayant dit *qu'il pouvoit estre malade de la maladie de saint Blaise.* D'autres comparants parlent de morts d'animaux, et notamment de chevaux [33]. On pourrait multiplier les exemples de ce genre. Retenons simplement que les témoins évoquent des maléfices mais non pas une religion satanique, et qu'ils continuent aux XVIe et XVIIe siècles à rechercher la protection des saints guérisseurs ou à pratiquer eux-mêmes des gestes magiques, en utilisant, par exemple, l'eau bénite. Notons aussi que s'expriment contre Jeanne Marchant des peurs sociales : la sorcière semble pauvre et vit de menus « emprunts » auprès de ses voisins. En outre, elle est accusée par des individus qui disposent de plus de biens qu'elle, et même par des gens suffisamment aisés pour posséder des chevaux, qui coûtent très

33. A. D. Nord, B 19817 (1679).

cher. Cet aspect socio-économique du phénomène sera analysé plus loin en détail.

Dans le nord de la France existait, en tout cas, une nette différence entre ce que les témoins d'une part, et les juges de l'autre, entendaient par « sorcellerie ». J'ai pu retrouver quelques dizaines de traces de procès concernant l'Artois, alors que cette région paraissait avoir été peu touchée par la chasse aux sorciers. La plupart se situent après les ordonnances royales de 1592 et de 1595, qui attirent l'attention des magistrats sur ce problème [34]. Indépendamment de leur date, cependant, ces procès contiennent de nombreuses références aux deux types de sorcellerie précédemment définis. Prenons l'exemple de la mise en accusation de Jeanne Petit, dite Nisette, devant la justice de Wail-lès-Hesdin (Pas-de-Calais, arr. Arras), en 1573. Agée de 54 ans et mariée en quatrièmes noces, elle est vachère communale et touche dix sous par an et par bête. Elle ne sait ni lire ni écrire. Treize témoins paraissent devant le bailli du lieu. Tous se plaignent de la perte de leur bétail mais n'évoquent absolument pas l'antireligion des démonologues. L'un d'entre eux prétend qu'elle a causé la mort de son épouse. Torturée le 8 et le 9 juin 1573, Nisette avoue que le diable lui est apparu sous la forme d'un papillon blanc, qu'elle est allée au sabbat, qu'elle s'y est accouplée avec le démon, lequel lui a confié du grain pour tuer les animaux. Elle dénonce deux compagnes diaboliques. Mais elle se rétracte, semble-t-il, car elle n'est condamnée, le 22 juin, qu'à la fustigation et au bannissement perpétuel, après avoir fait une amende honorable publique et après qu'un chapeau d'étoupe ait été brûlé sur sa tête. Une commission de juristes artésiens confirme cette sentence, vu *la fragilité et imbécilité du sexe féminin,* et puisqu'il n'y avait pas de preuves de la mort d'hommes ou d'animaux [35].

Même si la justice s'intéresse surtout à l'Eglise diabolique, il lui arrive, dans les Pays-Bas espagnols dont font alors partie la Flandre et l'Artois, de s'attaquer directement à la sorcellerie populaire elle-même. Le 19 octobre 1585, la Gouvernance d'Arras condamne à dix livres d'amende un censier, c'est-à-dire

34. B. M. Lille, Ms. 380, p. 31-37.
35. P. Bertin, « Une affaire de sorcellerie dans un village d'Artois au XVIᵉ siècle », *B.S.A.M.,* juin-sept. 1957, p. 609-617.

un gros exploitant, qui s'était adressé à *un estranger* pour découvrir le nom de celui ou de celle *à quy il imputoit la morte de ses chevaux et luy donner remède pour empescher à l'advenir... la morte ou maladie d'iceulx bestiaux,* et qui avait assisté à l'exécution par l'étranger de sortilèges *avec superstitions illicites.* Mieux encore, un placard royal daté du 20 juillet 1592 enjoignait aux prêtres d'avertir leurs ouailles contre l'utilisation des pratiques de guérison magique. Un autre placard du 8 août 1608 interdisait à quiconque de dire la bonne aventure, de *prédire et révéler les choses secrètes,* ou même de consulter des spécialistes du destin, sous peine de bannissement. A la même époque, des ordonnances royales menaçaient de bannissement, de réparation honorable ou de fustigation, à la discrétion du juge, les noueurs d'aiguillette — ceux qui empêchaient magiquement la consommation d'un mariage en rendant le mari impuissant — et les *donneurs et porteurs de haultnoms,* c'est-à-dire les individus qui vendaient ou portaient des formules magiques [36]. Certes, la justice et le pouvoir distinguaient clairement, en théorie, les superstitions, passibles de peines relativement légères, et la sorcellerie maléfique, qu'il fallait extirper par le bûcher. Mais, justement, les juges faisaient tous les efforts possibles pour prouver que chacun des accusés de sorcellerie avait fait un pacte avec le diable. Or il suffisait d'être guérisseur ou de pratiquer quelque peu la magie et d'être dénoncé à la justice pour devenir la cible de longs interrogatoires, pour finir par avouer n'importe quoi sous l'effet de la torture.

En ce sens, la répression *créait* de toutes pièces des sorciers sataniques, adeptes d'une religion organisée. Elle utilisait, pour ce faire, les croyances unanimement admises dans le monde rural à l'existence de devins-guérisseurs, de sorciers de village, d'individus capables de dominer les forces magiques partout répandues dans l'univers. Les témoins signalaient, volontairement ou non, que certains de leurs concitoyens pratiquaient de telles superstitions. Les magistrats, forts de l'idée que celles-ci ne pouvaient provenir que de l'action de Satan, se chargeaient de remonter à la source et de prouver qu'un pacte diabolique

36. B. M. Lille, Ms. 380, p. 30-34 et Ms. 510, f° 2372 r°-v°.

avait donné au « sorcier » les pouvoirs dont parlaient les déposants. Entre ceux-ci et les magistrats existaient donc des rapports ambigus. Deux langages très différents convergeaient pour détruire la sorcellerie. Le fait est certain pour le nord de la France. Mais cette région ne constitue-t-elle pas une exception ? Bien que les études historiques aient le plus souvent amalgamé les témoignages et les aveux des sorciers, pour mieux définir le « profil » de ces derniers, il est possible de retrouver ailleurs le double modèle de sorcellerie précédemment évoqué. Ainsi en est-il, par exemple, à propos du pays de Quingey, en Franche-Comté. Les témoins parlent essentiellement de morts d'enfants, d'adultes ou d'animaux, de dommages divers causés aux gens et aux biens, de mauvaise réputation des sorciers. La rumeur publique villageoise joue un très grand rôle dans le destin fatal des accusés. Mais la sorcellerie proprement démoniaque que décrivent les démonologues n'apparaît, comme dans le Nord, qu'à partir des interrogatoires du suspect. Avec une exception cependant : les juges recherchent comme témoins des enfants, tels ces bambins qui prétendirent que Marguerite Touret *fut de tous les sabbats depuis environ trois ans* [37]. Il faut dire que les enfants, élevés dans un climat de chasse aux sorciers, spectateurs des exécutions capitales, catéchisés et culpabilisés par le prêtre local, connaissent bien la sorcellerie des juges et ne craignent pas de parler du sabbat. Ils ne sont pas aussi conscients que les adultes du danger d'être assimilés aux accusés. Jehan et Françoise Bucquet, âgés respectivement de dix et de huit ans, sont condamnés en 1612, sur requête des officiers de la baronnie d'Inchy (Pas-de-Calais, arr. Arras), à assister au supplice de leurs parents — exécutés pour avoir usé de sortilège —, à être fustigés puis à être enfermés et *souvent catéchisez* dans une maison acquise aux frais de leur village [38]. Ne seront-ils pas un jour d'excellents témoins, à l'occasion d'un procès de sorcellerie ?

Rarement se manifeste dans une déposition quelque référence à l'Eglise diabolique, telle que l'évoquent les enfants-témoins

37. F. Bavoux, *La sorcellerie au pays de Quingey*, Besançon, 1947, p. 128 (sur les témoignages, voir par exemple p. 112-113, 122-123, 126, 150-151, 154-155...).
38. B. M. Lille, Ms. 510, f° 2370 r°-v°.

du pays de Quingey ou ce berger de soixante-dix ans, qui précise en 1601, à Bazuel, qu'il a vu près d'un bois *une femme à cheveulx espars, quy danssoit en tournoyant*. Cette dernière description doit faire naître dans l'esprit des magistrats l'image de la « danse nocturne », c'est-à-dire du sabbat. Mais ce berger, et un manouvrier de soixante ans qui confirme ses dires, sont les seuls, parmi les trente-deux témoins qui comparurent dans le village lors des procès de quatre sorcières, en 1599, 1601, 1621 et 1627, à faire de semblables déclarations [39]. En somme, d'après les exemples du Nord et de la Franche-Comté, et si l'hypothèse est exacte pour toutes les régions françaises où se développe la chasse aux sorciers, les juges et les témoins parlent de la sorcellerie dans un langage différent. Les premiers, qui prolongent en ce domaine l'action des autorités religieuses et laïques, définissent une procédure de conquête mentale du monde rural. En prétendant abattre l'Eglise et l'Etat diaboliques, ils installent la Contre-Réforme et l'absolutisme. Ils déclenchent une telle peur chez les villageois que ceux-ci seront d'autant plus portés à accepter la sécurité que leur proposent l'Eglise de Dieu et l'Etat centralisateur, au prix de la soumission de de leur corps et de leur âme. Quant aux témoins, ils décrivent une sorcellerie nuisible, mais qui est exactement identique à celle que leurs ancêtres redoutaient et utilisaient à la fois. Ils connaissent évidemment les caractéristiques de l'antireligion dont parlent les élites culturelles, mais évitent en général de s'y référer, afin de ne pas être à leur tour suspectés de sorcellerie satanique. Pourquoi, cependant, dévalorisent-ils et attaquent-ils les croyances et les pratiques superstitieuses, tout en avouant naïvement, à l'occasion, qu'ils y adhèrent et qu'ils en font usage ? Simplement pour éviter d'être assimilés aux accusés ? L'explication n'est qu'en partie valable, car de nombreux témoins se présentent spontanément devant les cours de justice. Certaines communautés rurales exigent même la persécution des sorciers. Celle-ci part généralement du haut de l'échelle sociale mais ne prend une extraordinaire ampleur, au tournant des XVIe et XVIIe siècles, que parce qu'elle est relayée au sein même des villages. L'équilibre magique que la sorcière

39. R. Muchembled, dans *op. cit.*, et A. D. Nord, 8 H 312 (1601).

garantissait autrefois n'existant plus, cette dernière devient la victime non seulement des juges mais aussi de ses concitoyens, ou du moins d'une partie d'entre eux, qui la chargent de tous les péchés d'Israël.

Sorciers et villageois

Les historiens français ont généralement considéré la sorcellerie comme un phénomène intellectuel autonome, qu'ils aient admis ou non l'existence des sabbats. De ce fait, l'attention ne s'est jamais précisément portée sur les rapports entre le sorcier, ceux qui l'accablent et le village d'où sont issus l'accusé, les témoins et parfois même les juges. Quelques remarques récentes de spécialistes de la sorcellerie en Angleterre nous incitent à tenter cette microsociologie, cette micro-anthropologie de la sorcellerie réprimée. A propos du nord de la France — seule région étudiée de ce point de vue, à ma connaissance — est possible l'analyse d'une hostilité villageoise envers les sorciers.

L'exemple anglais, tout d'abord, invite à poser le problème de la chasse aux sorciers d'une manière nouvelle. Keith Thomas écrivait en substance, dans un livre récent, que sur le continent la persécution visait une secte d'adorateurs du diable, et partait obligatoirement du haut. En Angleterre, par contre, elle résultait d'une peur des maléfices. « Elle émanait donc du bas » [40]. Et Alan Macfarlane, disciple du précédent, prouva que la chasse aux sorciers dans le comté d'Essex était en relation directe avec l'évolution de la société rurale, durant une période de profonde mutation économique, sociale, religieuse et politique. Il signalait que les problèmes de la pauvreté et de la vieillesse étaient fondamentaux dans l'explication du phénomène. Selon lui, la question n'était pas celle des vrais pauvres, qui pouvaient être fouettés et chassés du village, mais celle d'un groupe de paysans « plus pauvres, dont les liens

40. K. Thomas, *Religion and the Decline of Magic*, Londres, 1971, p. 499.

avec leurs voisins un peu plus riches devenaient plus ténus ».
Il émettait l'idée que la sorcellerie avait pu se développer dans
les zones où la population se révélait anxieuse[41]. En résumé,
ces deux auteurs invitaient à considérer la sorcellerie au niveau
villageois proprement dit. Ils suggéraient ainsi que la chasse
aux sorciers, en Angleterre, pouvait être l'indice d'une mutation
sociale au sein des campagnes et d'une lutte pour le pouvoir
dans les villages. Or l'examen des procès du nord de la France
démontre l'existence dans cette région d'un « modèle » identique
de sorcellerie rurale[42].

Le petit village cambrésien de Bazuel, déjà évoqué, fut le
théâtre de cinq procès de sorcellerie, en 1599, 1601, 1621
(deux cas) et 1627. Quatre femmes furent mises en accusation,
car l'une d'elles, Pasquette Barra, jugée en 1621 et relâchée,
fut à nouveau inquiétée en 1627. Les procès se déroulaient
devant les échevins locaux, qui transmettaient ensuite la
sentence, pour approbation, aux juges de l'abbaye de Saint-
André du Cateau (Nord, arr. Cambrai), dont dépendait le
village. Au total se présentèrent trente-deux témoins : deux du
Cateau, quatre de Landrecies (Nord, arr. Avesnes-sur-Helpe)
et vingt-six de Bazuel. L'âge moyen des comparants était de
46 ans, compte tenu du fait que le renseignement manque
pour douze d'entre eux. Seuls trois témoins étaient jeunes
(22, 25 et 30 ans), alors que sept autres étaient âgés de 50 ans
et plus. Les femmes représentaient 31 % du total : quatre
veuves, âgées respectivement de 38, 40, 41 et 56 ans; cinq
femmes mariées et une jeune fille de 22 ans. La profession de
ces femmes n'est connue que dans un cas : une *hostesse* à
Landrecies. Parmi les hommes, on dénombrait trois échevins
de Bazuel, un sergent, un censier, un mulquinier, et une série de
professions de moindre volée : manouvrier, berger, *ouvrier* de
mulquinerie...
Somme toute, les témoins sont relativement « vieux », mais
pas autant que les sorcières elles-mêmes, dont l'âge moyen

41. A. D. J. Macfarlane, *op. cit.*, p. 205 et 246-249.
42. R. Muchembled, dans *op. cit.*, pour les détails concernant ce
qui suit.

atteint environ 60 ans. Une génération, en gros, sépare les accusées des témoins. Le rapport des sexes, en deuxième lieu, est marqué, du côté des déposants, par la prédominance masculine : 69 % d'hommes contre 31 % de femmes, alors que les accusées sont toutes des femmes, dans ce cas précis, et représentent en général 82 % du total des suspects dans la région considérée. Enfin, témoins et accusées n'appartiennent pas au même niveau socio-économique. Trois des quatre sorcières sont veuves, et toutes paraissent vivre dans la médiocrité sinon dans la misère. Plusieurs témoins, par contre, se situent au sommet de la hiérarchie villageoise. Qui plus est, trois des échevins du lieu se font accusateurs. Et en comparant les noms des témoins aux listes des échevins, on note que plusieurs plaignants sont apparentés aux familles des juges échevinaux, ou citent des victimes alliées à celles-ci. On note également que certains témoins sont employés par ces mêmes familles, ou exercent des professions qui les rendent dépendants des plus riches habitants de Bazuel.

Or les accusations portées contre les « sorcières » concernent toujours la maladie, sous toutes ses formes, ou l'atteinte aux *biens* de gens suffisamment riches pour posséder plusieurs chevaux, par exemple. Très fréquemment, la sorcière est soupçonnée d'avoir jeté un sort parce qu'on avait refusé de lui *donner* quelque chose, ou parce qu'on lui avait *pris* ce qu'elle considérait comme sa propriété. Ainsi Aldegonde de Rue, qui comparaît en 1601, aurait-elle dit à un individu qu'il se repentirait de lui avoir cherché querelle à propos d'un tas de fumier, car il n'était pas bien *de prendre les biens des poures gens sans les payer*. Une plaignante prétend que Marie Lanechin, accusée en 1621, et à qui elle avait refusé des *grains de purge*, s'était vengée en causant la mort de sa fille. La « sorcière » est donc le lieu de convergence d'une hostilité sociale. Vieille femme, plutôt pauvre, et sans appuis familiaux solides, elle subit cette hostilité de la part de gens un peu plus jeunes qu'elle, qui pourraient être ses enfants, d'hommes surtout, d'individus parfois nettement plus riches et plus puissants qu'elle, ou encore de personnages qui appartiennent à son niveau socio-économique mais qui peuvent être les clients des villageois riches. En ce sens, la sorcière n'est certainement pas une révoltée sociale. Elle paraît plutôt subir passivement son sort et ne pas comprendre exactement ce qu'on lui reproche.

Le cas de Bazuel n'est pas exceptionnel en Cambrésis. La lecture de plusieurs procès isolés, ou de ceux qui concernent les six sorcières de Rieux (1650-1652), ou les dix-sept sorciers et sorcières de Fressies et de Hem-Lenglet (1609-1649), permet de tracer entre les déposants et les accusés une ligne de partage en partie socio-économique. Comme dans le comté d'Essex, les sorciers semblent bien avoir été plus pauvres que leurs victimes et que les témoins, lesquels appartenaient parfois à des familles influentes et riches. Cependant, comme en Essex, les sorciers n'étaient pas obligatoirement les plus misérables habitants de la communauté et résidaient dans le voisinage de ceux qui les accablèrent devant les juges [43].

L'explication de la chasse aux sorciers doit être recherchée en grande partie dans le village lui-même, si l'on en juge par ce qui se passe en Cambrésis. Mais l'hypothèse devra être vérifiée pour d'autres régions, car l'étude approfondie des témoignages et des rapports entre les accusés et leur village a rarement été tentée. Tout au plus un autre exemple peut-il être proposé, qui concerne l'Artois. A Wail-lès-Hesdin (Pas-de-Calais, arr. Arras), Jeanne Petit, dite Nisette, vit avec son quatrième époux, Jean Ternisien, natif d'Esquerdes, sur une terre tenue du prieuré de Saint-Georges. Elle est âgée de 54 ans, ne sait ni lire ni écrire et exerce le métier de vachère communale. Le bailli du lieu, en 1573, entend treize témoins qui accusent Nisette de sorcellerie. Comparaissent successivement deux bergers, dont l'un est propriétaire et l'autre valet, sept laboureurs, dont le beau-fils de l'accusée, deux habitants du village voisin d'Humières qui avaient habité autrefois à Wail, le curé de la paroisse et un seigneur local. Le premier berger devait de l'argent à Nisette, et fut contraint de payer après un procès qu'elle lui intenta. En outre, cinq témoins sur treize signent leur déposition. Nisette est accusée par eux d'avoir causé la mort de l'épouse de son beau-fils et de

43. *Ibid.* et A. D. J. Macfarlane, *op. cit.,* p. 150-151, 155, 164, 176, 196-197.

plusieurs animaux, mais non pas de diabolisme. Cette affaire pourrait servir de modèle pour l'étude des caractéristiques socioculturelles de la répression de la sorcellerie. Nisette est le stéréotype presque parfait de l'accusée : vieille, pauvre, illettrée, déviante sexuellement puisqu'elle a déjà « consommé » trois époux, déviante socialement par son quatrième mariage avec un « étranger », elle est marquée par le malheur car elle a perdu vers 1570 un fils âgé de vingt ans. Depuis lors, elle se sentait détestée et crainte à Wail, avoue-t-elle sous la torture, et elle se *désespéra,* à tel point qu'elle céda au diable, fut connue sexuellement par lui et alla au sabbat [44]. Il ne lui manque guère que d'être veuve à nouveau pour représenter le type idéal de la sorcière. Ses aveux contiennent des allusions au fait qu'elle craint la solitude et qu'elle sait ne pouvoir compter sur aucun parent, sur aucun ami, depuis la mort de son fils. Son beau-fils, qu'elle éleva dès l'âge de quatorze ans, est d'ailleurs l'un de ses pires ennemis. Confrontée à lui, elle l'interpelle : *Jehan, Jehan, ne m'as-tu pas cognue pour ta mère, femme de bien ?* Elle ajoute qu'elle n'entendrait pas ses reproches si elle lui avait donné *viande mauvaise,* ou si elle l'avait jeté à terre durant son enfance. Sans doute cet individu se démarque-t-il d'elle par peur d'être accusé à son tour, ou pour se venger d'une marâtre détestée ? L'un des bergers, lui, témoigne de son ressentiment envers la « sorcière », à la suite d'une affaire d'intérêt. Les sept laboureurs appartiennent au niveau économique supérieur du village, puisque ce terme désigne en Artois des possesseurs de charrue et de chevaux. Le curé, le seigneur, et trois témoins représentent quant à eux la culture savante, car ils savent signer. Même si les trois derniers ne sont que des paysans grossièrement acculturés, un fossé les sépare de Nisette l'illettrée. Celle-ci échappa à la mort, mais elle fut bannie pour toujours, ce qui équivalait à une sentence de mort différée : elle devenait une vagabonde sans le sou et sans connaissances qui puissent l'aider. De plus, elle dut faire une réparation honorable publique, fut fustigée et eut un chapeau d'étoupe brûlé sur la tête. Le village de Wail avait conjuré le sort. En choisissant ce type de « sorcière », n'avait-il

44. P. Bertin, *art. cit.,* p. 609-617.

pas symboliquement marqué la victoire des puissants, des riches, des gens les plus cultivés sur une masse plus ou moins misérable, qui participait uniquement à la culture orale ? Sur une masse dominée mais que la douleur, l'ivresse, ou simplement le refus de supporter plus longtemps sa condition pouvait pousser aux excès. Nisette n'est-elle pas un peu sacrifiée pour que se relâchent les tensions sociales sous-jacentes et que l'exemple pousse les moins bien nantis à la soumission ? Car, dans les villages d'Artois, les heurts sociaux ne sont pas rares sous l'Ancien Régime. Le 22 juillet 1655, Paul Fauqueux, manouvrier, c'est-à-dire ouvrier agricole, ivre et armé d'un fusil, s'adresse à Anselme Vryon, *un des principaux laboureurs* de Lambres (Pas-de-Calais, arr. Béthune). Il lui ordonne de rentrer ses bêtes à l'étable. Vryon refuse et Fauqueux lui dit : *d'aujourd'hui, nous serons votre maître et les y mettrons malgré vous.* Puis Fauqueux s'éloigne en ajoutant : *Mordieu, j'ai un coup de fusil pour toi. Va-t-en chercher ton fusil. Quelqu'un me le paiera aujourd'hui !* Il agresse alors Charles Duvivier, clerc, collecteur des contributions. Celui-ci le tue d'un coup de fourche dont il s'était muni *à cause de son office de compteur* [45]. Le manouvrier, enhardi par l'ivresse, s'attaque à deux des plus puissants personnages du lieu. Sans la lettre de rémission accordée à son meurtrier, le nom et les frustrations de ce malheureux personnage demeureraient inconnus. Comme le restent nombre de conflits internes, de querelles familiales, de haines sociales, qui existèrent dans les campagnes d'Artois, ou de France en général.

La répression de la sorcellerie, dans cette optique, est l'indice de tensions sociales particulièrement graves. La sorcière, qui n'y peut mais, n'est que le bouc émissaire de ces tensions. Elle paie de sa vie ou de ses souffrances la consolidation d'une mainmise des notables sur certains villages. Elle est à la fois l'occasion d'un atroce défoulement pour tous ses concitoyens, au spectacle de son exécution, et l'exemple de ce qui attend les rebelles, les individus peu soumis, les gens vivant médiocrement et tentant de se soustraire à l'influence des puissants. Car la sorcière, même si elle ne le désire nullement, est une femme

45. A. D. Nord, B 1823 (1659).

sans attaches qui, de ce fait, ne se plie pas à la loi commune et qui ne peut pas être contrôlée par le jeu des clientèles. Elle est souvent une pauvresse, mais non pas une mendiante, une femme vivant petitement, qui fait peur aux possédants. On lui impute la capacité de détruire les êtres vivants et de leur ôter toutes leurs richesses. N'est-ce pas ce que peut craindre de pire chaque homme, et en particulier celui qui dispose de plus de biens que les autres ? Alors que la situation sociale s'aggrave, la peur de la sorcière rejoint, dans l'esprit de ceux qui ont le plus à perdre, la hantise des révoltes et des violences des moins pourvus. En brûlant l'une, on écarte au moins pour un temps la crainte de voir se lever les autres. C'est en ce sens que me semble devoir être interprétée l'idée selon laquelle « la sorcellerie... pousse volontiers... sur un front de classe » [46]. La sorcière est rarement une révoltée sociale consciente. Dépassée par les événements, elle est suppliciée parce qu'on la charge d'un tel crime. En réalité, les persécuteurs villageois sentent confusément que leur pouvoir est menacé par la haine sourde de ceux qui vivent pauvrement, médiocrement, c'est-à-dire de ceux qui ressemblent à la sorcière comme des frères, comme des sœurs.

La persécution ne vient pas seulement du haut. Elle est fréquemment le fait de juges locaux, comme à Bazuel de 1599 à 1627. Bien mieux, elle est parfois déclenchée par des communautés rurales, qui vont ainsi au-devant des désirs de l'Eglise et des juges supérieurs. Sans doute le fait est-il valable pour d'autres régions que le nord de la France ? Force est cependant de choisir les exemples dans cette zone, faute d'autres études sur le sujet. La pression villageoise se manifeste de deux manières. D'une part, les sorcières extérieures au village sont en butte, lors de leur passage dans celui-ci, à une vindicte publique qui semble générale : ainsi à Ors (Nord, arr. Cambrai) en 1601, ou dans les environs de Lille en 1679. D'autre part, les sorcières d'un village donné sont à l'occasion l'objet d'une répression organisée, mais socialement plus limitée. Le 15 juillet 1609, les vingt membres de la communauté rurale de Hem-

46. P. Chaunu, *art. cit.*, p. 904.

Lenglet (Nord, arr. Cambrai) demandent que *aucunes personnes demourantes audit Hem... soient appréhendés par la justice supérieur* pour crime de sorcellerie. Ils promettent de participer aux frais des procès. Les signataires comprennent le mayeur, les échevins et quatre membres de la famille Lamandin. Presque tous sont des hommes, et qui appartiennent aux couches aisées du village. La communauté de Carnières (Nord, arr. Cambrai) rédige un acte identique en 1627, et prend à sa charge 50 % des frais. Quarante-trois signatures authentifient le document. La plupart sont celles d'hommes, et quelques familles sont représentées par plusieurs membres. De même, le 7 novembre 1611, le mayeur, quatre échevins et deux hommes de fief du village de Dechy (Nord, arr. Douai) écrivent à l'abbé de Saint-Amand, dont dépend le village, qu'ils souhaitent faire poursuivre les sorcières du lieu, à commencer par deux d'entre elles qui ont déjà avoué. Ces notables proposent de payer 40 florins carolus par bannissement ou par exécution pour leur part des frais des procès.

Les autorités villageoises, seules ou épaulées par un certain nombre de chefs de famille, décidaient parfois elles-mêmes de persécuter les sorcières. Et ceci malgré le coût très élevé de la procédure : à Hem-Lenglet, en 1623-1624, un procès occasionnait en moyenne une dépense de cent florins, dont une partie importante restait à la charge des habitants. On peut supposer que nombre de communautés rurales, surtout si elles restaient ouvertes à tous les chefs de famille au lieu d'être dominées par les plus riches, comme à Hem-Lenglet, aient hésité à engager de tels frais, qui étaient pour elles synonymes d'appauvrissement, et peut-être même d'endettement. D'ailleurs, à Rieux (Nord, arr. Cambrai), où eurent lieu six procès en 1650-1652, un copiste nota que certaines des sorcières étaient connues depuis longtemps mais qu'elles n'avaient pas été poursuivies *pour la pauvreté du village*. Elles auraient été brûlées plus rapidement *sy les commodités* (ressources) *du vilage y eussent estez* [47]. La chasse aux sorcières coûtait effectivement très cher. Le procès de trois femmes, à Flines (Nord, arr. Douai), revint à plus de 1 000 livres en 1599. Le 15 octobre de la

47. R. Muchembled, dans *op. cit.*

même année, le lieutenant du bailli et les échevins levèrent une taille de 600 florins sur les habitants de Flines, afin de payer leur part des dépenses. Les échevins se déclarèrent néanmoins prêts à *appréhender d'aultres* (sorciers) *pour pareillement faire leurs procès pour le meisme crime.* Ce qui fut fait, en avril 1600 : huit femmes furent mises en accusation [48].

Les tensions socio-économiques et socioculturelles au sein du village déterminent dans certains cas une attitude de persécution des sorcières. Cette attitude semble, d'après l'exemple du Nord et du comté d'Essex, être le fait des familles les plus riches et des hommes les plus puissants. Il est cependant fréquent de voir des paysans pauvres, ou moins riches que les premiers, témoigner en justice contre la sorcière, qui leur ressemble pourtant par bien des traits, qui appartient au même niveau socio-économique qu'eux. Désirent-ils se démarquer d'elle ? Sont-ils réellement effrayés par le halo diabolique qui entoure la suspecte ? Agissent-ils ainsi à cause des liens de clientèle nombreux qui les rendent tributaires des nantis ? Chacune de ces explications est peut-être valable. En tout cas, les masses rurales s'associent parfois directement aux persécutions, et doivent en outre, bon gré mal gré, payer une partie des dépenses qu'entraînent les procès, lorsque leur communauté est concernée.

Mais le principal problème reste celui des causes de la participation paysanne à cette persécution qui coûte très cher. Même si le modèle nordiste est valable pour d'autres régions de France, il n'empêche que de nombreuses paroisses, en Flandre et en Cambrésis comme ailleurs, se sont tenues à l'écart de la chasse aux sorciers. Une explication globale doit être tentée, en tenant évidemment compte des rapports sociaux au village, mais aussi de la société environnante, restée jusqu'à présent dans l'ombre. Les sorcières ne sont-elles pas fondamentalement les victimes d'un grand ébranlement culturel, économique et politique dont les ondes atteignent inégalement le monde rural français, entre 1560 et 1680 ?

48. F. Brassart, « Comptes de dépenses d'un procès de sorcellerie en 1599 », *S.F.W.*, t. IX, 1869, p. 39-41.

III. Sorcellerie et acculturation des campagnes

La multiplication des procès de sorcellerie, à la fin du XVIᵉ et au XVIIᵉ siècles, donne l'impression d'une évolution du phénomène magique. En réalité, à mon sens, les sorciers ne sont ni plus nombreux qu'auparavant ni différents de leurs ancêtres. Seul change le rapport qu'ils entretiennent avec le village, d'une part, et avec la société environnante, de l'autre. Encore sont-ils les jouets passifs d'une mutation qu'ils ne comprennent pas. Loin de chercher à sauver leur culture et leur monde « par le pacte diabolique » [49], ils sont les victimes d'un processus d'acculturation des campagnes. Ils symbolisent la culture populaire que les élites dirigeantes et les juges cherchent à détruire, aidés en cela par une minorité de ruraux qui rompent avec leur vision du monde traditionnelle. L'exemple du Nord permettra d'analyser en détail cette situation. A partir de là pourra être proposé un modèle explicatif général de la chasse aux sorciers s'appuyant sur la définition d'une crise du monde rural et sur la description des rythmes de l'acculturation dans la France moderne.

Un exemple : l'acculturation des campagnes du Nord

La persécution de la sorcellerie dans l'actuel département du Nord connut deux sommets importants, entre 1580 et 1630 puis entre 1650 et 1680 [50]. La deuxième période correspond à la fin d'une longue guerre entre l'Espagne, qui possédait ces territoires, et la France, qui réussit à les conquérir. Les procès des années 1670-1680, notamment, témoignent d'une prise en main de ces régions par les agents du Roi-Soleil et des perturbations qu'entraîna le changement de régime. Quant à la première période, elle est exactement contemporaine des grandes vagues de répression de la sorcellerie en France. Le

49. P. Chaunu, *art. cit.,* p. 907.
50. R. Muchembled, dans *op. cit.,* pour l'ensemble du paragraphe.

point de départ de la persécution est politique et religieux, mais des facteurs économiques, sociaux et mentaux permettent de comprendre qu'elle dura un demi-siècle.

En effet, ces territoires, qui appartenaient au roi d'Espagne, s'étaient révoltés et n'avaient été reconquis par les armées d'Alexandre Farnèse qu'à partir des années 1579-1585. Or le souverain promulgua précisément des ordonnances contre les sorciers en 1592 et 1595. Il fut imité par les Archiducs, ses successeurs, en 1606, 1608, etc. Cet effort témoignait d'un désir de contrôler plus efficacement des régions qu'avait profondément marquées, dans les décennies 1560-1580, l'hérésie calviniste, désormais repoussée vers le Nord, vers les futures Provinces-Unies. Le prince affirmait ses prétentions absolutistes, qui avaient été à l'origine de la révolte, et introduisait efficacement la Contre-Réforme dans ses états. La surveillance et l'embrigadement des masses populaires s'accentuèrent, avec la création d'écoles dominicales — obligatoires dans la province de Cambrai, par exemple —, avec l'établissement de séminaires et la christianisation en profondeur des campagnes, avec la surveillance active des mœurs des laïques et des ecclésiastiques, avec la lutte contre les réjouissances publiques, avec « la sanctification du dimanche et des jours de fête »... Bref, se développait une « atmosphère imprégnée de religion », très hostile aux superstitions et à la sorcellerie, alors même que le pouvoir désignait clairement les sorciers à la vindicte des juges. Et aussi à celle de certains campagnards : l'alphabétisation progressait, distinguant plus nettement qu'autrefois une minorité croissante de paysans sachant lire et écrire d'une masse inculte. Comme la culture écrite véhiculait les vérités religieuses et la notion de soumission à Dieu et au roi, ainsi que la haine des superstitions grossières, un fossé se creusa lentement entre ces deux catégories de villageois. D'autant que les ruraux « cultivés » étaient aussi, en général, les plus puissants et les plus riches.

Fait primordial, les structures démographiques et économiques des campagnes se modifiaient au même moment. En Cambrésis, d'après les travaux de Hugues Neveux, la population augmenta en flèche de 1450 à 1575, à cause de l'allongement de l'espérance de vie des adultes et de la croissance du nombre des naissances par famille. Mais un malaise économique s'installa, durant le dernier quart du XVIᵉ siècle, la production céréalière végétant alors à un niveau inférieur à celui de 1520. Les antagonismes sociaux s'accentuèrent. Les villages eurent tendance à se replier sur eux-mêmes, car « l'expansion démographique (rendait) plus précieux tout lopin de terre, moins souhaitée toute arrivée nouvelle ». Le malaise fut encore aggravé par la « surprenante mobilité de la population » qui marqua le XVIᵉ siècle, par l'errance des valets de ferme à la recherche d'un emploi. Les atteintes à la propriété furent, dans ces conditions, plus violemment ressenties et poussèrent facilement au crime. Une enquête sur la criminalité dans le sud des Pays-Bas, de 1610 à 1660, montre que 15 % des crimes des manouvriers et 50 % de ceux des fermiers et des laboureurs, c'est-à-dire des paysans les plus riches, avaient trait à des querelles d'intérêt. Un réservoir de tensions s'accumulait donc dans les villages cambrésiens, à la fin du XVIᵉ siècle. L'interruption de la guerre ramena d'ailleurs chez eux, après 1595, ceux qui avaient fui. Ceci accrut encore la pression sociale sur les communautés, bien que la crise économique proprement dite se soit alors apaisée. Tout concourut, de 1575 au début du XVIIᵉ siècle, à exaspérer les tensions internes dans les villages. Or les autorités désignèrent, en 1592 ou en 1606, un ennemi de choix : la sorcière. Celle-ci, nous le savons, était justement accusée par ses concitoyens d'atteintes aux *biens* et à la vie des hommes ou des bêtes. Comment les paysans riches, ou simplement aisés, qui adhéraient de plus en plus à la culture écrite, n'auraient-ils pas été sensibilisés à ce double message ? Les autorités, les prédicateurs, les culpabilisaient en leur parlant de *l'ire de Dieu courroucé contre son peuple;* ils les invitaient à rejeter toute superstition, et leur désignaient plus coupable qu'eux en la personne de la sorcière. D'autre part, la situation économique et sociale tendue les amenait à craindre pour leur vie et pour leurs biens, à cause de l'existence d'une masse redoutable, misérable ou besogneuse, à laquelle appartenaient les sorciers. Le bûcher dressé en bonne conscience par des gens plus aisés que les suspects, par des nantis, brûlait à la fois la peur religieuse et les craintes sociales de ces derniers, même s'il fallait payer très cher l'exercice d'une telle justice.

Mais comment expliquer que la persécution ne toucha qu'un nombre limité de villages du Nord et non pas toutes les communautés ? La cherté des procès constitue un premier élément de réponse. Les différences probables, qu'il faudrait prouver par des analyses plus fines, dans l'acculturation des campagnes peuvent s'y ajouter. La soumission des âmes et des corps ne se fait sans doute pas au même rythme partout. En troisième lieu, des nuances dans l'évolution économique jouèrent également un rôle. Quelques indices permettent de penser que les endroits où se développa précocement une industrie rurale — la *mulquinerie* (toiles fines de lin) — furent aussi des hauts lieux de répression de la sorcellerie. Peut-être les vieilles structures mentales résistaient-elles mieux dans les villages plus traditionnels de ce point de vue ? Peut-être, par contre, la pénétration conjointe de légères novations économiques et de l'acculturation désarticulait-elle les relations familiales, claniques, fraternelles, etc., qui avaient tant d'importance un siècle auparavant ? Il faudrait étudier dans cette optique chaque paroisse persécutant les sorciers pour répondre avec plus de pertinence à ces questions. Un quatrième élément d'explication réside dans l'existence de défoulements propres à faire baisser la tension dans une communauté. Le brigandage, les violences verbales, les « émotions » ou les révoltes populaires et la criminalité en général sont autant de soupapes de sécurité qui peuvent permettre de faire l'économie de coûteux procès de sorcellerie. La violence, si elle a l'occasion de s'exprimer, rend moins nécessaire le sacrifice d'un sorcier comme bouc émissaire. Enfin, un cinquième argument consisterait à examiner de concert la répression sexuelle et la sorcellerie. Car l'étude de 142 délits de mœurs commis par des ecclésiastiques et de 664 délits sexuels laïques jugés par l'officialité de Cambrai au XVIIe siècle, montre que la courbe de ces crimes diminue quand augmente celle de la répression de la sorcellerie, et vice versa. En outre, 40 % des délits laïques concernent le sud de l'archevêché, c'est-à-dire la zone principale des bûchers de sorcellerie cambrésiens. En somme, lorsque se relâche la pression directe sur les mœurs, se multiplient les exécutions de sorciers, surtout dans la région qui est la plus proche du siège archiépiscopal, et qui est mieux contrôlée par celui-ci. Un mécanisme de réprobation sexuelle, déclenché par les autorités ecclésiastiques et relayé par les juges locaux, s'exprime dans la chasse aux sorciers. Celle-ci est, à n'en pas douter, « uniment imprégnée de composantes sexuelles » [51]. Les magistrats obligent la sorcière, par exemple, à évoquer des copulations sataniques ou le fait qu'elle a donné au diable *un poil de ses parties honteuses*. En conclusion, l'éloignement des centres de contrôle semble affaiblir à la fois la répression sexuelle et la chasse aux sorciers, tandis que la proximité par rapport à ces mêmes centres ne débouche sur la sorcellerie que lorsque la surveillance des mœurs par l'official se relâche quelque peu. Il n'est guère possible, pour l'instant, d'aller au-delà de cette simple constatation.

La sorcellerie réprimée, dans le Nord, est bien au centre du village et non pas sur ses marges. La sorcière n'est nullement une déviante. Elle est par contre le sous-produit d'une situation socio-culturelle en évolution et le jouet passif d'une mutation dont elle n'a pas conscience. La sorcière, comme le diable, ne sait pas qu'elle existe. Une crise profonde du monde rural réclame son apparition, d'autant que les mécanismes de l'acculturation des campagnes dessinent son image en creux.

Sorcellerie et crise du monde rural français

Le cas du Nord peut paraître exceptionnel. L'Artois, et surtout la Flandre, appartiennent à une région de civilisation rurale dynamique, de progrès agricoles réalisés avant le XVIIIe siècle, de peuplement dense, de contraintes communautaires solides, etc. [52]. La sorcellerie pourrait s'y enraciner d'une manière particulière et témoigner d'une situation sociale originale. Il faut donc jeter un regard, à partir de cet exemple, sur l'ensemble de la France.

Les plus récentes études du monde rural français mettent en

51. P. Chaunu, *art. cit.*, p. 906.
52. Cf. G. Lefebvre, *Les paysans du Nord pendant la Révolution française*, Paris, 1972 (rééd.).

évidence, malgré mainte nuance régionale, une « lente dégradation » de la vie paysanne entre 1560 et 1700 [53]. Or, les révoltes populaires, comme la sorcellerie réprimée, s'installent au cœur de ce siècle et demi. Les premières témoignent activement d'un malaise général qui pousse les masses au désespoir. La seconde n'est pas le prolongement de ces rébellions mais un phénomène exactement inverse : la persécution doit aider à guérir le malaise, à atténuer les tensions sociales. La sorcière est l'exemple idéal de l'échec prévisible de toute révolte. Elle est mise en accusation par ceux qui craignent les mouvements sociaux. Elle est exécutée pour l'exemple et pour défouler et détourner les passions accumulées dans un monde rural en crise.

Vers 1560 débute le temps des « vaches maigres ». Les plus mauvaises périodes agricoles se situent entre 1580 et 1610, entre 1640 et 1665, entre 1690 et 1710. Coïncidence, les principaux sommets de la chasse aux sorciers sont exactement atteints aux mêmes dates, les bergers briards et normands de 1687-1691 fermant la marche, car la sorcellerie n'est plus guère prise au sérieux par la suite. De plus, les années 1560, 1640 et 1680 correspondent grossièrement au terme de périodes de « flux » démographique. Les campagnes sont alors pleines d'hommes, que d'épouvantables crises vont bientôt décimer. En outre, les prix montent : très vite vers 1560-1590; d'une manière plus alanguie du début du XVIIᵉ siècle à 1630; brutalement avant la Fronde. Leur courbe subit enfin de maussades oscillations après 1660. A nouveau, les temps forts de la chasse aux sorciers correspondent d'assez près à un phénomène crucial : des hommes plus nombreux vivent plus mal. Ils paient le pain trois ou quatre fois plus cher en 1590 qu'en 1554, par exemple. La période 1600-1615 constitue cependant un entracte relativement heureux pour les campagnes, avant les malheurs des années 1630-1660. Notons, finalement, que le démarrage de chaque grande épidémie de chasse aux sorciers est contemporain d'une conjoncture économique courte en

53. J. Jacquart, dans G. Duby et A. Wallon, *Histoire de la France rurale*, t. II, Paris, 1975, p. 185.

train de se retourner, de périodes de cherté, d'époques où le peuplement atteint des maxima. On ne peut guère aller plus loin en ce domaine, les tentatives pour relier ces persécutions à la conjoncture très courte ou annuelle s'étant soldées par des échecs.

Socialement, les temps forts de la répression de la sorcellerie coïncident avec un monde rural trop plein, où la vie est rendue très difficile par les hausses des prix, c'est-à-dire avec un appauvrissement conjoncturel des masses paysannes. Appauvrissement qui est d'autant plus durement ressenti durant ces périodes qu'il amplifie alors un mouvement séculaire de « paupérisation réelle de la masse rurale » et de « morcellement croissant » des exploitations. Néanmoins, deux modèles différents d'évolution existent en France, selon Jean Jacquart. Le premier, caractéristique des grands plateaux limoneux du nord du royaume et des zones où existe la grande exploitation, « place au sommet des fortunes et des hiérarchies rurales un petit groupe de gros fermiers », tandis que s'amenuise peu à peu le groupe moyen des laboureurs et que s'accentue la paupérisation de la masse paysanne. Le second, « sans doute le plus fréquent », était dominé, en l'absence de véritables coqs de village, par « un groupe fourni de laboureurs moyens ». Dans ce cas, « les riches sont moins riches, les pauvres, moins pauvres », et « le village y conserve plus longtemps son équilibre diversifié » [54]. D'après l'exemple du Nord, le premier modèle déboucherait plus facilement sur la chasse aux sorciers que le second. Mais, dans certains cas, la persécution est le fait d'un juge itinérant, d'une décision partie du haut, et ne peut donc avoir que peu de rapports avec la structure socio-économique du village concerné. Disons que le premier modèle semble plus apte que le second à relayer la furie des juges et des démonologues, à expliquer la longueur et la complexité de certaines épidémies prétendument démoniaques.

A un niveau d'analyse moins général doivent encore intervenir deux éléments. D'une part, les régions excentriques et plus récemment conquises ou pacifiées que les autres, offrent un excellent terrain d'action à la répression de la sorcellerie,

54. *Ibid.,* p. 187, 191-193, 201-202, 275, 307-308.

nous l'avons vu. Les autorités, qui surveillent plus difficilement ces provinces, sont sensibles aux résistances qu'elles y rencontrent. Leur intervention dans les affaires des communautés a tendance à se faire plus lourde, et à utiliser les clivages sociaux existants comme moyen de gouvernement. Ce qui peut déclencher la chasse aux sorciers, reprise à leur compte par les coqs de village et par les nantis locaux. Tel est assurément le cas pour la Flandre et le Cambrésis après 1670. Peut-être en est-il de même pour la Normandie à la même époque ? D'autre part, l'évolution interne de la communauté rurale, forcément très différente selon les régions, n'est pas sans influer directement sur la chasse aux sorciers. D'une manière générale, la communauté rurale s'affaiblit entre 1550 et 1700. Elle « se détruit aussi de l'intérieur, par la lente dissociation de ses éléments, par le lent effritement de la conscience de l'intérêt collectif ». Elle est déjà vidée de toute substance dans les terroirs de champs ouverts, de céréaliculture, de grande exploitation et de paupérisation massive de l'Ile-de-France et de la Picardie [55]. Or, dans ces deux régions, ne se manifestèrent ni répression de la sorcellerie ni grandes révoltes paysannes. La proximité de la royauté, la présence de gros marchands laboureurs favorables au système établi et la misère paysanne moins atroce qu'ailleurs l'expliquent pour l'Ile-de-France. Ce qui revient à dire que la domination des coqs de village y était incontestée, et ne nécessitait pas l'utilisation des bûchers pour s'affirmer. Dans d'autres cas, cependant, la communauté rurale résiste mieux et accueille toujours les chefs de famille moyennement aisés ou petits propriétaires. Les tensions sont moindres en son sein, surtout dans les régions où n'existe pas de coq de village, et qui appartiennent au deuxième modèle défini par Jean Jacquart. La haine contre les sorciers, ne trouvant pas facilement à s'alimenter dans le jeu des oppositions sociales internes, ne peut guère venir que du haut, que des autorités non-villageoises. Les révoltes populaires, elles, sont certainement possibles dans ce contexte, puisqu'elles visent des ennemis extérieurs au village. Enfin, un troisième cas existe. Il s'agit des communautés en train d'évoluer et de passer lente-

55. *Ibid.*, p. 297-298 et 300.

ment aux mains des plus puissants paysans. Le pouvoir de ces derniers n'est pas aussi ferme qu'en Ile-de-France. Les tensions sociales villageoises en sont aggravées. La chasse aux sorciers sera un moyen de les détourner. Ainsi en est-il en Cambrésis et dans le Nord en général de 1580 à 1630, en Bourgogne, en Champagne. Dans cette dernière province on assiste au début du XVIIᵉ siècle à une « mainmise progressive des bourgeois sur les terres », à l'aliénation des communaux, à la fuite des paysans vers les villes et à la renaissance de l'insécurité après 1610. Les haines sociales s'aggravent, notamment contre les domestiques et surtout contre les pauvres, qui provoquent « un mélange de peur et de mépris » [56]. En Bourgogne, la communauté se désagrège entre 1550 et 1650, à cause d'une identique pénétration des bourgeois dans le monde rural. Ceci « a atteint le groupe rural dans sa propriété précieuse et dans ses droits », et « le déséquilibre social a grandi » [57]. Nul doute que dans ce contexte social troublé la lutte pour la domination du village ne soit devenue plus âpre. Les puissants n'ont-ils pas utilisé, consciemment ou non, les bûchers de sorcellerie pour imposer leurs volontés à des masses encore attachées à la vieille « démocratie » communale et plus rétives qu'en Ile-de-France ?

Finalement, on ne connaîtra bien la sorcellerie réprimée que quand on pourra la relier à l'histoire totale de chaque région, de chaque village. Car, en dernière analyse, l'explication du phénomène est inséparable de celle de l'équilibre interne des communautés rurales. Au niveau d'une microethnologie, il faudrait définir les relations interpersonnelles dans le village, c'est-à-dire toutes les solidarités reliant les hommes entre eux, toutes les raisons qui peuvent les opposer. Les spécialistes en sont encore loin. Sachons pourtant que l'Etat absolu, et plus encore la Contre-Réforme, ont contribué à distendre ces liens horizontaux pour leur substituer des rapports verticaux établis entre le paysan et les diverses hiérarchies aboutissant à Dieu et

56. Y. Durand, *Cahiers de doléances des paroisses du bailliage de Troyes pour les Etats généraux de 1614,* Paris, 1966, p. 31-34, 38-39 et 63.
57. P. de Saint-Jacob, *Documents relatifs à la communauté villageoise en Bourgogne du milieu du* XVIIᵉ *siècle à la Révolution,* Paris, 1962, p. XXIII-XXV.

au roi. Les guerres privées se sont atténuées ou sont devenues plus secrètes, ce qui indique l'affaiblissement des lignages. La famille étroite, plus aisément contrôlable, a été valorisée. Les confréries, fraternités, groupes de Jeunesse, etc., ont perdu de leur importance, inégalement selon les régions, il est vrai. Bref, les solidarités, si nombreuses autrefois, se sont distendues, pour permettre à Dieu et au prince de s'adresser plus directement à l'individu. Mais celui-ci a d'abord ressenti l'émiettement des structures sécurisantes de son univers. On lui interdisait d'être superstitieux. On exigeait qu'il se confie totalement aux mains de la divinité et du prince. N'allait-il pas éprouver une certaine angoisse à l'occasion de cette nécessaire adaptation ? A quoi s'ajoutaient, s'il était aisé, des peurs sociales accrues. Car le fossé entre les riches et les pauvres se creusait. En même temps s'exaspérait une sourde lutte pour la domination du village, dans les régions où les écarts sociaux étaient importants mais où les notables villageois ne monopolisaient pas encore les pouvoirs dans l'assemblée de la communauté. L'intervention plus active d'agents royaux, de missionnaires, de bourgeois qui achetaient des terres, accentuait encore le déséquilibre villageois. Et comme les autorités désignaient une victime, qui avait d'ailleurs les caractéristiques des masses paupérisées, les échevins villageois et les plus riches paysans se jetèrent avec soulagement et bonne conscience dans la persécution de la sorcellerie. Ils faisaient la preuve de leur conformisme social, de leur attachement aux valeurs dominantes, et en même temps réussissaient à imposer leur loi, à accroître leur mainmise sur le village, à frapper d'épouvante ceux qui étaient tentés de leur résister en d'autres occasions.

Ce schéma d'ensemble impute une large responsabilité, dans le développement de la chasse aux sorciers, à certains groupes sociaux de certains villages dans certaines régions. Il n'explique nullement l'origine de la persécution, ni les innombrables bûchers dressés par des juges comme Boguet, Rémy, De Lancre... Il n'explique pas non plus les causes profondes de la mutation et des crises du monde rural, qu'il faut relier à des problèmes de démographie et de subsistance, à l'alourdissement de la rente foncière et des impôts, à l'exploitation d'une masse par une minorité privilégiée... Par contre, il permet de comprendre l'écho que trouva la persécution dans les campagnes, et les causes de sa disparition vers 1680-1690. « La monarchie favorise d'ailleurs les notables » au XVIIe siècle, écrit Jean Jacquart[58]. Elle aide les coqs de village à prendre le contrôle de leur communauté. N'ont-ils pas donné des gages, par la mise en accusation des sorcières et plus généralement par la défense de l'ordre social ? Mais, tout en les utilisant « pour maintenir sa domination sur les campagnes et les exploiter à son profit », la royauté et le monde extérieur les méprisent autant que les autres campagnards[59]. La concordance des intérêts des paysans aisés et des élites dirigeantes explique en tout cas leur lutte commune contre la sorcellerie. Et puis, si les persécutions disparaissent, à la fin du XVIIe siècle, ce n'est pas seulement parce que les juges ont changé de mentalité. Cette chasse, désormais, n'est plus utile pour fonder la soumission. A la fin du règne de Louis XIV la paupérisation est générale, la misère paysanne culmine, mais la paysannerie est soumise : « elle reste sans réaction ». Les grandes révoltes populaires ont cessé. Les privilégiés, comme les notables ruraux, ont définitivement établi leur pouvoir sur des masses brisées, aliénées, résignées, qui ne se préoccupent plus guère que de leur difficile survie[60]. La répression de la sorcellerie perd ainsi sa raison d'être, l'Etat s'en désintéressant autant que pouvaient le faire des élites paysannes définitivement rassurées sur leur puissance. En Angleterre, par comparaison, les persécutions s'apaisent également parce que les paysans les plus influents n'en voient plus la nécessité[61]. Il reste, en retournant à l'origine de la folie persécutrice, à définir les rythmes et les effets de l'acculturation. Car on sait pourquoi la société environnante pousse ses ramifications au cœur même du village, mais non pas comment elle a pu réaliser en un siècle la conquête d'une civilisation millénaire.

58. J. Jacquart, dans *op. cit.*, p. 299.
59. *Ibid.*, p. 307.
60. *Ibid.*, p. 352-353 (remarquable synthèse).
61. A. D. J. Macfarlane, *op. cit.*, p. 206.

La chasse aux sorciers, on l'a vu à propos du Nord, est reliée au grand mouvement d'acculturation des campagnes françaises qui se réalise à partir du milieu du XVIe siècle. Tous les efforts des représentants de l'Eglise, du roi ou des couches dirigeantes de la société visent à contraindre les corps, à soumettre les âmes, à imposer l'obéissance totale au roi absolu et à Dieu. Cependant, ce mouvement d'ensemble, qui se perpétue jusqu'au milieu du XVIIIe siècle, avant les grandes mutations précédant la Révolution, ne fut pas uniforme. Il connut des temps forts et des temps faibles, qu'il est possible d'identifier grâce à l'étude des poussées de chasse aux sorciers. Le début des persécutions, vers 1580, correspond à la découverte par les élites, et d'abord par les missionnaires, d'un océan de superstitions et de pratiques considérées comme abominables. La violence du heurt entre les idéaux chrétiens régénérés, porteurs d'une conception globale de la Cité de Dieu, et la vieille culture populaire rurale explique la multiplication des procès de sorcellerie de 1580 à 1610. La principale méthode d'acculturation des campagnes était alors le choc frontal et violent. Car l'implantation d'écoles, de séminaires, le quadrillage du territoire par les ecclésiastiques et par les agents du roi n'en étaient qu'à leurs débuts. On ne pouvait réussir à modifier les cadres mentaux traditionnels du monde paysan qu'à travers les nouvelles générations, et d'ailleurs imparfaitement, tant la tâche était immense. Vers 1610, quand s'achève la principale poussée de persécution des sorciers, seule une génération a pu, très inégalement selon les régions et selon les catégories sociales, être touchée par cette conquête culturelle. A Wissous (Essonne), vers 1600, vingt-cinq villageois sur cent savent signer. Tous les notables ruraux, un quart des vignerons et neuf laboureurs sur quinze sont dans ce cas, ce qui indique que l'embryon d'enseignement élémentaire organisé pendant les guerres de Religion concerne uniquement les couches supérieures du monde rural. En Languedoc, au même moment, « neuf prolétaires agricoles sur dix demeurent spirituellement étrangers aux civilisations de l'écriture », mais 10 %

des laboureurs signent, 1/4 inscrit ses initiales et 2/3 usent d'une simple marque [62].

La persécution des sorciers, cependant, se ralentit un peu, le temps d'une génération, puis connaît une nouvelle poussée générale, à peine moindre que la première, vers 1640-1660. La christianisation, l'alphabétisation, le contrôle politique ont progressé dans les campagnes, durant ce demi-siècle. Mais la conquête spirituelle proprement dite n'a pas encore atteint une ampleur exceptionnelle. Vers 1640, quand se multiplient à nouveau les bûchers, vivent encore de vieux paysans, de vieilles villageoises, qui restent attachés à leurs cadres mentaux traditionnels. Leurs fils et leurs petits-fils n'ont pas tous été encadrés par les missions, par des prêtres plus savants, par des écoles encore trop rares. Les nombreuses révoltes populaires de la première moitié du XVIIe siècle ont de plus développé l'insécurité et contrecarré les efforts de l'Eglise et des serviteurs du roi. Peut-être la deuxième poussée de persécution des sorciers résulte-t-elle en partie d'une exaspération d'élites culturelles, de prêtres de mieux en mieux formés, en face de l'inertie mentale du monde rural ? Le décalage entre les idéaux nouveaux et la réalité populaire est alors certainement plus nettement ressenti par les agents de Dieu et de l'Etat. L'enthousiasme missionnaire né au milieu du XVIe siècle subsiste, mais on se rend compte de la résistance passive des superstitions. Saint Vincent de Paul, et beaucoup d'autres, observent lucidement que les villageois retombent dans l'erreur après le départ des missionnaires, et qu'il faudrait régulièrement revenir dans chaque communauté pour éviter ce danger. La bataille engagée contre la culture populaire ne peut que s'exaspérer, dans ce contexte quelque peu décourageant, à une époque de grande insécurité. Les sorcières en font les frais, parce qu'elles sont considérées comme des criminelles, mais aussi comme les responsables de la perpétuation d'une pensée magique et superstitieuse. Et puis, l'acculturation croissante et lente de franges du monde rural aggrave les tensions internes dans les villages, incitant les paysans les plus alphabétisés, qui sont aussi les plus puissants et les plus riches, à refuser l'existence des sorciers. Les y pousse,

62. J. Jacquart, dans *op. cit.*, p. 309.

outre le phénomène de lutte sociale et politique déjà évoqué, une intense culpabilisation, réalisée par leur contact avec la culture dominante.

Les deux principales époques de chasse aux sorciers doivent être reliées aux rythmes de l'acculturation et de la christianisation des campagnes. Dans les deux cas, une situation conflictuelle est à l'origine de la multiplication des procès. Les sorcières sont brûlées essentiellement au moment où s'exacerbent les passions, dans un combat sans merci contre des superstitions tenaces. Par contre, à partir du règne de Louis XIV, quand « les fruits réels de la réforme catholique apparaissent plus nettement et plus généralement » [63], s'apaise la persécution. Le conflit tourne lentement à l'avantage de l'Eglise et de l'Etat. Les nouvelles générations sont de mieux en mieux encadrées et de plus en plus coupées des racines de la culture populaire. Presque tous ceux qui ont connu la situation antérieure à la conquête culturelle des campagnes sont morts. D'ailleurs, on brûle encore quelques-unes de ces reliques du passé, en la personne de sorciers et de sorcières très âgés. Des superstitions survivent évidemment, transmises de bouche à oreille, mais elles ne s'expriment plus ouvertement. La crainte du diable, de l'enfer, du bûcher domine l'esprit de paysans totalement soumis en apparence. La répression terroriste — selon le mot d'Yves Bercé [64] — menée à l'époque de Louis XIV a tari les sources de la révolte et a diffusé partout la peur. Les procédures de domination sont maintenant si bien réalisées que les bûchers de sorcellerie deviennent inutiles pour accentuer encore cette même peur. En outre, les élites culturelles ont l'impression d'avoir vaincu, sinon toutes les superstitions, du moins les plus nombreuses d'entre elles. Qu'une sorcière soit encore exécutée à la fin du XVIIe siècle n'est plus qu'un phénomène exceptionnel, et non plus le résultat d'une convergence des procédures de prise en main des campagnes.

Le stéréotype de la sorcière, quant à lui, prouve que la persécution visait directement la culture populaire. Car ce

63. *Ibid.*, p. 323 et 324.
64. Y.-M. Bercé, *op. cit.*, p. 52.

stéréotype fut fabriqué de toutes pièces par les juges et par les démonologues. Il nous renseigne plus sur les mentalités des persécuteurs que sur la réalité de la sorcellerie. Il présente l'inverse éthique des valeurs alors dominantes dans la société. En ce sens, le thème du « monde à l'envers », qui fut utilisé au XVIIe comme au XXe siècle pour décrire la sorcellerie, ne se rapporte pas à un quelconque phénomène de subversion, mais définit les angoisses et les craintes, et donc par antithèse les idéaux, des représentants des couches dirigeantes de la société.

Cette définition existe depuis la fin du Moyen Age. Le *Marteau des sorcières*, par exemple, qui fut publié en 1486/1487 à Strasbourg, présente la femme comme « le visage visible du maléfique » [65]. Car les filles d'Eve sont en moyenne quatre fois plus coupables du crime de sorcellerie que les hommes, nous le savons. En général, il s'agit de femmes vieilles et plutôt misérables, plus rarement de jeunes filles. Mais toujours apparaît, au cours des procès, une dimension sexuelle importante. Ces faits sont à mettre en relation avec les valeurs socioculturelles que l'Eglise et l'Etat tentent d'implanter dans l'esprit des ruraux. A travers la persécution des femmes s'exprime une répression plus générale de la sexualité. Les missionnaires de la réforme catholique combattent la relative liberté des mœurs qui existait dans les campagnes avant 1550. Ils imposent au monde paysan des « freins sexuels » efficaces [66]. Les « aveux » extorqués aux prétendues sorcières peuvent être interprétés par rapport à cette lutte puritaine bien réelle. La copulation avec Satan, ou avec des démons, rappelle la survivance dans le monde rural des « fiançailles à l'essai », des concubinages, que veulent extirper les autorités. Le sabbat, cette « fête sacrilège », n'est que la transposition diabolique des fêtes populaires multiples précédemment étudiées, et qui débouchaient fréquemment, l'ivresse aidant, sur les débordements sexuels. Que l'on se souvienne des fêtes des Fous ou de celles des moissons ! En fait, les multiples péchés imputés aux sorcières résultent d'une insatisfaction profonde des

65. H. Institoris et J. Sprenger, *Le Marteau des sorcières*, édité par A. Danet, Paris, 1973, p. 89-93.
66. P. Chaunu, *art. cit.*, p. 906-907, et ci-dessus, chap. IV.

missionnaires devant la résistance d'une conduite sexuelle paysanne qui ne se coule pas suffisamment dans le moule théorique véhiculé par la Contre-Réforme. Le Mal semble être partout. Les procès de sorcellerie, dans ce contexte, permettent de culpabiliser les foules en reliant au diable la sexualité hors du mariage. La baisse du nombre des enfants illégitimes et des conceptions prénuptiales au XVIIe siècle résulte-t-elle en partie de l'existence de ce mécanisme ? La sorcière, en tout cas, est à la fois l'exemple des conduites condamnables, poussées à l'extrême, et de la victoire des nouvelles normes sexuelles.

Des normes nouvelles qui s'implantent cependant lentement et d'une manière variable selon les régions. Car il est nécessaire, pour qu'elles fonctionnent pleinement, qu'une partie des villageois en soient imprégnés et surtout que le curé local y adhère pleinement, contrôlant dès lors attentivement la moralité de ses paroissiens. Si le prêtre, par exemple, continue à se comporter comme ses prédécesseurs de la fin du Moyen Age, la culpabilisation n'est pas réalisée dans le village. Tel est sans doute le cas dans cette paroisse cambrésienne dont le curé, vers 1626, visitant une malade de vingt ans, propose à celle-ci, qu'il dit ensorcelée, de coucher avec lui pour être guérie [67]. En somme, la chasse aux sorciers trouvera un terrain plutôt favorable dans les communautés où le pasteur surveille attentivement ses mœurs et celles des habitants, et où la répression sexuelle aura atteint une partie au moins de la population. Il est probable que la persécution sera d'autant plus intensément souhaitée que la culpabilisation sera plus récente. Sans doute les villageois et les prêtres touchés par le renouveau religieux, mais dont la conduite n'est pas sans tache, eu égard aux normes nouvelles, seront-ils les plus actifs pour projeter cette culpabilité sur d'autres que sur eux-mêmes ? Ce cas fut vraisemblablement fréquent, un peu partout en France, avant 1660, c'est-à-dire avant que la christianisation ne devienne plus intense et avant que les prêtres ruraux ne soient, en général, réellement mieux formés et plus conscients de leurs devoirs moraux. Souvenons-nous que près de 150 délits de mœurs recensés — et sans doute de nombreux autres dont la trace

67. R. Muchembled, dans *op. cit.*

s'est perdue — étaient imputables aux prêtres cambrésiens du XVIIe siècle. Vers le milieu du règne de Louis XIV, cependant, le modèle du curé rigoriste, à la conduite irréprochable, plus cultivé et spirituellement mieux formé qu'auparavant, s'est généralisé. Alexandre Dubois, curé de Rumegies, près de Saint-Amand (Nord), en fournit un exemple typique [68]. S'il croit encore au diable et à la sorcellerie, son optique du problème est sans doute différente de celle de ses prédécesseurs. Il condamne les péchés de ses paroissiens, mais n'a pas besoin de projeter sur eux et sur le sorcier un sentiment personnel de culpabilité. Un des mécanismes de la multiplication des procès, du fait des villageois eux-mêmes, disparaît.

La répression sexuelle menée dans les campagnes du XVIIe siècle canalise vers la femme les hantises diaboliques des couches dirigeantes, des prêtres locaux et des paysans riches et acculturés. Mais pourquoi s'en prendre à des femmes vieilles et pauvres, souvent veuves, plus qu'aux autres représentantes du sexe féminin ? Parce qu'elles étaient plus vulnérables et socialement moins dangereuses, tout d'abord. La faiblesse ou l'inexistence de leurs relations familiales ou sociales les plaçaient en marge du village. S'attaquer à elles risquait moins de déclencher des guerres familiales, des luttes de clans ou de groupes les uns contre les autres, c'est-à-dire d'aggraver encore les tensions internes de la communauté. De plus, elles étaient l'objet d'une suspicion générale, de la part de tous ceux qui n'envisageaient leur propre survie qu'au sein des solidarités multiples auxquelles elles n'appartenaient pas. A l'occasion, elles déclenchaient une réprobation silencieuse, si elles avaient « usé » plusieurs maris successifs. On les accusait fréquemment du décès de ceux-ci. Et, en réalité, on témoignait contre elles d'une agressivité issue du fait qu'elles avaient abusé de leurs droits sur le marché matrimonial. Les groupes de Jeunesse ne manifestaient-ils pas, par quelque charivari, cette même hostilité aux veufs qui se remariaient ? Par ailleurs, ces vieilles, ou celles qui leur ressemblaient, étaient les principaux agents de la transmission des superstitions, des croyances magiques, par

68. H. Platelle, *Journal d'un curé de campagne au XVIIe siècle*, Paris, 1965.

l'intermédiaire des veillées notamment. Elles diffusaient la culture populaire, dirions-nous en termes du XXe siècle. D'ailleurs, « le sexe féminin est normalement le conservateur et le transmetteur privilégié des biens culturels » [69]. L'hostilité des clercs, des juges, des représentants de la culture savante, et celle des ruraux qui adhéraient tant soit peu à cette dernière, leur était acquise. Elles représentaient, à cause de leur âge, la capacité de survie et de résistance des cadres mentaux villageois anciens. N'avouaient-elles pas qu'au sabbat se passait un simulacre de confession générale, devant le diable ? Or la Contre-Réforme, à la suite de saint Charles Borromée, tentait précisément de remplacer la confession médiévale publique, qu'évoque cette parodie, par la confession auriculaire et individuelle. D'une façon générale, on fait dire à ces vieilles femmes qu'elles appartiennent à l'ancien ordre des choses, au monde magique qui était celui de leurs ancêtres villageois. Elles croient à la possibilité d'agir sur ce monde, par des rites, par des paroles, par des actes que les juges qualifient de diaboliques. Diaboliques, certes, puisque les magistrats interprètent dans une vision nouvelle et dualiste de l'univers ce qui n'était qu'une méthode paysanne de survie dans un monde difficile. Ainsi condamnent-ils, au nom de la lutte contre une antireligion, des sorcières qui ont eu le malheur de s'accrocher à leurs vieilles croyances, et qui ne comprennent pas pourquoi se manifeste à leur égard une telle haine. Des sorcières, enfin, qui sont pauvres, mais non pas totalement misérables. Cet élément du stéréotype n'a sans doute pas été créé par les seuls juges supérieurs. Il provient vraisemblablement en partie des choix dictés par les villageois persécuteurs. Ces derniers visent des masses paysannes résidantes et en voie de paupérisation, qui ne peuvent pas être insensibles au spectacle de l'opulence de certains de leurs concitoyens. Ils les avertissent que le non-conformisme et la tentation de la révolte ne paient pas. Ils leur prouvent qu'existe et continuera à exister un fossé économique et social entre les puissants et les humbles. Ils démontrent aussi leur appartenance au monde des maîtres et à celui de la culture savante. Le supplice d'une sorcière vieille et pauvre sert ainsi

69. P. Chaunu, *art. cit.*, p. 906.

à affermir leur pouvoir sur les masses paysannes autant qu'à donner des gages à la société environnante, dont ils répercutent et utilisent à leur profit les aspects fondamentalement hiérarchiques et inégalitaires.

Divers autres éléments, qui n'appartiennent pas spécifiquement au phénomène de l'acculturation des campagnes, devraient être pris en compte pour une description complète de la sorcellerie réprimée : le rôle des guerres; l'évolution propre de la culture savante et des mentalités des juges; etc.[70]. Tel n'est pas ici mon souci. Seul importe le fait que cette répression touche finalement des « doubles monstrueux » de la majorité des paysans du temps, des « victimes émissaires » qui sont choisies à la fois par la société englobante et par leur propre communauté. Ces victimes ressemblent par de nombreux traits aux paysans qui les regardent brûler, mais se distinguent d'eux par leur appartenance majoritaire au sexe féminin, par leur âge élevé, par leur relatif isolement social. Elles servent à détourner les villageois des crimes qui leur sont imputés et de l'attachement à une vision du monde populaire. Elles sont cependant suffisamment différentes des spectateurs pour que ceux-ci ne puissent pas craindre de subir le même sort, à condition, évidemment, qu'ils évitent leur vie durant de se rapprocher de ce modèle démoniaque. De ce fait, les paysans n'auront-ils pas le désir, renouvelé à chaque exécution, de suivre le droit chemin tracé par les persécuteurs, et d'abord de dénoncer ceux qui s'en écartent, pour atteindre une certaine sécurité mentale et pour détourner d'eux-mêmes l'effrayante attention des magistrats, ou d'autres dénonciateurs ? Et l'épidémie se nourrit d'elle-même, tant que tourbillonne le sacré, tant que le village a besoin de victimes expiatoires dont le sacrifice le « protège de sa propre violence »[71], tant que ne s'affirme par un processus de stabilisation culturelle. Vers 1670-1680, ce processus se met en place. La sorcellerie devient inutile. Les reclassements sociaux et mentaux se sont faits, pour l'essentiel. Le village aux

70. Voir les livres et articles déjà cités de R. Mandrou, H. R. Trevor-Roper, E. W. Monter, P. Chaunu, A. D. J. Macfarlane, etc.
71. R. Girard, *La violence et le sacré*, Paris, 1972, p. 135.

sorciers retrouve une certaine cohésion, sous l'autorité incontestée des notables du lieu. Ailleurs, la sorcellerie ne s'est jamais manifestée avec autant d'ampleur parce que les tensions internes de la communauté étaient moins nettes : seule la haine destructrice d'un juge itinérant a alors pu provoquer des procès. Souvent, d'un autre point de vue, l'acculturation n'a pénétré que lentement et très imparfaitement. Parfois, elle a conquis assez rapidement le terrain, dans les régions les plus proches de Paris, par exemple. Les conditions, dans ces deux cas, n'étaient pas non plus favorables à la folie persécutrice. Et puis, vers 1680, l'acculturation emprunte des voies plus lentes et moins visibles — la bibliothèque bleue de Troyes, par exemple. Elle n'a plus besoin de heurter de front un monde rural qu'elle croit avoir domestiqué. Cesse alors la grande rage de persécution des sorciers qui avait embrasé mainte province française au siècle de la Raison.

La sorcellerie ne s'éteint pas en 1680. Elle survit toujours aujourd'hui : le 29 février 1976, Jean Camus, « rebouteux » d'Héloup (Orne), était trouvé assassiné chez lui. Deux frères avouèrent avoir commis ce crime, à la suite de la mort de leur frère aîné, du décès de plusieurs de leurs bêtes et d'un chien. Leur mère accusa Jean Camus d'être un sorcier. Il « était le diable. Il donnait le cancer à tous ceux qui se moquaient de lui ». L'un de ses fils, ajouta-t-elle, avait tenté de soigner une illustre victime, grâce à ses « dons heureux..., mais l'autre était trop fort. Il fallait donc qu'il le tue » [72].

Par contre, la chasse aux sorciers se limite en France à la période 1580-1680, et touche surtout les régions périphériques du pays. A l'intérieur de ces zones, à la différence du comté anglais d'Essex ou du sud-ouest de l'Allemagne, elle ne concerne en général qu'un nombre restreint de villages. Si

72. *Le Monde*, 5 mars 1976, p. 11 (à propos de la même affaire, cf. *Le Nouvel Observateur*, n° 592, 15-21 mars 1976, p. 48-50).

l'on peut parler de centaines ou de milliers d'exécutions, les cent mille bûchers de Voltaire sont certainement exagérés. La persécution part généralement du haut. Elle résulte d'un grand effort de conquête culturelle des campagnes. Les prêtres de la Contre-Réforme, les juges, les agents du roi, sont à l'avant-garde de ce combat. Ce dernier révèle l'existence d'un front de catholicité et d'un front absolutiste qui ont plus de peine à s'imposer sur les marges du pays que dans le Bassin parisien. Et la lutte est très intense au début et au milieu du double processus de christianisation et de soumission des campagnes à l'autorité royale, c'est-à-dire vers 1580-1610 et vers 1640-1660, alors qu'elle s'atténue puis disparaît totalement à l'époque de Louis XIV, quand semblent s'être définitivement réalisées la mise au pas et l'acculturation du monde rural. Les bûchers servent à imposer à tous le respect d'une religion régénérée et d'un roi tout-puissant. Ils détruisent symboliquement la vision du monde populaire ancienne, son aspect magique, ses capacités de résistance et de transmission par les femmes. Ils instaurent la crainte de Dieu, sommet et modèle de toute autorité humaine, à travers la peur du diable, que les procès disent omniprésent dans le monde. Ils présentent aux paysans un dualisme chrétien qui doit refouler et détruire les croyances en l'existence de forces multiples et ambivalentes, c'est-à-dire le vieil attachement des masses populaires à une sorte de polythéisme de fait. Ils aident à culpabiliser les foules, qu'atteint par ailleurs une procédure complexe de contrainte des corps et de soumission des âmes [73].

Mais l'épidémie de sorcellerie ne prend tout son sens et toute son ampleur qu'à cause de l'adhésion d'une partie des paysans aux nouvelles valeurs et à la persécution des sorciers. Adhésion due aux efforts de l'Eglise, au meilleur encadrement des paroisses, à la meilleure formation des prêtres, à la pénétration dans les âmes du message de la réforme catholique. Adhésion qui résulte également d'une mutation socio-économique du monde rural, dont l'équilibre interne se modifie. Les pauvres s'appauvrissent, les riches deviennent plus riches, entre 1560 et 1700. Avant que les notables ruraux, avec l'aide de la

73. Ci-dessus, chap. IV.

monarchie, ne parviennent à dominer aisément leur communauté, les tensions s'aggravent parfois au sein de celle-ci. Révoltes, malaises sociaux, haines, jalousies, rivalités marquent la première moitié du XVIIe siècle plus que la seconde, dans les villages. Et quand les paysans les plus puissants doivent affronter de tels dangers, ils utilisent à l'occasion la chasse aux sorciers déclenchée par les juges pour épouvanter les humbles et s'imposer à eux.

Ces divers éléments expliquent que la persécution des sorciers dépende de deux phénomènes séculaires : la conquête culturelle, religieuse et politique des campagnes d'une part, et leur évolution socio-économique, d'autre part, mais qu'elle ne prenne toute son importance que lorsque ces deux phénomènes se croisent dramatiquement dans une région, dans un village donné. La coïncidence étant relativement exceptionnelle, la majorité des villages français ne connut pas de grandes persécutions des sorciers. Mais dans les autres, la répression fut atroce. Elle était alors l'indice d'un malaise global du lieu en question, voire de la province à laquelle il appartenait.

La persécution des sorciers doit être étudiée dans son contexte. Elle se situe à la croisée de l'histoire démographique, économique, sociale, politique, religieuse et culturelle. Il faudrait, pour la bien comprendre, réaliser de véritables monographies des villages concernés, puis mettre celles-ci en rapport avec les phénomènes généraux décrits ci-dessus. Une chose est sûre : la répression de la sorcellerie ne résume pas à elle seule l'acculturation du monde rural à l'époque moderne. Mais, par contre, l'offensive civilisatrice traîne obligatoirement dans ses bagages la chasse aux sorciers, ou tout au moins les stéréotypes qui permettront de la réaliser, l'occasion s'offrant.

Une culture savante hégémonique refoulant la culture populaire trouve l'appui de campagnards qui rompent avec le passé de leur civilisation et veulent participer, petitement, aux miettes du grand festin que se prépare une minorité de privilégiés. La masse rurale, paupérisée, écrasée d'impôts, soumise, et incapable de réagir, à la fin du XVIIe siècle, dresse la table. Il lui reste à subir, forme ultime de l'aliénation, la diffusion d'une culture faite sur mesure pour elle. Non pas d'une culture savante, qu'elle ne saurait entièrement assimiler et apprécier, pensent avec mépris les élites sociales, mais d'une nouvelle « culture populaire » diffusée, entre autres, par la littérature « démobilisante » et « tranquillisante » que vendent à bas prix les colporteurs [74].

74. J. Jacquart, dans *op. cit.*, p. 316-317.

CHAPITRE VI

DE LA CULTURE POPULAIRE
A UNE CULTURE DE « MASSE »

La culture populaire, tant rurale qu'urbaine, connut une éclipse presque totale à l'époque du Roi-Soleil. Sa cohérence interne disparut définitivement. Elle ne pouvait plus être un système de survie, une philosophie de l'existence. Il n'y avait place dans la France de la Raison, puis dans celle des Lumières, que pour une seule conception du monde et de la vie : celle de la Cour et des élites citadines, que véhiculait la culture intellectuelle. Un immense effort de réduction de la diversité à l'unité constituait la base même de la civilisation française conquérante, comme en témoignent les efforts faits pour soumettre les âmes et les corps, ainsi que l'impitoyable répression des révoltes populaires, des comportements déviants, des croyances hétérodoxes et de la sorcellerie.

Cependant, ni la force brutale ni la persuasion ne pouvaient suffire à transformer radicalement et définitivement les mentalités et les mœurs populaires, enracinées depuis de longs siècles. Or la culture savante proprement dite s'éloignait de plus en plus des réalités de la vie des populations laborieuses, et en particulier de celles de l'existence paysanne. Ce vide idéologique qui se creusait entre les élites et les masses fut rapidement comblé. Vers le milieu du XVIIe siècle, les conditions étaient réunies qui permirent la naissance d'une culture de « masse ». Diffusée par l'imagerie populaire et par la littérature de colportage, celle-ci constituait une sorte de langage intermédiaire entre celui des lettrés et celui des humbles. Car ce langage empruntait à la culture populaire une partie de son vocabulaire, mais était redevable de sa syntaxe à la culture savante. En d'autres termes, ce niveau culturel était celui de la vulgarisation des modèles idéologiques dominants qui fondaient alors la pérennité sociale. Néanmoins survivaient obscurément et honteusement des bribes de l'ancienne culture populaire. Le destin de cette dernière n'était pas de disparaître totalement sous l'Ancien Régime : elle connut une sorte de résurgence entre le milieu du XVIIIe siècle et la Révolution, puis elle se prolongea même jusqu'à nos jours, sous des formes profondément modifiées et avec des fortunes diverses selon les époques.

I. Préconditions

Vers 1550, les écrivains ne dédaignaient pas de puiser abondamment dans le fonds culturel populaire. On peut s'en assurer en lisant les œuvres de Rabelais ou de Noël du Fail. Cet état de choses disparut lentement, au cours des deux siècles suivants. Un fossé de plus en plus large se creusait entre l'inculture imputée aux masses populaires et la civilisation, représentée par la Cour, la noblesse et les bourgeoisies. Un remarquable livre de Norbert Elias a clairement mis en valeur le développement du processus qui conduisit les élites à se différencier nettement des humbles en se dotant d'une « civilité » nouvelle, d'un art de la « bonne conduite » basé sur une délicatesse de plus en plus raffinée, sur le refus de la trivialité, sur la surveillance du comportement, sur des tabous relatifs à la sexualité et à la violence, etc.[1]. Deux étapes peuvent cependant être distinguées dans cette évolution. Jusqu'au milieu du XVIIe siècle, les représentants de la culture

1. N. Elias, *La civilisation des mœurs*, Paris, 1973.

savante s'attaquèrent brutalement aux conduites et aux croyances des masses. Leur violence s'explique, au moins partiellement, par le fait qu'ils participaient encore personnellement, bien souvent, aux superstitions qu'ils haïssaient. En effet, la société n'était nullement compartimentée spatialement, à l'époque. Bourgeois et nobles résidaient fréquemment à la campagne une partie de l'année. En ville, avant que les riches ne s'isolent de plus en plus dans des quartiers réservés, le contact était quotidien entre les membres de toutes les couches sociales. Nombre d'aristocrates, de bourgeois, de juges chassant férocement les sorciers n'avaient-ils pas en outre pris contact intimement avec la vision du monde populaire en suçant, au cours de leur prime enfance, le lait d'une nourrice paysanne ? Bref, les rapports culturels n'étaient pas abolis, même s'ils étaient désormais fondamentalement marqués par le mépris qu'affichait l' « honnête homme » pour l'inculture et pour la grossièreté des gens du peuple. Ces ambiguïtés pouvaient à l'occasion déboucher, chez les privilégiés, sur un sentiment de culpabilité, ou du moins sur un certain malaise. Nicolas Rémy (1530-1612), grand persécuteur des sorciers lorrains, n'était-il pas obsédé par la sexualité, et plus profondément par sa connaissance intime et personnelle des « crimes » qu'il combattait et qu'il expulsait ainsi de son propre esprit ? Combien d'autres démonologues actifs entre 1580 et 1610, lors de la principale poussée de persécution des sorciers, n'étaient-ils pas dans ce cas ? Plus simplement, Pierre de l'Estoile (1540-1611) adopte une attitude typique des couches dirigeantes de la fin du XVIe siècle. Bien qu'ayant séjourné de longues semaines d'affilée à la campagne, il ne fait aucune allusion, dans son *Journal du règne de Henri IV,* aux paysans et à la vie rurale. Pourtant, il se révèle d'une « extrême crédulité pour tout surnaturel, dès qu'il n'est pas dans le culte officiel », se complaît à décrire des cas de possession ou de sorcellerie et s'étend à plaisir sur les superstitions de son époque, toutes choses qu'il observe à Paris [2]. Son manque total d'intérêt pour les phéno-

2. P. de L'Estoile, *Journal d'un bourgeois de Paris sous Henri IV*, édité par F. Billacois, Paris, 1964, p. XII-XIII, XVII, 14-19, 30, 120, 188-189, etc.

mènes villageois ne procède-t-il pas d'un profond mépris culturel à l'égard de gens trop dissemblables de ceux qu'il côtoie habituellement ?

Aux alentours de 1660 débute la seconde étape. La rupture est consacrée entre le savoir des élites et celui des humbles. Artistes et écrivains jugent sévèrement un auteur tel que Rabelais, coupable, selon La Bruyère, qui écrivait en 1690, *d'avoir semé l'ordure* dans ses écrits. Cette répulsion pour une œuvre qui représente le *XVIᵉ siècle sauvage et barbare* s'aggrave encore au temps des Lumières [3]. Le mélange des genres n'est plus possible parce que les goûts des membres des couches dirigeantes ne le permettent plus. D'une certaine manière, les privilégiés font sécession, dans leurs quartiers, dans leurs demeures ou à la Cour, et n'admettent plus qu'un contact superficiel avec les populations laborieuses. Le style de vie, le langage, la mode, les attitudes des élites reflètent ce mépris croissant, alimenté par une obscure peur des révoltes individuelles ou collectives. Rares sont les artistes et les écrivains qui s'intéressent encore à la vie quotidienne des masses. Louis Le Nain (1593-1648) osait en son temps braver ce tabou, mais représentait d'une manière dite « réaliste » des paysans idéalisés, trop gras et trop aisés pour être autre chose que des notables villageois [4]. Les frères Perrault, dans leur jeunesse, étaient également sensibles aux mœurs, aux superstitions, au langage populaire, qu'ils traduisirent notamment dans leur *Enéide burlesque* de 1647. Effrayés par la Fronde puis ralliés au roi, ils prirent ensuite leurs distances vis-à-vis de ces thèmes, tout comme la bourgeoisie s'empressa alors de « renier ses sympathies populaires » éphémères de la période 1647-1649 [5].

Le règne de Louis XIV, à cet égard, constitue l'apogée d'un processus de différenciation culturelle. Comme le souligne Marc Soriano, la paysannerie de la fin du xviiᵉ siècle « ne

---

3. M. Bakhtine, *L'œuvre de François Rabelais et la culture populaire au Moyen Age et sous la Renaissance*, Paris, 1970, p. 114 et p. 122.

4. Cf. son « Repas de paysans » (Musée du Louvre).

5. M. Soriano, « Burlesque et langage populaire de 1647 à 1653 : sur deux poèmes de jeunesse des frères Perrault », *Annales E.S.C.*, juill.-août 1969, p. 949-975.

peut pas avoir une culture complètement autonome ». Une frontière, située « au niveau du scatologique et de la référence à la sexualité », sépare désormais le bas du vulgaire [6], c'est-à-dire ce qui appartient à la civilisation française et ce qui relève de la « barbarie » populaire. Déjà les contes de Perrault, comme les tableaux de Le Nain, n'avaient été créés et appréciés que parce qu'ils travestissaient la réalité que refusaient de voir les privilégiés, et qu'ils pouvaient ainsi être « consommés » sans dommage par ces derniers.

Ce reclassement culturel, qui instituait une civilisation française idéalement unique et rejetait dans l'enfer du mépris et du dégoût tout ce qui touchait au peuple, créait un vide idéologique entre les élites et les masses. Car la société dominante refusait tout ce qui provenait des classes inférieures — à l'exclusion des impôts et des biens matériels, évidemment — mais elle ne pouvait prétendre, et d'ailleurs n'envisageait même pas, de diffuser partout et pour tous l'ensemble du modèle culturel brillant qu'elle avait élaboré. Ce vide était partiellement comblé par les procédures de soumission des âmes et des corps qui se renforçaient sans cesse depuis la fin du XVIe siècle, nous l'avons noté. Les humbles apprenaient les vertus chrétiennes, celles du travail et de l'obéissance, celles de la continence sexuelle hors du mariage, et ceci par de multiples canaux : sermons, exercice exemplaire de la justice, rôle du père de famille ou du curé local, importance des confréries religieuses, etc. Cependant, la diversité et le fractionnement de ces procédures de contrôle limitaient leur impact. Tout naturellement, sans qu'il fût besoin d'une volonté organisatrice, se manifesta un besoin : celui de généraliser la diffusion des valeurs dominantes. Les petites écoles y pourvurent. Ce ne fut nullement un hasard si les jansénistes et les Frères des Ecoles chrétiennes s'intéressèrent alors activement au problème de ce que nous appelons l'enseignement primaire, si Démia créa ses écoles lyonnaises gratuites en 1666, si Jean-Baptiste de la Salle l'imita à Reims en 1679. La fin du XVIIe siècle fut marquée par un

6. M. Soriano, *Les contes de Perrault. Culture savante et traditions populaires,* Paris, 1968, p. 94, et du même, *art. cit.,* p. 961.

redoublement d'efforts en ce domaine. « Apprentissage d'une sociabilité, la petite école modèle des corps dociles et des cœurs chrétiens avant d'éveiller les esprits ». Elle fabrique « des dispositifs préalables à l'entrée dans la vie productive » [7]. Les statistiques de l'alphabétisation témoignent de l'importance des réalisations :

L'ALPHABÉTISATION EN FRANCE (XVIIᵉ-XVIIIᵉ SIÈCLE)

	1686-1690		1786-1790	
	Hommes	Femmes	Hommes	Femmes
France du Nord/Nord-Est	44 %		71 %	44 %
France du Sud	17 %		27 %	12 %
Total	29 %	14 %	47 %	27 %

Nul besoin de préciser ici les discussions érudites engagées à propos de la valeur de ces pourcentages et des divers problèmes d'interprétation qu'ils posent. Disons pour simplifier que l'alphabétisation est au moins la trace d'un « accès aux vérités de la foi » et d'une capacité de lecture [8]. On peut donc penser que ce phénomène donne une mesure, bien que très approximative, de l'acculturation des masses populaires. Car la religion et la morale dominantes pénétraient dans les âmes par l'intermédiaire de l'institution scolaire. La situation de la fin du XVIIᵉ siècle, tout d'abord, permet de comprendre que les révoltes, les mouvements de protestation et à certains égards la sorcellerie prirent souvent plus d'ampleur dans le Sud que dans la moitié septentrionale du pays, où près d'un homme sur deux avait déjà pu subir une mise en conformité par son contact avec le monde de l'écrit. A la veille de la Révolution, d'autre

7. R. Chartier, M.-M. Compère, D. Julia, *L'éducation en France du* XVIᵉ *au* XVIIIᵉ *siècle,* Paris, 1976, p. 295.
8. *Ibid.*, p. 87-109 (résumé commode des connaissances actuelles sur ce sujet).

part, un Français sur deux et une Française sur quatre étaient vraisemblablement capables de lire. Cette proportion était en réalité beaucoup plus élevée au nord d'une ligne imaginaire allant de Saint-Malo à Genève. Or, justement, s'était constituée une littérature de colportage à bon marché. Apparue à Troyes, elle s'était surtout développée à partir des dernières décennies du XVIIe siècle dans la moitié nord de la France, en profitant du réservoir potentiel croissant de lecteurs dans cette région. Au fond, cette Bibliothèque bleue de Troyes était rendue possible par le dynamisme conquérant de la culture écrite, par la coupure définitive instituée entre les mœurs et les idéaux des dominants d'une part et des dominés d'autre part, par les progrès de la scolarisation et de l'alphabétisation. Un long processus avait préparé son émergence et son rôle. Elle comblait un vide idéologique entre la pure culture savante et les restes de la culture populaire. En vulgarisant auprès des masses les idéaux des élites, comme on le verra plus loin, elle permettait de parfaire insidieusement le système de soumission qui fonctionnait déjà. Production de ce système, elle était aussi le voile qui en cachait la cohérence, car elle semblait parler au peuple sa propre langue. En réalité, pourtant, la littérature dite populaire constituait un véritable discours sur la validité du système dominant. L'imagerie avait au niveau visuel le même rôle essentiel. Et toutes deux possédaient une fonction identique à celle du collège pour les élites dirigeantes : enraciner « ce désir profond de stabilité sociale où le fils doit reproduire le père » [9]. Faute de pouvoir surveiller jusqu'à l'adolescence tous les enfants des humbles dans le cadre des institutions scolaires, l'Ancien Régime y palliait par une sorte de culture de « masse ». Celle-ci se calquait terme à terme sur les stratégies éducatives du temps. Comme le collège remplaçait la famille dans « l'apprentissage des conduites et des savoirs » [10], l'estampe et la littérature de colportage se substituaient à l'influence délétère de parents superstitieux. Dans cette optique, les archives n'ont pas besoin de nous fournir le nom de quelque Machiavel inventeur, par exemple, d'une littérature démobilisante, tran-

9. *Ibid.*, p. 206.
10. *Ibid.*, p. 295.

quillisante et aliénante. Il suffit de se reporter aux volontés éducatives de l'Eglise et de l'Etat, clairement exprimées par les pédagogues, pour découvrir le modèle du message diffusé par les imagiers et par les rédacteurs des livrets bleus de Troyes. Certes, cette sorte de pédagogie de « masse » n'était pas exempte de contradictions, d'obscurités, de divergences. La Bibliothèque bleue, notamment, était une littérature en miettes. Mais, dans l'ensemble, si l'on ne peut parler d'un plan concerté d'acculturation, il s'agit bien d'une convergence, au niveau idéologique, des multiples procédures d'embrigadement alors à l'œuvre dans la société. Somme toute, les estampes et les livrets bleus ne naquirent ni spontanément ni par la volonté d'un ou de plusieurs individus. Ils reflétaient la façon dont la société dominante considérait les masses, qu'elle encadrait fermement, depuis longtemps déjà. Ils étaient la cristallisation de stéréotypes venus du haut, mêlés à des bribes de véritable culture populaire. Ils accentuaient une domination tout en fournissant aux consommateurs de fallacieux exutoires. Leurs thèmes doivent être analysés sous cet angle.

II. Naissance d'une culture de « masse »

L'imagerie populaire et la littérature de colportage offrent toutes deux la particularité de s'adresser à un très large public, mais de tirer leur origine de la culture savante. Leur développement parallèle créa une situation nouvelle en modifiant la physionomie des niveaux et des conflits culturels.

Fonctions de l'imagerie populaire

L'imagerie fut un art exclusivement urbain. Ses thèmes semblent directement dériver « de modèles d'artistes savants », même lorsque étaient décrits des personnages et des accessoires paysans, comme dans l'estampe célèbre intitulée le *Monde à l'envers*. Cependant, la clientèle se partageait entre le milieu rural et la ville. En somme, cette production était vraisemblablement destinée aux masses, mais elle ne sortait « pas entièrement de l'âme du peuple ». De plus, si l'image se diffusa dès le Moyen Age, en particulier sous la forme des *enseignes de pèlerinage,* elle ne prit toute son importance, en France, qu'entre 1550 et 1590, avec les productions parisiennes sur bois de la rue Montorgueil, puis avec les gravures sur cuivre de la rue Saint-Jacques. Vers 1640, à nouveau, dominait la production parisienne, qui restera très importante jusqu'à la fin du XVIIe siècle. Cependant, des spécialistes doués et nombreux apparurent entre 1700 et 1720 dans les principales villes de province, à Chartres, à Avignon, au Mans, à Orléans, à Epinal, etc. Des imagiers existaient auparavant dans la plupart de ces villes, mais ils ne manifestaient aucun talent particulier. Au XVIIIe siècle, des artistes locaux de valeur, peut-être venus de Lyon et surtout de Paris, prirent définitivement le relais de la production parisienne sur bois, qui déclinait.

Cette chronologie se rapproche étrangement de celle de la conquête culturelle des masses populaires, et même de celle de la répression de la sorcellerie aux XVIe et XVIIe siècles. L'éclatement de la production au début du XVIIIe siècle donne à penser que l'imagerie suivit de près les progrès du centralisme politique et religieux et quitta Paris pour mieux se diffuser dans les provinces. Car la vente s'effectuait auparavant sur place et par l'intermédiaire de revendeurs sédentaires ou itinérants. Au siècle des Lumières, l'image put beaucoup mieux saturer les capitales provinciales, et de là s'infiltrer plus profondément que par le passé dans les campagnes les plus reculées.

Les fonctions de l'image étaient diverses. Majoritairement, cependant, ces productions visaient à éduquer religieusement et politiquement les populations. Les trois quarts des estampes conservées traitaient un sujet religieux. Certaines commentaient les grands événements du christianisme. La Crucifixion, qui était l'une des plus fréquentes, se plaçait dans les chambres et rappelait que la vie difficile des hommes n'était rien à côté de celle du Christ : « Image de la résignation par conséquent ». D'autres mettaient en scène des miracles de la Vierge et étaient liées à la vogue des pèlerinages mariaux : le Cabinet des Estampes conserve un recueil de 300 pièces de cet ordre, qui datent du XVIIIe siècle. D'autres encore étaient des « images de préservation », accrochées dans la maison, dans des armoires, dans des coffres, et représentant des saints protecteurs, c'est-à-dire prolongeant de manière orthodoxe le vieux culte populaire des innombrables saints intercesseurs. Les images de confrérie, quant à elles, étaient remises chaque année aux confrères, ou servaient à faire de la propagande pour encourager les adhésions. A Paris, les plus nombreuses étaient celles des compagnies du Saint-Sacrement. Enfin, les images moralisatrices, plus rares, insistaient sur la crainte du trépas et sur la nécessité de faire une *bonne mort*.

L'imagerie avait également un rôle de « conditionnement » politique. Colbert, vers 1670, commanda des estampes pour commémorer les victoires de Louis XIV. Les différents partis s'en servirent, à l'époque des guerres de Religion, pour diffuser leurs idées et leur propagande. D'une manière générale, on peut penser que cette fonction était identique à celle des « canards » et des « occasionnels » du temps. Ces petits livrets racontaient des événements extraordinaires. A partir de 1631, ils devinrent franchement populaires, choisissant les faits mis en scène en fonction de leur charge émotive et de leur pouvoir de « signification ». Les éditeurs et les auteurs utilisaient des stocks d'histoires et d'images toutes prêtes, qu'ils adaptaient aux circonstances, et qui parlaient aux masses de tout autre chose que de la réalité : thèmes du retour du soldat ou de l'enfant sauvage; légendes; monstres; prodiges; etc.

Aux XVIIe et XVIIIe siècles, l'image se fit également publicitaire, enveloppant un produit, dont elle vantait les qualités, ou chantant les mérites d'un commerçant. Mais elle ne s'adressa aux enfants qu'au XIXe siècle seulement.

Les thèmes multiples de l'imagerie, qu'il serait trop long d'analyser en détail, véhiculaient pour l'essentiel les valeurs constitutives de la société et du système en place. Parfois apparaissaient des idées contestataires, des descriptions burlesques ou grotesques, qui représentaient autant d'exceptions à la règle. Dans l'ensemble, l'imagerie fonctionnait comme une éducation de « masse ». Elle s'adressait évidemment à la vue des consommateurs, bien que les productions se soient accompagnées d'un texte gravé dans le bois, voire même imprimé à part. Des chanteurs de carrefours pouvaient à l'occasion interpréter de tels textes, devant les badauds, en suivant à l'aide d'une baguette les figures représentées sur l'estampe [11]. De ce point de vue, l'image s'adaptait parfaitement à une civilisation encore majoritairement orale en 1789, et à plus forte raison un siècle auparavant. Elle instituait une médiation primordiale entre le peuple et la culture savante. Etant donné que trois images sur quatre reflétaient l'orthodoxie catholique, cette technique constituait pour les masses un substitut des livres qui leur étaient souvent inaccessibles, et en particulier des livres sacrés. Elle prolongeait l'observation que chacun pouvait faire des scènes gravées sur les chapiteaux et sur les tympans des églises, ou des tableaux et des tapisseries que contenaient ces dernières. Le sacré pénétrait insidieusement partout : la boutique, la chambre à coucher, la maison, la place villageoise étaient investies par ces fragments épars de la religion, que les prêtres et les missionnaires se chargeaient de coordonner par leur activité liturgique. L'image était un écho ininterrompu et un rappel permanent des vérités chrétiennes, de résignation, d'humilité, de respect du travail, etc., elles-mêmes ancrées sur les valeurs de la société dominante. Consommée par le peuple, elle n'était pas réellement d'origine populaire, mais contribuait à soumettre les corps et les âmes au profit des élites de la société. Cependant, l'évolution économique du XVIIIe siècle et l'émergence d'une idéologie bourgeoise motivèrent une évolution de certaines de ses fonctions. Les bourgeois ne contestaient pas l'ensemble du système établi. Ils désiraient pourtant s'installer aux commandes de l'Etat. En outre, ils étaient ouverts à la notion de réussite et d'ascension sociale, ce qui contredisait le principe de permanence, et même d'immobilisme, qu'avaient défendu l'Eglise et les pouvoirs au temps de Louis XIV. L'imagerie s'adapta en partie à cette situation nouvelle. L'estampe n'était-elle pas une production urbaine, sensible comme telle aux mutations des mondes

11. Pour l'ensemble de cette description, voir le remarquable catalogue de l'exposition du Musée national des Arts et Traditions populaires, 2 février-30 avril 1973 : *Cinq siècles d'imagerie française*, Paris, Ed. des Musées nationaux, 1973 (en particulier les contributions de G.-H. Rivière et de J. Adhémar, et p. XIV, XIX, XXI, 1, 5, 48, 309, etc.).

citadins ? Le thème des *degrés de la vie,* par exemple, se transforma nettement en deux siècles. Vers 1630, une image parisienne du *grand escallier du monde* représentait l'existence comme une ascension en cinq degrés, de la naissance à cinquante ans, suivie d'un déclin en cinq paliers décennaux jusqu'à la mort. Sous cet escalier figurait un grand Jugement dernier. Les symboles de la vie, à droite, s'opposaient à ceux, très réalistes, de la mort, à gauche [12]. Par contre, le même sujet, traité à la fin du XVIIIe siècle, s'était laïcisé et avait acquis une tournure ambiguë, ainsi que l'a démontré Alain Charraud. L'image, selon lui, avait pris du recul par rapport au macabre du XVIIe siècle et possédait désormais une « fonction euphorisante ». Elle proposait aux classes populaires d'imiter les valeurs et l'idéal bourgeois, car l'accent était mis sur l'ascension sociale s'effectuant par paliers jusqu'à la maturité de l'individu. Cependant, les représentations chrétiennes de la mort, bien que traitées sur un registre mineur et moins effrayant qu'en 1630, rappelaient l'égalité de tous devant Dieu et l'inutilité des biens terrestres. L'auteur propose de voir dans cette utilisation des anciens idéaux chrétiens un effort pour « tempérer l'acceptation des valeurs bourgeoises ». Les masses justifieraient de cette manière l'impossibilité pour le plus grand nombre d'accéder à la réussite sociale [13]. Cette analyse ne vaut que si l'estampe représente effectivement la pensée proprement populaire. Par contre, si l'on admet l'idée qu'elle est créée par des artistes surtout perméables à la culture savante, qu'ils adaptent pour les humbles, il faut quelque peu modifier les termes de la description : l'image dont il fut question traduirait alors essentiellement le dynamisme des nouveaux idéaux bourgeois et la résistance des valeurs chrétiennes. Elle permettrait de proposer aux rêves du peuple un paradis bourgeois qui remplacerait le paradis céleste [14]. Mais elle servirait surtout à enraciner dans l'esprit des populations l'idée selon laquelle la réussite sociale, ainsi érigée en modèle

12. *Ibid.,* planche p. 33.
13. A. Charraud, « Analyse de la représentation des âges de la vie humaine dans les estampes populaires du XIXe siècle », *Ethnologie française,* n° 1, 1971, p. 59-78 (illustré).
14. *Ibid.,* p. 74.

universel est inaccessible pour la plupart des gens. Elle témoignera. donc à la fois du désir des nouvelles élites urbaines de faire passer leur « message » et de la peur qu'elles éprouvent en face d'une populace capable de révoltes brutales. En tout cas, quelle que soit l'explication choisie, apparaît clairement la fonction idéologique de l'image. Celle-ci, comme le souligne Louis Marin, possède toujours une « structure », qu'il faut interpréter, en dépit de son « apparente innocence » et de son « illusoire immédiateté » [15].

Au XVIIIᵉ siècle, l'imagerie dite populaire fonctionne toujours comme un discours de médiation entre les élites et les masses, en proposant à la fois à ces dernières d'anciens et de nouveaux thèmes. Cependant, bien qu'elle connaisse une diffusion de plus en plus large, elle perd paradoxalement un peu de son importance. Car la civilisation orale qu'elle a pour mission d'encadrer reçoit de plus en plus clairement les messages écrits de la culture savante. Cette mutation d'importance démarre puissamment, grâce à la littérature de colportage en particulier, même s'il faut attendre l'époque de Jules Ferry et de la généralisation de l'alphabétisation pour la voir triompher, même si l'imagerie conserve jusque-là une grande capacité de persuasion.

Le monde immobile de la littérature de colportage

La littérature de colportage a fait l'objet de nombreux travaux [16]. Son interprétation a donné lieu à des polémiques qui sont loin d'être épuisées [17]. Car se pose la question des rapports entre cette littérature et la culture populaire. Sans prétendre à l'exhaustivité, et en utilisant les documents publiés,

15. *Ibid.*, p. 76 (citant un article de L. Marin).
16. Parmi les plus récents, R. Mandrou, *De la culture populaire aux* XVIIᵉ *et* XVIIIᵉ *siècles. La bibliothèque bleue de Troyes*, Paris, éd. revue et corrigée, 1975 (1ʳᵉ éd. 1964); G. Bollème, *La bibliothèque bleue. La littérature populaire en France du* XVIᵉ *au* XIXᵉ *siècle*, Paris, 1971; du même auteur, *La Bible bleue. Anthologie d'une littérature « populaire »*, Paris, 1975 (et divers articles sur le même sujet).
17. R. Mandrou, *op. cit.*, p. 9-18.

est-il possible de définir clairément ces rapports, et donc de déterminer les fonctions de la Bibliothèque bleue ?

Les livrets de colportage, comme l'imagerie populaire, naissent en ville. Nicolas Oudot les invente à Troyes au début du XVIIᵉ siècle. Mais ils ne deviennent un succès de librairie qu'une centaine d'années plus tard, à Troyes et également à Caen, à Rouen, à Lyon, à Paris, etc. Au XVIIIᵉ siècle, cent cinquante imprimeurs répartis dans soixante-dix centres environ s'en occupent, en particulier dans la France du nord, alors que le Sud-Ouest et la Bretagne semblent en retard de ce point de vue. La diffusion s'amplifie au même rythme : quarante-cinq colporteurs sont autorisés à vendre ces livrets en 1611. Ils sont cinquante en 1635 et cent vingt en 1712 [18]. La localisation géographique n'a rien d'étonnant. Elle rappelle que la France du nord/nord-est est très alphabétisée par rapport à celle du Midi, et que les résistances des langues occitanes et bretonnes freinent la diffusion d'une littérature essentiellement écrite en français. Plus important est le fait que le rythme de l'évolution est exactement identique à celui de l'imagerie populaire : même origine urbaine, même éclatement au début du XVIIIᵉ siècle, mêmes progrès rapides dans la diffusion par la suite. Comme si la littérature de colportage, sœur cadette de l'imagerie, accompagnait celle-ci dans sa conquête de la France à l'époque des Lumières. Comme si l'estampe préparait le terrain pour l'écrit et pour sa pénétration dans une civilisation encore en grande partie orale.

Car le petit livret bleu fournit une « culture acceptée, digérée, assimilée », durant des siècles, par les milieux populaires [19]. Le fait n'est pas douteux. Encore ne faut-il pas considérer que seules les masses s'en repaissaient. Au XVIIᵉ siècle, le petit nombre des colporteurs comme l'origine urbaine de cette littérature laissent croire qu'elle était également vendue sur les lieux de production et atteignait peut-être ainsi toutes les couches urbaines. De la même manière, des bourgeois ou des nobles achetaient à l'occasion des images, pieuses ou autres. Par contre, la multiplication des colporteurs et surtout

18. *Ibid.*, p. 36-42; G. Bollème, *op. cit.* (1971), p. 12-13.
19. R. Mandrou, *op. cit.*, p. 12.

des centres de production au XVIIIe siècle déboucha certainement sur une « popularisation » des livres à deux sous, et du même coup sur un mépris croissant des gens cultivés — et de plus en plus raffinés — pour cette nourriture intellectuelle grossière. Il y aurait lieu de creuser cette question de chronologie, car les exemples choisis par tel historien pour illustrer le refus des élites à partager *l'amusement de la plus vile populace* ne concernent que le XVIIIe siècle [20]. D'autant plus que le contenu de ces livrets n'était pas d'origine populaire. En réalité, cette « littérature sans auteurs » inventait fort peu. La plupart des thèmes étaient empruntés au fonds classique ou savant. Mais ils étaient refondus, recomposés, par les éditeurs eux-mêmes ou par des écrivaillons chargés de ce travail. Très peu d'auteurs célèbres figurent sous leur nom au catalogue de la Bibliothèque bleue. Est-ce suffisant pour en déduire que celle-ci n'était en rien le reflet de la culture savante de l'époque [21] ? Il semble que ces livrets furent l'œuvre de gens moyennement cultivés, peut-être d'anciens élèves des collèges qui avaient plus ou moins bien assimilé le contenu de l'enseignement, d'individus, en tout cas, qui connaissaient passablement les grandes productions artistiques, littéraires ou religieuses de leur temps, ainsi que le goût des publics « populaires ». On a l'impression, à lire leurs ouvrages, qu'ils ont composé, un peu au hasard, de véritables pots-pourris. Ils vulgarisaient, et gauchissaient parfois, certaines des novations intellectuelles de l'époque en les coulant dans les moules d'histoires merveilleuses et étranges toutes prêtes. Leur technique ne fut-elle pas un peu celle des auteurs d' « occasionnels », qui puisaient au gré des circonstances et de leur inspiration dans des stocks de thèmes prêts à l'emploi ? Après tout, la pédagogie de l'époque pratiquait de la même manière pour initier les collégiens au thème latin. Et il serait également difficile de retrouver le nom de toutes les autorités culturelles qui avaient inspiré les thèmes latins provençaux de la fin du XVIIe siècle cités dans un précédent chapitre. Pourtant, ces exercices étaient assurément d'origine

20. *Ibid.*, p. 15. Par opposition, cf. G. Bollème, *op. cit.* (1971), p. 18-19.
21. G. Bollème, *op. cit.* (1971), p. 20-21; R. Mandrou, *op. cit.*, p. 17.

savante. Ainsi en est-il de nombre de livrets bleus, qui n'ont de populaire que leur destination. Par exemple, il est difficile de parler de « sensibilité populaire » à propos des éloges funèbres burlesques, dont Robert Mandrou cite un cas pour l'année 1731 [22]. Car les épitaphes burlesques ou satiriques constituaient au XVIe siècle un genre littéraire. Une plaquette publiée en 1542 à Paris chez Adam Saulnier contient notamment une curieuse pièce de ce type, en vers bilingues, mi-français, mi-latin, qui concerne *nostre mestre a Cornibus, alias Ceratinus* [23]. De même, les abécédaires destinés aux masses populaires sont vraisemblablement des adaptations pures et simples de traités pédagogiques réservés aux élites culturelles, un ou deux siècles auparavant. Celui que cite Robert Mandrou semble être calqué sur un livre publié à Paris en 1574 [24]. Il arrive même que les livrets de colportage reproduisent exactement des ouvrages célèbres, comme les *Quatrains* de Pibrac ou les manuels de *Civilité puérile et honnête...*, dont le fonds de Garnier l'aîné conservait 3 500 exemplaires en 1781 [25]. La patiente étude des sources dont s'inspiraient les auteurs des livrets bleus devrait permettre de multiplier de tels exemples. Il devient dès lors difficile de croire que cette littérature soit autre chose qu'une vulgarisation désordonnée des principaux thèmes de la culture savante, auxquels se mêleraient des bribes de culture populaire ancienne. Le tout, de ce fait, ne s'adapterait pas au goût des masses. Au contraire, il formerait ce goût, il éduquerait ces masses, en leur donnant l'impression de parler leur langue et de s'intéresser à leurs problèmes. La Bibliothèque bleue, selon le mot d'un auteur, est d'ailleurs réellement une « bible bleue », car elle parle de tout [26]. Du moins de presque tout, car ses silences sont très révélateurs.

22. R. Mandrou, *op. cit.*, p. 235-239.
23. *Epitaphia honorandi magistri nostri Petri a Cornibus...*, par F.P.H., Paris, Adam Saulnier, 1542 (un exemplaire à la B.N., département des manuscrits, collection Rothschild), et B. M. Arras, Ms. 186, f° 72 r°-v°.
24. R. Mandrou, *op. cit.*, p. 247-249; comparer à : *Moyen de promptement... apprendre*, Paris, Jehan Charron, 1574 (décrit dans le *Bulletin de la Commission... du Nord*, t. XIV, 1879, p. 82).
25. R. Chartier (et autres), *op. cit.*, p. 140-142 (cf., à propos des « Civilités », N. Elias, *op. cit.*).
26. G. Bollème, *op. cit.* (1975).

D'après un sondage portant sur 450 ouvrages, ce qui représente environ un dixième des titres troyens, les livrets bleus se répartissent comme suit : piété (26 %), vie quotidienne (18 %), contes (15 %), vie de société et jeux (11 %), histoire de France sous forme mythologique (9 %), amour, mort et criminalité (6 %), etc. [27]. L'importance de la religion est nettement moins grande que dans le cas de l'imagerie populaire mais reste primordiale. En lisant ces œuvres on apprend l'obéissance, telle que les saints la doivent à Dieu, ou telle que la femme la pratique vis-à-vis de son mari *(Grisédélis)*, ainsi que l'humilité et la meilleure manière de *mourir saintement*. Le trépas est présenté sous ses aspects les plus terrifiants, ce qui rappelle sa présence dans l'estampe de 1630 traitant des âges de la vie dont il fut question ci-dessus. N'est-ce pas la philosophie même du christianisme de la peur qui domine alors la France ? Les histoires féeriques et les contes, eux, proposent une « évasion » dans le monde d'optimistes récits qui correspondent mal aux souffrances de la paysannerie française de la fin du xviie siècle, mais qui aident peut-être le lecteur à les oublier un instant. Les représentations de la société, qui sont écrites, dit Robert Mandrou, « avec une étrange pudeur », valorisent le modèle de l'homme bien élevé, fidèle à sa famille et à sa religion, honnête dans le mariage ou dans l'amitié, qui accepte de se tenir à sa place et de respecter les hiérarchies sociales. Les vertus nobiliaires restent indiscutées, même au xviiie siècle. Aucune plainte ne se fait entendre dans cette littérature « populaire ». La revendication sociale n'y est pas de mise. Même les recettes « techniques » pour la vie quotidienne parlent plus d'idéaux à atteindre que de la réalité. Enfin, les passions y sont étrangement peu représentées, alors que la société est marquée par la violence criminelle, surtout au xviie siècle, et par les refoulements sexuels jusqu'aux années 1750-1770 pour le moins, si l'on en croit les démographes [28].

Bref, la vie que dépeignent les livrets bleus est presque belle. A condition de pratiquer une moralité chrétienne exigeante, de respecter les hiérarchies, de ne pas mettre en cause

27. R. Mandrou, *op. cit.*, p. 43-49.
28. Remarques tirées des divers livres cités ci-dessus, n. 16.

l'ordre d'un monde immobile et qui doit le rester, à condition d'apprendre à se comporter et à mourir selon les lois que lui dictent les livres de colportage, l'homme du peuple vivra relativement heureux dans le meilleur des mondes possibles — dans le moins imparfait qui puisse s'imaginer, en tout cas —, sous la houlette de ses bergers respectés. En fait, ces livres procurent l'évasion. Comme des drogues, ils tranquillisent un monde populaire aliéné, écrasé d'impôts, et tenté de se révolter. A mesure que la condition déplorable des populations, et surtout des paysans, s'améliore, au cours du XVIIIe siècle, ces drogues sont de mieux en mieux tolérées par les humbles. Elles contribuent puissamment (de même que l'imagerie) à enraciner la résignation, après les grandes explosions des révoltes du premier XVIIe siècle. Véritable bible, pédagogie de « masse », la Bibliothèque bleue de Troyes freine toute prise de conscience des réalités sociales, voile la domination des élites, répercute incessamment les mécanismes de la soumission des corps et des âmes entreprise par l'Eglise et par l'Etat. Fiction globale et parfaite, elle présente l'image d'une harmonieuse Cité de Dieu sur la terre. Les émotions excessives, la sexualité, la violence en sont exclues, ou s'insèrent dans des récits édifiants. Tout comme, dans la réalité, « l'honnête homme » cherche à rationaliser et à purger ses passions. Tout comme les comportements sexuels deviennent de plus en plus austères, dans et surtout hors du mariage, jusqu'au milieu du XVIIIe siècle. Tout comme semble décroître la violence criminelle contre les personnes, tandis qu'augmente le nombre des vols et des atteintes aux biens.

La littérature de colportage n'était peut-être pas un exact reflet de la culture savante, au sens étroit du terme, car elle ne parlait pas clairement des principales novations intellectuelles de l'époque et semblait être intemporelle. Elle était pourtant l'effet immédiat du développement de l'idéologie dominante, c'est-à-dire de la christianisation des masses et de la montée de l'absolutisme centralisateur, entre 1550 et 1750 environ. Elle accompagna et permit un grand effort d'unification culturelle et linguistique, qui s'accentua au temps du Roi-Soleil. Avait-on besoin de la *penser* pour qu'elle existe ? Assurément pas, car elle était l'inévitable sous-produit des mécanismes de survie d'une société. Sans elle, sans les multiples autres formes de l'acculturation des masses populaires, la domination et l'exploitation du plus grand nombre par une minorité ne seraient pas parfaitement compréhensibles. Car cette mainmise se fit si lourde, à la fin du XVIIe siècle, qu'on s'attendrait à voir se multiplier les révoltes. Tel ne fut pas le cas. Paradoxalement, à première vue, la soumission était plus totale qu'auparavant. La raison profonde d'une semblable passivité résidait dans la mise en place d'une nouvelle superstructure idéologique, produite par l'évolution même de la société d'Ancien Régime. A l'heure où les multiples segments composant cette dernière tendaient de plus en plus à s'unifier, un « langage » véhiculaire était inventé. Il permettait de combler le gouffre culturel et socio-économique béant ouvert entre les dominés et les dominants. Ce langage de médiation était ce que l'on peut nommer une culture de « masse », modelée sur celle des élites mais accessible au peuple. Ainsi réussit-on à faire, jusqu'aux approches de la Révolution, l'économie d'une véritable lutte des classes et de nombreux conflits sociaux. Car une propagande active, qui était à la fois visuelle par l'imagerie, écrite par les livrets bleus, auditive par les prêtres et par les agents royaux, construisait pour les populations un univers idéal, immobile et tranquillisant. Désormais, la culture des élites et celle des humbles ne pouvaient plus être directement en contact, comme cela avait été le cas à la fin du Moyen Age. Un niveau intermédiaire les séparait, qui allait permettre la lente mais irrésistible victoire de l'idéologie dominante, à laquelle il se rattachait directement, sur la « barbarie » de la vile populace.

Barrières et niveaux culturels

Vers le milieu du XVIIIe siècle apparaissent en France les mots « culture » et « civilisation ». Le premier, qui existait auparavant, prend alors son sens particulier de culture intellectuelle. Le second est proprement inventé pour désigner « un idéal profane de progrès intellectuel, technique, moral, social » : les Lumières, en d'autres termes. A l'opposé se situe la « barbarie »[29], que l'on pourrait définir négativement, avec Mirabeau père vers 1750, comme l'incapacité pour un peuple d'atteindre *l'adoucissement des mœurs, l'urbanité, la politesse,* c'est-à-dire *la vertu.* Entre les deux, point de salut ! Et pourtant, la réalité est beaucoup plus nuancée que ne le laisse penser ce schéma. Pour en rendre compte, il faut recourir à des vocables du XXᵉ siècle, qui recouvrent des réalités de l'Ancien Régime : les niveaux de culture.

Le premier niveau est constitué par la « civilisation » brillante des élites sociales. Les grands intellectuels, leurs élèves, une partie des couches supérieures urbaines y participent, dans un mouvement qu'il n'y a pas lieu de décrire ici. Mais les idées nouvelles ne pénètrent pratiquement pas dans les campagnes. Les cahiers de doléances en témoignent, comme d'ailleurs l'exemple du village de Sacy, en Bourgogne, décrit par Restif de la Bretonne peu de temps avant la Révolution[30]. Tout au plus un curé lettré ou quelque aristocrate « progressiste » représente-t-il à l'occasion les Lumières dans le village.

Est-ce à dire que quelques dizaines voire quelques centaines de milliers d'individus — si l'on étend le bénéfice des novations intellectuelles aux bien nés et aux fortunés qui y participent superficiellement — représentent seuls la « civilisation » contre la « barbarie » ? Un deuxième niveau culturel très complexe s'insère en fait entre ces extrêmes. Vers le haut, il touche au milieu lettré. Peut-être concerne-t-il une partie des 50 000 élèves des collèges de 1789, c'est-à-dire les gens médiocres ou moyens qui assimilent à grand-peine le contenu de l'enseignement et qui ne l'utiliseront jamais, ou très peu, dans leur vie ultérieure ? Petits juges, notaires, rentiers, qui n'avaient en fait besoin que d'un « niveau utilitaire » de culture livresque, en font plus ou moins partie[31]. Vers le bas, cette strate culturelle se distingue peu de la « barbarie » des masses. Quant aux troupes qui composent cette armée médiocrement cultivée, elles sont vrai-

29. F. Braudel, *Ecrits sur l'histoire,* Paris, 1969, p. 259-260.
30. E. Le Roy-Ladurie, « Ethnographie rurale du XVIIIᵉ siècle : Restif de la Bretonne », *Ethnologie française,* nᵒ 3-4, 1972, p. 251.
31. P. Goubert, *L'Ancien Régime,* t. I, *La société,* Paris, 1969, p. 252.

semblablement aussi diverses que pouvaient l'être les couches moyennes urbaines et rurales, sans oublier les catégories supérieures villageoises. Elles ont en commun d'appartenir, avec d'innombrables variantes, au monde d'une culture de « masse ». Entendons par là une masse qui reste minoritaire. Il est impossible d'en apprécier avec exactitude les contours, mais elle ne peut dépasser 37 % du total : ce chiffre est celui des alphabétisés en France vers 1786-1790, hommes et femmes confondus, et sans tenir compte des énormes différences régionales existantes. Un tiers de la population vers 1789, un cinquième à la fin du XVIIe siècle, est au plus susceptible d'accueillir la culture de « masse ». Celle-ci est diffusée par la petite école, beaucoup plus que par le collège. Mais cette école n'est elle-même qu'une succursale de l'église du lieu. Le contenu de l'enseignement en témoigne : un savoir chrétien, une morale du travail et de la vertu, disciplinent et policent l'homme, non pour éveiller son esprit mais pour le préparer « à l'entrée dans la vie productive » [32]. Et au XVIIIe siècle, les réticences des autorités civiles, puis de certaines autorités religieuses à accepter que la petite école ne soit ouverte à l'ensemble de la population [33], indiquent bien que l'instruction vise *une* masse mais non pas *les* masses. En réalité s'installe un niveau socioculturel qui emprunte ses thèmes à la culture dominante, mais qui concerne essentiellement ceux que l'on pourrait nommer les indispensables rouages de transmission du système en place. La sélection culturelle s'opère par le passage en de successifs goulots d'étranglement. La religion s'adresse à tous, mais la petite école, pour des raisons diverses, ne voit passer qu'une partie de la population [34]. Par la suite, beaucoup d'enfants alphabétisés perdront tout contact avec la culture livresque. Les autres, quant à eux, renforceront leurs rapports avec cette dernière par la consommation de la littérature de colportage, tandis que l'imagerie populaire continuera à transmettre au moindre habitant les valeurs culturelles et religieuses supérieures. En somme, tout le monde bénéficie d'une acculturation diffuse et un peu vague, mais le nombre de ceux que touche

32. R. Chartier (et autres), *op. cit.*, p. 295.
33. *Ibid.*, p. 37-38.
34. *Ibid.*, p. 3-85.

une incessante conquête culturelle est plus restreint. S'il croît au XVIIIe siècle, c'est parce que les livrets bleus amplifient les messages diffusés par l'école et par les cadres religieux et politiques de la société. L'ensemble de ces procédures dérive directement de l'effort de l'Eglise et de l'Etat. On peut dire que l'imagerie populaire et la littérature de colportage se calquent précisément sur le modèle scolaire en pleine expansion depuis le milieu ou la fin du XVIe siècle et constituent autant d'échos des valeurs fondatrices de la société. Ces échos, en se multipliant, permettent à une fraction importante des classes populaires de se hisser hors de leur monde traditionnel. Serait-il étonnant que ceux qui participent à ce niveau culturel soient plutôt les notables citadins et campagnards que les prolétaires ? La Bibliothèque bleue n'est-elle pas surtout destinée à un « paysan déjà cultivé, dégrossi, alphabétisé » ? Comme l'école, mais sur un autre plan, elle crée un « marché commun » des nouvelles et fait « vibrer désormais une sensibilité nationale » [35]. A tous points de vue, la culture de « masse » ainsi définie se distingue de la culture populaire ancienne. Elle est issue du centralisme culturel et refuse le provincialisme et les particularismes, qui surgiront pourtant à nouveau vers le milieu du XVIIIe siècle. Elle remplace par une culture relativement uniforme, sous d'apparentes diversités, la transmission du savoir et l'éducation populaires qui se faisaient autrefois par l'imitation des gestes et des traditions, par les initiations rituelles aux rôles sociaux et par l'introduction précoce de l'enfant dans la vie active des adultes. Elle évite les dangers que l'Eglise impute à l'éducation au sein de la famille en rattachant l'enfant, puis l'adulte, à des mécanismes d'acculturation qui aboutissent à des institutions ou à des procédures nouvelles, c'est-à-dire à l'idéologie dominante. Elle diffuse le mépris pour les « superstitions » et pour la vision du monde populaire ancienne. Les élites rurales, notamment, se démarquent désormais nettement du « folklore traditionnel ». A Sacy, en Bourgogne, durant le dernier tiers du XVIIIe siècle, les notables locaux acculturés font preuve d'une « allergie indéniable » aux croyances des humbles

35. E. Le Roy Ladurie, dans G. Duby et A. Wallon, *Histoire de la France rurale*, t. II, Paris, 1975, p. 589 (mêmes remarques dans *art. cit.*, p. 250).

paysans, alors que le curé Fourdriat manifeste à cet égard une grande indulgence, bien qu'il soit partisan des Lumières [36]. Le fait n'est nullement paradoxal, si l'on admet que le niveau culturel intermédiaire distille chez ses membres un double sentiment de supériorité et de culpabilité, à la suite de leur adhésion à des valeurs que contredisent fréquemment les réalités rurales. Par contre, la « civilisation » des élites, qui n'est plus en contact direct avec les superstitions depuis la fin du XVIIᵉ siècle, a lieu de les considérer avec une indulgence un brin ironique ou méprisante. La véritable barrière culturelle s'est déplacée vers le bas. Elle se situe désormais entre les 20 ou 30 % de Français réellement acculturés et défenseurs éventuels de l'ordre établi en même temps, parfois, que de leur prestige ou de leur richesse, et le reste de la population.

L'hostilité des premiers envers les seconds s'aggrave, à l'évidence, de la fin du XVIIᵉ siècle à 1789. Des charlatans, de faux sorciers, des escrocs profitent de ce décalage mental pour abuser de la crédulité des humbles, qui sont dépassés par l'évolution [37]. Avec la croissance économique du XVIIIᵉ siècle, qui met en cause la stabilité de l'écosystème rural, resté immobile durant plus de trois siècles, l'équilibre social se rompt bien avant 1789 [38]. Les contrastes s'accentuent entre les villes conquérantes et les campagnes, ainsi qu'entre les notables ruraux et les masses paysannes. A Longuenesse, en Artois, où domine la grande ferme capitaliste, les possesseurs de la terre, devant les menaces qui pèsent sur la propriété, maintiennent au XVIIIᵉ siècle un fort taux de remplacement des journaliers sur leurs exploitations, « empêchant la formation d'une communauté solide et structurée » [39]. Dans ce contexte, naît la lutte de classes, ou du moins croissent les tensions sociales, dans et à l'intérieur même de certains villages. On comprend que les couches moyennes urbaines et les notables ruraux s'accrochent fermement à leurs privilèges et accentuent le clivage culturel qui les

36. E. Le Roy Ladurie, *art. cit.*, p. 251.
37. R. Mandrou, *Magistrats et sorciers au* XVIIᵉ *siècle...*, Paris, 1968, p. 487-537.
38. E. Le Roy Ladurie, dans *op. cit.*, p. 590-591.
39. E. Todd, « Mobilité géographique et cycle de vie en Artois et en Toscane au XVIIIᵉ siècle », *Annales E.S.C.*, juill.-août 1975, p. 726-744.

sépare des masses. Leur adhésion aux valeurs diffusées par l'acculturation ne peut être que renforcée, ainsi que leur mépris de la « barbarie » de leurs concitoyens, mépris qui cache d'ailleurs des peurs profondes. Attaquée de toutes parts, dépréciée par les prêtres et par les nantis villageois, ridiculisée par les charlatans, la vieille culture populaire semble mourir lentement. Deux Français sur trois, cependant, participent encore secrètement, avec inquiétude, en se sentant coupables, aux bribes de superstitions léguées par leurs aïeux. Un curé raconte en 1730 l'histoire d'un paysan de Cantin (Nord, arr. Douai), qui, *se croyant dur contre les coups de bales,* attaque avec une fourche, en 1702, un soldat qui tirait sur ses poules. Il est tué, ce qui indique *qu'on ne doit pas se fier au pact avec le père de mensonge* (le diable), *puis que pour avoir les gens, il ne les garantit pas. Exemple à d'autres* [40] ! Ce récit, comme d'autres témoignages évoqués plus loin, à propos des décennies prérévolutionnaires, prouve que survivent dans les masses populaires d'anciennes structures mentales, qui motivent des comportements jugés aberrants ou ridicules par ceux qui se disent « raisonnables », même s'ils croient encore sincèrement au diable, comme le curé de 1730.

Existent donc, au xviiie siècle, trois strates socioculturelles pour le moins. La première est composée de deux courants antagonistes. Une minorité de lettrés, de savants, de philosophes, qui sort des rangs de la bourgeoisie ou de la noblesse libérale, affirme sa foi dans la Raison, dans le Progrès. Mais ces Lumières, si elles colorent l'ensemble des couches supérieures urbaines, ne pénètrent pas dans les villages. En outre, elles se heurtent à l'ancienne idéologie dominante, qui est peu ouverte aux nouvelles valeurs de la richesse ou du talent. Bien que s'affaiblissent lentement le contrôle religieux et la rigidité absolutiste, les privilégiés de la naissance, qui représentent quelques centaines de milliers d'individus, ont à cœur de perpétuer éternellement le système établi, de défendre l'immobilité d'un monde voulu tel par Dieu, de valoriser le respect des

40. B. M. Lille, Ms. 475, *Mémoires pour servir à l'histoire universelle de Flandres,* par Jacques Legroux. t. II, p. 142.

hiérarchies existantes. Le collège constitue leur arme primordiale en créant un blocage socioculturel, en formant des notables sur le modèle exact de leurs prédécesseurs [41]. Cette contradiction majeure au sein de la culture savante débouche sur la Révolution. Mais ceci est une tout autre histoire.

Le deuxième niveau socioculturel concerne au maximum un Français sur trois ou sur quatre, à la fin du XVIIIe siècle. Encore faut-il noter que les femmes y appartiennent deux fois moins, en moyenne, que les hommes, et que de très importantes différences régionales existent. La moitié nord du pays est vraisemblablement deux à trois fois plus touchée que le Midi, si l'on en juge par les pourcentages d'alphabétisation et par la géographie de la littérature de colportage. Bien que le terme soit ambigu et vague, on peut dire que les classes « moyennes » urbaines et rurales, ainsi qu'une partie des couches inférieures de la population, adhèrent à la culture de « masse » définie ci-dessus. Diffusée par les petites écoles, par l'imagerie, par les livrets bleus, celle-ci reproduit en l'adaptant et en la vulgarisant l'idéologie de l'immobilité du monde qui caractérise les privilégiés. Nulle trace des Lumières dans tout cela ! Même en 1789 cette strate culturelle atteste l'existence d'un décalage de plusieurs décennies, voire d'un siècle, par rapport à l'évolution de la pensée savante. Elle a formé et forme des notables locaux, des petits-maîtres, qui acceptent l'ordre établi. Courroies de transmission des valeurs de l'Ancien Régime classique, ils en assureront la survie posthume jusqu'à l'orée de notre temps. En partie grâce à eux, la moitié nord de la France restera plus chrétienne et plus docile que le Sud, du moins tant que l'industrialisation ne brouillera pas totalement les cartes. Car, dans les régions septentrionales, l'unification culturelle et linguistique se fit plus vite et plus aisément que dans le Sud. En outre, l'existence de grandes exploitations (capitalistes à la limite, comme à Longuenesse, en Artois), les écarts sociaux très marqués dans les villages, l'urbanisation, exigeaient des efforts accrus de surveillance dans ces zones, afin d'éviter une lutte des classes en gestation. Dans une telle optique, le niveau

---

41. W. Frijhoff, D. Julia, *Ecole et société dans la France d'Ancien Régime,* Paris, 1975, p. 93 en particulier.

marqué par la littérature de colportage n'était nullement une contre-culture. Il n'était que l'écho passéiste et édulcoré de l'idéologie dominante du XVIIᵉ siècle. Il représentait les limites extrêmes d'une seule et même « civilisation ». Cette culture s'adressait bien aux masses, mais elle ne provenait pas d'elles. En quelques mots, elle était le résultat d'une conquête par l'image et par le livre de la vieille civilisation orale. D'autres temps devaient voir la systématisation par l'audiovisuel, et la modification du contenu, évidemment, des procédures de fabrication du consentement nées au XVIIᵉ siècle.

Une frontière, faite de mépris, d'agressivité, de refus brutal séparait la culture de « masse » des restes de la vision du monde populaire. Désormais, cette dernière, qui constituait le troisième niveau socioculturel, était niée par plusieurs millions d'individus, d'autant plus combatifs qu'ils connaissaient intimement l'existence de croyances et de comportements « barbares » et superstitieux, et qu'ils avaient besoin de s'en démarquer. La ville envahissante du XVIIIᵉ siècle refoulait globalement les croyances paysannes. Les notables villageois s'en éloignaient, faisant front contre elles avec des curés rigoristes, avec des maîtres d'école, avec des agents locaux du pouvoir. Pourtant, survivaient honteusement d'épars éléments des vieilles mentalités populaires. Ces microcultures aux ressorts brisés devenaient un folklore figé, qui reprit parfois quelque importance, dans certaines conditions, entre 1750 et nos jours, en particulier lorsque s'affaiblissait pour un temps le centralisme culturel et politique.

III. Retour du refoulé ?
Destins de la culture populaire

A partir du XVIIIᵉ siècle, l'histoire de la culture populaire est celle d'un lent et irrémédiable déclin. Reparurent cependant, peu avant la Révolution, des comportements et des croyances qui avaient secrètement résisté aux efforts d'acculturation : la fêlure du système politique et religieux centralisateur permit alors ces résurgences, qui n'étaient pas de simples retours en arrière. Par la suite, si des traces de la vieille vision du monde populaire remontèrent de nouveau à la surface, ce fut en s'adaptant aux conditions nouvelles et en profitant de périodes d'affaiblissement des procédures d'unification du pays.

Survie et résurgences de la culture populaire (XVIIIe siècle)

Durant des siècles, des foules allèrent rendre un culte secret, dont s'estompait peu à peu la cohérence, à quelque divinité païenne dont l'Eglise avait remplacé le temple par un édifice religieux. De la même manière, des citadins et surtout des paysans continuèrent à pratiquer leurs superstitions interdites loin des yeux des non-initiés, ou sous le couvert de cérémonies religieuses orthodoxes. L'historien ne les aperçoit plus que par intermittence, ce qui le conduit à les négliger. Elles n'en subsistaient pas moins, même dans un environnement qui leur était globalement hostile, comme c'était le cas dans les villes. Vers la fin du XVIIe et au début du XVIIIe siècle, les registres criminels arrageois confirment cette survie, dans une capitale provinciale moyenne située à moins de 200 km de Paris. Six hommes rencontrent deux bourgeois d'Arras, le 25 juin 1695, vers trois heures et demie du matin, dans la rue des Teinturiers. Ils les insultent et les attaquent. Or cette nuit est celle de la Saint-Jean. Les circonstances tardives, compliquées peut-être d'ivresse, prouvent qu'une fête vient certainement d'avoir lieu. Dans la nuit du 1er au 2 novembre 1701, cinq *jeunes hommes à marier* se battent contre la garde urbaine, blessant un sergent et un caporal. Le fait serait banal s'il ne concernait des adolescents qui s'étaient déguisés (en apothicaire, en arlequin, en grand-père, en joueur de paume...) et qui avaient festoyé et bu jusqu'à minuit : écho affaibli des anciens jeux burlesques, de la véritable fête, qui marquaient autrefois la Toussaint. Les jeunes gens, au XVIe siècle, jouaient un grand rôle dans les cérémonies rituelles et joyeuses de la fête des morts qui se déroulaient souvent dans les cimetières, à cette époque. Par ailleurs, si les *Compagnies de Jeunesse* ne semblent plus exister à Arras, ou du moins n'être plus aussi bien organisées que deux siècles auparavant, les adolescents continuent au XVIIIᵉ siècle à jouer en partie le rôle rituel qui était le leur autrefois. Durant la nuit du 30 au 31 mai 1702, un clerc et deux complices jettent des pierres sur la porte d'un potier de terre, et tentent de l'enfoncer. S'agit-il d'une sorte de charivari, comme semble l'indiquer la date ? Un *jeune homme à marier* et quelques *particuliers étrangers* pénètrent de force dans un cabaret, le dimanche 30 juillet 1702, peu après minuit. Le dimanche 12 juillet 1705, une vingtaine de jeunes garçons se promènent hors d'Arras, près des murailles. Rencontrant quelques jeunes filles, ils commettent des violences et disent des *paroles infâmes* à deux d'entre elles [42]. Les rôles traditionnels de la *Jeunesse* se sont, de toute évidence, très fortement atténués depuis la fin du Moyen Age. Mais les tensions révélées par ces procès indiquent que la fermeture des cabarets la nuit et la ségrégation sexuelle croissante [43] ne sont pas du goût des adolescents, qui conservent un esprit de groupe hérité du passé, en particulier face aux jeunes filles à marier du lieu. L'anecdote arrageoise rappelle d'une certaine manière les parades matrimoniales telles que la « foire aux filles » de Camblain-Châtelain (Pas-de-Calais, arr. Béthune) : jusqu'aux dernières décennies du XIXᵉ siècle, des centaines de demoiselles, venues de toute la région, s'y rassemblaient à la mi-carême, se rangeant de chaque côté d'une pelouse située hors du bourg ou se promenant par groupes, tandis que les jeunes gens mettaient les plus jolies aux enchères [44]. Cependant, le simple fait que les comportements arrageois de 1705 aient donné lieu à neuf mises en accusation prouve que les autorités surveillaient étroitement les comportements des adolescents, comme d'ailleurs de tous les citadins. Des sentences sévères sanctionnent les écarts collectifs et surtout individuels par rapport aux normes d'urbanité, de politesse, de soumission des âmes et des corps. Un vol sacrilège de quelques couvertures d'autel conduit son auteur au bannissement pour neuf ans, après amende honorable,

42. A. M. Arras, FF 4, f° 20 r°-v° (1695), 136 v°-140 r° (1701 et 1702), 135 v°-136 r° (1705).
43. J.-L. Flandrin, *Les amours paysannes* (XVIᵉ-XIXᵉ *siècles*), Paris, 1975, p. 162.
44. *Ibid.*, p. 113-116 (autres exemples régionaux), et note 23, p. 251.

en 1715. Sur dénonciation du curé de sa paroisse, Marie Manicque est mise en prison, le 2 janvier 1704, parce qu'elle reçoit chez elle, la nuit, des mendiants des deux sexes, malgré les ordonnances royales, et qu'elle n'a pas fait ses Pâques en 1703. Elle restera emprisonnée jusqu'à ce qu'elle ait produit un certificat attestant qu'elle a reçu le sacrement de pénitence [45].

Des traces de la culture populaire survivaient obscurément dans le milieu urbain, qui ne leur était plus favorable depuis le milieu du XVIe siècle, pour le moins. Par contre, il est certain que la résistance des fêtes, des comportements, des croyances populaires était plus aisée à la campagne. Les villages, à la différence des cités, avaient été colonisés culturellement et religieusement à une date tardive. En outre, la vision du monde populaire y était née, et avait eu pour fonction, durant des siècles, d'expliquer l'univers visible et invisible en assurant la meilleure survie possible des groupes humains. Enfin, les moissons de faits recueillies avant 1914 par les folkloristes disent l'importance des permanences culturelles en milieu paysan entre la fin du Moyen Age et cette date. On peut affirmer que la lutte contre la culture populaire paysanne ne fit pas brutalement table rase. Même au temps du triomphe de l'absolutisme et de la christianisation des campagnes, entre la fin du XVIe et le milieu du XVIIIe siècle, existaient de nombreuses « superstitions », qu'il serait trop long de décrire en détail, alors que s'estompait peu à peu la cohérence interne de l'ancien système culturel auquel elles se rattachaient. Qui plus est, croyances et pratiques de cet ordre reparurent avec une certaine force durant les dernières décennies de l'Ancien Régime. Les mutations économiques, sociales, politiques et religieuses prérévolutionnaires en furent la cause lointaine. S'affaiblissait en effet le système en place. Par voie de conséquence, la colonisation religieuse et mentale des populations perdit de son efficacité. Les âmes furent moins soumises que par le passé aux volontés d'une Eglise occupée à se défendre contre d'autres ennemis, contre les philosophes notamment. Les corps furent également moins contraints, comme le prouve la croissance du nombre des naissances

45. A. M. Arras, FF 4, f° 143 r°-v° (1704), 229 r°-231 v° (1715).

illegitimes et des conceptions prénuptiales à partir du milieu du XVIIIᵉ siècle [46]. En somme s'esquissait « un certain divorce entre la société et l'Etat », dont Pierre Goubert a magistralement brossé le tableau [47]. Les conditions étaient favorables à la résurgence des mœurs et des coutumes régionales, des croyances et des attitudes populaires.

La seconde moitié du XVIIIᵉ siècle ainsi que le premier tiers du siècle suivant furent marqués « par un intense développement de microcultures » [48]. Pure réapparition de l'ancienne vision du monde populaire ? En réalité, il semble que cette résurgence ait plutôt été syncrétique. Les masses ne se libéraient pas totalement du catholicisme post-tridentin. Elles en rejetaient les formes les plus exigeantes, c'est-à-dire ce qui tenait le plus à cœur aux prélats, aux prêtres jansénistes, aux élites religieuses de l'époque. Néanmoins, modelées par deux siècles de propagande religieuse, elles conservaient souvent les aspects liturgiques, processionnels, quotidiens et directement accessibles de la Contre-Réforme catholique. Elles fondaient ensemble des restes de paganisme, des superstitions diverses, désormais plus libres de réapparaître, et de nombreux éléments proprement chrétiens. D'un certain point de vue, et avec mainte nuance régionale, se marquait une déchristianisation, par rapport à la doctrine officielle de l'Eglise [49]. Mais, considérée sous un autre angle, cette évolution fait penser à un retour partiel au « christianisme folklorisé » de la fin du Moyen Age. En ce sens, la Contre-Réforme n'aurait été qu'une longue parenthèse dans l'histoire des masses populaires, et en particulier dans celle des populations rurales. Cependant, le fait même que des aspects particuliers du catholicisme aient été intégrés dans les croyances collectives interdit de pousser plus loin le raisonnement : la culture populaire qui réapparaît

46. J.-L. Flandrin, *op. cit.*, graphiques p. 238-239.
47. P. Goubert, *L'Ancien Régime*, t. II, *Les pouvoirs*, Paris, 1973, p. 189-241.
48. G.-H. Rivière, dans *Cinq siècles d'imagerie française, op. cit.*, p. XIII-XIV.
49. Cf. P. Goubert, *op. cit.*, t. II, p. 216-218; M. Vovelle, *Piété baroque et déchristianisation en Provence au XVIIIᵉ siècle*, Paris, 1973.

vers 1750 est profondément différente de son homologue de la fin du Moyen Age. D'autant que l'accélération des évolutions socio-économiques minimise désormais l'audience du monde rural, qui était largement prédominant vers 1500.

En ville, la résurgence d'une sorte de culture populaire christianisée se manifeste au milieu du XVIIIe siècle, quoique de manière plus timide que dans les campagnes. L'évêque d'Arras, en 1770, réglemente la procession de la confrérie de Notre-Dame des Ardents, qui devait avoir lieu le dimanche 17 juin. Il interdit à cette occasion le mélange du sacré et du profane. Car la procession comportait des joueurs de violon et d'instruments mais aucun ecclésiastique. Elle était précédée par un bourgeois revêtu d'un rochet et portant la croix. La Sainte Chandelle, ou cierge miraculeux, était portée par deux laïques affublés d'un rochet, parfois même d'une dalmatique et placés sous un dais. Des filles et des femmes se chargeaient de garder les chapelles de la confrérie et de recueillir la recette des offrandes qui s'y faisaient. On y bénissait de l'eau, du pain ou d'autres choses... Le prélat interdit tous ces abus et place la procession sous la surveillance du curé de la paroisse Saint-Géry [50]. A l'évidence, plus que de pratiques totalement hétérodoxes, il s'agit ici d'une monopolisation par des laïques de la liturgie catholique. Peut-être devrait-on parler d'un christianisme populaire, moins rigoureux que l'officiel et plus adapté à la situation locale ? Le mélange du sacré et du profane, du sérieux et de la musique, de la liturgie orthodoxe et des croyances en la vertu protectrice de l'eau bénite ou du cierge miraculeux, ainsi que la participation des femmes, rappellent de manière très lointaine le christianisme populaire du XVIe siècle. Les « excès » sont cependant bien moindres qu'à cette époque. Il s'agit en fait d'une adaptation aux vœux des masses urbaines d'une religion trop distante et trop sévère.

Les mêmes remarques sont valables à propos des campagnes. Dans ce cas, cependant, les traditions et les comportements populaires sont plus nombreux et composent, avec le christianisme proprement dit, une véritable synthèse. A Eperlecques

50. (A. Guesnon), *Inventaire chronologique des chartes d'Arras, Documents,* sans lieu ni date, p. 490-491.

(Pas-de-Calais, arr. Saint-Omer), d'après des archives familiales datant de 1819 et décrivant la situation prérévolutionnaire, la confrérie des archers de *Monseigneur Saint-Sébastien,* fondée le 28 avril 1615, détenait pratiquement le monopole des fêtes dans le village. Elle était dirigée par un *connétable* élu, et par des *dizainiers.* Le 20 janvier, jour de la fête du saint, les confrères se rendaient en cortège à l'église, vers neuf heures du matin, pour entendre la messe. Ceux qui blasphémaient, nommaient le diable, ou disaient des choses deshonnêtes, devaient payer une amende. Un repas commun, avec bal et chansons, clôturait la journée. Le premier dimanche de mai avait lieu une cérémonie religieuse identique, à treize heures. Un concours de tir à l'arc désignait comme *roi* de l'année celui qui avait abattu le *gay* (oiseau de bois servant de cible). Le nouveau roi, conduit à l'église, faisait chanter *Regina coeli* et remerciait le curé. Les confrères se rendaient dans toutes les maisons amies pour se rafraîchir. La *Jeunesse* locale, organisée en confrérie, se réunissait alors sur la place, offrant un verre au *roi,* qui le buvait aux cris de : *le roi boit* et le jetait derrière lui. Les mêmes divertissements que le 20 janvier terminaient la journée. Le lundi de Pentecôte, les confrères en uniforme et le *roi,* entouré de deux pages, se rendaient à l'église, puis gagnaient à cheval un champ de course. Le concurrent le plus rapide devenait *Roi de may.* Il recevait un *mai,* ainsi que chaque confrère, et le connétable piquait une orange sur son épée pour la jeter à la foule. Le retour se faisait à cheval, jusqu'au cimetière, où entraient les cavaliers, qui en faisaient le tour, chapeau bas. Un nouveau jet d'oranges, sur la place, précédait la dislocation du cortège. Chacun rentrait chez soi, les confrères y retrouvant souvent des invités. Enfin, le lendemain, mardi de Pentecôte, avait lieu la quatrième et dernière fête confraternelle. En uniforme, les confrères allaient à la messe, avant de prendre un repas avec des *consœurs.* Une *reine* était désignée par un jeu d'adresse : chaque *consœur* jetait un bâton enrubanné sur un coq, suspendu entre deux piquets, à 1,5 m du sol et à 3 m des candidates. Celle qui réussissait à le décapiter se voyait offrir la tête de l'animal fichée sur un bâton. Le *roi* embrassait la gagnante, lui offrait des fleurs, puis dansait avec elle sur la place. Une fête avait ensuite lieu au local des archers. A la fin de la journée, la place était balayée avec les *mays* et le *roi* était ramené chez lui. Supprimées sous la Révolution et l'Empire, ces fêtes furent rétablies par la suite. Elles existent encore de nos jours mais se limitent à des banquets entre hommes et à des parties de cartes [51]. Il faut noter que la confrérie d'Eperlecques remplaça en 1615 deux associations disparues. Le trait saillant est assurément le but moralisateur qui lui fut assigné au point de départ. Organisée hiérarchiquement, elle devait tempérer les manifestations brutales et bruyantes de ses membres et constituer un exemple pour les autres habitants. Mais la description de ses attributions ludiques est faite ici par un témoin oculaire, peu avant la Révolution. A cette époque, la confrérie opère la fusion entre le christianisme vécu quotidiennement dans le village et les éléments survivants des fêtes et des conduites populaires anciennes. Notons la constante imbrication entre ces deux domaines. La messe, la fête de saint Sébastien, la Pentecôte, autant que la surveillance des attitudes et des mœurs, s'accompagnent de chants, de jeux, de rires, de danses. Certes, le profane et le sacré sont clairement séparés dans le temps, à la différence de ce qui se passait au début du XVIe siècle. Il n'empêche qu'une confrérie pieuse assure le rapport entre les deux registres et que les plaisirs ne sont nullement dévalorisés, alors que l'Eglise s'en méfie et tente de les limiter, voire de les supprimer. Qui plus est, apparaissent de très anciens traits : cérémonies du mois de mai, concours de tir, présence — fugitive, il est vrai — d'une compagnie de *Jeunesse,* remise de *mais,* tour du cimetière, jeu rituel au cours duquel est sacrifié un animal... Tout ceci rappelle les attitudes paysannes décrites dans le chapitre II de ce livre. Ces comportements, cependant, sont en partie vidés de leur sens ancien. Ils concernent surtout les confrères, et non pas toute la population, qui assiste à des spectacles mais y participe relativement peu. Le rôle de la compagnie de Jeunesse, en outre, est très effacé, au profit de celui des archers et du curé. De plus, il semble que les fêtes, qui se tiennent pour l'essentiel en mai, et parfois au début du mois de

51. J.-M. Persyn, « Fêtes confraternelles au village d'Eperlecques avant 1789 », *B.S.A.M.*, t. XX, fasc. 374, mars 1963, p. 52-57.

juin, soient destinées à atténuer l'importance du vieux cycle populaire de Mai. Ce dernier était, nous l'avons vu à propos des villes, celui qui résistait le mieux à la christianisation. Son aspect primordial de rite de fécondité de la terre et des femmes a pratiquement disparu. La *reine* de mai n'est sacrée que sous l'égide de la grande fête chrétienne de la Pentecôte. De même, l'étrange visite du cimetière ne s'effectue pas en novembre, par crainte, peut-être, des débordements qui en résultaient. Le sexe, la violence, la trivialité sont exclus de ces manifestations. Le spectacle, mi-profane, mi-sacré, qui se tient au centre du village, remplace la participation active de tous à de complexes cérémonies de protection et de fécondité, dont les jets d'oranges sont sans doute un aspect édulcoré. Le sacrifice du coq, qui se rapporte aux mêmes cérémonies, peut-il encore être compris de cette manière par les assistants ? Il se limite aux *consœurs* et a lieu à l'époque d'une fête religieuse qui en altère le sens. En général, les réjouissances proprement dites se restreignent à de petits groupes, qui festoient le soir, parfois simplement en famille. Somme toute, les fêtes confraternelles d'Eperlecques utilisent nombre de traits proprement populaires et donnent l'illusion d'une continuité en la matière, depuis la fin du Moyen Age. En réalité, elles gauchissent le sens de ces bribes de la culture populaire, désormais enchâssées dans une forme religieuse qui modifie leur fonction. Le cycle de Mai, qui concentre l'essentiel des activités des confrères, est envahi par les signes chrétiens. Ses aspects profanes et anciens subsistent en partie, ce qui prouve la vitalité des cérémonies agraires séculaires qui le composent et explique l'intérêt qu'y porte une Eglise désireuse de christianiser entièrement ces fêtes printanières. Enfin, le resserrement de l'année cérémonielle paysanne à cette époque particulière et au 20 janvier, pourrait indiquer que d'autres cycles de réjouissances rituelles se sont nettement affaiblis. La cohérence de l'ancienne vision du monde paysanne n'existe sans doute plus. Sous la pression continue de l'Eglise, certains « excès » ont disparu et d'autres sont devenus une sorte de folklore plus ou moins christianisé, et néanmoins toujours mal vu par les autorités religieuses. La culture populaire paysanne, à l'image des *mais,* n'est plus composée que de branches enrubannées, séparées du tronc et de la sève.

Pouvait-il en être autrement, puisque avait été « définitivement mis à mal le jeu complexe des contraintes et des solidarités villageoises » [52] qui la sous-tendaient ? Désenclavé, en contact croissant avec la ville, parcouru par les colporteurs qui vendaient, avec les livrets bleus et les images pieuses, une culture de « masse » et de soumission, le monde rural allait encore connaître de beaux jours, si l'on en juge par son rôle économique dans la France du XIXe siècle. Cependant, il deviendrait lentement un conservatoire des usages du passé, le décalage entre les mentalités rurales et urbaines s'accentuant sans cesse.

En définitive, les réapparitions de la culture populaire du milieu du XVIIIe siècle à la Révolution n'étaient nullement de simples retours en arrière. Les conditions de base, qui faisaient l'originalité de la fin du Moyen Age, avaient totalement évolué. Le monde presque entièrement campagnard des années 1500, dans lequel l'homme était environné de peurs réelles et d'imaginaires mais effrayantes angoisses, et où les structures centrales se distinguaient essentiellement par leur vacuité, était définitivement révolu. Et si les microcultures paysannes, et même parfois urbaines, reparurent après 1750, ce fut dans un contexte nouveau, avec des fonctions différentes. La fêlure du système politique et religieux en place permettait fugitivement l'apparition de traits particularistes. Les communautés retrouvaient quelque personnalité. Les refoulements trop péniblement supportés faisaient craquer la croûte des conformismes. Le sexe, la violence, les superstitions remontaient à la surface parce qu'ils n'avaient jamais entièrement disparu. Le retour du refoulé, d'ailleurs, indiquait bien l'existence d'une crise de civilisation, en particulier d'une crise des modèles unificateurs et du centralisme culturel. Un régime devenait ancien et les freins qui fondaient la pérennité de la société disparaissaient. Les microcultures, en ce sens, n'étaient pas des résurgences du passé mais l'actualisation d'une vie régionale et locale, à nouveau permise par la rétraction des procédures de domination de l'ensemble du pays. Et une actualisation

52. J.-L. Flandrin, *op. cit.,* p. 246.

syncrétique, mêlant la religion et la magie, la culture de « masse » nouvelle et les restes de la vision du monde populaire. Finalement, au-delà du contenu, qui s'était profondément modifié de 1400 à 1750, seul subsistait intangible l'aspect *local* des mentalités populaires. Aussi n'est-il pas étonnant que les floraisons plus ou moins timides du « folklore » aient par la suite correspondu aux périodes d'affaiblissement du pouvoir centralisateur.

Destins de la culture populaire (xixᵉ-xxᵉ siècle)

Tracer l'histoire de la culture populaire de 1789 à nos jours nécessiterait un, ou même plusieurs livres. Tout au plus désirerais-je indiquer schématiquement quelques étapes principales de cette évolution. La Révolution, après ses tentations fédératrices, puis l'Empire, reprirent le legs centralisateur de l'Ancien Régime [53]. Ces gouvernements furent globalement hostiles aux superstitions et voulurent promouvoir le règne de la Raison dans les campagnes comme dans les villes. Témoin la suppression des fêtes confraternelles à Eperlecques, ou encore la grande enquête sur les patois ordonnée par l'abbé Grégoire et qui relevait d'une hostilité aux dialectes ainsi que d'un désir de fusion culturelle des masses de toutes les régions au sein d'une communauté nationale [54]. Cependant, les mentalités paysannes n'évoluèrent que peu, ou lentement, jusqu'au milieu du xixᵉ siècle, c'est-à-dire jusqu'à l'époque du véritable démarrage de la « révolution industrielle » et des très nets progrès du capitalisme en France. Le « flux » de la christianisation, réamorcé à partir de 1803, permit de reconstruire le réseau paroissial avant 1848. Mais « la dévotion des campagnes est toujours un syncrétisme pagano-chrétien », d'autant que les grands progrès de l'alphabétisation se

53. P. Goubert, *op. cit.*, t. II, p. 247.
54. M. de Certeau, D. Julia, J. Revel, *Une politique de la langue. La Révolution française et les patois : L'enquête de Grégoire*, Paris, 1975.

réalisent surtout après 1850 [55]. Le second quart du XIXe siècle, de ce fait, est marqué par l'existence de microcultures solides dans le monde rural. Sans doute la fragilité de la monarchie de Juillet, traversée d'émeutes et d'insurrections jusqu'aux années 1840, puis endormie dans une douce torpeur jusqu'en 1848, y fut-elle pour quelque chose : à nouveau se relâchait la pression centralisatrice, même si l'Eglise retrouvait la voie lente et obscure de la conquête des masses. La somnolence de la société, dans son ensemble, laissait le champ libre à la vie proprement locale, à laquelle les érudits s'intéressaient d'ailleurs beaucoup. Nombre de descriptions faites dans ce livre sont extraites des travaux sérieux et passionnés d'historiens et de lettrés provinciaux de cette époque, qui animaient de petites revues. Les *Archives historiques et littéraires du nord de la France et du midi de la Belgique,* fondées en 1829 par le Valenciennois Arthur Dinaux, par exemple, publièrent en une trentaine d'années dix-huit remarquables volumes d'études et de documents concernant le nord de la France. Le fait principal réside dans l'intérêt porté par le fondateur et par des dizaines d'auteurs aux expressions multiples de l'existence des masses, des origines à leur époque.

Par contre, les années 1848-1849 représentent une coupure réelle. Non seulement s'accélèrent les évolutions, dans tous les domaines, mais s'installent à nouveau des régimes forts, autoritaires, unificateurs. En outre, les possédants et les bien-pensants ont senti passer sur eux le souffle d'une Révolution radicale. La peur que leur inspirent les masses miséreuses ou prolétarisées, urbaines en particulier, pousse les élites à se méfier de tout ce qui vient du peuple. L'exode rural vers les villes aggrave cette méfiance, car les paysans déracinés gonflent les classes dangereuses. Les superstitions sont considérées avec haine parce qu'elles font partie d'un univers dont la bourgeoisie désire se couper et se protéger. La Commune de Paris, en 1871, ne peut que conforter les possédants dans cet état d'esprit. Et l'accentuation de la lutte des classes s'accompagne jusqu'en 1914 du renforcement constant de la barrière culturelle

55. G. Cholvy, « Société, genre de vie et mentalités dans les campagnes françaises de 1815 à 1880 », *L'Information historique,* sept.-oct. 1974, p. 155-166.

qui sépare les humbles des privilégiés. L'instruction, qui progresse, est censée contribuer à « éloigner les masses de la religion spontanée » et à faire reculer la peur au profit de la raison, laquelle explique toutes choses, et notamment les maladies [56]. En réalité, elle véhicule la croyance au progrès, le sentiment patriotique, puis l'esprit républicain après 1870, c'est-à-dire les idéaux à prétention universelle qui fondent le second Empire et la troisième République. La lutte contre l'atomisation du pays, et donc contre les originalités provinciales et locales, se développe dans le sillage de gouvernements unificateurs. Les savants et les historiens se tournent de moins en moins vers les réalités populaires. Non seulement les historiens de profession, qui ne considèrent comme acteurs du devenir des sociétés que les seules élites dirigeantes ou sociales, c'est-à-dire celles qui composent leur propre milieu d'origine, mais également les érudits locaux et ceux qui se penchent sur le passé de leur région. Une comparaison entres les revues des années 1830-1850 et celles de la fin du XIXᵉ siècle est très instructive à cet égard. Dans le Nord, un Arthur Dinaux n'est plus possible vers 1900. En Bretagne, Arthur de la Borderie, étrange défenseur de sa province, la nomme en 1890-1891 « un vénérable débris » et se fait le chantre de la fusion de « la grande et la petite patrie, la France et la Bretagne ». Pour lui, les révolutionnaires — ceux de 1871 comme les *Bonnets Rouges* bretons révoltés en 1675 — sont tous haïssables et le peuple ne doit être que soumission [57]. Un archiviste de Douai allait plus loin, en notant en marge d'un inventaire, vers le début du XXᵉ siècle, qu'il faudrait détruire les sources criminelles concernant le XVIᵉ siècle, car elles sont remplies de faits abominables contraires aux bonnes mœurs et à la vertu.

Après 1918, et à la suite des grands ébranlements de l'Occident, les masses redevinrent peu à peu objets de l'histoire. Encore s'agissait-il surtout des humbles anonymes, dont les historiens marxistes eurent les premiers le mérite de rappeler l'existence, à travers des courbes économiques. L'ampleur nouvelle des problèmes sociaux, entre les deux guerres puis après

56. *Ibid.*, p. 164.
57. E.S.B., A. de la Borderie, B. Porchnev, *Les Bonnets Rouges,* Paris, 1975, p. 17-24.

1945, l'évolution économique qui fit passer la France à la grande industrie, le déclin irrémédiable des campagnes, la rapidité des mutations technologiques..., ont leur importance pour expliquer cette émergence des populations restées longtemps sans voix et sans visage. Peut-être cette apparition est-elle encore plus tributaire d'une certaine carence de l'état unificateur, dont subsistait la philosophie, après 1918, mais qui n'avait plus autant de prise sur la réalité que par le passé ? Certes, les institutions centrales et départementales survécurent indépendamment des types de gouvernement. Néanmoins, nombre de régions « dénationalisées » par le mouvement commencé sous Louis XIV, ont récemment entrepris, sous des formes et avec des fortunes diverses, de retrouver leur identité, souvent considérée par rapport à un passé quelque peu mythique. Réapparaissent des folklores, des cultures provinciales, des coutumes et des comportements locaux, parfois directement suscités par l'industrie des loisirs. S'expriment des désirs autonomistes, ou simplement des prises de position particularistes. D'origine réactionnaire, progressiste ou révolutionnaire, ces aspirations ou ces mouvements indiquent tous l'existence d'une rupture. Non pas d'un pur retour en arrière, car les cultures populaires anciennes, se sont mortes ou se sont profondément modifiées. Qu'elles soient devenues un objet d'étude pour les folkloristes prouve d'ailleurs leur déclin : Arnold Van Gennep, et beaucoup d'autres, ont composé de véritables musées de traditions en train de mourir, entre la fin du XIXe siècle et la seconde guerre mondiale. La résurgence récente des autonomismes ne concerne donc guère la totalité des contenus culturels régionaux du passé. Par contre, l'apparition même de ces mouvements semble indiquer que « les anciennes valeurs nationales n'ont plus d'effet mobilisateur ». Rançon d'une extraordinaire ouverture du monde, notre pays, comme l'Europe, est devenu un canton de l'univers. En 1975, des journalistes remarquaient l'existence de ce « vide national », issu d'un mouvement qui provincialise les petits Etats : la France n'est-elle pas aujourd'hui, à l'échelle de la terre, ce qu'étaient ses régions par rapport à elle au XVIIe siècle ? Ne subit-elle pas une « désarticulation » [58] identique à celle

58. *Ibid.*, p. 37-38 (Citant *Le Monde diplomatique* de juillet 1975, p. 20).

que connurent autrefois la Bretagne ou le Languedoc ? La prospective, et non l'histoire, y pourrait seule répondre. Constatons, simplement, que l'émergence d'identités provinciales, d'ailleurs totalement différentes de ce qu'elles étaient vers 1500, pose le problème de l'adaptation, et donc de l'avenir, d'un type d'Etat, de pouvoir et de domination qui nous paraît très ancien, mais qui est né il y a trois cents ans, ou un peu plus. Au regard des deux millénaires de la civilisation chrétienne, cette ancienneté n'est que relative. Et plus encore à l'échelle du devenir de l'humanité.

La culture de « masse », qui apparut en France vers le milieu du XVIIᵉ siècle sous la forme de l'imagerie et de la littérature de colportage, porta un coup fatal à l'ancienne vision du monde populaire. Elle vulgarisait en effet les modèles idéologiques savants auprès d'une minorité croissante de gens du tiers état. Tout en diffusant les notions de soumission et d'immobilisme social, qui assuraient la cohésion et la permanence de la société établie, elle contribuait efficacement à développer l'unification culturelle du pays, déjà entamée par de multiples autres moyens. Elle était en somme une production naturelle du système politique et religieux centralisateur récemment installé. Par opposition, s'effaçait lentement le monde compartimenté et divers qui avait permis la floraison, à la fin du Moyen Age essentiellement, de la culture populaire. Cette dernière subit ainsi un irrémédiable et lent déclin, jusqu'à nos jours. Lorsqu'elle connut des résurgences, aux époques d'affaiblissement des procédures d'unification du pays, ce fut en s'adaptant à de nouvelles conditions et non pas en ressuscitant un passé définitivement révolu.

CONCLUSION

CULTURE POPULAIRE
ET ARCHÉOLOGIE
DU POUVOIR CENTRALISATEUR

Vers le milieu du XVIᵉ siècle débute en France un long mouvement de répression de la culture populaire. Ce mouvement n'est qu'un indice et qu'un aspect d'un bouleversement global, d'une franche et nette rupture de civilisation. Le Moyen Age finit lentement, même si ses dernières traces mettront des décennies ou des siècles à disparaître, tandis que s'instaure ce que l'on peut nommer, d'une commode et vague étiquette, la Modernité. Un modèle de société en remplace un autre. Les causes profondes de cette mutation font l'objet d'interminables discussions entre les spécialistes. Elles peuvent se résumer schématiquement sous trois rubriques : les infrastructures économiques se modifient, l'époque étant celle d'une longue transition entre le « féodalisme » et le capitalisme; les structures politiques se réorganisent autour de la notion de monarchie absolue; les superstructures mentales sont marquées par l'expansion d'un christianisme militant et revivifié. Nous sommes à certains égards les héritiers de cette civilisation nouvelle, installée tout au plus depuis quatre siècles. Car nos ancêtres plus lointains, ceux des années 1400-1550, étaient beaucoup plus différents de nous que ne pouvaient l'être les sujets de

Henri IV ou de Louis XIV. L'histoire traditionnelle, qui s'intéressait aux seules élites de la naissance, de la fortune et du savoir, a longtemps masqué ce fait en insistant sur les progrès continus de la civilisation française et en négligeant les disparités culturelles qui existaient dans le pays à une date donnée. Or une enquête concernant la vie quotidienne des masses populaires de la fin du Moyen Age nous transporte dans le monde déroutant d'une société que l'on peut appeler « primitive », en utilisant la terminologie des ethnologues. Les hommes de ce temps, en effet, ne dominaient pas techniquement la nature. Leur survie n'était assurée que grâce à une lutte constante contre de multiples et réels dangers. De ce fait, le monde leur apparaissait tellement hostile qu'ils le peuplaient d'innombrables forces pour expliquer leurs relatifs bonheurs et leurs nombreux malheurs. Sous des habillages chrétiens, ils étaient de fait polythéistes. Ils appartenaient à une société « polysegmentaire », au sens où l'entendaient Durkheim et Mauss [59], c'est-à-dire à un système social composé de multiples sous-groupes : clans, lignages, familles et relations de parenté, groupes d'âge, corporations, confréries et confraternités, paroisses et quartiers, communautés villageoises ou urbaines, etc. La réalité de la vie, l'organisation du pouvoir se situaient au niveau de ces sous-groupes et des rapports qu'ils nouaient entre eux. Bref, la France était formée de milliers, et même de centaines de milliers d'unités politico-domestiques qui s'entrecroisaient, et dont la cohésion maximale était atteinte dans le cadre du village et du quartier urbain, plus que dans celui de la ville tout entière, de la région ou de la province. Les relations entre les divers segments sociaux, de même que l'équilibre interne de chacun d'eux, étaient régis par de complexes rituels qui faisaient une grande place aux jeux et aux fêtes. Ces dernières permettaient de réaliser l'uniformité nécessaire à la survie et à la cohésion sociales, qui étaient toujours menacées par les dangers naturels, par les peurs « superstitieuses », par les tensions issues des rapports entre les hommes. La culture populaire, à travers ses variantes urbaines et rurales, était donc en prise directe sur la réalité de la vie des groupes sociaux. Sa

59. M. Mauss, *Essais de sociologie*, Paris, 1971, p. 89-132.

fonction principale était de leur permettre une constante adaptation à l'environnement naturel et humain. Cette culture, y compris dans ses aspects les plus aberrants pour un esprit cartésien, était l'expression d'une civilisation essentiellement paysanne. Elle constituait la mémoire collective des innombrables recettes permettant d'assurer l'équilibre du système existant et son infinie répétition dans l'avenir. Elle fondait la pérennité d'une civilisation qui était et se voulait pratiquement immobile, parce qu'elle ne pouvait penser et envisager de décisifs progrès. Rien d'étonnant à ce que la ville, plus dynamique, ait parfois déjà entrepris de modifier sensiblement la culture populaire qui lui venait du fond des champs et des bois.

Une telle pulvérisation de la société produisait des modes de vie et des comportements variés, à l'intérieur d'une région donnée, ou même dans deux villages voisins. Cependant, les vieux fonds culturels préchrétiens, dont subsistaient des traces, assuraient obscurément une relative et vague cohésion globale de la vision du monde populaire. Plus important encore était à cet égard le rôle des structures totalisantes que représentaient la monarchie, l'Eglise et l'aristocratie : elles opéraient les indispensables ajustements entre le tout social et les multiples sous-groupes précédemment évoqués. Si bien que les mondes paysans et urbains, malgré leur diversité, possédaient des traits généraux semblables ou proches, sur l'ensemble du territoire français. Il ne faudrait pourtant pas exagérer l'importance de ces facteurs de cohésion sociale. Car le principal souci des couches dirigeantes ecclésiastiques et laïques était d'obtenir de leurs sujets des impôts et une soumission suffisante pour que ne se multiplient pas les révoltes ou les résistances ouvertes. Leur but n'était nullement de réduire à l'unité toutes les différences existantes. L'Etat était d'ailleurs très peu présent dans les villages et la France ne constituait encore vraiment ni une Nation ni une Patrie. Les particularismes caractérisaient toute la vie politique. L'Eglise, elle, n'avait pas encore christianisé en profondeur les masses rurales et commençait seulement à modifier la religion superstitieuse des foules citadines. Les nobles, enfin, faisaient partout peser leur justice et imposaient l'obéissance, mais restaient eux-mêmes souvent proches des conceptions féodales, donc de la réalité de l'émiettement du pouvoir. En outre, nombre d'entre eux vivaient au rythme villageois une existence qui n'était pas toujours très différente de celle des paysans aisés. Ils participaient volontiers aux fêtes, admettaient les superstitions, et se révélaient plus proches qu'ils ne le seront jamais de la culture populaire.

Finalement, la plupart des Français de la fin du Moyen Age et du début du XVIᵉ siècle vivaient, agissaient et mouraient au sein de leur microsociété, qui produisait une microculture. Des procédures unificatrices assez vagues rattachaient chacun de ces segments socioculturels à un ensemble lointain : la civilisation française. Les harmonisations régionales et locales entre les microcultures s'opéraient par le poids des traditions, par les contacts entre communautés voisines, par des similitudes de genre de vie dans un espace donné, par le rôle des pôles urbains, etc.

Ce vieux monde parcellisé disparut lentement à partir du milieu du XVIᵉ siècle. La contestation protestante réveilla une Eglise somnolente, qui décida d'opérer une plongée dans l'océan des superstitions populaires. Vers 1600 l'Etat, qui venait de surmonter la crise des guerres de Religion, se déclarait définitivement absolutiste et centralisateur. Ses objectifs, tout en n'étant pas totalement identiques à ceux du clergé, participaient des mêmes préoccupations : imposer l'obéissance et la soumission de tous aux désirs du roi, qui deviendront de plus en plus ceux de Dieu. Le poids croissant de la fiscalité royale accentuait le clivage, issu d'une société de privilèges, entre les « parties prenantes » et les « parties souffrantes »[60] de la population. Au risque de schématiser, disons que se posait avec une acuité nouvelle le problème de la meilleure domination et de la plus parfaite exploitation possibles des masses productrices. La société, en effet, devenait plus complexe, à la suite notamment de l'essor urbain et capitaliste, ce qui nécessitait une surveillance accrue des groupes humains. L'administration se développait en flèche. Les bourgeois s'y intégraient, tout comme ils achetaient des terres dans les villages. Une couche moyenne composite se gonflait. Les privilégiés, et les individus

60. P. Goubert, *op. cit.*, t. II, p. 151.

qui croyaient ou qui désiraient l'être, se multipliaient. Les masses avaient à supporter le poids de plus en plus lourd de ceux qui se partageaient une bonne part des richesses produites. Tout poussait donc l'Etat à intervenir dans la vie des populations, pour les discipliner, pour éviter que la subversion ne réponde incessamment aux malaises sociaux qu'engendrait la situation nouvelle.

Globalement, l'action conjointe de l'Eglise, de l'Etat et des couches sociales privilégiées permit de mettre en place, entre 1550 et 1750, un nouveau type de société, qui se révéla hostile aux différences et à la parcellisation du pouvoir. Les sous-groupes, auparavant si puissants, durent perdre de leur importance afin que chaque sujet soit désormais hiérarchiquement relié au souverain. Les particularismes, autant que les superstitions, furent attaqués de front. Pourtant, plus que d'une répression cohérente et continue de la culture populaire, il faudrait parler de procédures répressives variées et successives. Encore ces mots ne désignent-ils pas des plans d'ensemble, mûrement élaborés et systématiquement appliqués, qui viseraient un ennemi nommément désigné. Plus simplement, les procédures répressives furent des productions idéologiques du système politique, social et religieux qui se mettait en place. En outre, il y a lieu de distinguer deux grandes étapes dans cette évolution. La période 1550-1650 fut marquée par la pénétration brutale des agents du roi et de l'Eglise dans un grand nombre de segments sociaux qui bénéficiaient jusque-là d'une relative autonomie. La centralisation autoritaire se diffusa en taches d'huile, à partir de Paris et des capitales provinciales, qui étaient également les sièges des archevêchés et des évêchés. Avec des rythmes différents, malgré des résistances plus ou moins fortes selon les lieux, s'effectua le passage d'une société polysegmentaire à une société qui se voulait unitaire. Le roi et les prélats promettaient et imposaient leur protection à des mondes divers, qui possédaient autrefois leur équilibre interne propre et leurs systèmes sociaux et mentaux de survie. Ce passage fut aussi, évidemment, une façon d'assurer la meilleure domination possible d'une masse productrice par une minorité de privilégiés. Le drainage d'une partie des richesses nationales vers cette dernière par les impôts, par l'alourdissement de la rente foncière, par l'organisation de l'artisanat et du commerce fut mieux assuré qu'auparavant, malgré le retournement de la conjoncture séculaire au début du xviiᵉ siècle. La soumission des âmes et des corps, qui n'alla pas sans violentes résistances, puisque se multiplièrent alors les révoltes populaires, inaugura la puissance intérieure et extérieure de l'Etat français, laquelle devait culminer sous Louis XIV. La culture populaire, dont l'existence même contredisait les visées unificatrices du système, commençait à être corrodée par les puissants acides naturellement émis par celui-ci. Sans qu'il fût besoin d'envisager clairement la répression culturelle, cette dernière se développait pour réduire les diversités trop grandes, pour détruire les superstitions, pour enraciner partout les mêmes idéaux fondés sur l'obéissance, la religion orthodoxe, la morale austère et le travail. La sorcellerie, qui provenait et qui parlait d'autres valeurs, qui représentait un vieux monde condamné par l'évolution, fut persécutée. Les rythmes et les localisations de la chasse aux sorciers indiquent que celle-ci était un sous-produit du grand effort d'acculturation des masses populaires, et surtout des paysans. Une société définissait ainsi nettement son orthodoxie et ses limites en créant une contre-société mythique, une contre-culture imaginaire. Ceci prouve d'ailleurs que la synthèse nouvelle, qui allait imposer un nouveau type de civilisation, était alors seulement en train de se réaliser et de s'expérimenter et qu'elle avait besoin pour le faire d'un ennemi, d'un équivalent maléfique du roi et de Dieu. De plus, les bûchers servaient à renforcer la peur des dangers contre lesquels l'Etat et l'Eglise proposaient une solide protection. Les populations devaient se jeter d'autant plus facilement dans les bras de tels sauveurs. Les notables ruraux, eux, profitèrent de l'occasion pour renforcer leur puissance locale et pour la légaliser en se présentant aux autorités comme les champions des valeurs nouvelles, comme les courroies de transmission d'une société hiérarchique en voie d'unification.

Malmenée de toutes parts, la culture populaire, qui avait perdu l'essentiel de ses fonctions sociales antérieures, se réduisait comme une peau de chagrin. Elle représentait désormais la « barbarie » et l'obscurantisme par rapport à la « civilité » qui se développait à la Cour, dans les villes et dans les milieux nobiliaires. L'écart entre ces deux visions du monde se creusa encore de 1650 à 1750, tandis que l'Ancien Régime atteignait son apogée. La violence fondatrice de l'ordre nouveau des choses s'atténua cependant. Car les masses se résignaient à leur sort, bien qu'il fût moins enviable que celui de leurs ancêtres des années 1500. En outre, l'Eglise et l'Etat avaient réussi à perfectionner leurs procédures de domination et à imposer massivement la soumission par l'actif embrigadement des populations : sermons, missions, petites écoles, imagerie pieuse, livrets bleus de Troyes, au moins autant que la surveillance administrative et policière, avaient fabriqué le consentement et l'adhésion de la plupart des gens au système mis en place. Les pères de famille, dont l'autorité avait été valorisée, n'étaient-ils pas désormais les principaux garants de l'ordre social, au même titre que les notables paysans acculturés ? La faiblesse relative des mutations économiques de l'époque assurait la pérennité des formes d'un régime qui n'était pas encore ancien. A l'exception d'une élite intellectuelle restreinte, rares étaient ceux qui contestaient l'ordre établi. Nul besoin de continuer à brûler des sorcières pour en être assuré ! La justice elle-même s' « humanisait » quelque peu. Le corps des suppliciés n'était plus constamment chargé de fonder l'obéissance au roi et à Dieu. Une culture de « masse », qui plus est, se diffusait lentement, pour atteindre au maximum un Français sur trois ou sur quatre en 1789. Vendue aux humbles sous la forme des images pieuses et des livrets bleus par des colporteurs qui sillonnaient le pays, elle renforçait l'immobilisme socioculturel. Elle procurait en effet l'évasion et le rêve, pour la plus grande tranquillité des couches supérieures de la société. Elle propageait l'idéologie dominante et s'insérait comme un coin entre la culture savante et les bribes encore existantes de la culture populaire. Elle faisait participer une fraction croissante des membres du tiers état, et notamment les notables locaux et les couches « moyennes », à la défense de l'ordre établi et des valeurs qui le fondaient. Elle atténuait la responsabilité des élites dans la conquête culturelle comme dans l'exploitation des masses laborieuses, créant ainsi un écran qui masqua longtemps la réalité de ce qui aurait pu être une lutte de classes. Tout comme le fait de nos jours, dans des conditions fondamentalement différentes, il est vrai, un certain type de culture de masse.

La culture populaire, quant à elle, devenait un folklore de plus en plus figé. Dans les villes, et surtout dans les campagnes, cependant, survivaient des superstitions tolérées et surveillées par l'Eglise, des conduites qui n'étaient pas toujours très orthodoxes, mais sur lesquelles les prêtres locaux fermaient les yeux, s'ils n'étaient pas trop exigeants et si ces attitudes ou ces croyances ne recelaient pas d'immédiats et graves dangers. Les élites manifestaient au sujet des superstitions grossières une indulgence quelque peu méprisante, qui contrastait avec la haine exprimée par leurs ancêtres, un siècle auparavant. Il faut dire que les dangers de subversion étaient écartés et que la Raison semblait triompher, au moins dans les villes. Par contre, les paysans et les citadins acculturés, les lecteurs de la Bibliothèque bleue, montraient agressivement leur dégoût pour les croyances « paysannes », qu'il leur était facile d'observer autour d'eux. La barrière du mépris culturel s'était déplacée vers le bas. Et ceux qui participaient encore à la vieille culture populaire ressentaient un sentiment d'infériorité croissant vis-à-vis des gens cultivés, des citadins, et plus encore de leurs voisins ou de leurs concitoyens qui lisaient les livrets bleus. L'inéluctable déclin de la vision du monde populaire n'était que la conséquence de la mort lente de la civilisation qu'elle reflétait et de la société parcellisée et polysegmentaire au sein de laquelle elle était apparue. La fête populaire, qui avait eu une fonction rituelle, qui avait parfois donné l'occasion de critiquer la société, qui avait assuré un équilibre entre le travail et le jeu ou la joie, perdait tout son sens. Les autorités étaient hostiles aux débordements qui en résultaient. Les nouvelles valeurs de sérieux, de raison, de travail, d'économie, d'obéissance aux hiérarchies, de respect de la religion, lui étaient antithétiques. Selon Harvey Cox, « Le droit divin des rois, l'infaillibilité pontificale et l'Etat totalitaire moderne ont tous fleuri après que la Fête des Fous eût disparu » [61]. Il serait plus juste de dire que cette fête burlesque, comme l'essentiel de la vision du monde

61. H. Cox, *La fête des fous, essai théologique sur les notions de fête et de fantaisie*, Paris, 1971, p. 16.

populaire, s'éteignit *parce que* s'installaient un nouveau type d'Etat et un nouveau modèle de société.

Si la culture populaire parut connaître une résurgence, après 1750, ce ne fut nullement à cause de sa vitalité propre, mais parce que l'Ancien Régime se sclérosait et mourait lentement sur pied. L'affaiblissement du contrôle politique et religieux permettait à la vie provinciale et locale de prendre à nouveau quelque importance. Simple répit dans un long déclin ! Car jamais plus la société française ne pourrait être polysegmentaire. La Révolution, en effet, reprit très vite à son compte la lutte centralisatrice et unificatrice qui avait caractérisé les deux siècles précédents. Au nom d'autres valeurs, certes, et pour *améliorer le sort de l'espèce humaine* [62], mais dans une perspective qui prolongeait en ce domaine l'Ancien Régime. L'enquête de Grégoire sur les patois ne visait-elle pas à *universaliser* l'usage du français au détriment des premiers ? Son questionnaire comportait une condamnation explicite des *termes contraires à la pudeur,* des superstitions, des préjugés et des comportements populaires. Un correspondant, qui décrit le cas de la Dordogne, signale avec plaisir que le peuple est *beaucoup plus éclairé que par le passé.... il n'est plus si isolé, si vexé, si avili.* Il ajoute que *les gens un peu éclairés parlent beaucoup de patriotisme* [63]. De 1789 à nos jours, les divers systèmes politiques qui se succédèrent en France diffusèrent et rendirent toujours plus efficaces les mêmes aspirations universalistes, patriotiques, centralisatrices. Les buts changèrent, de toute évidence, mais jamais ne disparut la condamnation, léguée par la monarchie absolue, des diversités et des différences locales ou régionales.

Ainsi la répression de la culture populaire, qui s'exaspéra entre 1550 et 1750, puis se poursuivit de manière moins voyante par la suite, nous renvoie-t-elle à une mutation plus ample de toute la civilisation française. Fondamentalement, l'Etat devint, en quatre siècles, « l'appareil juridique unique de la cohésion sociale », alors que cette dernière était auparavant assurée par les sous-groupes multiples de la société et par leurs

62. Abbé Grégoire, cité dans M. de Certeau (et autres), *op. cit.* (ci-dessus, chap. VI, n. 54), p. 317.
63. *Ibid.,* p. 316, 205, 212.

imbrications [64]. L'étude de la culture populaire débouche de ce fait sur une sorte d'archéologie du système centralisateur. L'acculturation était une procédure politique. Sans en avoir parfaitement conscience, mais pour faire triompher l'unité au détriment de la diversité, les élites de l'Ancien Régime utilisaient des techniques d'avenir. La soumission des corps et celle des âmes furent réalisées sur une grande échelle, afin de contrôler une société qui se diversifiait, qui grossissait démesurément puisque ses divers segments se rattachaient hiérarchiquement au tout social. La peur et la force ne suffisant plus à tenir en respect ces millions d'hommes, il fallut fabriquer leur consentement. Apparut ainsi l'Etat moderne, porteur de l'avenir brillant de la France, et plus généralement de l'Europe. En son sein, l'être humain était éduqué, conditionné, manipulé, assailli, agressé par toutes sortes de pouvoirs, d'institutions, et de procédures de « propagande ». Préfiguration des mondes dits totalitaires du XXᵉ siècle ? Sans doute, mais également lointain modèle des démocraties occidentales, si l'on en croit l'auteur d'une réflexion sur la dimension schizophrénique de notre civilisation, qui pousse l'individu à « l'exil intérieur » [65].

Dans cette optique, l'historien doit conclure à la mort de la culture populaire ancienne, dont les musées réels ou imaginaires réalisés par les folkloristes recueillent pieusement les traces et le souvenir. Quant aux résurgences récentes de superstitions, de croyances diverses et d'attitudes irrationnelles, qui peuvent faire songer à une réapparition de la vision du monde populaire, elles ne constituent jamais de purs et simples retours aux sources. Elles utilisent des fragments du passé mais les recomposent, comme dans les mouvements autonomistes actuels, en fonction du présent et même de l'avenir. Il est peu probable qu'elles puissent ressusciter le type de société

64. M. Mauss, *op. cit.*, p. 134-135.
65. R. Jaccard, *L'exil intérieur. Schizoïdie et civilisation*, Paris, 1975.

polysegmentaire qui avait sécrété la philosophie de l'existence propre aux masses populaires de la fin du Moyen Age. Par contre, leur surrection indique peut-être l'essoufflement du système politique centralisateur et unificateur inventé par les rois absolus, voici moins de quatre siècles, et incessamment réadapté à de nouvelles situations depuis cette époque. Tout au moins peut-on penser que de tels phénomènes manifestent l'émergence d'une crise de civilisation. Et il n'est pas interdit de penser que le besoin croissant de redéfinir les finalités de l'existence, qui s'exprime en France au début du dernier quart du XXe siècle, ne puisse aboutir à une forme de pouvoir et à un type de société à la fois différents de ceux, à jamais révolus, que décrit le présent ouvrage et de ceux de notre temps.

Villeneuve d'Ascq,
Mai 1976.

TABLE DES ABRÉVIATIONS
UTILISÉES DANS LES NOTES

A.D. Nord.   Archives Départementales du Nord (Lille).

A.H.L.   *Archives historiques et littéraires du nord de la France et du midi de la Belgique* (Revue éditée de 1829 à 1857 à Valenciennes, Nord).

A.M. Arras.   Archives Municipales d'Arras (Pas-de-Calais).

Annales E.S.C.   *Annales Economies - Sociétés - Civilisations* (Paris).

B.M. Arras.   Bibliothèque Municipale d'Arras (Pas-de-Calais).

B.M. Lille.   Bibliothèque Municipale de Lille (Nord).

B.S.A.M.   *Bulletin de la Société des Antiquaires de la Morinie* (Revue éditée à Saint-Omer, Pas-de-Calais, depuis 1852. Société fondée en 1831 et toujours active de nos jours).

B.S.E.P.C.   *Bulletin de la Société d'Etudes de la Province de Cambrai* (Edité à Cambrai, Nord, à partir de 1899. Existait encore récemment).

R.B.P.H.   *Revue belge de Philologie et d'Histoire* (Bruxelles, depuis 1922).

R.H.M.C.   *Revue d'Histoire Moderne et Contemporaine* (Paris).

S.F.W.   *Souvenirs de la Flandre-Wallonne* (Revue éditée à Douai, Nord, de 1861 à 1880. Nouvelle série éphémère après cette date).

REMARQUES A PROPOS DES SOURCES
ET DE LA BIBLIOGRAPHIE

Le présent ouvrage repose en partie sur des sources originales, c'est-à-dire sur le résultat de dépouillements que j'ai effectués dans les archives départementales ou municipales et dans les bibliothèques du Nord et du Pas-de-Calais. Des sources imprimées ont également été mises à contribution, ainsi que de nombreux ouvrages ou articles récents : on trouvera dans les notes de chaque chapitre la liste intégrale des documents et des travaux consultés. De ce fait, il a paru inutile de composer une orientation bibliographique générale.

Le livre d'Yves-Marie BERCÉ, *Fête et Révolte. Des mentalités populaires du* XVIe *au* XVIIIe *siècle* (Paris, Hachette, 1976), qui a été publié après l'achèvement de mon propre manuscrit, n'a pu être utilisé. Il aborde des thèmes voisins de ceux que j'ai traités, mais dans une optique radicalement différente de la mienne.

TABLE DES MATIÈRES

Achevé d'imprimer en août 1995
sur les presses de B.C.I.
à Saint-Amand (Cher)

N° d'éditeur : 16210.
Dépôt légal : novembre 1991.
N° d'impression : 1/1648.

Imprimé en France